Prof. OLOF OLSSON, D. D., Ph. D.

Silfvertunga har
jag icke, guld.men
icke heller, jag har
blott ett helt vanligt
människohjärta. Hvad
detta hjärta längtar
efter, hvad som gör
detta hjärta rikt
hoppfullt och gladt,
det säger jag till
andra människohjär-
tan

P. Olsson

SAMLADE SKRIFTER

AF

O. OLSSON

III

TAL OCH FÖREDRAG

ROCK ISLAND, ILL.

AUGUSTANA BOOK CONCERN

ROCK ISLAND, ILL.
AUGUSTANA BOOK CONCERNS TRYCKERI

O. OLSSON

TAL OCH FÖREDRAG

FÖRORD

Bland vårt samfunds många framstående män torde få hafva varit mera populära, i detta ords bästa betydelse, än dr O. Olsson. Närhelst han uppträdde offentligen, samlades folkskarorna för att lyssna till de af brinnande nit och djupaste allvar burna orden, framförda på ett folkligt och från hjärta till hjärta gående språk. Många år hafva redan flytt, sedan dr Olssons penna nedlades och hans stämma tystnade, men ännu finnas säkerligen tusenden, som med hänförelse påminna sig den varmhjärtade talaren och predikanten, den nitiske samfundsmannen och den trofaste vännen, som hela sitt lif, i ord och handling, utan tanke på sig själf eller egen vinning, såsom en sann människovän ständigt uppoffrade sig själf i sin Herres och sina medmänniskors tjänst.

Af dr Olssons många tal, föredrag och predikningar funnos bland hans kvarlämnade papper endast ett mindretal skriftligen affattade, och äfven bland dessa voro många endast i korthet och mera i form af utkast nedtecknade till ledning vid det offentliga föredraget. Några af de i denna samling förekommande talen bära spår af att hafva tillkommit på så sätt; dock har det ansetts bäst att utan tillägg eller ändringar låta dem inflyta i deras ursprungliga skick.

Förvissade om att denna samling af dr Olssons skrifter skall hälsas välkommen af många, utsända vi detta arbete i den förhoppning, att det sanningens vittnesbörd, dr Olsson så kraftigt och vältaligt frambar, äfven efter hans död må bevisa sig verksamt till undervisning och uppbyggelse.

O. V. H.

Rock Island, Ill., den 14 mars 1912.

INNEHÅLL

MINNESTAL

TAL, FÖREDRAG OCH
AFHANDLINGAR

Reformationen och socinianismen.

är man ser, huru långt människorna, de för-
lorade barnen, bortlupit från sin himmelske
Fader, då suckar hjärtat frågande: ack,
skola dessa återföras till fadershemmet ge-
nom Faderns allt betvingande maktspråk eller genom
samma Faders mildt lockande nådesord?

Mellan Herren Jesus och judarna kämpades en all-
varlig strid öfver denna fråga. Judarna ville, att
Messias skulle upprätta ett allmaktens frälsningsrike
och med judarna såsom drabanter genom yttre här-
lighet och våld lägga människovärlden under Guds
nåds välde och på så sätt frälsa de förlorade. Herren
Jesus åter tog på sig själf mänsklighetens syndaskuld,
led döden för densamma, uppfyllde så den gudomliga
helighetens omutliga kraf, vann på så sätt åt mänsk-
ligheten syndaförlåtelsens nåd, som sedan skulle ge-
nom det fria ordet förkunnas för det fallna släktet,
på det de förlorade så skulle räddas, om de ville låta
sig räddas. *Så* ville Jesus frälsa. "Om jag varder
upphöjd ifrån jorden, skall jag draga alla till mig",
sade han. Enligt Guds frälsningsråd skulle således

korsets predikan vara kraften till salighet för arma syndare. Gud och människor hade således icke ett och samma frälsningsråd: det talet om korset var judarna en förargelse och grekerna en galenskap. Dock besegrade det talet om Kristi kors den starkaste hednamakt, som funnits på jorden — Roms järnvälde. Likväl tyckte mången, att denna korsets seger icke var öfverväldigande och glänsande nog. Redan den store kyrkofadern Augustinus menade, att man till korsets makt borde lägga *svärdets* för att förskaffa Guds rike en fullständig seger på jorden. Man torde erinra sig Augustini förvända förklaring öfver de orden: *coge intrare* (nödga dem att komma härin).

Påfvarna i Rom sökte ock allt mer och mer att tilllämpa judarnas förslag om Messias-riket. Dock hyste man länge betänkligheter vid att helt följdriktigt tilllämpa den grundsatsen, att människorna skulle frälsas genom mänsklig våldsmakt. Denna tvekan gjorde, att Petri stol i Rom länge stod vacklande och osäker. Ja, i början af 11:te århundradet syntes det, som om denna stol skulle helt falla för tyngden af sina innehafvares laster.

Vi finna vid denna tid i ett af Frankrikes kloster en man, i hvars kraftfulla själ planen för Kristi rikes seger genom yttre härlighet och våld var uppgjord. Hildebrand var hans namn. I flera år stod han *bredvid* Petri stol, stödjande och reparerande densamma. När stolen syntes nog stark att bära den väldige mannen, besteg han själf den stol, han så länge med sin kraftiga arm hade hållit upprätt. Gregorius VII (så hette denne man, sedan han satt sig på påfvestolen) lämnade genom sitt lif och sin verksamhet de högsta bevis på människokraftens förmåga och oförmåga att styra

Guds rike på jorden. En stor tanke besjälade Gregorius under hela hans lif, nämligen den, att människovärlden skulle läggas vid Kristi fötter med pock, om det icke gick med lock. Vid slottet Kanossa stod kristenhetens mäktigaste monark flera dagar barfota midt i vintern, görande på så sätt bot och bättring för synder, dem han begått mot Kristi vikarius, Gregorius VII. Gregorius föll sedan för det häftiga anloppet af den världsliga maktens uppror mot Kristi vikariats makt. Men Petri stol stod kvar fastare än någonsin tillförene. Man efter man uppsteg på denna stol. Om än somliga af dessa voro svaga, var dock stolen stark. Starka voro ock några af dessa män, t. ex. Innocentius III, hvilken arrenderade ut det mäktiga England, såsom en jordägare nu utarrenderar ett stycke af sitt land. Dock hade dessa Kristi ståthållare ännu icke en boning på jorden, som kunde vara en värdig förgård till härlighetsriket i himmelen. Denna brist afhjälptes af påfven Leo X. Peterskyrkan byggdes; uppförda blefvo ock vatikanen och alla öfriga praktbyggnader, hvilka i staden Rom skulle för hela världens ögon bevisa, att påfven var Guds vikarie. Har du någon gång sett blott en tafla öfver Peterskyrkan och vatikanen i Rom? Föreställom oss, att vi i denna stund stode på en punkt i Rom, därifrån vi kunde tydligt se alla dessa praktbyggnader; hvilket väldigt intryck skulle vi icke få af påfvens majestät och makt! Skulle vi ej i ett sådant ögonblick vara färdiga att falla ned och kyssa — påfvens toffel?

Påfvedömet och det slags gudsrike, hvaraf detsamma var ett vikariat, hade segrat. Men ack, hvilken seger! Hela kristenheten låg i band och bojor. Guds ord var fastlåst vid klostermurar, samvetet var kväfdt under massor af människostadgar och människoförtjänster, förnuftet var satt i mörk arrest. Hela kristenheten suckade, ty kyrkan var ett enda stort lifstidsfängelse, öfver hvilket påfven var fängelsedirektör. Från cell till cell af detta hemska fängelse hördes jämmerskri, ehuru visserligen många fångar voro försjunkna i likgiltighetens dvala. Förnuftet ropade efter frihet. Samvetet skriade öfverljudt efter förlossning; Gud gaf väldiga tecken, att han ville hafva sitt ord lössläppt och utsändt öfver världen.

Den stora frågan blef nu den: hvilken kraft är stark nog att krossa de fjättrar, med hvilka påfvedömet förslafvat kristenheten, och hvad slags frihet bör man eftersträfva, ifall frihet kan vinnas? Skulle människoförnuftet genom sin visdom blifva den makt, som skulle lösa kristenheten ur dess fängelse, eller skulle evangelium om Kristi kors vara den kraft, som återigen skulle rättsligen frigöra dem, som voro bundna? Skulle förnuftet vinna den frihet, att dess forskningar i andliga ting hvarken borde underkastas påfvens eller Guds ords dom? Skulle samvetet få den frihet, att det hvarken behöfde lyda påfven eller Gud? Skulle köttet få frihet att skyla sin ondska, eller skulle anden frigöras till Guds barns härliga frihet?

Dessa frågor rörde sig med makt i sinnena vid reformationstiden. När vi besinna vikten af dessa frågor, då finna vi det förklarligt, att vid reformationstiden så många olikartade försök gjordes till reformation. Man begynte mångenstädes, särdeles i Italien, att studera de allmänna vetenskaperna med oerhörd ifver. De gamla grekiska filosoferna framkallades ur sina gömslen, och man försökte på fullt allvar att åstadkomma en reformation medelst de gamla hedningarnas visdom och talekonst. Men denna reformation framkallade blott tvifvel och förnekelse af Gud och allt heligt samt alstrade en gräslig sedeslöshet, hån och begabberi öfver gudomlig och mänsklig lag och ordning. Man finslipade löjets vapen mot påfvedömet, och denna reformation uppväckte visserligen hånskratt öfver påfvedömet och synnerligen öfver munkarnas dårskaper, men sann gudsfruktan och sedlighet framkallas aldrig genom hånskratt och gäckeri.

Midt under alla dessa fåfänga försök till reformation finna vi i augustinerklostret i Erfurt en munk, en man i sin ungdomskraft, men utmärglad till det yttersta af årslånga kval och samvetsångest. Han lutar sig öfver en fastkedjad bok, en bibel, sökande med den mest spända ifver efter svar på den frågan, huru en sådan reformation kan ske, att en inför den rättfärdige Guden fördömd syndare kan blifva benådad och upptagen till Guds älskade barn. Han begaf sig till och med till Rom, troende sig där i kristenhetens lysande hufvudstad säkert kunna finna ett svar på sitt af syndaskulden kvalda samvetes fråga. Men nej — Rom kunde endast förslafva samveten, men förmådde ej förkunna den sanna friden för en öfver sina synder verkligt vaken syndare. I den fastkedjade boken hade dock vår dödsbleke munk sett underliga ord. Bland andra ord hade boken förkunnat detta: *den af tron rättfärdige skall lefva.* Länge hade den af syndanöden till förtviflans yttersta brant drifne munken undrat öfver dessa ord. Slutligen framstrålar genom dessa samma ord rättfärdighetens sol, Jesus Kristus, för den i mörkret vandrande munken. Med ens uppfylles hans hjärta af en outsäglig frid, ro och visshet. Den bundne var fri; den af lagen fördömde blef af evangelium om Kristi kors gjord till ett saligt Guds barn. En frimodighet, som kunde trotsa hela världen och hela helvetets makt, kom från ofvan öfver den man, som förut i sin syndanöd hade darrat för ett ruskande löf. En sann reformation var försiggången i ett människohjärta. Så och endast *så*, som Luther blifvit frigjord från påfvedömets slafveri, kunde hela kristenheten befrias ur sitt fängelse. Guds ord, ordet om Kristus, som vardt gjord till synd för oss, på det vi skulle varda Guds rättfärdighet genom honom, kunde gifva den sanna friheten. Det gällde för människorna att *helt* underkasta sig Guds ord, det gällde att begagna den rätta nyckeln till den tillslutna bibeln, nämligen läran om den lefvande erfarenheten af rättfärdigheten af nåd för Kristi skull genom tron. För Luther stod hela skriften ljus, klar, viss och lefvande, emedan han gick in i bibeln genom dörren, som är Kristus; ty Kristus är för arma syndare dörren till skriften såväl som till himmel och salighet. Och hvilken som stiger in i bibeln annorstädes än genom dörren Kristus, han är en tjuf och en röfvare. Luthers djupa erfarenhet af Guds lags helighet och omutliga kraf, som ej kan tillfredsställas af mänsklig helighet och alls icke af påfliga helgon, gjorde, att han kunde se in i evangelii hemlighet, som förkunnar, att Jesus, Gud och människa i en person, förlossat syndare ifrån lagens förbannelse, då han vardt en förbannelse för dem. Kraften af bibelns lära om människans djupa syndafördärf och fullkomliga oförmåga att i ringaste mån försona sig själf med Gud, evangelii budskap om Kristi ställföreträdarskap och om den därpå grundade sanningen om Kristi tillräknade rättfärdighet hade

Luther så lefvande erfarit på sitt eget hjärta, att han kunde med oöfvervinnelig frimodighet förkunna sanningen af dessa läror inför hela världen. Och Roms världsbesegrande makt föll för kraften af detta vittnesbörd.

Vi nämnde förut, att många försökte att med det mänskliga förnuftets visdom åstadkomma en reformation. Dessa försök misslyckades helt. Ett annat försök till reformation har dock åstadkommit de oberäkneligaste skador i kristenheten ända till närvarande tid. Detta försök gjordes på så sätt, att man sammanblandade Guds ord med förnuftets visdom och därvid egentligen satte förnuftet till domare öfver Guds ord. Man ville dock ej helt förkasta detta ord, utan förklarade sig hafva det största nit om detsamma. Häraf uppkommo villfarelser, hvilka innehålla en blandning af sanning och lögn, och som till följd däraf äro till yttersta grad förföriska. Tusenden hafva ock därigenom blifvit ledda från honom, som är vägen, sanningen och lifvet, under det de omfattat en skenbild i stället för den sanne Kristus.

Här är det som vi träffa socinianismen, en rörelse från reformationstidehvarfvet. Socinianismen är ganska litet känd för allmänheten, men den har dock, emedan den dolt sig under protestantismens vackra dräkt, åstadkommit de förfärligaste skador i Kristi församling, och frukten däraf är synbar icke minst i vår tid. Socinianerna ansågo sig vara de, hvilka i grund och botten reformerade. De protesterade icke blott mot påfvedömet, utan just mot de kristendomens hufvud- läror, hvilka voro grundpelare för Luthers hjärtetro och reformationsverk. Socinianerna anklagade Luther, att han stannat på halfva vägen. Bland dem var ett

ordspråk gängse, som lydde så: "det gamla Babylon,
d. ä. påfvedömet, föll: Luther ref af taket, Kalvin
nedref murarna, men *Socinus uppref grundvalarna".*
Så prisade socinianerna sin reformator. Ack ja, det är
sant: Socinus uppref grundvalarna, men *hvilka* grund-
valar? Jo, *kristendomens* grundvalar. Tänk, hvilken
reformation, som upprifver icke blott påfvedömet, utan
ock kristendomens grundvalar! Och det var denna
gräsliga reformation, som många försökte åstadkom-
ma under reformationstidehvarfvet. I vår tid hafva
vi ock många dylika reformatorer.

Protestant vill mången heta, men frågan är, i *hvad
mening* man är protestant, ty själfva satan är ock
protestant, då han protesterar emot Gud och hans väl-
de öfver människorna. Reformator vill mången vara,
men det beror på *hvad slags* reformator man är, ty
själfva djäfvulen åstadkom ock en reformation i para-
diset, men det var en reformation af gräsligaste art.

Det märkligaste vi hafva att påakta, då vi vilja göra
en jämförelse mellan Luthers reformation och socini-
anernas verksamhet, är, att socinianerna på det häfti-
gaste protesterade just emot *de läror, hvilka Luther
på det ifrigaste förkunnade såsom varande kristendo-
mens hufvudläror.* Socinianernas hufvudsakliga verk-
samhet ägnades helt och hållet åt den allra fintligaste
och häftigaste polemik och strid just emot de läror,
hvilka för Luther voro så dyrbara, att han tusende
gånger hellre låtit sitt lif än dessa läror fara. Vi
kunna ej i denna korta afhandling genomgå alla de
viktiga läropunkter, i hvilka socinianerna visade sig
vara de mest oförsonliga förnekare af just de läror,
hvilka Luther och de öfriga reformatorerna på det
kraftigaste bejakat med tro och bekännelse. Blott

tvenne af kristendomens hufvudläror hinna vi nu något vidröra. Det är lärorna om *Kristi person* och om *Kristi verk.* I dessa för vår salighet allra viktigaste frågor var socinianernas lära raka motsatsen mot Luthers och de öfriga reformatorernas.

Socinianerna förneka bestämdt, att Kristus var sann Gud och sann människa i en person, d. ä. de förnekade Kristi sanna och verkliga *gudom,* och dock talade de de allra vackraste ord om Kristus, ja, de till och med *tillbådo* Kristus och ansågo dem, som ej ville *tillbedja* Kristus, *icke* värda det kristna namnet.

Ostorodt, en socinian, säger i företalet till sin bok "Unterrichtung": *"ingen, som icke tillbeder Kristus på gudomligt sätt, kan varda salig".* Se sid. 12 af anförda bok. Socinus själf säger: "ingen, som nekar att tillbedja Kristus, erkännes af oss såsom broder; ja, vi anse, att den, som ej tillbeder Kristus, hvilken vi erkänna, dyrka och tillbedja såsom Herre och Gud, vetande eller ovetande förnekar Kristus". Se Socini *Miscellanea,* tryckt i Rakau 1611, sid. 91. Så nitiska voro socinianerna i detta stycke, att en af dem, Biandrata, som ock hade politisk makt, lät kasta en medbroder, Franz Davidis, *i fängelse,* därför att denne senare ej ville *tillbedja* Kristus. Se härom Otto Fock. "Der Socinianismus", sid. 158. Så talade och så handlade socinianerna, ehuru de i alla sina skrifter på det häftigaste stridde emot läran om Kristi gudom. De förstodo så att tala mycket *väl* om Kristus, att ofta nämna hans namn, ehuru deras hela lära var en förnekelse af Jesus.

Den i Guds ord öfverallt förkunnade läran om *Guds människoblifvande* var för socinianerna en styggelse. Vi veta alla, hvilken vikt Luther lade på den sanningen

om Kristi sanna gudom eller läran om Guds män·
niskoblifvande. Socinianerna åter menade, att *Guds
oföränderlighet* förbjöd honom att blifva sann och
verklig människa. Har Gud blifvit människa i tiden,
då har han blifvit något, som han förut icke var, och
då är Gud *föränderlig*, hvilket är omöjligt, sade de.
Den, som vill se deras egna ord härom, läse bland annat
Valentin Schmalz' *Homiliae,* tryckt i Rakau 1615, sid.
87, 88.

Och midt under allt detta påstodo sig socinianerna
vara just de, som ville blifva vid hvad som står skrif-
vet i Guds ord. Detta: "det står skrifvet" förde de
ständigt i munnen och i pennan. Dock, när deras
förnuft stötte emot det skrifna ordet, då fick det, som
stod skrifvet i *deras förnuft,* gälla mer än hvad som
står skrifvet i *Guds ord.*

En af de förnämsta socinianska teologerna, den of-
vannämnde Valentin Schmalz, hvilken af Socinus har
det vittnesbördet, att han var en man af utmärkt
fromhet och bildning, söker i sin förklaring öfver Joh.
ev. 1 kap. nedrifva läran om Guds människoblifvande.
Sedan han med mångahanda konster (ty klyftiga och
kvicka voro socinianerna) sökt kringvrida många bibel-
ord, yttrar han följande: "Det må vara oss tillåtet att
tillägga ännu ett, att vi därmed må sluta detta vårt
tal och komma till ett annat ämne, och det är detta vi
ännu ville säga, att vi tro att, äfven om det stode
skrifvet (märk!) icke blott en gång och annan, utan
ock *ofta,* ja, med de tydligaste ord, att Gud är vorden
människa, det är nog [emedan denna lära är orimlig
och stridande mot sunda förnuftet (märk!) ja, en
hädelse mot Gud] att erinra sig, det sådana skriftens
talesätt finnas, hvarigenom något säges om Gud, som

man icke får förstå såsom orden lyda, ty man skulle på det skändligaste utsätta Kristi allra heligaste religion för allas åtlöje. Ty alla teologer hafva iakttagit den klokheten, att de vid sådana saker, hvilka skulle nedsätta Guds majestät, om de fattades efter skriftens ordalag (såsom det säges om Gud, att han *vredgas,* känner smärta och nedstiger), hafva lärt, att sådant *på mänskligt sätt* säges om Gud. Ty det syntes dem otillbörligt, att sådana ord och sådana sinnesrörelser skulle finnas hos Gud, hvilka nödvändigt skulle beröra och förändra icke allenast hans egenskaper, utan ock hans väsende". Se sid. 89, 90 i förut anförda bok.

Man akte noga på dessa den socinianska teologens ord, ty de gifva oss en inblick i hela socinianismen; de visa oss ock, att socinianism och waldenströmianism stå i den innerligaste hjärteöfverensstämmelse med hvarandra. Vi veta ju alla, att P. Waldenströms förvrängning af försoningsläran har sin rot och grund däri, att han förvrängt läran om Guds oföränderlighet. Den som ej känner till detta, han rådfråge någon, som är väl studerad i Waldenströms skrifter och som är ärlig nog att ordagrant uppläsa hvad däri om denna sak är skrifvet, ty vi kunna ej här för utrymmets skull göra utdrag ur de skrifterna.

Använda socinianerna det yttersta af sin konst mot läran om Kristi sanna och verkliga gudom, så anstränga de icke mindre sina krafter *emot* läran om *Kristi död i vårt ställe.* Det är vid fråga om denna lära, som vi i socinianernas rikhaltiga teologiska litteratur finna alla de bevis emot läran om Kristi *ställföreträdarskap,* hvilka i vår tid blifvit af lektor P. Waldenström för vårt svenska folk på svenska språket *återupprepade.* Det är för denna socinianska bevisningskonst, som tusenden af våra bröder och systrar i våra dagar stupat och därmed lidit skeppsbrott i tron. Det torde därför vara för oss alla nyttigt och nödvändigt att närmare lära känna socinianernas förnekelser, på det vi af 16:de århundradets socinianism må lära känna vår tids svenska socinianism eller, såsom den nu allmänneligen kallas, waldenströmianism. Saken är precis den samma, namnet är blott ändradt. Socinianerna skrefvo bok på bok för att på det starkaste stadfästa sin förnekelse af Kristi *ställföreträdande* lidande och död. I sina många bibelförklaringar hafva de på det skickligaste inväft dessa sina förnekelser midt ibland det allra frommaste tal om Jesus och själens frälsning, ty socinianerna kunde ock tala innerligt fromt och vackert, så att man af deras myckna fromma tal om Jesus och Guds kärlek kunde tro, att de voro alldeles märkvärdiga kristna. De socinianska teologerna, som annars ville vara fromma och finbildade kristna, hvilka sade sig blott älska sanningen utan att vilja *strida,* blifva dock bittra och hånfulla, så snart de komma på talet om Luthers och de öfriga reformatorernas lära om försoningen i Kristus.

Låtom oss i korthet sammanfatta socinianernas förnekelse angående försoningsläran. De förneka:

1:o att hos Gud finnes en *straffande rättfärdighet* eller vrede, ty Guds rättfärdighet är idel *godhet, fromhet* och *nåd,* säga de.

Så säger Socinus själf härom: "Men våra motståndare invända och säga, att Guds *rättfärdighet kräfver,* att synderna måste straffas, och att åt denna kräfvande Guds rättfärdighet tillfyllestgörelse eller betalning för synderna måste ske, ty Gud kan ingalunda vara orättfärdig eller på något sätt förneka sin rättfärdighet. Men detta deras bevis är af intet värde, ty någon *sådan rättfärdighet*, som ovillkorligen *kräfver*, att synderna straffas, finnes icke hos Gud. Visserligen finnes hos Gud en evig rättfärdighet, men denna är ingenting annat än *nåd, fromhet* och *godhet*. När man talar om den synden *straffande* Guds *rättfärdighet*, så vet skriften icke af det namnet". Se Fausti Socini *Praelectiones Theologicae*, tryckt i Rakau 1627, sid. 87. Den som vill vidare se Socini framställning om Guds *nåd* och *fromhet*, som enligt Socini påstående förlåter synden utan betalning och tillfyllestgörelse, han läse de följande sidorna i samma bok.

Man finner således, att utkastet till den af många så beundrade boken "Herren är from" var skrifvet af Socinus för öfver två hundra år sedan, och att P. W. blott behöfde fylla i en del och sedan utgifva boken.

2:o. Socinianerna förneka vidare, att Gud blifvit försonad genom Kristi död, ty, mena de, Gud, som är kärleken, hvarken behöfde eller kunde försonas.

Härom finnas en massa ställen i de socinianska skrifterna. Vi anföra blott några:

Socinus säger: "Kristus har ingalunda blidkat Guds vrede, utan Gud har frivilligt visat sig nådig mot oss i Kristus". "Huru är det visst, att Kristus icke blidkat Gud? Det är visst först däraf, att ingenstädes i skriften står något om ett sådant Guds blidkande genom Kristus. Vidare läsa vi i skriften, att Gud, fördenskull att han *älskade* oss, sände Kristus i världen, och att Kristus af Guds innerliga barmhärtighet besökt oss, med flera sådana skriftspråk, hvaraf är klart, att Gud var blidkad och vänligt stämd emot det mänskliga släktet, innan Kristus begynte sitt verk." "Hvad är då det, som hos aposteln Paulus säges så ofta om den

försoning, som skedd är genom Kristus? Det är, att
Gud har försonat *oss* genom Kristus, såsom Paulus
ju säger, och ingenstädes läsa vi, att Kristus försonat
Gud med oss." Se. F. Socini *Institutio,* tryckt i Rakau
1618, sid. 79—81. Den, som vill läsa mera härom
i de socinianska skrifterna, kan jag anvisa en mängd
ställen. Man finner således, att Waldenströms nya
ljus icke är så märkvärdigt nytt, ty det lyste redan
bland socinianerna, men ack, huru det lyste dem! Det
har historien visat.

3:o. Socinianerna förnekade vidare, att *i Kristi död
skedde* en verklig syndaborttagning och försoning för
hela världen. Härom säger Socinus: "Icke kan vår
tro bestå i den fasta vissheten, att genom det, som
Kristus *har* lidit, våra synder *äro borttagna,* då Kris-
tus därom ingenting sagt med tydliga ord". "Hvar och
en kan ju tydligt se, att i Joh. 12 ingenting med tyd-
liga ord säges därom, att våra synder *hafva blifvit
borttagna genom Kristi död."* Se Socini *Tractatus,*
tryckt i Rakau 1618, sid. 39, 40.

"Månne Kristus, *innan* han satte sig på majestätets
högra sida i höjden, *hafver rensat* våra synder genom
sig själf (Ebr. 1: 3)? Månne han genom ett offer
hafver evinnerligen fullkomnat dem, som varda helga-
de (Ebr. 10: 14)? Eller månne Kristus *fortfarande
nu* i sitt blod eller genom sitt blod *tvår* oss af våra
synder?"

"Skriften kan icke motsäga sig själf. Därför, då
vi hafva i skriften de tydligaste vittnesbörd om den
försoning, som Kristus *fortfarande gör* för våra syn-
der, så är det nödvändigt, att de nu anförda skriftens
språk och andra dylika så *tolkas,* att de icke strida
mot denna sak (nämligen den saken, att försoningen

icke är skedd, utan sker *nu*)." Se Socini *Institutio,*
sidan 71.

Man ser, att gamle Socinus var en lika god och
klyftig uttolkare som P. Waldenström, Ekman, *Chi-cago-Bladet* och *Zions Banér* äro. Han var dock mera
uppriktig, än dessa äro.

4:o. Socinianerna förneka vidare, att Kristus bar
våra synder i den egentliga bemärkelse, att våra syn-
der tillräknades honom så, att hans lidande var ett
verkligt strafflidande *för våra synder.*

Härom har Socinus långa afhandlingar, såsom i 21
kap. af sina *Praelectiones* och annorstädes, däri han
söker bevisa, att skriftens tal om att *bära* synd, när
det gäller Kristus, endast betyder, att synden *förlåtes*
genom Kristus, och att hon borttages under helgelsen
ur våra hjärtan, men att det alls icke betyder, att
Kristus låtit sig tillräknas våra synder och ställas
brottslig för dem, så att han måste lida deras straff.
Därvid hänvisar Socinus till Matt. 8: 16, 17 och visar,
att likasom Kristus bär de sjukas sjukdomar, så bar
han våra synder, icke att han själf blef sjuk, hvilket
vore orimligt, icke att han själf för våra synder led
straffet, hvilket vore orimligt. Se sid. 130 och följande
i *Praelectiones,* tryckt i Rakau 1627. Se ock *Catech.
Rac.,* tryckt i Rakau 1609, 8 kap. *Quaest.* 33, 34. All-
deles på samma sätt och med samma bevis hafva ock
Waldenström och Ekman talat härom. Se redogörel-
sen för predikantmötet i Stockholm den 7—9 juni 1877,
sid. 12, 18, 19, och annorstädes i dessa mäns tal och
skrifter. När det blef fråga om de orden i Jes. 53: 6:
Herren kastade allas våra synder uppå honom, då
öfversatte Socinus dessa orden så: Herren lät allas
våra synder *möta honom.* Se sid. 132 i *Praelectiones.*

Alldeles ordagrant så som Socinus öfversätter ock
Waldenström samma Guds ord i sitt tal i Protokoll
öfver predikantmötet i Stockholm i augusti 1877, sid.
59, hvilket hvar och en kan se, som vill göra sig besvär
att leta rätt på stället i det protokollet. Mycket troget
följer nämligen P. Waldenström gamle Socini fotspår.
Socinus är rik på ord och kvickheter, när det gäller
att bevisa, huru omöjligt och orimligt det är, att vår
syndaskuld kunde tillräknas Kristus, och att vårt syn-
dastraff skulle kunna öfverflyttas på den oskyldige
Kristus. I den frågan är Socinus fullt mäktig att
vara lika stor mästare i gäckeri som P. W., då han
i sina uppsatser gäckas med Luthers yttranden öfver
denna fråga.

5:o. Socianerna förneka, att Kristus *i vårt ställe*
lidit döden och uppfyllt lagen. Härom har Socinus
en lång afhandling, utgörande det 20:de kap. af hans
Praelectiones, däri han söker med all makt bevisa, att
Kristi död icke är en död *i vårt ställe,* utan blott en
död *till förmån för oss.* Huru mycket P. W. och hans
vänner hafva språkat om denna *förmån,* är oss alla
bekant. Vi veta äfven, att många enfaldiga sinnen
hafva kommit i grubbel genom den invändningen, att
Kristus ju ock har *uppstått i vårt ställe,* och att vi ju
då skulle slippa att uppstå, hvilket vore förfärligt.
Socinus visste ock att begagna sig af samma konst-
grepp, såsom man kan se på sid. 128 af hans *Praelec-
tiones,* där han anför orden i 2 Kor. 5: 15: *som för dem
död och uppstånden är,* och säger därvid: "Liksom
detta, att Kristus är uppstånden *för* oss, ju ingalunda
kan betyda, att Kristus är uppstånden *i vårt ställe,*
så att vi skulle slippa uppstå, eller att han med sin
uppståndelse har betalt för våra synder, så kan ju

icke heller detta, att Kristus är död *för* oss, betyda, att han är död i vårt ställe eller till betalning för våra synder". Socinus är således uppfinnaren äfven af denna kvickhet, den de lättsinniga så beundra. Man minnes ock, hvilket spel som drifvits med det infallet, att vi *redan* voro döda, så att Kristus kom för sent, om han skulle dö i vårt ställe. Äfven denna kvickhet synes hafva föresväfvat Socinus, då han, sid. 126 i sina *Praelectiones,* uttryckt sig så: "Så kan ock af denna profetia (Kaifas') icke dragas den slutsats, att Kristus skulle hafva måst dö i stället för oss såsom sådana, de där redan voro för våra synders skull bestämda till döden". Man har ock i våra dagar anfört de starkaste förnuftsskäl till att bevisa, huru omöjligt det var, att Kristus skulle lida den *eviga* döden *i vårt ställe.* Det fattades icke Socinus visdom, då han ville bevisa samma omöjlighet. Han säger, sid. 128 af *Praelectiones:* "Om uttrycket *för oss* skulle betyda *i vårt ställe,* då det säges, att Kristus har gifvit sig själf eller sitt lif till återlösning *för oss,* då vore det nödvändigt, att Kristus hade *evigt* kvarlämnat sitt lif i döden i vårt ställe, och någonting orimligare kan icke sägas. Alltså betyder *för oss* på alla ställen ingenting annat än för vår skull". — "Någonting orimligare kan icke sägas": det var nu Socini hufvudbevis, sedan han sökt på allt sätt göra läran om Kristi *ställföreträdarskap* orimlig. Och för detta hans orimlighetsbevis måste tron och Kristi kors falla. Detta orimlighetsbevis är ock hufvudsumman af Socini svenska vänners bevisningskonst.

Emot sådana orimlighetsbevis uppställer aposteln Paulus följande bevis: "Men vi predika den korsfäste Kristus, judarna en förargelse och grekerna en galenskap, men de samma, judar och greker, som kallade

äro, predika vi Kristus, Guds kraft och Guds visdom",
1 Kor. 1: 23, 24.

6:o. Socinianerna förneka vidare, att Kristi återlösning var en sådan verklig friköpning, att han betalt åt sin Fader sitt blod såsom lösepenning för våra synder, ty, säga de, återlösning och friköpning äro i bibeln endast *bildliga* talesätt.

Härom talar Socinus mycket och bevisar skarpeligen, t. ex. i 19 kap. af sina *Praelectiones,* att ordet *återlösning* endast är ett *bildligt* talesätt i skriften. Så säger han där, sid. 109: "Men den heliga skrift, likasom profanförfattarna, plägar bruka dessa ord (orden *återlösning, friköpning*) *i bildlig* betydelse. Med *bildlig* betydelse menar jag, då antingen intet pris eller lösepenning eller ock *intet verkligt* pris eller lösepenning kommer i fråga. På sid. 111 säger han: "Det är uppenbart, att då det är fråga om vår *återlösning,* så tages detta ord i *skriften* i *bildlig* betydelse". Särdeles gramse är Socinus på den läran, att Gud skulle hafva mottagit Kristi blod såsom en lösepenning för våra synder. När Socinus slutar sin långa afhandling öfver denna fråga, säger han: "nog tydligt är nu visadt, huru skändligt de hafva farit vilse, hvilka hafva sökt att bevisa, att en betalning af ett verkligt pris eller lösepennig skett genom Kristi blod eller död". Se sid. 119 i anförda bok. Härom kan man ock läsa i *Catech. Rac.* och en mängd andra socinianska böcker. Huru mycket P. Waldenström sökt bevisa, att återlösningen är bara *bildlig,* och att Gud alls icke mottagit Kristi blod såsom lösepenning för våra synder, det är ju oss alla väl bekant redan från P. W:s första bok om försoningens betydelse, hvarvid han ock å omslaget till andra upplagan säger: "Från den fångenskapen förlossades vi genom Kristi blod, hvilket, då förlossningen *liknas vid* en friköpning, *i bilden* blir lika med en lösepenning. Och ville hr M. låta *bild* vara *bild* ...." m. m.

Således äfven vid frågan om lösepenningen talar P. W. troget *ett* med Faustus Socinus.

7:o. Socinianerna förneka vidare, att Kristi görande och lidande lydnad är en betalning och tillfyllestgörelse åt Gud för våra synder, ty, säga de, Gud förlåter synden af nåd, för *intet*, utan betalning och tillfyllestgörelse.

Vid denna fråga äro socinianerna synnerligen rika på ord; här är det som de särskildt hafva öfvat sin spetsfundighet och sin kvickhet emot den evangeliska läran om Kristi tillfyllestgörelse för våra synder.

Vi läsa i *Catech. Rac.*, socinianernas bekännelseskrift, upplagan af 1680, sid. 145, 146, som följer: "Månne icke Kristus äfven fördenskull dog, att han i egentlig mening skulle *förtjäna* vår salighet och att han i verklighet skulle *betala* vår syndaskuld?"

"Fastän de kristna i allmänhet nu så lära, så är dock denna mening falsk och villfarande, ja, ganska skadlig, ty de vilja ju hafva det så förstådt, att Kristus har betalt och utstått det fullgiltiga straffet för våra synder, och att han med sin lydnads lösepenning har fullkomligt ersatt och betalt för vår olydnad."

"Med hvad skäl kan man visa, att denna vanliga uppfattning är falsk och villfarande?"

"Med det skäl, att ingenting sådant finnes i skriften, utan denna lära strider äfven emot skriften och det sunda förnuftet." "Visa detta i ordning." "Ja, att ingen sådan lära finnes i skriften, är nog bevist däraf, att denna menings försvarare (d. v. s. försvarare af

den lutherska läran) *aldrig anföra klara skriftord*
(hör!) till bevis för sin lära, utan blott hopfoga några
konsekvenser (slutsatser) med hvilka de söka bevisa
det de påstå. Men utom det, att en sådan lära, som de
själfva påstå vara frälsningens hufvudpunkt, bör be-
visas icke blott med konsekvenser, utan med tydliga
bibelord, är det lätt att visa, att deras konsekvenser
hafva ingen bevisningskraft. Men huru strider då den-
na lära (de kristnas allmänna lära om Kristi betalning
och tillfyllestgörelse för våra synder) emot skriften?"

"Jo, på det sätt, att skriften på många ställen vitt-
nar, att Gud förlåter människorna deras synder *af nåd,*
särskildt under nya förbundet, se 2 Kor. 5: 19; Rom.
3: 24, 25; Matt. 18: 23 m. fl., men mot en syndaför-
låtelse af blott nåd är ingenting en större motsägelse
än just den tillfyllestgörelse och betalning med full-
giltig lösen, som de (de vanliga kristna) vilja hafva.
Ty när fordringsägaren har fått *betalning* antingen af
gäldenären själf eller af någon annan i gäldenärens
namn, så kan det ej om honom (fordringsägaren) sä-
gas, att han förlåtit skulden af nåd, för intet." Så
långt ofvannämnda socinianska bekännelseskrift. Den
som har lust att se, huru *vår* lutherska lära strider
emot sunda förnuftet, han kan fortsätta å sidan 146
i nämnda bok. Socinus har ock i sina *Praelectiones*
skrifvit tvenne långa kapitel, 17 och 18, öfver denna
fråga, hvarjämte han och de öfriga socinianerna skrif-
vit en mängd böcker, däri deras hufvudsakliga bevis-
ning går ut på att visa, huru *orimlig* och *löjlig* en
syndaförlåtelse för betalning är. Själfva kraftbeviset
lämnar Socinus, då han å sidan 98 af *Praelectiones*
säger, att "Kristi tillfyllestgörelse och betalning för
våra synder måste räknas till de ting, som *omöjligen*

kunna ske". Det var ju att sätta "P" för saken, och därmed hade ju Socinus afgjort saken, tills ock lektor Waldenström kom med sitt "P". Ack, huru ömkligt det är, när det stackars människoförnuftet försöker göra Guds under omöjliga! Man minnes ju, huru P. W. har gjort sig lustig öfver läran om Kristi tillfyllestgörelse för våra synder. Han utropar å sidan 103 i 4:de häftet af *Vittnet* för 1877: "En syndaförlåtelse för betalning är ungefär detsamma som en fyrkantig cirkel eller en rund kvadrat, och skulle man ej beundra den förmåga, som förmår göra cirkeln fyrkantig?" Så hädiskt kan P. W. tala; lika kvick och gäckande var ock den gamle Socinus. Vill man ytterligare på svenska läsa de socinianska bevisen i denna sak, så läse man Waldenströms och E. J. Ekmans tal öfver frågan: "Skulle Kristi lidande vara en betalning åt Gud för vår syndaskuld?" i Protokollet öfver predikantmötet i Stockholm den 15 —18 augusti 1876. Där yttrar P. W., sid. 73, bland annat följande: "Hvar står det skrifvet i Guds ord, att detta Kristi lidande skulle vara en *betalning åt Gud* för våra skulder? Det torde allt blifva svårt att visa, hvar det står skrifvet."

Ja, nog är det svårt att finna, när man söker efter en fyrkantig cirkel och en rund kvadrat, såsom P. W. gör, då han i bibeln läser om Kristi lidande och död till betalning för våra synder.

Märkligt är att läsa hvad Socinus yttrar i sin bok: *De Christo Servatore*, där han säger: "Om det icke blott en gång, utan ofta stode i skriften, att Kristus tillfyllestgjort och betalt sin Fader för våra synder, så skulle jag dock fördenskull *icke* tro, att det så förhåller sig".

Ack ja, så förhöll det sig med socinianernas så ofta i deras skrifter förekommande åberopande på *skriften!* Socinianerna ifrade ock för att man icke skulle tro på Kristi *verk,* utan på *personen Kristus.* Så säger Socinus, sid. 37, 38 i sina *Breves tract.,* tryckt i Rakau 1618: "Icke att vi skola tro på Kristi *blodsutgjutelse,* ty tron, om man vill tala egentligt och såsom den heliga skrift talar, säges icke vara fästad vid Kristi *blod,* utan vid *Kristus själf* eller vid Gud *genom* Kristus". Minnas vi icke, huru mycket P. Waldenström och E. J. Ekman hafva ropat, att vi icke skola tro på Kristi verk och *gärning,* utan på den *personen* Kristus?

8:o. Socinianerna förneka vidare Kristi verkliga medlarskap och de gammaltestamentliga offrens ställföreträdande betydelse såsom förebilder till Kristi medlarskap. Åt detta ämne har Socinus ägnat långa afhandlingar, utgörande kapitlen 22—29 i hans *Prae-lectiones.* För utrymmets skull måste vi blott hänvisa till dessa afhandlingar och till P. Waldenströms därmed enliga uttryck.

9:o. Socinianerna förneka slutligen rättfärdiggörelsen *af nåd för Kristi skull* och förneka på det bestämdaste, att Kristi rättfärdighet *tillräknas* syndaren som tror.

Härom säger Socinus: "Paulus säger visserligen, Rom. 4, att oss tillräknas rättfärdighet, d. ä., då vi tro på Gud, så hållas vi rättfärdiga, men att Kristi rättfärdighet tillräknas oss, d. ä. att hans helighet och oskuld räknas vara vår, det säger icke Paulus, ej heller kan någon med rätta påstå att han säger så". Se Socini *L. Quod Regni. Cap. 3 Tom. 1,* sid. 696. Schmalz säger: "En annan villfarelse är den, att han

(Franzius) säger, att Gud förlåter synderna *för Kristi skull*. Tilläfventyrs ville Franzius med detta talesätt *för Kristi skull* stadfästa det där talet om Kristi *förtjänst*, hvilket tal är en dikt". ("Socinianerna förneka Kristi *förtjänst* och säga, att Kristi *förtjänst* ej omtalas i skriften.") Se *Schmalz. contr. Franz.* sid. 104. Samme Schmalz säger vidare: "Kasta bort ur den anförda satsen de orden, hvilka *skriften* ej vet om, att Gud förlåter *för medlarens förtjänsts skull*, som omfattas af tron, och sätt i stället, att Gud af blott godhet förlåter synden i det nya förbundet genom tron på Kristus, så blir det sant. Ty till vår rättfärdiggörelse behöfves ingenting annat än dessa två: 1) Guds *barmhärtighet* och *mildhet*, 2) vår tro på Gud genom Jesus Kristus. Grundorsaken till vår rättfärdiggörelse är Guds *nåd*, den förmedlande orsaken, utan hvilken Gud icke rättfärdiggör någon, är tron på Kristus". Se *Schmalz. contra Franz.* sid. 99. Ostorodt säger äfven: "Kristi förtjänst eller Kristi rättfärdighet tillräknas icke de trogna, utan tron räknas dem till rättfärdighet". Socinus skrifver: "Lydnaden för Kristi bud gör oss rättfärdiga inför Gud". Läran om Kristi rättfärdighets tillräknande kallar Socinus "en så skändlig och afskyvärd mening, att någon skadligare villfarelse ej sedan människans skapelse funnits bland Guds folk".

Det är rättfärdigheten *i oss, i våra hjärtan*, som socinianerna prisa såsom den enda verkliga rättfärdigheten. Den som nu vill se, hvad P. Waldenström i detta stycke talat, han läse den uppsalienska P. W:s uppsats *de justificatione* (om rättfärdiggörelsen) och flera andra hans stycken samt synnerligen hvad han yttrade vid det sist hållna predikantmötet i Stockholm. Hvad Waldenström vid mötet språkade om *den till-*

fälliga och väsentliga rättfärdigheten, det hafva ock socinianerna utfunderat, såsom kan ses hos Schmalz och hos Socinus i hans utläggning öfver 1 Joh. 5, (op. sid. 256). Märkvärdigt är ock att se, huru socinianerna hafva förvandlat Kristi evangelium helt och hållet till en ny lag, och huru de tala om lagens uppfyllelse *i oss*, ty Kristus har ju icke uppfyllt lagen *i vårt ställe*, och då måste vi själfva uppfylla densamma. När socinianerna skrifva betraktelser öfver Kristi evangelium, då gifva de dessa betraktelser denna öfverskrift: *"Om Kristi bud, som han lagt till lagen"*. Se *Catech. Rac.* Detta må nu vara nog såsom en sammanfattning af socinianernas förnekelser angående försonings- och rättfärdiggörelseläran. Hvar och en af oss borde veta, att Luther på det kraftigaste bejakar, försvarar och bekänner såsom sin hjärteskatt just de sanningar, hvilka socinianerna, såsom vi nu uppräknat, förnekade. Socinianerna voro dock mestadels ärliga nog att öppet tillstå, att de stodo i öppen strid mot reformatorernas lära om försoningen och rättfärdiggörelsen. De försökte ej så mycket som rationalisterna att tala om *väsentlig* öfverensstämmelse, där väsentlig olikhet förefanns.

Men hvad är hufvudorsaken därtill, att Luther och socinianerna lärde så rakt emot hvarandra just i de läror, som af Luther ansågos vara kristendomens hufvudläror, från hvilka man enligt hans uttryck ej finge vika, om än himmel och jord och allt annat störtade samman?

Orsaken är den, att Luther af lagen lärt känna djupet af sin synd; socinianerna åter hade endast en fariseisk syndakännedom. Man märke noga, att många af vår tids beryktade väckelser äro endast *känsloupp-*

skakning, men ej *samvetsuppväckelse;* de känsloupp-skakade kunna åtnöja sig med hvad lära som helst, de i samvetet öfver sina synder verkligt uppväckta behöf-va den verkliga förlossningen, som i Kristus Jesus skedd är. Har du själf erfarenhet af hvad det vill säga att vara af Guds lag vid Sinai beröfvad all egen rättfärdighet och dömd till evig död; vet du hvad det är, då lagen ropar till syndaren sitt allsmäktiga: "Gör det, så får du lefva", då finner du ingen ro, förrän du får tro, att Kristus verkligt led straffet för dina synder och fullbordade lagen för dig på Golgata.

Då vi finna Luther under den djupaste ångest och under de svåraste kval öfver sina synder i skriften söka svar på den frågan: *Hvad skall jag göra, att jag må blifva salig?* höra vi socinianerna hålla samtal öf-ver den frågan, huru man bäst skulle kunna förena bibelns utsagor med förnuftets begrepp. Då Luther i klostret håller möten med den rättfärdige Guden inför hans heliga lags domstol och slutligen inbjudes till möte med den Korsfäste vid nådastolen, då hålla de första socinianerna i öfre Italien möten, därvid de diskutera den satsen, att lärorna om Kristi gudom och om hans tillfyllestgörelse äro orimliga, och att därför dessa läror måste bort. Tänk dig närvarande hos Luther i augustinerklostren i Erfurt och Wittenberg, där han under de djupaste nödrop öfver sina synder lutar sig öfver bibeln och söker frid för sitt fridlösa samvete, därvid han ock slutligen finner den sanna friden i korsets evangelium; tänk dig ock närvarande hos de finbildade italienarna, socinianismens förmän, då de hålla sina diskussionsmöten i trakten af Venedig, vid hvilka möten förnuftsskäl afgjorde hvad som skul-le vara äkta lära eller icke. Tänk dig sedan tillstädes

vid de möten, där de stolta polska adelsmän, ibland
hvilka socinianismen vann sina första anhängare, voro
samlade till religionssamtal, och du skall komma att
fatta, hvarför lutheranismen och socinianismen hafva
framställt så olika läror om Kristi person och verk.
Och dock, ehuru förnuftet för socinianerna var led-
stjärnan genom bibeln, så trotsade de alltid på sin
berömmelse, att just de allena ej trodde fäderna, utan
höllo sig bara till bibeln. Gång på gång möter man
i deras skrifter den stolta utmaningen, ställd till de
evangeliska kristna: Hvar i skriften står eder lära
om Kristi gudom och hans ställföreträdarskap skrif-
ven? På det skickligaste sätt förstodo socinianerna
att med bibelord förtyda bibelns ord. Guds ord förde
de ständigt i munnen och pennan, under det de på det
mest hädiska sätt förnekade de tydligaste Guds ords
sanningar. Mänsklig skarpsinnighet besutto socini-
anerna i hög grad. Med sin dialektik tycktes de gång
på gång bringa den enfaldiga bibeltrons försvarare
på skam. Dock, det tillhör tron att icke skämmas
för Kristi evangelium, äfven då det ser ut, som skulle
den mänskliga spetsfundigheten hafva vunnit en full-
ständig seger. Det var ett stort Guds nådesunder, som
vederfors Luther, att han kunde fasthålla evangelii
hemlighet och det talet om korset, hvilket äfven för
hans förnuft var en galenskap. Det var ett nådes-
under, att Luther ej förkastade Kristi blod såsom löse-
penning för våra synder, då han reste sig till motstånd
mot påfvens sätt att mottaga lösepenning för synder-
na. Då vi fira reformationsfesten, borde vi med hjärta
och mun sjunga: O Gud, vi lofve dig därför, att våra
fäder icke till oss hafva lämnat socinianismens iskalla
förnuftsläror, utan att vi fått mottaga såsom arf lif-

vets och fridens sanna evangelium. Vi borde ock inför nådastolen i Herrens kraft sluta ett förbund, att vi själfva vilja vidblifva och till våra barn öfverlämna korsets sanna evangelium. Socinianismens läror, så vackra de ock låta, hafva allestädes, hvarhelst de blifvit anammade, utsläckt det kristliga lifvet och lämnat efter sig en ödemark af andlig död och otro.

Otto Fock, en vän till socinianerna, bevisar i sin bok, "Der Socinianismus", att Theodor Parkers lära och verksamhet äro själfva blomman och frukten af socinianismen. Af *den* frukten känner man trädet. Samma slags träd bära ju samma slags frukt. Hvilka frukter skall då socinianismens träd, omplanteradt i svensk jordmån, bära? När man läser de socinianska skrifterna, befinner man sig midt uppe i alla de bevis, som P. Waldenström, *Chicago-bladet* och *Zions Banér* pläga framdraga emot vår lutherska lära om försoningen och rättfärdiggörelsen. När man betänker, att samma slags träd bära samma slags frukt, och när man har tydliga bevis för hvilka frukter socinianismen burit, då känner man ett behof af att fastare och fastare knäppa sina händer omkring Jesu kors och ropa: Herre, fräls min själ!

En gammal välkänd lärare, J. J. Rambach, uppgifver följande kännetecken på hvad han kallar "de socinianska fårakläderna". Han bevisar ock dessa kännetecken med rikliga anföranden ur socinianernas skrifter. Vi måste förbigå citaterna, men vilja i korthet uppräkna dessa märkliga kännetecken. Rambach säger, att socinianerna 1) visa det högsta nit för *Faderns ära*. 2) De klaga mycket öfver kyrkans förfall och däröfver, att ingen kyrkotukt öfvas i de evangeliska församlingarna, då de själfva däremot säga sig öfva sträng kyrkotukt. 3) De föregifva sig hafva stor kärlek till den heliga skrift. 4) De afsky och tala emot alla *bekännelseskrifter*. 5) De föregifva sig ock mycket afsky påfven och den katolska läran. 6) De säga sig icke vilja *strida*, utan de vilja, säga de, hålla sig enfaldigt vid Guds ord. 7) De vilja ej veta af namn såsom *luthersk, sociniansk* och dylikt, utan de vilja, säga de, vara *kristna*. 8) De tala mycket om kärlek bland Guds barn och vilja fördraga alla utan afseende på åsikter och läror. 9) De vilja ej blott förena alla partier inom kristenheten, utan de vilja ock vara ett med muhammedaner och judar. 10) De berömma sig af att de i sin lära öfverensstämma med den apostoliska församlingen. 11) De berömma ock mycket det lif och den helgelse, som skall finnas hos dem. 12) De beskrifva ock mycket, huru de få lida kors och förföljelse.

Man akte noga på dessa vackra "fårakläder", och man besinne, hvilken glupande ulf som dolde sig därunder. För den, som aktar på vår tids tecken, är det ej svårt att höra, huru detta vackra socinianska språk är troget öfversatt och begagnadt i våra dagar.

Mer än någonsin behöfva vi akta på dessa Herrens ord:

"Håll det du hafver, att ingen tager din krona."

Reformationen i det adertonde århundradet.

et är icke predikningar i vanlig bemärkelse vi hålla i dag, och dock är det historiska predikningar. Den, som dömer och fördömer oss för sådana tal, fördömer en stor del af bibeln, som ock är historia.

Till dem som undra, huru man med lifligt deltagande kan skildra ett sådant århundrade som det adertonde, vill jag strax i början säga, såsom historieskrifvaren Friedrich von Raumer sade till den påflige bibliotekarien i Rom. Bibliotekarien frågade: "Hvilken religion har ni egentligen?" Raumer svarade: "Alltid den religion, som härskade i det århundrade, hvars historia jag skrifver." Ja väl, den, som företager sig att skildra ett århundrades lif, bör försöka försätta sig i det århundradets tänkesätt så vidt möjligt, på det han må kunna gifva en sann bild af den tid han beskrifver.

Adertonde århundradet är högst illa anskrifvet hos högkyrkomän och alla omutliga vänner af allt bestående. Huru skulle revolutionens och rationalismens århundrade vara annat än en fasa för alla den gamla borgerliga och kyrkliga ordningens män? Intet århundrade synes vid första påseendet hafva så ohjälpligt afvikit från reformationens grundsatser som det adertonde.

För många är sjuttonde århundradet, ortodoxiens blomstringstid, idel ljus. För dessa samme är det adertonde århundradet idel mörker. För andra är sjuttonde århundradet idel mörker. För dessa är naturligtvis det adertonde århundradet den egentliga reformationens, ljusets och frihetens tidehvarf. Alla strängt lutherskt sinnade teologer se upp till det sjuttonde århundradet såsom mönstret för rättrogenhet och kyrklighet, men betrakta på samma gång med den djupaste förtrytelse och afsky det i allo villfarande adertonde århundradet. Alla rationalister däremot kunna aldrig finna ord starka nog till klander öfver sjuttonde århundradet och till pris, beröm och upphöjelse för det adertonde seklet.

Säkert är, att Guds dom alls icke kommer att blifva ensidig såsom kortsynta människors. Visst är ock, att liksom jorden är Herrens, så äro ock alla århundraden Herrens. Han har icke förbehållit sig blott vissa århundraden och lämnat de öfriga åt satan, utan hans ledande hand håller spiran genom alla tidehvarf. Väl är det så, att den kristliga andan framträder starkare i vissa århundraden och den antikristiska makten mera oförsynt i andra tidehvarf, men alltid är det ordet sant: "Mig är gifven all makt i himmelen och på jorden".

Det egendomliga är, att det ena århundradets skuggsidor låta det andras ljus lysa så mycket klarare. Det sjuttonde århundradets stora brister framkalla i det adertonde århundradet en väldig reform på vissa områden. Det sjuttonde århundradets härliga ljussidor missaktas, ja, föraktas i det adertonde seklet, men denna missaktning uppenbarar adertonde århundradets stora brister.

Emellertid, det adertonde århundradet hade utan tvifvel en hög och härlig kallelse i Guds rikes historia. Det tillhör en samvetsgrann betraktare af historien att uppvisa, huru Gud förde sitt rike framåt äfven under adertonde århundradet, om ock ett sådant uppvisande af Guds stora verk under detta separatistiska och rationalistiska århundrade skulle misshaga dem, hvilka af allt för mycken kyrklighet äro förhindrade att se och erkänna Guds verk i hans allmänna världstyrelse Det är i sanning outsägligt härligt, att Guds kärlek och barmhärtighet sträcka sig längre än vår ofta ytterst trånga kyrkliga synkrets.

Vårt ämne bjuder oss att betrakta *reformationen* i det adertonde seklet. Således måste vi söka uppvisa, att de grundsatser, som äro underlaget för sextonde århundradets reformation, äfven gjorde sig gällande i adertonde århundradet.

Reformationens hufvuduppgift var den samma som kristendomens, att genom en sann *tro* åter införa en sann *kärlek* i det kyrkliga och borgerliga lifvet.

När vi nu måste erinra om skriande missförhållanden, som reformationen ännu hade lämnat orubbade i det kyrkliga och borgerliga lifvet, så bör ingen söka använda den klyftiga undflykt, som är så vanlig hos katolikerna, nämligen att staten är skulden till allt det fula och stygga, som sker, men ej kyrkan.

Häxprocesserna voro bland det gräsligaste af det myckna gräsliga, som kvarstod orubbadt från den mörka medeltiden. Det rättrogna sjuttonde århundradet

med alla dess stora teologer var häxförbränningarnas
blomstringstid icke blott i de katolska länderna, utan
just i det protestantiska Tyskland, Sverige och Ameri-
ka m. fl. länder. De lärdaste teologer af de olika kon-
fessionerna försvarade tron på häxeriet såsom en huf-
vuddel af den sanna läran. Nu må man ej här anföra
gamla testamentet till försvar för dessa stora teologers
försvar för häxförbränningarna, ty först och främst
är det en stor skillnad mellan gamla och nya testamen-
tet, för det andra påbjuder ej Mose den grymma elds-
döden för häxor, vidare måste i gamla testamentet
alla mål afgöras efter två eller tre vittnens utsago. Vid
de katolska och protestantiska häxprocesserna dömdes
alla de olyckliga på deras egen bekännelse, och denna
bekännelse framkallades, om icke alltid så dock ofta,
kanske oftast, genom tortyr. Och domen verkställdes
genom att bränna de olyckliga offren lefvande. Så
föreskrifver den strafflag, som utkom under kejsar
Karl V vid reformationstiden. Jag äger själf denna
strafflag och har däri med egna ögon läst denna lag-
bestämmelse. Likaså i den bambergska och branden-
burgska lagen. Kurfursten August i Sachsen, den sam-
me som lät först utgifva vår Concordia Pia, förnyade
i sin strafflag 1572 bestämmelsen, att häxor skulle lef-
vande brännas. Besinnar man, att det mestadels var
kvinnor, som på sin egen bekännelse lefvande brändes
för häxeri, och att säkerligen mer än 300,000 kvinnor
aflifvats, sedan den påfliga förordningen därom ut-
kom 1484, så borde hvar och en af hjärtat tacka Gud,
att det adertonde århundradet kom med förlossning för
de arma förvillade.

Men det kostade att öfvervinna det hemska mord-
raseriet. En protestant inlade redan 1563 sin pro-

test mot häxbålen. En upplyst jesuit utgaf 1631 en bok emot förvillelsen, men han vågade ej sätta sitt namn på boken. Allt förgäfves. Balthasar Becker utgaf 1691 en bok emot det blinda ofoget, men det försöket att rädda olyckliga människor kostade Becker hans ämbete. Då uppträdde 1701 Christian Thomasius, en man vanligtvis illa anskrifven i kyrkohistorien, mot häxbränneriet. Den, som vill se en närmare beskrifning öfver Thomasius, läse den intressanta skildringen i Tholucks "Das kirchliche Leben des 17:ten Jahrhunderts", 2:te Abth., sid. 61—76. Af den framställningen ser man, att Thomasius var hvarken ett helgon eller en bespottare. Emellertid hade han en stor kallelse i den kristna civilisationens historia. Jurister, teologer och läkare stormade emot kättaren Thomasius, men förlossningens stund var kommen. Se sidd. 54 och följande i "Dritter Theil der Religionsstreitigkeiten von J. W. Walch". Mänsklighet segrade öfver grymma lagmän och förvillade teologer. Om adertonde århundradet icke hade någon mera storbragd att uppvisa, så vore det nämnda nog för att öfvertyga oss om adertonde seklets härliga mission och reformation. Men vi måste nämna ännu flera stora reformatoriska verk, som utfördes i det seklet.

Mänsklighet var adertonde århundradets lösen. Vi veta, att denna lösen på det teologiska området drefs till ytterlighet, men vi veta ock, att om någonting var nödvändigt för de arma människorna, så var det *mänsklighet*. Från hedendomen hade de kristna länderna ärft oerhördt grymma *lagar*. Knappast tänkte eller kände man under reformationstiden och i det stora teologiska tidehvarfvet, att dessa grymma lagar stodo i oförsonlig motsägelse till kristendomen.

Om någon gång håret bör resa sig på ens hufvud, så är det, när man läser kejsar Karl V:s strafflag, som var det *heliga,* d. v. s. kristliga, romerska rikets lag. Denna strafflag inlämnades på samma riksdag, då vår Augsburgiska bekännelse upplästes, nämligen på riksdagen i Augsburg 1530. Denna samma strafflag gällde äfven för de protestantiska länderna. Bör jag läsa upp straffbestämmelserna? Jag måste göra det ur den bok, som innehåller denna lag. Boken finnes i min ägo. *Lefvande brännas, halshuggas, fyrdelas* (lefvande huggas i stycken) och de fyra delarna hängas upp vid en allmän korsväg, sönderkrossas på ett hjul, stegel, och hängas upp, hängas i galge, dränkas, lefvande begrafvas, släpas till afrättsplatsen, knipas med glödande tänger — så lyder den rysliga listan på dödsstraff, framlämnad af det kristliga majestätet på det heliga romerska rikets riksdag i Augsburg 1530, den riksdag efter hvilken Augustana-synoden har sitt namn. Lagförslaget framlades på riksdagen i Augsburg och antogs slutligen på riksdagen i Regensburg. Kurfurstarna af Sachsen och Brandenburg protesterade, emedan de hade egna lagar. Denna protest var icke i mildhetens intresse, ty brandenburgska strafflagen var lika grym som Karl V:s. Hör nu de nådiga straffen, som ej voro dödsstraff: tungans afskärande och landsförvisning, tvenne fingrar på högra handen afhuggna och landsförvisning, öronens afskärande och landsförvisning, spöslitning och landsförvisning. Läser man därjämte, hvad denna strafflag bestämmer om tortyren eller de pinoredskap, man använde för att frampressa bekännelse, så har man sannerligen mer af det rysliga, än man står ut med att läsa. Och dock var denna strafflag en betydlig förbättring af förut gällande författningar. Vi undra: huru kunde sådana gräsligheter passera såsom lag bland ett folk, som kallade sig kristligt? "Så är det brukligt", "sådan är den gamla seden", svarar kejsar Karl i sin lag. Så förklarar Karl i företalet till denna lag, att han är kejsare med Guds nåde och att han tillsammans med kurfurstar, furstar och ständer, således äfven de protestantiska, stiftar denna lag i enlighet med allmän rätt, billigt, lofligt och fäderneärfdt bruk, och att han med dem väntar att få den allsmäktiges belöning.

Att de grymma lagarna ej voro en död bokstaf, visa sådana exempel som Grumbachs och andras. Den strängt ortodoxe kurfurst August lät Grumbach och Brück undergå tortyr, sedan skära hjärtat ur deras kropp, medan de ännu lefde, sedan hugga dem i fyra stycken och upphänga styckena vid allmänna landsvägen. Sedan lät han slå en minnespenning med orden: "Tandem bona causa triumphat". Kejsar Maximilian lät för kurfursten tillkännagifva sin fasa. Att läsa upp, huru borgmästaren Henning Brabant i Braunschweig aflifvades i början af sjuttonde århundradet, vore omöjligt. Hurudan mänsklighet det fanns i Sverige vid den tid det berömda Uppsala möte hölls, visas af kyrkohistorikern Norlin med ett par exempel. Karl IX dömde för ett svårt mord en man att fem gånger knipas med heta tänger på olika offentliga platser. Sedan skulle handen afhuggas och naglas vid kåken, därefter hufvudet, och så skulle kroppen steglas. Kvinnan, som deltagit i mordet på sin man, skulle mista handen, knipas med glödande tänger och därefter lefvande brännas. Ändock heter det: "Dråp och mord äro nästan i allmänt bruk". Grymhet kunde icke stäfja grymhet. Det sätt, hvarpå Karl behandlade von Wochen, passade en vild människoätare, men icke en protestantisk furste. Visserligen var von Wochen en förrädare, men den arme var ju dock en människa. O, den gamla goda tiden! Hvem af oss ville hafva lefvat då? Sådana rysligheter gällde såsom lag i kristna länder ända in i adertonde århundradet. Det var det adertonde århundradet, som i lagväsendet åstadkom en härlig reformation. Man torde tänka, att så gräsliga lagar till den grad afskräckte människorna från förbrytelser, att på den tiden inga brott begingos. Tvärtom, historien berättar om tusentals och åter tusentals dödsdomar i länder med ett ganska inskränkt invånareantal. Jag vill ej belasta edert minne med den fasliga statistiken.

Det var hög tid, att en reformation företogs. Thomasius var den förste, som uppträdde emot den skändliga tortyren i en skrift af 1705, som han gaf titeln: "Tortyren bör förvisas från de kristna domstolarna". En mängd författare uppträdde nu emot grymheten, Voltaire bland andra, och skulle vi ej prisa den, som gör ett godt verk, äfven om han vore en fritänkare? Thomasius kan visst icke i allo berömmas af en kristen, och dock var han en af mänsklighetens välgörare. Bland de skrifter, som mest spriddes och som mest uträttade till befordrande af mänsklighet, var italienaren Beccarias afhandling om "Brott och straff", däri han kraftigt ifrar mot tortyren och annan grymhet. En af de tyska öfversättarna kallar denna bok ett odödligt verk. Boken skrefs med anledning af den hemska "Calas"-rättegången. (Bergks öfvers. s. 10). Den spanska öfversättningen af denna bok blef af inkvisitionen förbjuden. "I de länder och i det tidehvarf, då de grymmaste straff voro vanliga, utöfvades ock de blodigaste och omänskligaste brott, ty samma vilda ande, som ingaf lagstiftaren de grymma straffen, ledde ock förbrytaren", säger Beccaria i sin bok. Juristen Hommel skildrar i sina anmärkningar till Beccarias skrift det hemska däruti, att sönderstyckade människokroppar upphängdes utmed de allmänna landsvägarna. Vi kunna knappast tänka oss, att det är sant, att sådant har skett efter reformationen. Högst intressant är att läsa de tvenne tyska öfversättningarna af Beccaria jämte öfversättarnas företal och anmärkningar. Den ena öfversättningen af hofrådet Hommel, utkom 1778, den andra af Bergk, tillägnad Leipziger-universitetets rektor, utkom 1798.

Frukten af den rörelse, som åstadkoms genom sådana skrifter, var, att tortyren inskränktes eller helt och hållet afskaffades under adertonde århundradet, såsom af Fredrik den store i Preussen, Gustaf III i Sverige och så i andra Europas länder. Under samma tid begynte man utarbetandet af nya strafflagar. Men ack, hvilken möda det har kostat, innan man kommit till den mänsklighet, som utmärker det nittonde århundradet! Det är af adertonde århundradets humanitetssträfvanden vi njuta välsignelsen i vår tid. Det är adertonde århundradets ära, att det vågade en så ihärdig och ädel kamp mot grymheten. Vi kristna äro benägna att missakta arbetet för humanitet och mänsklighet. Ett är dock visst, och det är, att Herren, vår Frälsare, var *mild* och ödmjuk af hjärtat, att han förde kärlek till det arma, af inbördes grymhet sönderslitna människosläktet, att han lärde och bevisade barmhärtighet och ömhet äfven mot brottslingar. Hvad som därför göres för humanitet och mänsklighet, det är ett arbete i Guds rikes tjänst, äfven om den tjänsten ombesörjes af en människa, som icke är en sann kristen.

Man får ursäkta mig, att jag afvikit så långt från en teologisk behandling af det adertonde århundradet. Jag är människa och känner en djup sympati med allt, som göres till lindrande af den fallna mänsklighetens olycka, nöd och lidande. Alla sträfvanden, som gå ut på att bortskaffa det okristliga ur stat och kyrka, måste framkalla vårt hjärtas djupaste tacksamhet. Det är på den grunden jag anser, att vi stå i stor tacksamhetsskuld äfven till det adertonde århundradet.

Men jag skulle vilja med några ord omnämna, hvad adertonde århundradet gjorde för *religionsfriheten*, denna stora skatt, som vi äga i Amerika.

Alldeles öfverflödigt, så hoppas jag åtminstone, är det att framdraga bevis därpå, att kristendomen lärer en verklig religionsfrihet, och att allt tvång i fråga om trosöfvertygelse är i rak strid mot kristendomens anda.

Allmänt bekanta borde ock reformationens grundsatser angående religionsfrihet vara. Medeltiden stadgade dödsstraff för kätteri eller afvikelse från kyrkoläran. De borgerliga lagarna innehöllo uttryckligen, att de, som af kyrklig myndighet blifvit befunna skyldiga till kätteri, skulle lefvande brännas till döds. Så står det med tydliga ord i de bambergska och brandenburgska strafflagarna, hvilka utkommo i början af reformationstidehvarfvet. Att alla kättare voro skyldiga till helvetets eld, var på den tiden en orubblig trosartikel i kyrkan såväl som i staten. Denna helvetiska eld skulle därför tändas omkring kättare redan på jorden, på det de lefvande skulle nedfara till den brinnande afgrunden. Här finna vi en stor skillnad

mellan Luther och påfven. Det är alldeles visst, att
Luther stod långt framom sin tid i denna fråga, och
att han uträttat stora ting för religionsfriheten. Men
det är lika visst, att äfven Luther var ett barn af sin
tid, och att religionsfrihet i den mening, som vi fatta
ordet, var fjärran från honom. Luther ville icke, att
kättare skulle brännas eller dödas, men han fordrade
fullkomlig enhet i trosbekännelse inom ett land; han
inrymde ock åt furstarna makt och rätt, ja, han påstod
det vara den världsliga maktens skyldighet att hämma
kättare och smädare. Med smädare förstods sådana,
som klandrade statskyrkans lära. Hvar och en, som
ej var i allt ense med den offentligt gällande läran,
måste iakttaga fullkomlig tystnad eller ock *landsför-
visas*. Sådana voro Luthers religionsgrundsatser, och
sådana blefvo ock de protestantiska ländernas lagar.

För korthetens skull får jag blott hänvisa till Köst-
lins Luthers Theologi, sidd. 553—561 (2:a band.), och
samme författares skrift: "Luthers Lehre von der
Kirche", sidd. 177—206. "Ty det yttre våldsamma
undertryckandet af kätteri är i detta århundrade en
fundamentalsats äfven hos protestanterna", säger
Stahl, sid. 147 i "Die Kirchenverfassung nach Lehre
und Recht der Protestanten". Att flere vederdöpare,
som icke voro öfverbevisade att vara upprorsstiftare,
måste lida martyrdöden äfven i lutherska länder, och
att Luther och Melanchton gillade sådant förfarings-
sätt, har dr Keller bevisat i sin bok "Die Reformation
und die älteren Reformparteien", sidd. 447—450.

Vår svenska kyrkolag af 1686, glorvördig i åmin-
nelse, är ett troget uttryck af den lutherska uppfatt-
ningen af religionsfrihet.

"CAP. 1.

OM THEN RÄTTA CHRISTELIGA LÄRAN.

§ 1. Uti vårt Konungarike och thess underliggande
länder, skola alla bekänna sig, endast och allena, till then
Christeliga Lära och Tro, som är grundad uti Guds
heliga ord, thet gamla och nya Testamentets Profe-
tiske och Apostoliske skrifter, och författad uti the tre
hufvud-symbolis: Apostolico, Nicæno och Athanasiano,
jemväl uti then oförändrade Augsburgiska bekännel-
sen af år 1530, vedertagen i Upsala Concilio 1593, samt
uti hela, så kallade, Libro Concordiæ förklarad; Och
alle the, som uti Läroståndet, vid Kyrckor, Academier,
Gymnasier eller Scholor, något Embete tillträda, skola
vid ordinationen, eller thå the någon gradum antaga
med liflig Ed til thenne Lära och Trosbekännelse sig
förplichta.

§ 2. Them i Läroståndet, såväl som alle andre, af
hvad stånd the äro, skal ock här med alfvarligen vara
förbudit, här emot at upptäncka och utsprida någre
villfarande meningar, eller bruka någre anstötelige or-
desätt, Guds Församling ther med at bekymra eller
förarga: Gjör thet någon, och, uppå föregången alfvar-
lig förmaning, sig icke rättar, vare, efter laga ransak-
ning och dom, räknad för en affälling, miste sitt Em-
bete och förvises Riket. Then som ock alldeles gör
affall ifrån vår rätta religion, straffes lika så, och njute
aldrig något arf, rätt eller rättighet inom Sveriges
gräntsor.

§ 3. Ingen fördriste sig, här i Riket, eller någon
tillydande province, ther som icke genom pacta någre
visse orter sådant är förbehållit, uppenbarligen att
hafva någon främmande Religions-öfning eller then

samme bevista, vid 100 Daler Silfvermynts böter. Dra-
ger ock någon hit in lärare af en främmande religion,
til någon Gudstjensts öfning, eler til barns undervis-
ning i religionen; så skall then samme böta til nästa
hospital eller husarme, 500 Daler Silfvermynt, och för-
visas Riket.

§ 4. Främmande Potentaters sändebud, som äro af
annan religion, antingen the sig längre eller kortare tid
här uppehålla, efterlåte Wi fuller theras religionsöf-
ning uti sine hus, för sig och sitt medföljande folck
allena: Men utom huset, skola theras Prester hvarken
predika eller administera sacramenten. Icke heller
skall någon annan, eho han är, tillåteligt vara, theras
Gudstjenst at bevista och besöka, utan hvar och en
vara förbunden, hörsamligen at skicka sig efter the,
år 1655, 1667 och 1671 utgångne stadgar och förord-
ningar.

§ 5. The af en annan religion, än then Wi och Wåre
undersåtare bekänna oss til, som antingen allaredo äro
här i riket och thess tillhörige provincier, eller härefter
komma hit in, för någon tjenst, enkannerligen krigs-
tjenst skull, eller ock, att här drifva och idka köpen-
skap, handel, handtvärck, eller något anant näringsme-
del, måge fuller, så länge the stilla och utan förargelse
lefva, uti sin religion blifva. Men när the vilja för-
rätta Gudstjenst, med läsande och sjungande, skola the
thet gjöra uti sine hus och herbergen, inom lyckta dör-
rar, för sig allena, och utan anställd sammankomst med
andra. Dock skola theras barn, så framt de vilja nju-
ta burskap, i följe af Wåre och Wåre högloflige Förfä-
ders, Sveriges Rikes Konungars, Stadgar och förord-
ningar, uppfostras uti then rätta Christeliga läran, ef-
ter then oförändrade Augsburgiske bekännelsen; jem-

väl vara förplicktade, förutan then kunskap, som the
här om, hemma och uti husen, förmedelst Presternes
flitige undervisning, utaf catechismo intaga böra, på
alle Söndagar, Högtids- och allmänna Böne-dagar, sig
infinna i våra kyrckor, och sammastädes Gudstjensten,
ifrån begynnelsen til ändan bevista. Ingen, som af
främmande religion är, skal understå sig, någon, som
bekänner sig til vår lära, thet vare sig tjenstefolck
eller andra, at tubba, draga eller truga til sin Guds-
tjenst, utan tilhålla sit tjenstefolck, som är af vår reli-
gion, at flitigt gå i våra kyrckor.

§ 6. Såsom en noga uppsyn med ungdomens upp-
tucktelse, studier och resor i främmande land, drager
i längden efter sig en stor nytta, för Guds församling
och det verldsliga regementet, och lätteligen hända kan,
medan the vistas ibland folck af villfarande religioner,
at the ock insuga villfarande meningar, them the sedan
oförsigtigt bringa med sig hem i landet igen, sig och
androm til skada och förderf: alltså förmanom vi alle,
isynnerhet föräldrar, eller them, som stå i föräldrars
stad, och vilja sända sine söner eller förvandter i främ-
mande land, så ock them sjelfvom, som äro komne til
sine myndige år, och af egit råd vilja sig en slik resa
företaga, at först och främst bära åhåga om thet, som
til theras själs salighet länder, vinlägga sig om vår
Christeliga religions rätta kunskap och öfning, och
hvad som ther til hörer, samt noga underrätta sig om
ofvanberörde Stadgar, på thet the så mycket bättre
måge veta, att vakta sig för främmande Gudstjenster,
hålla sig stadigt vid Guds helige ord, och undfly theras
omgänge, som söka att bedraga them ifrån then rätta
til någon villfarande lära.

§ 7. The Christelige Ceremonier, som här til uti

våre församlingar hafva varit i bruk och ännu brukas, oansedt the äro i sig sjelfve vilkorlige, och intet göra till saligheten, skola the likväl, såsom til en god ledning och skick tjenande, härefter framgent behållas, och ingen hafva magt af egen godtycko, theruti något at förändra; theruppå Biskoparna och Superintendenterne med Dom-Capitlen måste flitigt inseende hafva, och så laga, at i alla stift blifver hållen en likhet. The som på andra tungomål, samma Gudstjenst förrätta, skola ock så lämpa sig efter the Ceremonier, som här i riket äro bruklige."

Så stod saken vid början af adertonde århundradet. Den, som vill läsa ett kostligt bidrag till religionsfrihetens historia i Sverige, betrakte "Acta rörande sammankomsten i Sickla år 1723", utgifna af E. W. Bergman. Den förr omnämnde djärfve juristen Christian Thomasius var en af de förste, som sökte väcka uppmärksamheten på de okristliga tvångslagarna i tvenne disputationer, hållna år 1697, således mot begynnelsen af adertonde århundradet. "Medelpunkten i Thomasii sträfvande var befordrandet af tolerans. Och häri fick han såsom tidsandans banérförare upplefva betydliga segrar", säger Tholuck. "Med teologernas herravälde öfver samvetena är det slut", utropade han i ett tal i Halle. Men så måste han ock genom flykt rädda sig från att blifva satt i fängelse i det ortodoxa Sachsen. Naturligtvis utkommo skarpa vederläggningar af sådana villfarelser. Thomasius förde i denna sak sanningens, rättvisans och kärlekens talan och är därför värd ett äradt namn i historien. Efter Thomasius uppträdde flere till försvar för religionsfriheten, såsom Bayle, Locke, Gerh. Noodt, Werenfels samt slutligen juristen Böhmer. Se Tholuck, "Geschichte des Rationalismus", sidd. 118, 119. Att Thomasius utlät sig ganska bittert mot prästerna, beklaga vi, men så hade de också med sitt pedanteri gräsligt försyndat sig mot kristendomen. Kampen mot religiöst förtryck fortsattes under hela adertonde århundradet. I detta sammanhang måste vi åter nämna ett namn, som vi annars afsky. Voltaires smädelser öfver kristendomen väcka vår fasa och vedervilja. Men ack, hvilken kristendom katolska kyrkan i Frankrike uppvisade på Voltaires tid! Förföljelseraseriet nådde sin höjdpunkt i mordet på Jean Calas. Denne oskyldige man lades på pinbänken och steglades sedan. Sådan var den kyrka, som i Frankrike nämnde sig efter Kristi namn. Då grep Voltaire sin mäktiga penna. "Han ryckte genast den allmänna meningen med sig, och fördragsamhet blef tidens lösen", säger Cornelius. Ja väl, det var icke för snart, att fördragsamhet blef tidens lösen. "Voltaire — till kristendomens skam vare det sagdt — var den ende, som antog sig den olyckliga familjen, en änka med fyra barn." Så yttrar kyrkohistorieskrifvaren Herzog om denna sak. Vi kunna göra oss en aning om den strid det kostade att bereda rum för rättvisa, billighet och människokärlek, då i det upplysta Sverige det olyckliga konventikelplakatet ej upphäfdes förr än 1858. Vi kunna ej följa denna kamp för den skönaste af all frihet, samvetets, men vi se, att adertonde århundradets så illa utskrikna subjektivism och individualism voro nödvändiga redskap i Guds hand för att åter gifva de kristna folken rättighet att dyrka Gud i anda och sanning, d. ä. utan att därtill tvingas af den världsliga lagens arm i enlighet med en yttre af människor stadgad form.

Det är här vi finna pietismens största förtjänst, att den förmådde fostra fria, själfständiga personer, som vågade öppet och ärligt bryta med gamla inrotade missbruk och visa, att protestantismen icke är ett tomt ord, utan en lifslefvande verklighet. Flera af det sjuttonde seklets stora teologer voro fega stackare, när det gällde inrotade synder och missbruk. Om kurfursten Johan Georg, som, på svenska sagdt, var en jämmerlig drinkare, sade den store dogmatikern Johan Gerhard: "Nå, om äfven denna furste drack något för mycket? Han behöfde en vederkvickelsebägare att skingra de tunga regeringsbördorna med. Nå, om han äfven var något häftig af sig? Det är ett tecken till en ädel natur." Kahnis' Protestantismens inre utveckling, sid. 91. Annat ljud blef det, när pietisterna blefvo hofpredikanter. Spener själf var så allvarlig mot kurfursten i Sachsen, att han måste flytta från Dresden. Kristligt *mod* utmärkte många af pietisterna. Se Tholucks "Geschichte des Rationalismus", sidd. 88—90. Det är ock mod som behöfves, när det gäller reformer. Det gör ens hjärta obeskrifligt godt att finna män, som kände det arma, ofta nedtrampade och föraktade folkets nöd, och som vågade att säga de själfsvåldiga furstarna sanningen rätt i ansiktet. Sådana män voro den ädle kristne statsmannen Moser och andra, hvilka kämpade och ledo för folkets rätt. Ända från medeltiden trodde furstarna, att de ägde det arma folket med hull och hår, och att de kunde behandla undersåtarna, såsom ögonblickets nyck kräfde. I den gamla goda tiden, d. v. s. i det sjuttonde seklet, frodades despotismen utan hejd. Då kurfurst Georg I af Sachsen, som annars anses såsom en mild furste, skulle besöka Zwickau 1615,

väntade borgmästaren till midnatt för att värdigt taga
emot fursten. Den gamle borgmästaren lät då stänga
portarna i den förmodan, att kurfursten ej kunde kom-
ma den dagen. Kurfursten kom efter midnatt, den
gamle borgmästarn kunde i hast ej finna portnyck-
larna. Strax på morgonen belades borgmästarn och
tvenne rådsherrar med bojor och sattes i fängelse, ja,
den gamle skulle just föras till afrättsplatsen, då
furstinnans förböner räddade hans lif. Furstarnas
och adelns öfvermod i forna tider var obeskrifligt.
Men adertonde århundradet satte sannerligen skräck
i furstar och höga herrar. Franska revolutionen är
en fasa för ömma sinnen, men en luftrensning skedde
genom denna storm. "Ärones Gud dundrar äfven i
revolutionerna, när ingenting annat hjälper."

Den omhvälfning i begreppet om kungavälde och
statsstyrelse, som försiggick under adertonde århund-
radet, var en af reformationens skönaste frukter.
Reformationen förkastade på det bestämdaste påfvens
envälde i kyrkan. På samma gång öfverändakasta-
des den katolska läran om den *styrande* kyrkan
(prästerna) och den *lydande* kyrkan (folket). Ge-
nom reformationen blefvo prästerna blott "ministri",
Guds och församlingens *tjänare*, icke herrar. Äro
nu dessa protestantiska grundsatser sanna enligt
Guds ord, hvad låg då närmare än att tillämpa dem
på staten och således upphäfva furstarnas *envälde* och
den höga adelns herravälde? Mot slutet af adertonde
århundradet fingo flerstädes furstarna och statsäm-
betsmännen åtnöja sig med att vara landets tjänare,
icke herrar. Jag vet väl, att Luther icke drog denna
slutsats, men slutsatsen drog sig själf med tiden ur
sextonde århundradets reformationsgrundsatser. Re-

dan under reformationstidehvarfvet utkommo med anledning af den gräsliga Bartolomeinatten i Frankrike skrifter, hvilka yrkade på folksuveränitet. Därom se de intressanta meddelandena hos Herzog, sidd. 422, 423 i 3:dje delen af Kyrkohistorien. Förenta staternas grundlag är en sannskyldig frukt af reformationen, och samma grundlag är ock en af adertonde århundradets skönaste prydnader.

Forskningsfrihet på alla områden, i synnerhet det teologiska, var ett af adertonde århundradets lösensord. Någon säger: "Alla goda protestanter göra anspråk på rättigheten att fälla sitt personliga omdöme, såsom om denna det personliga omdömets rätt vore deras gemensamma och uteslutande egendom. Men ehuru vi alla göra anspråk på denna rätt och berömma oss däraf, så få vi dock icke begagna den." Det må vara, att vi frivilligt eller ofrivilligt hafva afsagt oss denna vår protestantiska rättighet. I adertonde århundradet beslöt man dock att begagna denna rätt, så långt möjligt var. Att frihet och självsvåld lätt förväxlas, veta vi allt för väl. Jag skulle dock undra, hvar självsvåldet visat sig yppigast, hos representanterna för den hänsynslösa högkyrkligheten eller hos dem, som man vanligen kallar subjektivister. Att de, som i adertonde seklet medelst "sunda förnuftet" sökte reformera den lutherska kyrkoläran, gjorde sig skyldiga till ett gränslöst självsvåld, är uppenbart för hvar och en, som ej är en blind beundrare af detta århundrade. Det skulle vara ytterst intressant att få försöka gifva en någorlunda fullständig inblick i det adertonde århundradets teologi. Tiden tillåter mig ej. Dessutom är adertonde århundradets humanitetssträfvanden af oändligt större betydelse för mänskligheten än dess bidrag till den teologiska vetenskapen. Att dessa män, som gjorde så mycket för införandet af *mänskliga* lagar och seder, till stor del voro mer eller mindre rationalistiska, får icke för oss förminska värdet af deras arbete i Guds rikes tjänst. Det synes nästan vara rent af ett nödvändigt ondt, att de skulle så djupt förälska sig i det sunda människoförståndet, för att de skulle komma att tänka sig in i det rent mänskliga. De renläriga teologerna hade haft så mycket att syssla med sina systematiska grubblerier, sina titlar och doktorshattar, att de helt och hållet likt fariséerna glömde den arma mänsklighetens lidanden. Det aristokratiska sinnet hos de stora teologerna och kyrkomännen gjorde dem otillgängliga för all sympati med de lägre folkklasserna. Huru skulle annars så rysliga grymheter i lagar och seder blifvit lämnade orubbade i kristliga samhällen? Det är rent af obegripligt, att våra stora dogmatiska teologer kunde vara alldeles känsloslösa för kristendomens mildhet och mänsklighet. "Berömda teologer, såsom Polycarpus Leyser, Johan Gerhard, Hoe von Hoenegg och Calovius, visades en verkligen *furstlig* ära", säger Kahnis, pag. 111, Protestantismens inre utveckling. Huru skulle sådana teologfurstar kunna hafva någon verklig känsla för det lägre folket? Teologernas titelväsende och aristokratiska sinne hafva gjort mera ondt i Guds rike än något annat ondt jag vet af. Att lärda och innerligt fromma män kunna vara ytterst förvillade och känslolösa, visar det hemska exemplet af den uppriktigt fromme Gerson, som stod i spetsen för Kostnitzermötet, hvilket, såsom bekant, brände Joh. Hus. Englands öfverhus, däri biskoparna äro medlemmar, kämpade långt in i nittonde århundradet med engelsk seghet emot förmildringen af Englands barbariska lagar om dödsstraffet. Historien berättar många händelser, som äro för oss alldeles ofattliga, i synnerhet om grymhet.

Vid tal om det adertonde seklets obetydliga teologi måste vi likväl göra undantag för den würtembergska pietismen eller den Bengelska skolans teologiska arbeten. Den som gjort sig något förtrogen med Bengels, Oetingers, Ph. Matth. Hahns med fleres skrifter vet, att adertonde århundradet genom dessa Andens män lämnade åt oss en omistlig utveckling och fortsättning af våra reformatorers läroframställning. Här känner jag en stark lust att försöka en redogörelse af den Bengelska skolans teologi, men ett sådant försök skulle taga mig flera timmar, hvarför jag gör bäst att strax sluta med en tacksägelse till Herren för det goda han uträttat för mänskligheten och de kristna länderna i synnerhet i och genom det adertonde århundradet.

Sextonde och nittonde århundradet.

vilket anspråkslöst ämne! Det gränsar ju så nära som möjligt till det förmätna att tilltro sig kunna stoppa sextonde och nittonde århundradet i det oerhördt trånga utrymmet af fyrtiofem minuters tid. Kan en människa göra timmar af århundraden och århundraden af timmar? Jag vet, att det är omöjligt; jag vet, att jag är alltför ringa för det stora ämnet. Och dock är hvarje skolbarn som läser historien påkalladt att göra timmar af århundraden och århundraden af timmar. Jag gör ej anspråk på att vara mer än en abecedarie vid historiens stora universitet, men jag fröjdar mig öfver denna plats såsom öfver en stor förmån och heder. Huru högt mina åhörare äro komna i denna läroanstalt, är mig obekant. Den lärdaste kan i alla fall lära något äfven af en abecedarie. Redan Greklands gamle vise hafva sökt inskärpa budet om vår plikt att lära känna oss själfva. Vilja vi lära känna oss själfva, så kan det ske endast i förening med en närmare kännedom om det släkte, till hvilket vi höra.

Alla hafva vi någon gång känt det underbara intryck, som en skön utsikt i naturen gör på vårt sinne.

När man får tillfälle att en skön vår- eller sommar-
dag från en upphöjd plats se naturen i hennes högtids-
och sabbatsdräkt, huru klappar icke då ens hjärta af
förtjusning. Man känner sig rent af förflyttad till-
baka till paradisets dagar. Ack, om synden vore bor-
ta, ropar det i ens inre, hvilket lyckligt släkte vi då
vore! Hvarje träd, hvarje blomma, hvarje varelse
synes ju vid ett sådant tillfälle innesluta i sig en out-
tömlig rikedom af ämnen för betraktelse och beund-
ran. Nu är det höst, dysterhetens tid, nu är naturens
hjärta kallt som is; nu talar allt omkring oss blott
om förödelse, undergång och död, nu stöter naturen
oss ifrån sig. Nu känna vi behof af att vända våra
betraktelser *inåt*, åt tingens innersta väsen. I all syn-
nerhet bör nu människan själf vara ett viktigt hufvud-
ämne för vår eftertanke.

Nu böra vi söka någon upphöjd ståndpunkt, från
hvilken vi kunna skåda ut öfver människolifvet; men
icke blott öfver en mansålder, utan öfver flera år-
hundraden. Ack, dessa millioner människor, när de
marschera fram för vår blick, när de i sin brokiga
mångfald lefva och kämpa en liten tid här på jorden
och sedan lämna plats för andra, hvilken häpnad fram-
kallar icke en sådan syn hos oss! Vi hafva ju någon
gång känt det intryck, som en böljande människomas-
sa åstadkommer.

Emellertid måste åsynen af historiens väldiga folk-
processioner ännu djupare gripa hela vår uppmärk-
samhet än någon naturbetraktelse. Hela människolif-
vet blir i sådana stunder en enda stor fråga. Är intet
mål satt för människomassornas mångskiftande sträf-
vanden? Äro människorna endast att förlikna vid hö-
gar af sågspån, som kastas i hafvet och af dess vreda

böljor spolas ut öfver det fasansfulla djupet, för att en stund hållas tillhopa i mindre samlingar, tills slutligen det ena grandet slungas hit, det andra dit och ruttnar? Nej — det bor en ödödlig ande i hvarje människokropp. Om än kroppen är ett stoft, som sönderslites af tidens stormar, så kan dock aldrig anden bortslungas i det tomma intet. Han har ett lif, ett personligt lif, och det personliga lifvet kan aldrig tillintetgöras. Vi äro till, mina blodsförvanter af det stora släktet som heter människa, och vår tillvaro kan aldrig taga slut. O, stora sanning, som måste uppfylla oss antingen med bäfvan eller outsäglig hänförelse och fröjd! —

Människosläktet må liknas vid en väldig flod, som flyter fram öfver jorden. Än är hennes lopp stilla och strömmen nästan omärkbar, än bildar hon brusande vattenfall, som utveckla en oerhörd kraft antingen till förstörelse eller till välsignelse, allt efter som man använder kraften. Så äro vissa tidehvarf i mänsklighetens historia mera tysta och stilla. Människoanden likasom hvilar sig eller ligger i dvala. Andra tidehvarf åter likna dånande vattenfall; man hör dem på långt håll och lång tid efter sedan de flutit förbi. Dessa tidehvarf utveckla väldiga andekrafter, som utöfva sin makt årtusenden efter den stund, då dessa tidehvarfs timglas utrunnit.

Sextonde århundradet är ett sådant tidehvarf, då andekrafterna voro i den häftigaste rörelse för att åstadkomma en ny vändning i mänsklighetens lif. Att vårt eget århundrade är ett af de betydelsefulla i mänsklighetens historia, är ju erkändt af alla och af många med sådan förtjusning, att enligt deras tro det mänskliga lifvet icke varit värdt att lefva förrän i detta århundrade. Man ger vårt århundrade allehanda vackra smeknamn för att uttrycka den tanken, att alla föregående århundraden hafva haft nästan intet att betyda i jämförelse med vårt. Dessa förtjusta söner och döttrar af det nittonde århundradet föra oss med triumferande min omkring till världsutställningarna och de stora maskinverkstäderna; de pepa på järnvägar, telegrafer och dylikt och fråga: När och hvar har man någonsin förr sett så underbara maskinerier eller hört ett sådant buller af verksamhet på industriens alla områden? När var lifvet så bekvämt att lefva, som nu? Är då hela vårt århundrade blott och bart en maskinverkstad; är det endast en ofantlig Corliss-maskin, lik den man såg vid världsutställningen i Philadelphia 1876? Är vårt århundrade ej annat än en maskin, då saknar det lif och kan ingalunda vara hvad det berömmer sig vara — framåtskridandets tidehvarf. Tydligt är dock, att icke blott maskiner, utan väldiga andekrafter äro i stark verksamhet äfven i vårt århundrade.

Vår mening vore nu att på en stund låta det nittonde århundradet spegla sig i det sextonde. Vi ville slå en brygga från det ena tidehvarfvet till det andra, på det vi må blifva iståndsatta att göra besök hos våra fäder, vänner och släktingar af det sextonde århundradet. Vi ville lära känna det inre sambandet mellan den förflutna och den närvarande tiden, synnerligen mellan vårt århundrade och det sextonde.

Vi pläga tala om att vi äro barn af vår tid. Detta är sant, men det är ock sanning, att vi äro barn af förgångna tidehvarf. I all synnerhet äro vi protestanter och lutheraner barn af det sextonde århundradet. Låtom oss då göra ett besök i vårt barndomshem!

Luther var utan allt tvifvel det sextonde århundradets störste man, för att tala på det allmänt mänskliga språket. Firandet af 400:de årsdagen af Luthers födelse ger oss för den skull en osökt anledning till en kort jämförelse mellan det sextonde och det nittonde århundradet. Naturligtvis kunna vi fästa oss endast vid några allmänna hufvuddrag i de båda tidehvarfvens lif och verksamhet.

Jakten efter rikedom, lyx och vällefnad är ett utmärkande drag i tiden vid begynnelsen af det sextonde århundradet. Stora, rika och mäktiga handelsstäder hade växt upp här och där i Europa. Vi hafva ju alla läst och hört talas om det mäktiga Hanseförbundet, en förening af rika handelsstäder. Den "allsmäktige" dollarn besatt redan då den förtrollande kraft, hvarmed han förmår smida människor i sina bojor. Handel och handtverk blomstrade i dessa städer på ett dittills okändt sätt. Under dessa sträfvanden efter jordiskt välstånd svingade vissa män sig upp till värdighet af rika penningfurstar, för hvilka själfva kejsarna måste buga sig. Vi minnas Fugger i Augsburg och kejsar Karl V.

Man hade ock vid denna tid gjort märkvärdiga *upptäckter* och *uppfinningar,* hvilka gåfvo anledning till stora omhvälfningar i folkens sinnesriktning. Vi erinra oss Columbi upptäckt af den nya världen 1492. I sammanhang därmed stå portugisernas eröfringar i det rika, af guld och ädelstenar glänsande Indien. Jord, jord, mera jord! Guld, guld! Vi minnas ock, att spanjorernas eröfringar i Mexico och Syd-Amerika inföllo vid begynnelsen af sextonde århundradet eller vid den tid, då Luther uppspikade sina 95 teser på slottskyrkan i Wittenberg. Med största raseri kastade sig spanjorerna öfver Mexicos och Syd-Amerikas rika guld- och silfverskatter. Stora skeppslaster af silfver och guld, som göra människan vansinnig, sändes till Spanien och därmed till Europa. En brännande törst efter rikedomar spridde sig som en feber öfver Europa. Vi kunna göra oss en föreställning härom, när vi erinra oss guldfebern från vår tid. Människan är sig ungefär lik i alla tider. Vid slutet af medeltiden, d. v. s. vid begynnelsen af det adertonde århundradet, var denna guldfeber så mycket vådligare, emedan Europas folk nyss förut med nästan exempellös hänförelse lefvat för kyrkan och himmelska ting. Medeltidens folk uppoffrade och försakade allt för kyrkan och hennes härlighet. För glädjen att uppföra sköna och majestätiska kyrkor kunde släkte efter släkte af medeltidens folk försaka lifvets för oss allra nödvändigaste bekvämligheter. Njutningen af att se en storartad katedral och en skön Herrens gudstjänst var så stor hos dessa folk, att de icke frågade efter, huru mycket de måste umbära och försaka i det privata lifvet. Jag önskar, att jag i ett stort panorama kunde framställa för edra ögon den stora mängd af majestätiska domer, som äro sållade öfver Europa och till största delen byggda under medeltiden. I skullen vid åsynen af dessa underbara byggnader nödgas inse, att medeltidens folk måste hafva uppoffrat största delen af sitt lifs arbete på kyrkor, och att de måste hafva gjort dessa för oss otroliga uppoffringar med hjärtans lust och fröjd. I annat fall hade dessa tempel varit en omöjlighet. Nu äro de dock en lifslefvande verklighet och stå där såsom minnesvårdar af medeltidens kraft och hänförelse. De kunna säkerligen aldrig öfverträffas, förrän Gud själf låter oss se sitt tabernakel, den eviga härlighetens tempel.

När nu folket hade rent af uttömt sina krafter på
dessa byggnader, och då Guds lefvande ord, som allena
kan tillfredsställa själens törst, människoandens trå-
nad efter det oändliga, efter Gud själf, icke förkun-
nades i dessa tempel, så vände sig helt hastigt folkens
hjärtan med oemotståndligt raseri till jordisk vinning
och köttsliga njutningar. Detta var orsaken därtill,
att spanjorerna utöfvade så sataniska grymheter i
Mexico och Syd-Amerika för att vinna guld.

När människoanden icke finner sig tillfredsställd i
sin trånad efter himmelska ting, utan vänder sig ned-
åt för att äta jord, så blir han ursinnig, ett vidunder
af grymhet och kall blodtörst.

Folken hade under medeltiden gifvit allt de kunde
åstadkomma till kyrkan: allt för Gud, påfven och kyr-
kan. Nu vände sig saken. Nu begynte man själf vilja
lefva bekvämt, man började bygga åt sig själf och
samla kapital. Nu slösades på baler, spel och galna
lustbarheter, dryckenskap och allehanda lustar, hvad
kyrkan förut hade fått. Hvilken bild af nittonde år-
hundradet! Vår tids nöjen, huru ytliga och råa! Vildt
och rått skratt betalar sig nu bäst. Det är därför det
lönar sig så bra att vara en Ingersoll. Tänk blott på
det gräsliga teaterväsendet. Men, frågar någon, hvad
har den att säga om teatern, som aldrig vändt sin fot
till att se ett spektakel, ej heller ämnar göra det. Man
behöfver blott se annonserna och illustrationerna på
annonsbräderna, så har man sett nog för att veta, hvad
slags uppfostran teatern ger vår tids och särskildt
Amerikas folk.

Frågan var emellertid i sextonde århundradet, om
folkens törst skulle släckas med guld och råd nöjen,
eller om Jesu Kristi evangelium, för hvilket människo-

hjärtat är skapadt, skulle få gifva den frid, som hvarken guld eller världens nöjen kunna gifva. "O människosjäl, du är af naturen en kristen", utropar Tertullianus. Det är hemskt för den, som är född furste, att blifva och vara hamnbuse. Gud sände reformationen och med den evangelium. Nord-Europas folk satte sig ned vid den källan och indrucko andlig hälsa och nytt lif. Syd-Europas folk törstade ock, men påfven förmenade dem evangelium, och därför sökte de släcka törsten med martyrernas blod. Äfven i Spanien, guldtörstens land, trånade många efter evangelium. Denna trånad kväfdes i autodaféernas grymma eld. Spanien stängdes för evangelium, men därför sjönk ock detta land allt djupare och djupare, tills det från att vara världens stormakt och Europas rikaste land är vordet vanmäktigt och fattigt. England, som nu regerar världshafven, var i sextonde århundradet en obetydlighet i folkens rådsförsamlingar. Påfvedömet sänkte Spanien; evangelium lyfte England. Brandenburg var vid den tiden en nolla i historien. Nu är Preussen högsta domstolen i Europa. Evangelium helgade nordmannakraften; ett snömajestät från höga Norden bröt den katolska kejsarmaktens ryggrad. Huru skulle vi utan djup rörelse kunna tänka på den höga världshistoriska kallelse, Sveriges folk fick af Gud under Gustaf Adolf?

I och med reformationen i sextonde århundradet flyttades makten på alla områden från Syd-Europa till Nord-Europa. Nord-Europas folk öppnade sina dörrar för evangelium. Där hafva vi orsaken, hvarför Nord-Europa i nittonde århundradet väger så mycket tyngre i vågskålen än Syd-Europa. Före sextonde århundradet var det tvärt om. Hvad har Syd-Amerika i våra dagar att betyda mot Nord-Amerika, och hvad är orsaken till den stora olikheten? Kan någon människa med någon blick i historien vara tveksam om svaret? Mången tror, att om folken löstes från kristendomen och all religiös tro, så skulle de begynna lefva för jorden med sådan flit, att all fattigdom och nöd skulle upphöra och välståndet blifva allmänt. Man bespottar förflutna århundraden och menar, att folken voro fordom så dumma, att de sökte blott efter himmel och salighet och därför ej voro nog "smarta" att göra sig rika på jorden. Hvad skall då lösningen bli på den fråga, som så skakar det nittonde århundradet i dess innersta fogningar, — frågan om kapital och arbete? Om folken förlora tron på evigheten, himmel och salighet, huru skola de då lösa denna fråga? Om evighetsbehofvet dödas i människohjärtat, huru länge kommer då egendomsrätten på jorden att respekteras. Emellertid är frågan om rikedom och fattigdom nittonde århundradets öppna sår. Läkes icke detta sår med evangelii balsam, så skall nittonde århundradet lämna efter sig en sjukdom värre än digerdöden.

Ett annat framstående drag i det nittonde århundradet var *den nyvaknade törsten efter bildning och vetande.* Man nöjde sig ej med kyrkans kalla lärosystem och teologiska spetsfundigheter. Hjärtat kunde ej heller värmas af lysande, men tomma och andelösa kyrkoceremonier. Den romerska kyrkan hade under senare delen af medeltiden förvandlat det gudomliga, andliga och himmelska till ett utvärtes glitter och en äcklig ceremonitjänst. Hon hade ock tillintetgjort det sant mänskliga och framställt en vrångbild både af Gud och människan. Hon hade låtit sin förmenta helighet uppsluka allt sant mänskligt. Alla människor

skulle vara munkar och nunnor för att hafva något
värde. Man vaknade nu upp öfver det förvända i den-
na fromhet. Man begynte ropa efter något *mänskligt*,
något som motsvarade människans känslor och behof.
Man var öfvermätt på en tillgjord fromhet.
Då timade en stor världshändelse. Konstantinopel
intogs af de vilda turkarna. De lärda grekerna, som
i all tysthet odlat och vårdat den gamla helleniska
bildningen, flydde åt väster, till Italien. Med förtjus-
ning blefvo de mottagna af många trånande sinnen.
Man började med brinnande ifver studera de gamla
grekiska och latinska författarna. Den gamla hedna-
tiden framträdde för det kristna Italien i sin förtju-
sande glans och med sitt förtrollande behag. Man glad-
des öfvermåttan däröfver, att man åter fick vara *män-
niska*, och man fick begynna se *jordens* skönhet och
härlighet. Man hade länge nog varit en tvungen munk
eller präst eller munk- och prästdyrkare. Nu lärde
man sig tala Ciceros latin och skrifva vers som Virgi-
lius och Horatius. I glädjen kallade sig dessa bildade
"humanister", det är sådana, som sökte vara männi-
skor, och som sträfvade med de bästa mänskliga gåfvor
och krafter att upphöja och försköna allt mänskligt och
jordiskt. Man hade under medeltiden uppoffrat allt
för Gud och hans sak. Man hade ock gjort människor
till gudar och halfgudar såsom påfven och helgonen.
Att vara präst och munk var allt, andra kallelser voro
intet. Nu vändes saken plötsligt om. Nu ville man
vara människa blott. Nu upphöjdes och prisades män-
niskans naturliga värde, hennes förnuft och snille.
Människan sattes af dessa humanister öfver Gud, präs-
ter och allt.
Man ville nu stifta en mänsklig religion utan gudom-

lig uppenbarelse, eller ännu bättre, man ville icke alls hafva religion. Italiens humanister förföllo mestadels i hedendom eller sämre än hedendom och skändlig sedeslöshet. Blott man var lärd, kvick och lysande i sitt sätt att vara, så gjorde det precis det samma, huru det stod till med det sedliga lifvet. Den italienska humanismen saknade märg och kärna, emedan den saknade evangelium. Därför försvunno Syd-Europas humanister utan att hafva kvarlämnat någon varaktig nyttigt för de länder, där de verkat. Nord-Europas humanister däremot blefvo till stor välsignelse för länder och folk. Italiens humanister förkastade evangelium; Nord-Europas humanister anammade evangelium och ställde sin lärdom och bildning i Kristi tjänst. Melanchton kunde mäta sig med hvilken humanist som helst i lärdom. Hvilken välsignelse har icke denne man fått sprida öfver århundraden, emedan han lät sin lärdom tjäna Kristus och hans rike! Han var ett salt och ett ljus i världen. De italienska humanisterna liknade det salt, som mist sin sälta och kastas ut och varder trampadt af människorna. Luther var ock humanist, men hvilken humanist har satt sin prägel på historien som han? Evangelium var kärnan, Kristus var A och O i Luthers humanism. I Nord-Europa blef den religiösa frågan hufvudsaken; i Italien lade man hufvudvikten på den mänskliga bildningen. De italienska lärde kunde helt obesväradt foga sig efter påfven och den romerska kyrkan i det yttre, midt under det de djupt föraktade kyrkan och kristendomen. Se däremot Luther, som framför allt älskar sanningen, och som böjer sig endast för Gud och hans ord.

Emancipationsfrågan stod i sextonde århundradet först på dagordningen. Vetenskapen och konsten hade under medeltiden helt och uteslutande tjänat kyrkan, ofta med slafvisk underdånighet. Nu ville vetenskapen göra sig fri från alla kyrkliga och religiösa band. Hon gjorde sig fri i Italien, men frisade sig på samma gång från evangelium och sann sedlighet. Därför sjönk denna italienska s. k. fria vetenskap ned i materialismens och osedlighetens träsk. Det ideala, det sanna, det goda, det sköna, förmår aldrig hålla sig uppe utan religion och särskildt icke utan kristendom. Det ideala utan kristendom sväfvar en tid i luften utan hållning och stöd, men störtar snart utmattadt ned och nedbäddas af sin egen tyngd i smutsen. Den sanna humaniteten kan aldrig åstadkommas med blott mänskliga krafter. Himmelsk, gudomlig styrka allena kan af människan göra en sann människa, kan lyfta och förädla henne i sanning. En gudomlig magnet från ofvan måste draga oss uppåt. Därför är den kristna tron det förnämsta och kraftigaste bildningsmedlet. Tron lyfter hjärtat upp i himmelen och fäster det med oupplösliga kärleksband vid Guds hjärta. Tron upplåter vårt innersta för de himmelska krafterna, den gudomliga nåden. Får jag hänvisa eder till 1 kap. i Efeserbrefvet, som innehåller en den allra skönaste och djupsinnigaste framställning af denna sanning? Det är ett af de största snillen, hvilka funnits på jorden, som talar där.

I sextonde århundradet sökte ock den sköna konsten göra sig oberoende af kyrkan. Den store Rafael har ju åstadkommit de allra skönaste kristliga målningar, men hos honom visar sig ock inflytelsen af den italienska humanismen. Den s. k. renässansen gjorde sig mer och mer gällande på konstens område, och denna renässans sökte icke den pånyttfödelse, hvarom Herren

Jesus talar med Nikodemus, utan en ny hedendom i förfinad gestalt. Huru Luther ville taga den sköna konsten i Kristi tjänst, är oss ju bekant. Hvarom icke, borde vi göra oss förtrogna med det ämnet. Huru Luthers vänner bland målarna genom illustrationer tjänade evangelii sak, är ett ämne af högsta intresse. Huru sången och musiken tjänade till evangelii spridning, känna vi ju med djup tacksamhet. Men när den sköna konsten skiljer sig från kristendomens lära och lif, så gör hon själfva synden till en skön konst. Det är denna hemska sköna konst, som Milton så oförlikneligt kraftfullt har skildrat i sitt skaldestycke "Det förlorade paradiset." Satan uppträder där med det fina sätt, det tjusande behag, den ridderlighet, som emellanåt kommer oss att glömma, att han är en ond ande. Han gör synden till en skön konst. Han är själf den store mästaren i denna det gräsligas sköna konst. Samma drag ligger uti den sköna konsten, när hon är affallen från Gud, när hon icke längre vill vara Jesu Kristi ödmjuka tjänarinna. Här träffa vi det nittonde århundradets största fara. Vetenskapen är oberoende, den sköna konsten är oberoende af religion och moral, så lyder ju vår tids lösen. Vetenskapen är sitt eget mål, sin egen oinskränkte själfhärskare. Konsten är ock sitt eget mål och skrifver sina egna lagar. Vågar någon påstå, att religion och moral stå öfver vetenskap och skön konst, och att det är vetenskapens och konstens skönaste mål och ära att vara tjänarinnor, då knyta många af vår tids vetenskapsmän och konstnärer i vrede sina händer, och föga fattas, att anatomerna genast med sina knifvar kasta sig öfver en sådan gengångare från medeltiden och skära honom i stycken till ett försoningsoffer åt veten-

skapens och konstens Molok. Jag ser ingen större fara
i det nittonde århundradet än denna vetenskapens och
konstens vilda emancipation från Gud och sedlighet.
Man får se de mest bildade och lärda män stiga ned
till samma låga ståndpunkt af fanatism och blodtörs-
tigt raseri som de djuriska sansculotterna i Paris, när
dessa frågor komma allvarligt på tal. Det är sant:
många lärda i vår tid, i synnerhet naturvetenskaps-
män, anse, att en högförnäm neutralitet i förhållande
till kristendomen bäst anstår en furste i vetenskapens
rike. Genom liknöjdhet och köld för Gud och himmel-
ska ting förnedras vetenskapen till en andelös affär
och ett maskinmässigt slafarbete, som kväfver och dö-
dar det ädlaste hos människan. Om vetenskapen kun-
de uppvisa aldrig så många under, så kan hon dock
icke åstadkomma sådana välsignelserika omskapelser
i människosläktets och den enskildes lif, som kristen-
domen kan. Det är religionen allena, som kan gripa
människan i hennes innersta väsen, det är kristendo-
men, som kan fatta hjärtat och förnya folks och tide-
hvarfs lif och verksamhet.

En af nutidens störste historieskrifvare, Leopold
von Ranke, börjar sin världshistoria med dessa ord:
"Jag begynner med föreställningen öfver de gudomliga
tingen." Och vidare: "Det gudomliga är alltid det
ideala, som föresväfvar människan." Så låter han
hela världshistorien hvälfva sig omkring denna axel:
religionen. Så låter han ock i sin framställning öfver
kristendomen Jesus Kristus vara den sol, omkring
hviken händelserna på jorden kretsa. Det är sålunda
icke blott en fattig Augustana-präst, som sätter reli-
gionens och särskildt kristendomens betydelse så högt.
Äfven de, som stå på höjden af vår tids bildning, se,

att världshistorien utan Jesus Kristus vore en kolsvart natt.

Hvad vore den stora kraften hos den väldige jätten Luther, som enligt historieskrifvaren Johannes von Muellers ord "gaf halfva Europa en ny själ"? Ja, man må säga, att Luther ryckte med sig hela sin tid, ty själfva den del af kyrkan, som icke öfvergick till reformationen, erfor en ny väckelse genom Luther. Hvad är det, som gör, att Luthers minne nu firas öfver hela den civiliserade världen? Sätt Luther, sextonde århundradets man, och Voltaire, adertonde århundradets litteräre afgud, bredvid hvarandra. Vi borde här stanna och luta oss ned till en timmes tyst betraktelse. Tron och tviflet, evangelium och hånet, hvilka minnesvårdar hafva de lämnat efter sig, hvilka lifs- eller dödskrafter hafva de ingjutit i mänskligheten? Hvad var lifskraften hos Paulus, den man, som eröfrade hela romerska världsväldet och kom hela historien att vända sig åt ett annat håll? "Kristus är mitt lif", säger han själf.

Låtom oss i all korthet kasta en blick på *frihetssträfvandet* i sextonde århundradet. Det gick en djup suck genom det femtonde och sextonde århundradet. Bördan låg tung öfver folken. Det s. k. feodalväldet och lifegenskapen medförde hård träldom, betryck och fattigdom. Själfva ordet lifegenskap må vara nog att beskrifva det hemska i de folks belägenhet, som voro underkastade denna mot all gudomlig och mänsklig rätt skriande orättvisa. Ej underligt, om människan suckar i ett sådant fängelse, ej underligt, om hon i blindt raseri gör de vildaste ansträngningar för att kasta af oket och slita sig lös ur fängelset. Vid slutet af femtonde och början af sextonde århundradet gjordes af folken flera sådana försök, särskildt i södra Tyskland, till befrielse från lifegenskapen. Vi hafva ju alla läst om bondekriget vid början af reformationstidehvarfvet. Men den taflan vare gömd i fasans kammare, ty hon vore alltför hemsk att upprulla för våra ögon. Emellertid bevisade detta bondekrig, hvad så många gånger blifvit bevisadt i historien, att där den sanna evangeliska samvetsfriheten saknas, blir människan ett vilddjur genom den yttre borgerliga friheten. Detta bondekrig bevisar också, att den sanna friheten icke kan vinnas i ett ögonblick eller genom en våldsam revolution, utan att ett folk måste fostras för friheten, innan det kan rätt bruka denna stora, men ömtåliga gåfva. Hade icke reformationen i sextonde århundradet gifvit Nord-Europas folk evangelium, så hade antingen de vildaste revolutioner ödelagt denna del af jorden, eller ock hade folken blifvit förslafvade och försoffade till den grad, att de icke mera varit mäktiga att fatta en tanke om frihet. Evangelium räddade den borgerliga friheten åt Europa och världen. Hvad lutherska reformationen verkade i det afseendet, behöfver jag icke försöka vidlyftigt bevisa, ty det har väl nog blifvit sagdt och säges synnerligen i år af alla, som hafva något begrepp om historia.

Vår tid är frihetens tid. När vi se tillbaka på flydda århundraden, vidgas vårt hjärta of outsäglig fröjd öfver den borgerliga och religiösa frihet vi åtnjuta. Vi äro dock alltför benägna att glömma, att andra hafva arbetat och vi äro ingångna i deras arbete, att andra hafva sått under tårar, där vi med glädje bära våra kärfvar. Vi hafva sannerligen orsak att jubla. Men hvarifrån är vårt frihetsbref kommet? Från himmelen. Där förvaras ock originalhandskriften till

Tal och föredrag. 6.

alla borgerliga och religiösa frihetsbref. Där regerar den stormakt, som förmår att värna vår frihet. Hvad äro alla våra konstitutioner, öfver hvilka så många loftal hållas? Blott papper. Står ingen gudomlig makt bakom dessa frihetskonstitutioner, så äro vi illa däran. Det gudomliga ordet, evangelium allena, har makt att säga: Varde ljus, och det varder ljus; varde frihet, och det varder frihet. Detta samma gudomliga ord allena är mäktigt att underhålla ljuset och friheten. "Ära vare Gud i höjden och frid på jorden, till människorna ett godt behag" är en "Declaration of Independence", större och kraftigare än Thomas Jeffersons berömda dokument. Så enkla sanningar och dock så stora, ej uppfunna af mig, utan sagda millioner gånger före mig, men därför icke mindre stora.

Den *hastiga spridningen af allehanda litteratur* genom den nyss uppfunna boktryckarkonsten är en företeelse i sextonde århundradet, som kunde gifva oss anledning till en lärorik jämförelse med bokspridningen och läslusten i nittonde århundradet. Blott några ord om detta intressanta ämne. Hvem förmår rätt uppskatta och beskrifva boktryckarkonstens betydelse för mänskligheten? Hvarje tänkande människa utropar med beundran och hänförelse: Tack, o Gud, för denna stora gåfva! När nu denna gåfva blef ett så mäktigt medel att sprida ljus och sanning, så var det icke möjligt annat, än att synden skulle komma att använda denna sköna konst i det ondas tjänst. Hade icke i det sextonde århundradet evangelii sanning satt tryckpressen i verksamhet, så skulle ondskans makt snart hafva dränkt världen i en syndaflod of orena och förföriska böcker. När har bok- och tidnings-pressen varit en sådan makt som i det nittonde år-

hundradet? Hvar finnes en makt, som af den samvets-
löse kan användas med mera dödlig verkan än pressen?
Funnes icke evangelii kraft, vore vi i det nittonde år-
hundradet sålda till oundvikligt fördärf. Gud vare
tack, det nittonde århundradet invigdes med stiftandet
af de stora bibelsällskapen. "Och Guds ord blifver
evinnerligen."

Genom den lutherska reformationen den frälsande sanningen återfunnen.

an berättar om en af den gamla tidens vise, att han, då han efter yttersta ansträngning af sina krafter och lång tids djupt rannsakande funnit lösningen af en ytterst svår fråga, i onämnbar hänförelse utropat: *"Jag har funnit det"*. Det vore oss ej möjligt att uppräkna de många människor, hvilka efter otroliga ansträngningar och försakelser funnit hvad de sökt på jorden: makt, ära, rikedom, segrar och nöjen. Ej heller vore det oss möjligt beskrifva de många glädjefester, som firats på jorden öfver detta: "Jag har funnit det". Böcker hafva därom skrifvits, sånger sjungits, loftal hållits i oändlighet. Och dock har härvid endast en jordisk, förgänglig skatt blifvit funnen.

Är det ens möjligt att lefvande och verkligt beskrifva den fröjd, den ära och det pris, som åtföljt finnandet och återfinnandet af jordiska skatter, huru skulle det då vara möjligt att i lefvande verklighet beskrifva den fröjd, ära och härlighet, som åtfölja finnandet och återfinnandet af oförgängliga, obesmittade och ovanskliga skatter och härligheter? Dock är det om återfinnandet af den eviga skatten, den frälsande sanningen, vårt tal skulle handla. Matt, mycket matt måste vårt tal blifva i förhållande till själfva den sannings härlighet, öfver hvilken vi skulle tala. Ja, så när hade jag sagt, att det är en förtjänst hos mitt tal, den jag själf kan beprisa, att det är svagt emot själfva ämnets storhet och vikt; eller fast mer, den frälsande sanningens återfinnande är någonting så outsägligt, att hvarje mänskligt försök till dess beprisande måste taga sig ut som en dunkel skugga emot den klara solen. Ett gudomligt under sker på jorden, då en arm syndare återfinner den frälsande sanningen, Herren Jesus Kristus. Jag säger strax utan vidare förklaring: den frälsande sanningen, *Jesus Kristus.* Ty hvem skulle vilja motsäga det påståendet, att Kristus är den frälsande sanningen? Ett all motsägelse nedtystande svar på frågan om hvad den frälsande sanningen är gifver Herren Jesus själf i de orden: "Jag är vägen, *sanningen* och lifvet" (Joh. 14: 6). Att finna och återfinna den frälsande sanningen är därför att finna och återfinna Jesus Kristus. Då lärjungarna i salig fröjd utropade: "Vi hafva funnit Messias", då jublade de öfver att hafva funnit den frälsande sanningen. När den gamle Simeon i templet tog Jesus-barnet i sin famn, sjöng han en jubelsång öfver ämnet: "Jag har funnit den frälsande sanningen", hvilken sång sedermera blifvit eftersjungen af millioner syndare, hvilka funnit samma frälsande sanning. Ja, när änglaskarorna sjöngo sina lofsånger öfver Betlehem, var hufvudämnet för deras sång detta, att den frälsande sanningen, Jesus Kristus, var kommen till jorden.

Sedermera undangömdes, särskildt under medeltiden, genom människostadgar den frälsande sanningen, hvarför vi ock kalla finnandet af densamma genom reformationen ett *återfinnande*. Det var samme Jesus och samma lära om Jesus, som fröjdade den gamle Simeon och Luther, men med afseende på tiden kalla vi Luthers omfamnande af Kristus ett *återfinnande*. Vi skulle därför nu särskildt tala om återfinnandet af den frälsande sanningen genom reformationen. Vill man gifva en efter ord och sak sann uttydning på ordet reformation, så är det denna: den frälsande sanningen, Jesus Kristus, är återfunnen.

Vid begynnelsen af det sextonde århundradet efter Kristi födelse finna vi i ett augustinerkloster i Wittenberg i Tyskland en munk, hvars hjärtehistoria är hela reformationens inre historia. I Luthers egen själ erfors den djupt trånande längtan, utkämpades de strider af fåfäng kraftansträngning, som föregingo återfinnandet af den frälsande sanningen. I Luthers eget hjärta uppstämdes den fröjdesång öfver återfinnandet af Jesus Kristus, som sedan under reformationen utgick öfver hela Europa. Hos Luther själf skedde således först det Guds under, som vi kalla reformation; åt Luther själf gafs först den frälsande sanningen, Jesus Kristus, hvilken sedan under och genom reformationen utbjöds åt hela världen till anammande och återfinnande.

I dag för århundraden sedan hördes de första ljuden af det stora jubelropet: "Vi hafva återfunnit Messias", då Luther på domkyrkodörren i Wittenberg uppspikade de 95 teser, hvilka till tusentals munkceller, slott och hyddor förde de första strålarna af rättfärdighetens sol, Jesus Kristus, sedan de mänskliga helgongärningars moln begynt skingras för den genom teserna susande evangelii vind. Vid riksdagen i Worms några år senare lät Gud denna samma rättfärdighetens sol i sin klara middagshöjd lysa ned öfver Europas monarker och folk, sedan han begagnat Luther såsom ett redskap vid skingrandet af egenrättfärdighetslärans moln. Med outsäglig hänryckning lyfte tusentals arma syndare sina ögon upp, icke till Luther, utan till Jesus Kristus och utropade: Jesus är kvar, vi hafva återfunnit den frälsande sanningen.

Ännu stod dock Luther med endast några få närmast omkring lifvets källa, den stora skaran var genom ett stängsel afskild från själfva källan och måste mottaga lifsvattnet i kärl, som räcktes dem af Luther. Om några år refs dock stängslet ned, och Luther inbjöd hela den stora skaran att själf träda källan nära och dricka vattnet så friskt det flödade ur källan. Bibeln öfversattes på folkets språk och spriddes till tusentals slott, hyddor och kloster. Åter genljöd från alla håll ännu starkare jubelropet: Vi hafva återfunnit den frälsande sanningen. Af lifsvattnet blef i tusende hjärtan källor med springande vatten, och detta springande vatten framvällde i gripande toner och lofpsalmer, i hvilka grundtonen var denna: Vi hafva återfunnit den frälsande sanningen, Jesus Kristus. Djup var fröjden, innerlig glädjen, högljudt var jublet öfver den återfunna skatten, Jesus Kristus.

Några år förgingo under stilla begrundande vid Jesu fötter, under verksam ifver att kalla så många som möjligt till att anamma den återfunna frälsande sanningen, Jesus Kristus.

Då utgick plötsligt en kallelse från världens dåvarande mäktigaste monark, och hufvudinnehållet af denna kallelse var: låten oss höra fast och visst, om I ären fasta och vissa därpå, att I hafven återfunnit den frälsande sanningen, Jesus Kristus. De furstar, lärare och folk, som hade verkligt återfunnit Jesus Kristus, kände stunden, då de förnummo denna kallelse, högtidlig och allvarlig. O, huru många bönerop från tusende hjärtan då uppsändes till Herren! På utsatt tid och ställe samlades furstar och några af lärarna i hela folkets namn för att afgifva svar på den allvarliga frågan. Man samlades för att affatta ett skriftligt svar, ty skrifvet måste svaret vara, så hade den väldige monarken förordnat. Nätter och dagar läste man bibeln, bad och skref. Luther, som ej fick visa sig i den kejsarens närhet, vistades i ett rum i en stad så nära han fick komma. Nätter och dagar kämpade han med Gud i bön. Lik den gamle Jakob släppte han ej Herren, förrän han fick välsignelse. Välsignelsen fick han ock. Namnet *Israel* är ock med outplånliga bokstäfver inskrifvet af Gud i den lutherska reformationens historia, och de tusenden, som försökt utskrapa detta namn ur historien, hafva misslyckats intill denna dag; och de tusenden, som nu och hädanefter göra samma försök, skola misslyckas, ty det Gud gjort kan ej göras om intet. Israel, det är, du har kämpat med Gud och vunnit; Israel, det är, Luther har kämpat med Gud och vunnit och funnit den frälsande sanningen; Israel, det är det korta talet öfver vårt ämne, det är den åskstråle, som slår i stoftet alla stortaliga falska reformatorer, hvilka påstå, att den lutherska reformationen skulle vara endast ett uppslag till sökande efter sanning.

Men huru gick det med de vänner och fäder i Augsburg, hvilka voro kallade att afgifva svar på den

allvarliga frågan, om de voro inför Gud och af Guds
ord vissa därpå, att de hade funnit Jesus Kristus?
Jo, under bibelläsning och bön, blickande upp till den
korsfäste, affattade de skriftligen ett svar eller bekän-
nelse. "De högsta personer i kristenheten äro församla-
lade under ordförandeskap af en kejsare, hvars spira
räcker från norra till södra Europa och utöfver världs-
hafvet till nya världen. Kurfurstar, prelater, furstar
och ständer af tyska nationen hafva kommit tillsam-
mans, främmande nationer hafva skickat sändebud
och påfven afsändt sina legater för att höra denna
bekännelse, detta svar. Och inför dessa alla och emot
all deras makt och välde stiga några furstar upp och
aflägga högt och allvarligt ett utförligt vittnesbörd
om den evangeliska tron, hvilken några år förut bekän-
des inför samma mäktiga församling endast af en fat-
tig bannlyst munk." Så vittnar historien.

Frimodighet, visshet, fröjd och tacksägelse uppfyll-
de alla de bekännandes hjärtan. "Jag vet", utropade
Luther, "att vår sak är rätt och sannfärdig, och hvad
mer är, att den är Guds och Kristi egen sak." Då
skaran af dem, som afgifvit det vissa och fröjdefulla
svaromålet, begynte vända sina ansikten mot sitt jor-
diska hem, tillropade Luther dem: "I hafven bekänt
Kristus".

Tänk, om vi nu finge läsa det svar, som dessa Her-
rens lärjungar gåfvo på den allvarliga frågan! Vi
hafva säkerligen läst detta svar. Svaret är den *Augs-
burgiska bekännelsen*. Hvad säga de tusenden, som
återfunnit Kristus, i detta svar? Äro de verkligt
vissa, att de i sanning *redan funnit* den frälsande san-
ningen, eller säga de sig blott hafva begynt söka san-
ningen? Hör hvad de säga! I beslutet efter läro-

artiklarna i den Augsburgiska bekännelsen säga de
enhälligt sålunda: "Detta är i korthet hufvudsumman
af den lära, som i våra kyrkor predikas och läres till
en *rätt kristlig* undervisning och tröst för samveten
samt till troendes förbättring. Ty såsom vi icke gärna
vilja inför Gud genom missbruk af Guds namn eller
ord sätta våra egna själar och samveten i den högsta
och största fara eller på våra barn och efterkommande
fortplanta i arf en annan lära än *den,* som är *i enlighet
med det rena Guds ord och kristlig sanning;* ty som
denna är klart grundad i den heliga skrift och där-
jämte ock, så mycket som af fädernas skrifter kan
förmärkas, icke strider emot den allmänna kristliga,
ja, romerska kyrkan; så anse vi ock, att våra mot-
ståndare icke kunna i ofvan anförda artiklar med oss
vara oense." Vid slutet af Augsburgiska bekännelsen
säga de: "Man bör icke så uppfatta det, som skulle vi
vilja förolämpa eller göra någon emot, utan vi hafva
blott framställt de punkter, hvilka vi ansett nödigt
vara lägga i dagen, på det man däraf desto bättre må
se, att *hos oss,* hvad beträffar *läran* och *ceremonierna,
intet* blifvit antaget, som är *stridande* vare sig mot den
heliga skrift eller den *allmänna kristna kyrkan.* Ty
det ligger ju klart i dagen, att vi genom Guds nåd
med allt flit (vare detta sagdt utan allt själfberöm)
sökt förekomma, att i våra församlingar någon ny och
gudlös lära må insmyga och inrota sig och taga öfver-
hand." Med sådan *visshet* och frimodighet svara våra
bröder och fäder under reformationen på den frågan,
om de verkligt och visst hade återfunnit den frälsande
sanningen. Till yttermera visso tillägges i Schmalkal-
diska artiklarna vid talet om den allra viktigaste huf-
vudläran, nämligen om Kristus och hans verk, denna

högtidliga försäkran: "Ifrån denna artikel kan ingen
gudfruktig vika eller efterskänka och medgifva något,
som strider emot densamma, om än himmel och jord
och allt annat störtade samman. Uppå denna artikel
beror allt det, vi emot påfven, djäfvulen och hela värl-
den uti vårt lefverne lära, betyga och framställa. Där-
för böra vi om denna lära vara *förvissade* och *alls intet
tvifla*. Annars *är allt förloradt*, och påfven samt djäf-
vulen med alla motståndare behålla rätten och segern
emot oss."
Detta kan man kalla *visshet*. Ett starkare och vis-
sare svar kan ej gifvas på den frågan, om reformatio-
nen är ett verkligt återfinnande af den frälsande san-
ningen, eller om den blott var ett uppslag till sökande
efter sanning. Med bibelordet i hjärta och hand skulle
våra reformatorer hafva med hänförelse och oemot-
ståndlig kraft tillbakavisat den tillvitelsen, att de blott
begynt söka efter sanning, men ej verkligt funnit den
frälsande sanningen.

Frågan är nu den, om vi med bibelordet, den lu-
therska bekännelsen och reformationens historia för
ögonen skola kunna och våga förklara, att det svar,
som våra bröder under reformationstiden gåfvo på
frågan om sanningens återfinnande, var och är *lögn*.
Frågan är, om vi skola utropa det under, som Gud
gjorde genom reformationen, såsom ett *bedrägeri*. Den
lutherska reformationens tvenne hufvudläror om den
heliga skrifts allena gällande domsrätt i lärofrågor
och om syndares rättfärdiggörelse genom tron af *nåd
för Kristi skull* och det sätt, hvarpå dessa läror äro i
den lutherska bekännelsen troget utförda, ropa med
öfverväldigande tordönsljud, hvilket öfverröstar alla
motståndares skri.

Alltså, alla påståenden, att den lutherska reformationen skulle vara endast en begynnelse till sökande efter sanning, men ej ett verkligt återfinnande af den frälsande sanningen, Jesus Kristus, äro lögn. Gud förklarar i det evigt bestående bibelordet alla sådana påståenden vara en himmelskriande *lögn,* Guds finger i historien pekar med allsmäktig kraft på den i den lutherska reformationen återfunna frälsande sanningen; samma Guds finger skrifver ock på väggen af hvarje rum, där sådana påståenden talas, skrifvas, tryckas eller läsas med begärlighet: "Mene, mene, tekel, ufarsin, det är: Jag har vägt dig på en våg och funnit dig allt för lätt." Sådan är Guds dom öfver de högvisa andar, hvilka i ord eller sak förklara den lutherska reformationens lära och verk vara en *lögn.*

Likaså skola vi se oss nödgade att utropa: "Detta är Guds finger", då vi betrakta det arbete, de trollkarlar gjort, hvilka försöka efterhärma och tillintetgöra reformationens under.

Ett oemotsägligt bevis härvid är det af historien intill denna dag bevittnade sakförhållandet, att alla de, hvilka försöka uppfinna eller återfinna den frälsande sanningen på annat sätt, än den återfanns vid reformationen, hafva samt och synnerligen fallit i fariseismens och fritänkeriets snaror. Gång på gång har under stor ståt den nyheten proklamerats: Vi hafva återfunnit den frälsande sanningen, Jesus Kristus, som ej Luther och reformatorerna funno, utan blott sökte. Gång på gång har ock vid närmare påseende den förvånande sanningen trädt klart i dagen, att sådana reformationens efterhärmare och förbättrare hafva i stället tappat den frälsande sanningen och återfunnit den gamla fariseismen eller *egenrättfärdigheten.* Alltid, alltid har man, sedan den utanpå skimrande glansen blåst undan, i dessa nya s. k. reformatorers lära och verk återfunnit den gamle fariséen i stället för den frälsande sanningen.

Det märkliga är ock, att dessa falska reformatorer, från vår närmaste samtid till den aflägsnaste forntid räknadt, alltid hafva återfunnit precis det samma, så att när det långa talets korta mening blifvit klart framställd, har den alltid varit den samma, som fariséer i alla tider hyst och försvarat. Redan vid och närmast efter reformationen försökte socinianerna att återfinna den frälsande sanningen på så sätt, att den s. k. bildade världen skulle finna Kristus på en omväg, förbi den svåra klippan, som heter *korsets förargelse*. Dessa socinianer anklagade våra reformatorer för att hafva stannat på halfva vägen med det stora reformationsverket. Man måste hafva en framåtskridandets teologi, som ej stannade förrän vid målet, mente dessa reformatorer. De skredo ock framåt, tills försoningen blef för dem blott en med Guds bistånd företagen och utförd själfförbättring, och till dess Kristus blef blott en af Faderns kärlek utsänd hjälpare för människan till hennes sedliga uppfostran och förädling. De skyndade framåt, tills de stannade i själffromhetens, förnuftsklokhetens och fritänkeriets bottenlösa dypöl. Under detta sitt framåtskridande försummade de ej att ofta utropa sin för många så förvillande lösen: "Det står skrifvet". Huru mycken lärdom, huru mycken kvickhet, huru många bibelspråk använde ej dessa inför världen så aktningsvärda socinianska reformatorer, och dock — all deras ifver och värma var, när resultatet af deras verk visade sig i dagen, endast en "samum"-vind. Samum är ock varm, men där den far fram, förvissna icke allenast späda plantor, liljor och rosor, utan ock gamla fruktbärande träd förtorkas.

I förra århundradet försöktes ock inom den evangeliska kyrkan en reformation, som utgick ifrån den grundsatsen, att den lutherska reformationen var endast en begynnelse till sökande efter sanning, men att man nu under upplysningens tidehvarf skulle vid starkare belysning återfinna den verkliga sanningen. Man vände sig bort ifrån rättfärdighetens sol, Kristus, den korsfäste, och tillställde stora andliga fackeltåg, där hvar och en bemödade sig att låta sin förnuftsfackla lysa som klarast. Men en andlig vinternatt inbröt plötsligt öfver de jublande fackelbärarna, den enfaldiga trons ljus slocknade, den kristliga kärlekens blomster och frukter förfröso, och öfver den evangeliska plantering, som förut uppväxt genom den enfaldiga predikan om korset, utbredde sig under isande köld en all växtlighet förhärjande rimfrost. Rationalismens reformation, som under så mycken pomp och ståt hade lofvat sprida nytt ljus öfver bibelns ord, visade sig i själfva verket vara en hemsk och långvarig solförmörkelse, under hvilken tusenden och åter tusenden miste Kristus, den frälsande sanningen. Gud sände nöd och bedröfvelse och uppväckte ropande röster i den ödsliga öknen. Bibeln och reformatorernas skrifter drogos åter fram i ljuset, och mångenstädes uppstodo andliga lifsrörelser genom de gamla reformatorernas läror. Äfven bland vårt svenska folk begynte på det sättet för flere år sedan en mäktig andlig rörelse.

Men åter få vi nu höra de falska reformatorernas vanliga valspråk: Genom den lutherska reformationen gafs blott en väckelse till sökande efter sanning. I

Tyskland, Frankrike, England och Amerika hafva en
mängd s. k. frisinnade teologer, bibelforskare och per-
soner, med allehanda vackra namn prydda, begynt en
förtviflad kamp mot våra gamla reformatorers huf-
vudlära om rättfärdiggörelsen af nåd *för Kristi skull.*
Snille, skarpsinnighet, kvickhet, djärfhet och gåfvor
af alla slag finnas i öfverflöd hos dessa nya reforma-
torer. Blott en gåfva saknas: den enfaldiga barna-
tron; blott en vishet fattas: *korsets vishet.*

Hvad nya uppfinningar hafva då alla dessa mäktiga
andar gjort? Precis ingenting annat hafva de med all
sin ansträngning åstadkommit än läror, som äro till
fullkomlighet öfverensstämmande med socinianers och
rationalisters magra nöt och tomma ax. Under allt
detta hafva dock alla dessa nya reformatorer häftigt
ropat: "Det står skrifvet".

Och vår nye svenske reformator, hvad har han med
all sin fyndighet återfunnit och gifvit sina tjusta ska-
ror? Ingenting annat än en lära, som har den utsök-
taste tvillingslikhet med socinianers, swedenborgares,
rationalisters och dylikas läroframställning. Det, som
i hans och deras böcker står skrifvet, är ett så högt
ropande vittnesbörd i detta hänseende, att den, som
läser rätt innantill, måste få en öfver allt tvifvel höjd
visshet därom, att vår nyaste reformator ingenting
annat återfunnit, än hvad en Socinus, Swedenborg och
dylika för länge sedan proklamerat. Se vi icke häri
det mest slående bevis för den sanningen, att genom
den lutherska reformationen den frälsande sanningen
verkligt är återfunnen?

Men nu, mina älskade, tänken, huru stor orsak vi
hafva att tacka Herren, att i vår lutherska lära den
frälsande sanningen, Jesus Kristus, strålar så klar, att

vi kunna med orubblig trygghet och visshet, hvad läran beträffar, utropa: Vi hafva återfunnit Kristus; vi behöfva ej söka.

Tänkom oss ock in i den outsägliga förmån, som ligger däri att hafva en fast och viss lära, så att man ej behöfver sväfva hit och dit i frågande ovisshet. Och denna förmån blir fullkomlig, om du ock ur egen *hjärteerfarenhet* kan säga: Jag har funnit den frälsande sanningen. O, hvad vi kunde vara starka och villiga till kraftig verksamhet för själars frälsning, om Herren blott finge rätt hjälpa oss från den hemska och all sann verksamhetskraft döfvande nyfikenheten efter nya läror och åsikter. "Hvilken som har, honom skall varda gifvet, men hvilken som icke har, från honom skall tagas äfven det han har."

En blick utanpå och inuti medeltidens kyrka.

edeltiden är ett egendomligt ord. Det manar oss till djup eftertanke öfver Guds rikes natur och beskaffenhet. Vid denna vår eftertanke måste vi låta oss ledas af Herren Jesu ord om himmelriket. I flera ytterst enkla, men underbart djupa och betydelsefulla liknelser har vår Frälsare framställt sitt rikes begynnelse, tillväxt och utveckling på jorden samt dess fulländning i härligheten. Mellan sådd och skörd är alltid en längre eller kortare medeltid. Denna mellantid är en förberedelsens och väntans tid. För vårt öga synes den vara mörk och alldeles ofruktbar, men frukten håller just på att utveckla sig i det fördolda, i sädesstråets och trädets inre. Ehuru vi under mellantiden ingen frukt se, så kommer den dock i sinom tid. Utan denna skenbart ofruktbara mellan- eller medeltid skulle vi aldrig få se eller smaka någon frukt af de sädesslag, de buskar och fruktträd, som Gud gifvit oss att så och plantera för vårt uppehälle och vår njutning. Så gifves det ock i Guds rikes historia sådana mellantider, hvilka synas oss vara andligt ofruktbara. Herrens Ande verkar dock i det inre och fördolda samt förbereder sålunda fruktens tid. I kyrkans historia hafva vi en lång tid, som kallas *medeltid*. Vi räkna denna tid vanligen från *år 600 till år 1517*. En lång mellantid i sanning! Ofta pläga vi anse medeltiden betyda detsamma som den *mörka* tiden. Ja, så fort ordet medeltid nämnes, tycka vi oss genast förflyttade in uti skymning och mörker. Det kännes som om vi vandrade på en kyrkogård under en mörk natt, omgifna af skuggor och spöken. Mången menar ock, att medeltiden måste målas så mörk som möjligt, på det reformationen måtte framstå i så mycket skönare och härligare ljus. Guds verk äras allenast i förening med sanningen, ty han, som är sanningen, är ock ljuset. Ett kunna vi vara vissa om, nämligen att då Gud icke ens i hedendomen lät sig vara utan vittnesbörd (Apg. 14: 17), så kunde han ingalunda vara overksam under den för oss mörka tid, som vi i kyrkohistorien pläga kalla medeltiden. Äfven i medeltiden träffa vi den gode Herden, som går omkring och söker de förlorade fåren, till dess han finner dem. Och där den gode Herden, världens ljus, är, där är icke idel mörker, vore det än midt i den mörka medeltiden.

Vi böra därför icke vara så orättvisa protestanter, att vi utmåla medeltiden såsom idel mörker, såsom hade allt ljus uppgått först med Luther och de andra reformatorerna. Icke heller böra vi så orättvist bedöma reformationen, såsom katolikerna vanligen göra, att vi se medeltiden såsom idel ljus, hvaraf skulle följa, att reformationen icke behöfdes, utan tvärtom var ett fördärf. I år särskildt göra hetsiga och kärlekslösa katoliker de vildaste försök att prisa medeltiden såsom den ljusaste och skönaste tid i Guds rikes historia, på det de sedan måtte få utmåla Luther såsom den störste fördärfvare af Guds vingård. Sådant är att förvandla Guds sanning i lögn. Men det finnes äfven hetsiga och kärlekslösa lutheraner, hvilka fröjda sig öfver att få uppleta från medeltiden blott det fula, stygga, mörka och hemska, hvarefter de öfver måttan prisa Luther och göra af honom ett helgon öfver alla helgon, så att Guds verk rent af bortskymmes. Vi vilja ju bedja Herren bevara oss från att vara helgondyrkare i något afseende, och därför vilja vi ej heller vara reformatorsdyrkare. Guds nåd, Guds underbara verk är uppenbaradt i reformationen, det måste vi se, om vi något vilja se. Vi förvånas med rätta öfver katolikerna, att de äro så förblindade, att de icke se klara sanningen. Men emedan reformationen var Guds verk och Luther var Guds utkorade redskap, så kom detta Guds verk icke utan förberedelse. Herren Jesus själf kom icke utan förberedelse. Vägen måste först röjas, innan Frälsaren kunde komma. Ännu mindre kunde reformationen komma utan förberedelse. Luther var dock blott en fattig syndare. Det kände han ock bäst själf. Men ju verkligare vi erkänna, att Luther var en fattig, skröplig syndare, desto härligare skola vi se Guds nådesarbete uppenbaradt i reformationen. Ju mera vi se Guds nådesverk under medeltiden, desto bättre skola vi lära känna reformationen såsom en af de underbaraste tilldragelser i Guds rike på jorden. Därför låtom oss höra något om medeltiden, innan vi öfvergå till sådana ämnen, som mera omedelbart röra Luther och hans reformation.

När Herren Jesus i synlig måtto skildes från sina lärjungar vid sin himmelsfärd, gaf han dem detta stora och underbara uppdrag: "Gån ut i hela världen och prediken evangelium för hela skapelsen". Hela människovärlden var den församling, för hvilken de skulle förkunna frälsningens evangelium. Hela jorden var deras predikstol. Hvilken kallelse för dessa så utomordentligt fattiga och dock så outsägligt rikt utrustade predikanter! Från Oljeberget, från det lilla Betanien skulle lärjungarna se hän öfver hela jorden, öfver alla länder och folk i alla kommande tider af jordisk tillvaro. För alla dessa folk och i alla tider skulle evangelium predikas. Apostlarna skulle gå åstad så långt de hunno under sin lifstid, och sedan skulle andra taga fatt på det af apostlarna öfverlämnade vittnesbördet och bära det vidare omkring genom alla länder och tidsåldrar på jorden. Nu låg först och främst hela det ofantliga romerska riket framför apostlarnas fötter. Gud hade sammanfört de flesta af jordens folk i *ett* rike och under *ett* språk, på det de skulle vara redo att sitta ned vid apostlarnas fötter och höra frälsningens budskap. Man plägar tala om lång kyrkväg, men folken, som skulle höra apostlarnas predikan, hade sannerligen haft en lång och besvärlig kyrkväg att vandra. Den som vill se något underbart, något som med skäl kan kallas storartadt, han läse en god och fullständig världshistoria om de olika folkens vandringar till Kristi kyrka, om deras sysselsättningar, deras strider, lidanden och svårigheter under dessa vandringar. Man skall under en sådan läsning märka, att uti världens annars så hemska och förvirrade historia ett underbart Faderns dragande till Sonen uppenbarar sig. Man skall se, att folkens sinnen dragas mot ett gemensamt mål, till en underbar person, som är hela världshistoriens medelpunkt. På långt håll, långt bort i den gråa forntiden synes denna dragning vara ytterst matt och svag, ja, man tycker sig mången gång upptäcka motsatsen, likasom när jorden om hösten drager sig längre och längre bort från solen. Om våren märker man jordens närmande mot solen. Så ock, ju närmare man kommer Kristi tid, desto tydligare ser man en underbar rörelse bland folken, en väntan på något som komma skall. Denna väntan var så stark närmast före Kristi ankomst, att själfva de hedniska skriftställarna underrätta oss om en sägen bland folken, att Frälsaren, världshärskaren, skulle komma från Judeen. Rom, folkens härskarinna, regerade nu öfver världen. Men de gamla romerska hjältarna kände, att deras dagar voro räknade. Det gamla Rom låg redan på dödsbädden; det led mot dess lefnads afton, dess dag var nära förliden. Hvem skulle taga de många länderna och folken om hand efter härskarinnans död? Hvem skulle ärfva de materiella och andliga skatter, som Rom samlat från alla jordens folk? Hvem skulle hålla bouppteckning och arfskifte, hvem skulle blifva den egentlige arfvingen? Många dystra och mörka betraktelser hade vi orsak att anställa vid denna härskarinnas dödsläger. Men se, ett underbart, skönt solljus lyser in öfver den döendes ansikte. Det är rättfärdighetens sol med salighet under sina vingar, som bjuder det gamla Rom med dess många folk ett evigt härlighetsrike i stället för den förgängliga, jordiska hjälteäran. Rom förbittras öfver detta klara, sköna ljus; den gamla härskarinnan samlar sina sista krafter, griper sitt svärd och dödar på ett grymt sätt många af detta ljusets bärare. Denna kraftansträngning är fåfäng; ljuset lyser allt starkare från Judeens berg. Härskarinnans krafter aftaga med stor hast: hon måste dö; men innan hon dör, bjudes henne gång på gång den frid, som Jesus, hjälten från korset, allena kan gifva. Många hennes barn anammade fridens evangelium. Under förföljelserna bevisade det sig, hvad en naturlig hjältekraft kan uträtta, när hon är pånyttfödd af Guds Ande. Det gamla romerska hjältemodet pånyttföddes och helgades af Kristi Ande och tillkämpade genom lidande kristendomen den seger, som i historien lyser såsom ett solklart bevis för sanningen. Det samma folk, som kämpat så tappert under de stora grekiska och romerska härförarna, kunde nu, sedan de mottagit den gode Herden till sin anförare, lida tappert för Jesu namns skull. Den kristna kyrkan kan och får aldrig glömma de första kristna hjältarna. Men Roms världsliga makt måste gå under. Gud hade andra folk i beredskap, åt hvilka han ville öfverlämna viktiga uppdrag för sitt rikes utveckling på jorden. Några hundra år efter Kristi födelse begynte en förunderlig rörelse band folken i det inre af Asien samt i östra och norra Europa. Dessa folk fingo Rom-feber, likasom de europeiska folken i vår tid få Amerika-feber. Det blef en emigration i stor skala utan emigrantagenter. En förunderlig trånad bemäktigade sig en hop vilda folk; de ville nödvändigt se Rom; de tänkte få ärfva den döende härskarinnan, som hade samlat sina skatter från alla jordens folk. De kommo ock, dessa vilda folk; de höllo bouppteckning och arfskifte efter det fallna Rom. De många götiska stammarna togo efter hand det västromerska riket i besittning. Till och med våra förfäder från Sverige drogo åstad till det mäktiga Roma. Hvad sökte alla dessa folk i Rom? Gods och guld naturligtvis, såsom guldsökarna i våra dagar. Men Herren hade ett annat guld i beredskap för dessa vilda folkhopar. Evangelium mötte dem, medan de voro på vägen till Rom. De fingo således ärfva mycket mer, än de hade väntat. Guld fingo de icke så mycket de väntat, men himmelska skatter funno de långt utöfver hvad de hade kunnat tänka eller vänta. De s. k. folkvandringarna voro således ingenting annat än vandringar till kyrkan. Men hvilken lång, besvärlig och underlig kyrkväg dessa folk hade! Emellertid, de slogo sig så småningom ned omkring Rom, omkring kyrkan. Nu begynner således evangelii predikan bland dessa västgöter, östgöter, franker, germaner och en mängd andra folk, som bo i mellersta, västra, norra och östra Europa. Härmed äro vi inkomna i medeltiden.

I våra dagar uppfylles den ofantliga amerikanska västern med folk från snart sagdt alla jordens länder. Hvad söka alla dessa folkmassor? Är det endast jord de eftertrakta? Eller hafva de satt något högre mål för sin sträfvan? Hvem vill svara på den frågan? Närmast före medeltiden uppfylldes Europas skogar, berg och dalar af immigranter från Asien, människosläktets vagga och stamort på jorden. Hvad sökte dessa folkmassor i sina nya hem? Vi hörde, att de sökte guld i Rom, men att de fingo hvad bättre är än guld — Guds lefvande ord. Huru underbart! Gud hade förvarat dessa naturfriska, råa, men kraftfulla folkstammar, tills tiden var inne. På hans vink strömmade de fram från sina gömställen och uppställdes i täta leder omkring Rom för att höra och mottaga lifvets evangelium. Vi måste ock bära dessa vilda naturfolk det vittnesbörd, att hos dem fanns en innerlig mottaglighet för himmelska ting. Men hvilken mission bland dessa folk! Det var ju ofta svärdet, som tvang dem till dopet? Sant, men lika sant är, att den vilda missionen bland dessa vilda folk dock har att uppvisa en mängd exempel på missionärer, hvilka för alla tider skola stå såsom mönster af kristlig kärlek, ödmjukhet och försakelse. Skada, att vi icke äro mera förtrogna med den äldre medeltidens missionshistoria. När vi inträda i medeltiden, är det som om vi skulle komma tillbaka in i Gamla testamentet. Det är såsom skulle Gud nödgas taga våra förfäder och sätta dem under den hårde tuktomästaren lagen för en tid af hundratals år, ehuru det nådiga Herrens år var kommet och därmed all frigörelse och salighet. Det är såsom skulle dessa vilda göter icke tåla att strax få fullheten af Kristus. Det synes såsom om Herren skulle nödgas föra dem genom en andlig öken, innan de kunde lära rätt mottaga och uppskatta den fria nådens budskap. Man tänke sig, hvad det vill säga att uppfostra en skara friska, lifliga, vilda, men ärliga och ädelmodiga pojkar. Den som är satt till skolmästare för en sådan skara har sannerligen fått ett ansvarsfullt uppdrag. Kyrkan under medeltiden hade fått en sådan kallelse. Förlorar en lärare respekten hos en hop okynniga pojkar, så har han förlorat allt. Med allt fog kunna vi likna de naturkraftiga götiska folkstammarna vid sådana skolbarn. Kyrkan var skolan och kyrkans lärare skolmästarna. Öfverst stod påfven såsom president för denna skola. Kunna vi undra på att han fordrade stor makt, och att man mente sig vara nödsakad inplanta oinskränkt respekt för påfven hos dessa naturfolk? De lärdes att se upp till påfven såsom till Guds vikarie på jorden. Åt påfven var gifven all makt i himmelen och på jorden. Så trodde medeltidens folk, i synnerhet de i kyrkan nyintagna vilda folken. Himmel och jord behärskades af påfven; Gud och påfven voro ett; det var dessa folks första och viktigaste trosartikel. Skola vi undra på denna deras enfaldiga tro, då vi veta, att barnsliga och trohjärtade nykristna ännu i dag afgudiskt fästa sig vid den människa, som varit redskapet att föra dem till tron? Munkarna voro den tidens missionärer. Med oemotståndlig frimodighet inträngde tusental af dessa missionärer i Nord-Europas urskogar. Här och där anlade de under de yttersta mödor och försakelser kloster. Dessa kloster voro missionshus, bönehus, skolor, sjukvårdsanstalter, fattighus, fabriker, konstakademier, landtbruks- och trädgårdsskolor, bibliotek, gästgifvaregårdar, med ett ord: alla tänkbara inrättningar voro förenade med klostren. Dit lärde folket att vända sig för att få hjälp, råd och undervisning i andliga och lekamliga angelägenheter. Omkring klostren bildades småningom större byar och städer. Många af Europas större och mindre städer hafva ursprungligen varit klosteranläggningar. Munkarna voro kunniga i allehanda arbeten och villiga att förrätta hvad syssla som helst. Detta gäller i synnerhet om den äldre tidens munkar. Dessa munkar hafva gjort Europa ovärderliga tjänster med afseende på borgerlig civilisation och andlig uppfostran. Är det underligt, att de hos folket förvärfvade sig ett oinskränkt förtroende? Det går nog an att språka vidt och bredt om munkars och prästers list och bedrägeri, men huru många äro de, som i vår tid uppoffra sitt lif i tjänande kärlekstjänst såsom tusentals munkar gjorde under medeltiden? Den villiga och glada hänförelse, hvarmed folket följde munkar och präster i många storartade företag under medeltiden, bevisar oemotsägligen, att denna oinskränkta tillgifvenhet ifrån början måste hafva haft sin rot i någonting bättre än list, våld och bedrägeri. Medeltidens munkar, präster och folk hafva öfver hela Europa strött majestätiska minnesvårdar af denna hänförelse. Den, som det varit förunnadt att med egna ögon se blott en enda af de väldiga domerna eller katedralerna, hvilka ännu i denna dag pryda Europas länder, vet, att endast en verklig hänförelse hos hela folk, släkte efter släkte, kunde uppföra dessa ofantliga tempel, som försätta hvarje förståndig människa i förundran. Är det blott prästernas list, som bygger kyrkorna i våra nybyggen? När vi se en kyrka ute på Amerikas vilda prärier, utropa vi då: detta är bara bedrägeri. Nej, om hos oss finnes ett grand af sans, så säga vi: här bor ett folk, som åtminstone tänker på någonting mer än jorden. När vi se en götisk dom, som med sin ofantliga höjd och med sina spetsiga bågar och torn pekar uppåt både innan och utan, så äro vi rent af tvungna att utropa: I medeltidens folk, eder ande trånade till himmelen, annars hade det varit omöjligt att förmå eder till så oerhörda försakelser och uppoffringar, som dessa mänskliga underverk kostat. Och sedan dessa märkvärdiga prydnader i sten och trä! Här hafva millioner händer varit sysselsatta med stenhuggeri och träsnideri. Här hafva dessa händer afbildat bibelns och kyrkans historia i sten och trä. Här samlade munkar omkring sig tusentals lärjungar, dem de undervisade i helig byggnadskonst, stenhuggeri och träsnideri. Tänk, hvad en enda korstol eller predikstol kostat för arbete, då det allt måste göras för hand utan den nyare tidens ångkraft och maskinerier! Och skola vi döma alla dessa arbetare såsom ogudaktiga sällar? Det är visst, att många bådo och arbetade, arbetade och bådo. Låtom oss läsa 2 Mos. 35: 30—35 och sedan tänka efter, om vi icke måste erkänna, att Gud under medeltiden uppfyllde många med sin Ande till vishet, förståndighet och skicklighet till allehanda verk. Barn vilja se allt i bilder för sina ögon. Har du icke märkt, huru barnens ansikte ljusnar, när man kan visa dem en lefvande skön bild öfver någon berättelse ur bibliska historien. Medeltidens folk voro såsom barn. Man måste missionera ibland dem genom bilder. Så begynte ock munkarna i biblar och andra böcker, som de afskrefvo, måla mindre bilder för att på så sätt illustrera skriften. Nu finnas illustrerade biblar och böcker nästan i hvarje hus. Det var medeltidens munkar, som begynte med detta arbete. Så småningom började man måla större taflor. Det fanns munkar, som målade heliga bilder under bön och tårar. Skola vi le åt sådan fromhet? Andra sysselsatte sig med den heliga sången och förberedde den sång och musik, som vi nu i rikt mått få åtnjuta. Åter andra byggde upp storartade teologiska och filosofiska lärdomssystem för att dymedelst i ord och skrift efterlikna de stora domerna. Tyvärr byggde man icke allt med Guds ords guld, silfver och ädla stenar, utan man inblandade massor af trä, hö och strå, d. ä. människoläror. Därför måste också eldsdomen gå öfver dessa storartade lärosystemer. Ännu andra försjönko i innerliga betraktelser och samtal med Gud och hafva efterlämnat minnen däraf, såsom Thomas a Kempis i sin bok: Kristi efterföljelse. Äfven funnos sådana, som utgöto sina hjärtan i innerliga och allvarliga sånger, såsom Bernhard af Clairvaux och andra. Så grodde ordets säd och bar frukter äfven under medeltiden; så förbereddes en härligare evangelii tid bland Europas folk. Ingen tid har varit så *kyrklig* som medeltiden. Alla ville eller måste tjäna kyrkan. Att på allt sätt framställa kyrkans härlighet och makt var medeltidens lust och fröjd. Allt offrades för kyrkan, och allt skulle tjäna henne. Men under denna medeltid sådde ovännen mycket ogräs ibland hvetet, så mycket, att det till slut tycktes helt och hållet förkväfva den goda säden. Det är om detta ogräs vi nu måste tala för att visa det mörka i medeltiden.

Det värsta af allt var, att påfven, en arm och syndig människa, satte sig i Kristi ställe såsom öfverherde, högste och ofelbar styresman öfver kyrkan. Man föregaf, att Herren Jesus hade lämnat sin församling på jorden helt och uteslutande i påfvens händer och vård. Påfven talade och handlade så, som om han med full sanning kunnat säga: mig är gifven all makt i himmelen och på jorden. Det gamla hedniska Roms världsvälde öfverflyttades på påfven i Rom. Herren Jesus hade sagt: "Mitt rike är icke af denna världen". Påfven ville lägga hela världen till sina fötter för att med sin toffel få trampa på alla gudomliga och mänskliga lagar, ordningar och rättigheter. När en svag och skröplig människa så tillvällar sig gudomlig visdom och makt, så varder hon, såsom aposteln säger, en syndens människa, ett förtappelsens barn, så att hon upphäfver sig öfver allt det Gud och gudstjänst kallas. Herren Jesus säger: "Om I blifven vid *mina ord*, så ären I mina rätta lärjungar". Den romerska kyrkan förvände dessa Herren Jesu ord och sade till folken: Om I blifven vid den heliga romerska kyrkans ord, så ären I Jesu rätta lärjungar och varden saliga,

men afviken I från romerska kyrkan, så måsten I för-
gås. Jesuiterna i våra dagar förklara på det bestäm-
daste, att de mena påfven i Rom, när de tala om kyr-
kan, att påfven således är den sanna, ofelbara kyrkan.
Det var under medeltiden som denna antikristiska lära
om påfven och kyrkan infördes och utbildades till en
så gräslig villfarelse, att om det icke funnits någon
annan förvillelse inom kyrkan, så hade dock för denna
enda villfarelses skull en reformation varit nödvändig.

Det vore orimligt att begära, att den heliga skrift
skulle kunna hafva varit spridd bland folket under
medeltiden, såsom hon är i våra dagar. Det behöfdes
ju en liten förmögenhet för att kunna skaffa sig en
hel bibel, innan boktryckerikonsten uppfanns. Men
under senare hälften af medeltiden gjorde också påf-
varna allt för att hindra bibelböckers spridning bland
folket. Vi behöfva icke veta mer än detta för att strax
inse, att reformationen var en nödvändighet och ett
Guds verk. Katolikerna må skria huru högt som helst
emot Luther och den protestantiska kyrkans fel och
brister; måste de medgifva den historiska sanningen,
att påfven hindrat och förbjudit bibelns spridning på
folkens språk, så hafva de därmed själfva lämnat det
starkaste beviset för reformationen såsom ett Guds
nåds verk.

När Herren Jesus icke fick vara sin kyrkas herre
och konung, blef han ock snart undanskymd såsom
Frälsare. När Guds ords ljus sattes under en skäppa,
så att det icke längre fick lysa *alla* dem, som voro i
huset, så uppväxte med hast och kraft allehanda gruf-
liga villfarelser inom kyrkan. Man begynte snart få
en hel mängd frälsare vid sidan af och i stället för den
ende medlaren mellan Gud och människor.

Huru ljuflig, skön och nödvändig den inbördes förbönen är, då de trogna bära hvarandra fram inför Herren och äfven på det sättet draga hvarandras börda! Guds ord lägger stor vikt därpå, och den äldsta kristna församlingen öfvade denna inbördes förbön flitigt. Ofta bedja vi våra kristna vänner bedja för oss; i synnerhet tycka vi det är ljuft att försäkra sig om förböner af sådana kristna, som vi högt akta. Sambandet mellan den stridande församlingen på jorden och den triumferande församlingen i himmelen hölls i den forna kristna tiden mycket lifligt och starkt. Det må därför ej förundra oss, att man oförvarandes kom på den tanken, att man borde bedja de aflidna och hemgångna bröderna och systrarna i tron, särdeles martyrer, om förböner. Under medeltiden utbildades denna sed på det ifrigaste. Man bad om och trodde på de saligas förböner. Synnerligt förmånligt ansågs det vara att försäkra sig om jungfru Marias och andra utmärkta helgons förböner. För oss är det ljuft att hafva bilder och porträtter af våra lefvande och i synnerhet af våra aflidna vänner. När man under medeltiden uppbyggde de sköna kyrkor, som alltid skola väcka beundran hos hvarje människa, som är mottaglig för det upphöjda och majestätiska, så fyllde man dem snart med bilder af helgonen och gjorde sålunda hvarje kyrka till ett stort porträttalbum, däri man kunde finna bilden af den och den älskade och troende, som förut gått hem. Ja, kyrkorna voro ämnade att vara ett porträtt och en afbildning af hela Guds rike. Huru skönt! Men när man icke låter Guds ord vara ens fötters lykta och ljuset på ens väg, så kan det mest sköna och betydelsefulla blifva till största skada och fördärf. Här begynte man nu att tillbedja helgonen och deras bilder. Det hjälpte icke, att man i början gjorde skillnad mellan att bedja om helgonens förböner och att tillbedja dem. De okunniga folken under medeltiden gjorde icke denna skillnad, utan förföllo i en afgudisk helgondyrkan. Denna skändliga helgondyrkan hade ock andra grunder, än dem vi här nämnt. Vi minnas, huru Herren uppmanar de sina att fly världen och hennes fåfänglighet och att fara efter rättfärdighet och gudaktighet. Dessa Herrens ord om flyendet från världen hade många fattat så, att däraf uppkom den underliga företeelse inom kyrkan, som vi kalla klosterväsende. Man begynte ock snart mena, att de, som flydde från världen och lefde helt för Gud, uppnådde en så hög grad af helgelse, att de icke kunde räknas bland vanliga kristna. Ja, snart begynte man tro, att dessa särskilda helgon hade förvärfvat sig en högre helgelse, än de själfva behöfde för sin egen salighet. Efter nu de kristna böra inbördes i kärleken tjäna hvarandra, så tyckte man, att de, som hade ett öfverflöd af helgelse, borde hjälpa dem, som hade för litet af den helgelse, utan hvilken man icke får se Herren. Nu var ju påfven kyrkans enväldige herre och konung. Han tog därför om hand det arf af helgelse, som helgonen lämnade efter sig och som de ej behöfde för sin egen salighet. Af sådana arf bildade påfven slutligen en hel skattkammare af helgelse och goda gärningar. För att göra denna skatt af goda gärningar riktigt märkvärdig inför Gud, lades därtill ett tillskott af Kristi öfverflödande förtjänst, och så inbjödos alla fattiga, som icke hade tillräcklig rättfärdighet, att komma och köpa. Så uppkom den skändliga aflatshandeln. Nu hade en oräknelig skara af präster, munkar och helgon

af allehanda slag trängt sig framom Kristus, så att
de arma fåren icke kunde höra den gode Herdens röst,
emedan alla dessa helgon utbjödo sina gärningar och
förtjänster till tröst och hjälp för betungade syndare.
Prästerna, som skulle förkunna Guds fria nåd i Kris-
tus, uppreste sig nu till en skiljemur emellan Gud och
människor. I stället för att predika Kristus såsom
det enda gällande försoningsoffret för syndare höllo
de sig själfva för offerpräster, de där skulle upplåta
himmelen med sina offer. Prästerna, hvilkas kallelse
det var och är att med ord och gärning framställa och
bevisa Kristi ömma och räddande kärlek till syndare,
blefvo nu folkets plågoandar och förtryckare. I spet-
sen för denna här af kyrkoherrar stod påfven såsom
jordens tyrann. Hvar voro herdarna?

Att nästan alla kristendomens läror förfalskades un-
der ett sådant tillstånd i kyrkan är lätt att förstå. I
stället för Kristus voro helgonen och främst Maria
insatta till frälsare. I stället för Guds nåd i Kristus,
som är bibelns hufvudsumma, hördes i kyrkan blott
skriet om människors gärningar och förtjänster. Den
som icke ser, att vår salighet enligt den heliga skrift
beror därpå, att Gud skänker och tillräknar fattiga
syndare syndernas förlåtelse och rättfärdighet i Kris-
tus, han är blind. Den som läser bibeln och ej ser, att
Jesus Kristus är den ende öfversteprästen och det enda
försoningsoffret för våra synder, han kan icke läsa
innantill. Det är en fullkomlig omöjlighet att förena
påfvedömets kyrka och läror med den heliga skrift.
Katolikerna själfva försöka icke på allvar att bevisa
sin kyrkas salighetslära ur bibeln; de känna, och de
måste uppriktigt erkänna den stora skillnaden mellan
den första kyrkans kristendom och den romerska kyr-

kans. Den stora frågan är, om den heliga skrift är blott en gammal historia från forntiden, som berättar, hurudana kristendomens sanningar då voro, men icke nu få vara, eller om kristendomen har rättighet att vara sådan den var i begynnelsen förkunnad af Herren själf och hans apostlar. Frågan är, om Herren Jesus har rättighet att vara densamme Frälsaren för syndare i dag som han var i går, eller om kyrkan har rätt att predika ett annat evangelium, än det Herrens egna apostlar hafva förkunnat. Paulus svarar härpå och säger: "Men om ock vi eller en ängel af himmelen annorlunda predikade evangelium för eder, än vi eder predikat hafva, han vare förbannad".

Öfver romerska kyrkan hvilar den domen, att hon förfalskat Kristi evangelium. Hon har velat vara visare än Guds ord, men då hon höll sig för vis, är hon vorden en dåre ända därhän, att hon fallit i hedningarnas dårskap till att ära och dyrka de ting som skapade äro framför Skaparen själf. Människones Son sade om sig själf, att han icke var kommen till att låta tjäna sig, utan att själf tjäna, att uppsöka och frälsa det förtappade. Kristi kyrka skall därför vara en ödmjuk tjänarinna. Herrens budbärare skola därför vara tjänare i ordets allra djupaste och innerligaste betydelse. Herren Jesus säger: "Men I skolen icke låta kalla eder rabbi, ty en är eder mästare, Kristus, och I ären alla bröder. Och I skolen ingen fader kalla eder på jorden, ty en är eder Fader, som är i himmelen. Och I skolen icke låta kalla eder mästare, ty en är eder mästare, Kristus. Den som är ypperst ibland eder, han skall vara eder tjänare. Ty den sig upphöjer, han skall varda förnedrad". Så blef påfvedömet förnedradt på det djupaste i synder och skändligheter, emedan det upphöjde sig själft emot Herrens ord och vilja. Vi behöfva icke förlänga denna uppsats med skildringar öfver påfvedömets, det romerska prästerskapets och den romerska kyrkans förfall och synder. Hvarje kyrkohistoria ger oss en inblick i denna mörka och hemska natt.

Gud lät dock icke sig själf vara utan vittnesbörd under medeltiden. Äfven på den tiden få vi tillämpa de ljufliga orden: "efter vi nu hafva om oss en så stor hop med vittnen". Att uppsöka och besöka dessa vittnen är en af de skönaste sysselsättningar man kan företaga sig. Det förvånar mig, att vår ungdom icke mera allmänt begifver sig ut på historiska resor till att besöka Kristi vittnen under forna tider. Där hafva vi under medeltiden många fromma kyrkolärare, präster och munkar. De tala en underlig kristlig munart, det är sant, men de tala dock Kristi kärleks tungomål. Där hafva vi Valdenserna, denna sköna Herrens plantering; där återfinna vi Wycliffe, Hus och deras vänner; där träffa vi Tauler och Thomas a Kempis med en hel skara innerliga gudälskande själar, kallade mystiker. "Det gemensamma lifvets bröder" och en hel skara af bibelälskande och bibelstuderande män hälsa oss mot slutet af medeltiden från nästan alla Europas länder, synnerligen från Tyskland och det nordliga Europa i allmänhet. De djupsinniga germaniska folken hade af Herren fått en hög kallelse med afseende på evangelium.

Mot slutet af medeltiden sade Gud: "Jag skall röra jorden". En allmän rörelse förspordes ock, synnerligast bland Europas folk. Alla sinnen råkade i en häftig svallning, man väntade något nytt, och ett nytt kom, nämligen det gamla Jesu Kristi evangelium. Folken grepos af en förunderlig ifver att begifva sig ut på upptäcktsfärder på alla områden. Amerika, den nya världen, upptäcktes, boktryckerikonsten, detta underbara medel att sprida Guds ord, uppfanns näst före reformationen. Den sköna konsten tog en ny lyftning i det skönas och kyrkans tjänst. Raphael och andra målade himmelska bilder på jorden. Vetenskapen återupplifvades i alla dess grenar. De gamla språken, som voro de kärl, i hvilka Guds ords skatter förvarades, begynte studeras med oerhörd ifver. Man ville hafva något annat än påfvedömet. De väldiga på jorden sökte frälsning i jordisk makt och härlighet. Många trodde sig finna folkens räddning och väl i skön konst, bildning, vetenskap, vitterhet, lust och lek. Alla dessa krafter sammansvuro sig mot påfven. Allt förgäfves. Han satt trygg och orörlig på sin stol i Rom. Folken ängslades och funno ingen tröst och ingen kraft i kyrkan och hennes härlighet, i konsten och hennes skönhet, i vetenskapen och dess djuphet, i rikedomen med dess skatter, i den jordiska makten med dess bländverk, i lust, löje och lek. Allt öde och tomt. Då ljöd det gamla apostoliska ordet: *"Den rättfärdige skall lefva af sin tro"*, och en ny tid kom med nytt lif och ny kraft.

Luther som människa, kristen och predikant.

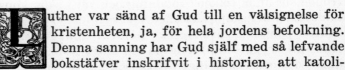

uther var sänd af Gud till en välsignelse för kristenheten, ja, för hela jordens befolkning. Denna sanning har Gud själf med så lefvande bokstäfver inskrifvit i historien, att katolikernas häftiga anfall icke förmå utplåna Luthers minne ur världens häfder. Så länge det finns en kyrka på jorden, som är tacksam för Guds nåd i Kristus Jesus, skall denna samma kyrka prisa Herren, som uppväckt sin tjänare Luther att för arma syndare åter förkunna den gamla bibliska sanningen: "Den rättfärdige skall lefva af sin tro". Luther var en evangelii budbärare. Gud lät genom honom för folken kungöra himmelsk och jordisk frihet i Jesu Kristi namn. Aposteln Paulus säger om sig: "Men då Gudi täcktes, som mig af min moders lif afskilt hafver och kallat mig genom sin nåd därtill, att han ville uppenbara sin Son genom mig". Gal. 1: 15, 16. Vi prisa Guds nåd, om vi erkänna, att Gud så hade afskilt och kallat Luther till reformator. Vi förneka Guds nåd, om vi förtiga eller förneka Luthers gudomliga kallelse.

När Gud kallar någon människa till ett särskildt arbete, så utrustar han ock med särskilda gåfvor. Luthers egendomliga karaktär och begåfning voro därför förvisso ett Guds verk. Herren, som själf uppmanat oss genom aposteln Paulus att på ett rätt sätt "skicka oss efter tiden", har säkerligen själf skickat sig efter tiden, då han utrustade och sände Luther. Mycket uti Luthers karaktär och sätt att gå till väga förvånar oss, ja, synes rent af gifva oss rättmätig anledning till anstöt. Det duger dock ej att vi i alla stycken mäta Luther efter vår måttstock, eller döma honom inför vår domstol, ty en ovanlig tid, ovanliga händelser, en ovanlig kallelse fordra en ovanlig man med ovanliga seder och sätt. Luther var en syndare, det känna vi, när vi läsa hans lefnadshistoria, det kände han genom Guds nåd ännu bättre själf. Men att han drefs af en särskild Guds kallelse, det kände och bekände han också på det bestämdaste. Allra minst tänkte Luther på att förklara eller låta förklara sig ofelbar, men starkast af allt betonade och utropade han, att Guds ord är ofelbart.

Det är i allmänhet af stor nytta att noga betrakta och lära känna en utmärkt mans karaktär och skaplynne. Det måste därför med all säkerhet medföra stort gagn att söka lära känna Luther, en man som Gud på ett så uppenbart sätt har utmärkt framför andra män i nyare tiden. Lutheraner i all synnerhet borde vara förtrogna med Luthers egenskaper såsom människa, kristen och predikant.

Luther föddes i en stilla, oansenlig bondfamilj. Han var sålunda en man "af folket". Han säger själf: "Jag är en bondes son, min fader, farfader och stamfader voro äkta bönder". I sitt hem uppfostrades

han till den stränga enkelhet, den hårda arbetsamhet,
det lifvets allvar, som blef af så stor betydelse för
hans lefnads kallelse. Den känsla af frihet och obero-
ende, förenad med det förstånd, den sans, den stilla
arbetsamhet, som finnes hos en äkta bonde, verkade
ända från barndomen välgörande på den man, som var
kallad att krossa bojor, på hvilka världens mäktigaste,
visaste, lärdaste och snillrikaste män förgäfves försökt
sina krafter. Den som i ordets skönaste bemärkelse
skulle blifva en folkets man måste uppväxa och lefva
midt ibland folket. Den som vill träffa folkets hjärta
måste känna folkets känslor; den som är kallad att
predika evangelium för de fattiga måste själf af erfa-
renhet veta hvad fattigdom är. Af en "goddagspilt"
hade aldrig blifvit en reformator sådan som Luther.
Men Luther tillhörde icke blott en enskild, fattig bond-
familj; han var en hel tids, ett helt folks man. Alla
goda krafter och gåfvor, som funnos på den tiden och
särskildt bland det tyska folket, voro i synnerligt hög
grad gifna åt Luther.

Hos de germaniska folken träffa vi af gammalt
ett djupt religiöst allvar. Det är ju rent af rörande
att läsa våra förfäders gudasagor. Hvilket innerligt
allvar, hvilken barnslig tro i detta afguderi, hvilken
sedlig stränghet och kraft hos dessa folk redan på he-
dendomens ståndpunkt! När Gud sände kristendomen
till dessa folk, så fingo de just hvad som motsvarade
deras religiösa behof. Den religiösa innerligheten och
allvaret är därför ett grunddrag hos dessa folk äfven
under kristendomens djupaste förfall vid slutet af me-
deltiden. *Djup vördnad för Gud och heliga ting* var
därför själfva grundkapitalet i Luthers karaktär. Utan
denna grundkraft hade Luther aldrig blifvit den väl-

dige jätte i historien han blef. Paulus säger: "Jag tackar Gud, den jag tjänar ifrån mina föräldrar uti ett rent samvete", 2 Tim. 1: 3. Så kunde ock Luther säga, såsom vi kunna se af hans egna berättelser om sitt föräldrahem och sin barndom. Gudsfruktan är kärnan i folklifvet. Där kärnan saknas, där ruttnar snart hela trädet ned. *En djup, innerlig, självuppoff-rande kärlek till folket i allmänhet* utmärkte Luther. Han ville folkets andliga och lekamliga väl och var färdig att offra alla sina kropps- och själskrafter, ja, hela sitt lif för detta mål. Med denna allmänna kärlek förenade han den mest glödande, men ock sansade fosterlandskärlek. Huru ofta talar han icke i sina skrifter med hjärtgripande ömhet om sina tyskar och sitt Tyskland. Att hans älskade folk måste förtryckas af en utländsk tyrann, påfven i Rom, det grep hans hjärtas innersta så, att det utgöt sig mot påfvedömet i sådana tal och ord, dem vi ännu i dag med förvåning måste likna vid åskknallar. Det är den brinnande kärleken till folket, den hänsynsfulla uppoffringen för allmänhetens bästa, som framkallat dessa oförlikneliga kraftord. Denna Luthers allt öfvervinnande kärlek till sitt folk är så öfverväldigande, att en ifrig katolik, dr Döllinger, en af nutidens lärdaste teologer, måst erkänna: "Luther är den väldigaste folkman, den mest populära karaktär, som Tyskland någonsin ägt". Ett storartadt vittnesbörd från en så högt uppsatt katolik! "Kärleken är starkare än döden." Denna glödande människokärlek gjorde, att Luther kunde trotsa de största faror, när det gällde att tjäna medmänniskor. Det var denna kärlek, som tvang honom att uppspika sina nittiofem teser på slottskyrkodörren i Wittenberg den 31 oktober 1517. I sin barnsliga enfald trodde

Luther först, att påfven hyste samma ömma kärlek för folket. Sålunda väntade Luther, att påfven genast skulle upphäfva aflatshandeln, så snart det förspordes, att denna handel var till skada. Samma ömma kärlek dref Luther att år 1520 utgifva trenne skrifter: den första "Till det kejserliga majestätet och adeln af tyska nationen", däri han visade, huru tyska folkets rättigheter oförsynt trampades i stoftet af påfveväldet; den andra "Om kyrkans babyloniska fångenskap", hvari Luther bevisade, att Kristi sanna och fria kyrka hade blifvit tillfångatagen under påfvens människostadgar; den tredje "Om en kristen människas frihet", med hvilken bok Luther ville uppväcka alla människor att besinna sin samvetsfrihet i Kristus Jesus. Vi böra söka göra oss den mest innerliga och lefvande föreställning om denna ömma kärlek till folket hos Luther, annars kunna vi icke fatta den stormande och brännande ifver, som brusar genom hans skrifter. Vi häpna, så att vi äro färdiga att mista andan, när vi höra honom kasta sig öfver påfven, konungen af England och andra höga personligheter, som ville hindra evangelii framgång. Hans språk är vid sådana tillfällen oerhördt stormande och våldsamt. Denna ifver liknar en moders, som söker rädda ett älskadt barn ur ett vilddjurs käftar. "Jag nitälskar eder i Guds nit", sade Paulus. Det var af den orsaken aposteln med så glödande ifver afvärjde irrlärarnas anfall på Kristi dyrköpta hjord. Att Luther emellanåt lät den mänskliga häftigheten och vreden råda i sina stridsskrifter, måste vi erkänna och erkänna det så grundligt, att vi icke likt många lutheraner i vår tid göra Luther till ett förkläde och försvar för köttsliga, lidelsefulla och fördärfliga lärostrider och ilskna smädelser mot olika tänkande. Men *ett* kunna vi aldrig med rätt förneka, och det är, att Luther besjälades af en hjärtinnerlig kärlek till Gud och sina medmänniskor. Det är därför det tar sig så gräsligt illa ut, när en kärlekslös människa kläder sig i Luthers stridsrustning. Vår kära lutherska kyrka har tyvärr måst lida förfärligt af trätlystna och grälsjuka människor, hvilka gjort Luthers stridssätt till den förnämsta trosartikeln i vår kyrkas lära och menat, att strid utan kärlek är detsamma som strid af kärlek. En man i forntiden yttrade: Ingenting mänskligt är för mig främmande. Luther var en sann människa; hans innerliga och allvarliga kristendom tillintetgjorde aldrig det rent mänskliga hos honom. Kristus har kommit, icke till att fördärfva människornas själar, utan till att frälsa dem. Därför vill icke kristendomen förstöra människan, utan den vill pånyttföda, helga och förhärliga henne. "Där Herrens Ande är, där är frihet." Där är således icke våld och tvång, men där är icke heller köttslig frihet. Det är särskildt utmärkande för den lutherska kyrkan, att hon lärer en sådan kristendom, som icke förstör, utan upprättar människan. Aposteln frågar: "Göra vi då lagen om intet med tron? Bort det, utan vi upprätta lagen". Så kunna vi ock fråga: Göra vi då människan om intet med den kristna tron? Den lutherska kyrkan svarar: Bort det, utan vi upprätta människan. Så sökte ock Luther upprätta ett sant mänskligt och kristligt folklif genom Guds ord. Detta var ett verk, som kunde ske endast så småningom. Det gällde att så senapskornet och sedan vänta på växten. Detta växande gick så långsamt, att Luther sörjde på det bittraste öfver sitt folks otacksamhet mot evangelium.

Han tänkte på fullt allvar att flytta från Wittenberg, emedan han såg så mycken ogudaktighet i den stad, som borde hafva varit ett mönster i kristlig innerlighet och allvar, i sedlighet och goda gärningar. Likväl ville aldrig Luther likt Kalvin tvinga människorna till gudsfruktan med stryk. Geneve, där Kalvin bodde, måste vara fromt, antingen det ville eller icke. Visade någon där ett världsligt sinne i lust och lek, så fick han pisk, och ville han ej bättra sig, så kördes han ur staden. I Wittenberg åter härskade frihet, så att hvar och en fick vara en människa, och den som ville, fick vara en kristen; den som var en sann kristen, fick på samma gång vara en verklig människa. Men där sådan frihet är rådande, där får man ofta se det köttsliga sticka fram rätt bjärt och förargelseväckande. Häraf kommer bland annat ringaktningen af söndagen hos det tyska folket, häraf det lättsinne, hvarmed tyskar ställa till världsliga lustbarheter på Herrens dag. Se vi däremot på de engelska folken, så finna vi, att de från barndomen åtminstone äro skrämda till att iakttaga en yttre stillhet och ett utvärtes allvar på söndagen. Utaf denna egendomliga mänsklighet hos den lutherska kyrkan kommer ock, att hon vid första påseendet synas hafva i mycket mindre mån satt en kristlig prägel på folklifvet, än den reformerta kyrkan. Det reformerta folket ser frommare ut än det lutherska. Engelsmannen och amerikanen vända alla goda sidor utåt, det dåliga och fula dölja de. Nordtysken och svensken vända genast allt det dåliga utåt, det goda dölja de. Luther var en afgjord fiende till allt påtvunget, tillgjordt och konstladt andligt beteende. Rent spel skulle det vara. Just som man var, skulle man vara, ej försöka synas frommare, än man i själ och hjärta var. Allt munkväsende i hvad form det än uppträdde var för Luther en styggelse. Munken tillintetgjorde människan, därför måste munken tillintetgöras och förstöras, på det människan åter måtte komma fram, sådan hon är, för att pånyttfödas, omskapas och helgas i sanning. Aldrig få vi lämna denna sak ur sikte, om vi vilja rätt förstå Luther och den lutherska kyrkan.

Luther var en ifrig vän af kunskap och bildning. Att han satte Guds ord högt öfver all mänsklig vetenskap, behöfva vi knappt antyda. Att återgifva folket Guds ord, den heliga skrift, var hans lifs högsta fröjd och ära. Det var därför han skyndade med så oerhörd och outtröttlig ifver med sin öfversättning af bibeln. Det var äfven därför han så högt berömde boktryckarkonsten och kallade den "Guds högsta och bästa gåfva, hvarigenom han utbredde evangelium". Luther stod på höjden af sin tids vetenskap och bildning. Han skattade de världsliga kunskaperna högt och afskydde okunnigheten på det djupaste. Det väckte hans bittraste harm, att påfven ville hålla folket i okunnighet. I många skrifter har han på det kraftigaste ifrat för upprättandet af goda skolor, för prästers och andras grundliga undervisning. När några, som hetsigt åberopade sig på Andens omedelbara upplysning, ville utrota lärdom och vetenskapliga studier, skolor, universitet, professorer och studerade präster, så satte sig Luther på det kraftigaste emot dessa "svärmeandar", ja, han predikade så, att dessa "himmelska profeter" med harm flydde från Wittenberg. Det är reformationen den nyare tidens vetenskap har att tacka för sin frihet, sin kraft och sin framgång. Hos Luther kunde det icke blifva fråga om strid mellan bibeln och vetenskapen, ty han ville ej veta af en vetenskap, som till den grad förlorat vettet, att hon föraktar och förnekar Guds lefvande ord. Just vetenskapen behöfver med uppriktighet och sanning säga: "Ditt ord är mina fötters lykta och ett ljus på alla mina vägar". För de *sköna konsterna* hade Luther ett öppet sinne och skattade dem mycket högt. "Jag är", sade han, "icke af den meningen, att genom evangelium alla sköna konster böra förstöras och förgås, såsom somliga föregifva, utan jag ville gärna se alla konster, i synnerhet musiken, i dens tjänst, som gifvit och skapat dem." *Målarkonsten* användes ifrigt i evangelii tjänst. Huru hafva icke de kopparstick, som illustrerade Luthers skrifter, verkat på folket! Målaren Lucas Kranach var en af Luthers intimaste vänner. Den store Albrecht Dürer var evangelii hjärtevän och Luthers beundrare. Det är allmänt bekant, med hvilka lifliga och starka ord Luther prisade *musiken.* Sång och musik var för honom hufvudsak vid gudstjänsten. I Luthers hem var musiken omistlig. Själf var han skicklig sångare, lut- och flöjtspelare. Flera gånger var musiken ett medel att trösta och upprätta Luther, då han var nedböjd af stor bedröfvelse. Han hade Davids erfarenhet i detta stycke, och han samlade omkring sig en musikalisk vänkrets såsom gamla testamentets konungslige sångare.

För Guds *under i naturen* hade Luther en varm känsla. Vi minnas ju, huru han på sitt barnsliga sätt prisar de kära fåglarnas teologiska kunskap, och huru hjärtligt han glädes öfver blommorna och växterna i allmänhet. *Familjelifvets välsignelser* voro för Luther ett ämne till ständigt tack och lof inför Gud. Luther återinförde *hemmet,* denna stora Guds gåfva, i kristen-

heten. Påfvedömet hade förstört eller åtminstone på
det högsta skadat familjelifvet. När vi läsa Luthers
skoningslösa anfall på munkväsendet, undra vi emel-
lanåt, om han icke gick för långt i sin ifver emot klost-
ren, emedan vi veta, att dessa i synnerhet under den
äldre tiden varit till så stor välsignelse för missionen,
vetenskapen, konsten och civilisationen i allmänhet.
Besinna vi, att klosterväsendet i sitt förfall bragte den
yttersta vanära öfver hemmen, ja, rent af uppref och
förstörde familjelifvet, så skola vi tacka Herren af
hjärtat för reformationen, hvarigenom det kristliga
hemmet och familjelifvet framställdes i den ära, tref-
nad och ljufva frid, som kristendomen gifver åt denna
Guds ordning. Att betrakta Luther såsom familjefa-
der hörer till det skönaste och lärorikaste vi kunna
företaga oss på jubelåret. Allt som på ett rätt sätt
kunde sprida kärlek, glädje, frid, trefnad och ljuf säll-
het i hemmet, använde Luther på det älskligaste sätt.
Här var Luther en ädel och sann människa, helgad af
nåden. Här står han såsom ett lysande exempel på
kristendomens välsignelse för folklifvets allra vikti-
gaste angelägenheter. Såsom make var Luther god-
modig och älsklig i hög grad, såsom fader allvarsam,
men full af den allra innerligaste ömhet och kärlek.
Han lekte och jollrade med barnen såsom ett barn.
Hans bref till lille Hans är ett mästerprof på kristen-
domsundervisning för de små. På allt sätt ville Luther
bereda trefnad, glädje och sann lefnadslust för de
unga. Hans tankar om själs- och kroppsöfningar för
ungdomen äro sunda och visa en djup inblick i ung-
domslifvets natur och behof. Allra minst kunde Lu-
ther lida, att man klädde ungdomen i kristendomen
såsom i en tvångströja. Denna Luthers afsky för allt

tillgjordt och påtvunget kristendomsväsende gjorde,
att han någon gång såsom i kyrkopostillan har uttalat
sig gillande öfver anständig dans. Sådana uttryck
hafva naturligtvis varit välkomna för alla världsmän-
niskor, hvilka vilja försvara hvad som icke är fören-
ligt med ett kristligt sinne. Dansen måste afskys, icke
allenast af den allvarligt kristne, utan af hvar och en,
som vill bevara den omistliga skatt, som heter sedlig
blygsamhet och finkänslighet. Luther har ock på det
kraftigaste bestraffat dansen och andra syndiga nöjen
i allmänhet. Han sökte på allt sätt befordra tukt och
goda seder bland ungdomen. Huru han ifrade för ung-
domens kristliga uppfostran och undervisning, veta vi
af hans katekes och andra skrifter. *Guds ord* var för
Luther hufvudsaken i familjelifvet, men jämte Guds
ord använde han med tacksamhet alla Guds goda gåf-
vor, hvilka äro oss gifna till fröjd och trefnad. Att
Luther var ytterst *känslig och tillgänglig för kristlig
vänskap* och ett *sant sällskapslif,* veta vi af hans lef-
nadshistoria. Det var i hemmet och i den kristligt
glada vänskapskretsen, som Luther höll de friska sam-
tal, om hvilka vi få en liflig föreställning i de s. k.
"bordssamtalen", dem vi ju hafva läst eller borde läsa.
Det var ock vid dessa tillfällen Luther drack med
måtta det gamla tyska ölet, som utan tvifvel liknade
vårt gamla svenska öl. Nutidens tyskar vilja natur-
ligtvis med denna Luthers sed försvara sitt olyckliga
bierdrickande. Redan på sin tid klagade Luther bit-
tert öfver tyskarnas superi och omåttliga öldrickande.
Det är lätt att se i Luthers lif och skrifter, att han icke
var någon advokat för bierväsendet.

En sak, som vi icke få glömma, när vi betrakta Lu-
ther såsom människa, är hans kärlek för poesien, sär-

skildt den heliga poesien. Luther var en man af djup, innerlig och varm känsla. Känslans språk, poesi och musik, måste därför ligga honom ömt om hjärtat. Man plägar tala om odödliga skaldeverk. Om något poetiskt stycke är odödligt, så är det Luthers psalm: "Vår Gud är oss en väldig borg". Hvilken människa med hjärta förmår motstå det väldiga intryck, som denna psalm gör, när den spelas och sjunges väl. Vi böra ock vid tal om Luther såsom pånyttfödd människa erinra oss hans ömhet för de fattiga, sjuka och nödlidande. Hans kristligt varma hjärta skonade intet, när det gällde att hjälpa den nödlidande. Mor "Käthe" klagade mången gång öfver sin mans hejdlösa frikostighet mot de nödställda. "Kära Käthe", svarade Luther, "Gud är rik, han skall gifva oss annat i stället".

Vi sade förut, att hos Luther den tidens skönaste gåfvor, krafter och rörelser voro förenade såsom i en brännpunkt. Det var så. Det var en riddarväsendets tid. Om det någonsin funnits en tapper och ädelsinnad riddare, så var Luther en sådan. När han drog Guds ords svärd, så skakades hela påfvedömet af en enda man, och hela Nord-Europa löstes ur fjättrarna, så att äfven den öfriga delen af världen fick välsignelse af denna befrielse. Luthers tid utmärktes af en nyvaknad ifver för vetenskap, vitterhet, konst, kvickhet, satir, med ett ord, själskrafternas och det mänskliga snillets användning på alla områden. Hos Luther finna vi den mest blixtrande och bitande kvickhet och satir, i synnerhet när hela hans innersta är upprördt af påfvedömets förvillelser. När Luther använde sitt ojämförliga kraftspråk, kunde ingen motståndare stå för denna mördande eld. När hans ord mången gång göra ett så öfverväldigande intryck på oss nu, hvad

måste det icke hafva varit då, när orden kommo färska
midt in i lifvet, sådant det då var! Tiden var grof-
kornig och i många afseenden rå. Vi se, att Luther
har skattat åt tiden, ty han är mången gång alltför
grofkornig för vår tid och smak. Han är emellanåt
alltför mänsklig, hvarför man ock finner, att bibelns
språk är så utomordentligt skönt, mildt och himmelskt
i jämförelse äfven med Luthers skrifter.
Ville vi något närmare betrakta Luther såsom *kris-
ten*, så faller oss hans djupa och allvarliga *uppriktighet*
först i ögonen. Man må undra, hvad den skulle vara
för en människa, som vågade se historien i ansiktet
och påstå, att Luther var en skrymtare. Betrakta blott
ett någorlunda äkta porträtt af Luther och säg, om du
har framför dig bilden af en skrymtare. Denna fria,
öppna, klara blick, dessa blixtrande ögon säga dig vid
första ögonkastet: jag menar från djupet af mitt hjär-
ta hvad jag säger. Det är i sanning en njutning att
se bilden af Luthers ärliga ansikte. Det var en man,
som såg Gud och människor rätt i ansiktet. Alla ad-
vokatknep voro fjärran från denna stora, ärliga och
ädla själ. Därför, när Luther fann någon människa,
som han trodde vara falsk, så utöste han hela fullhe-
ten af sin harm öfver en sådan. Han fann hela påfve-
dömet vara endast ett hyckleri, det är därför han så
harmas däröfver. Hvad vi vidare finna i Luthers kris-
tendom är den vikt han lägger på *samvetet*. Knappast
har det funnits någon sedan Pauli dagar, hvars sam-
vete var så i djupet uppskakadt af Guds lag som Lu-
thers. Han kände synden i dess innersta och finaste
rötter. Därför fördömde han utan prut allt hvad
mänskliga goda gärningar heter. Det dugde ej att
fjäska med talet om ett godt hjärta och en god vilja.

Luthers vakna samvete upprördes till det yttersta öfver sådant tal. Ingen lek, ingen dagtingan, intet prut med samvetet. *Mitt samvete är bundet i Guds ord,* utropade han inför riksdagen i Worms. Kejsare, påfve och allt var honom intet emot Guds ord och samvetet. Skulle kyrkan uppryckas ur sitt förfall, skulle hela folklifvet omskapas, så måste hela folket fattas och gripas på något kännbart ställe, där alla kände lika, utan afseende på parti, stånd, ålder, förmögenhet och bildning. Detta för ett helt folk gemensamma kännbara ställe, den punkt, där alla i ett helt folk, i en hel människovärld beröra hvarandra, är *samvetet,* denna obeskrifliga makt hos människan. Luther var den man, som förstod att fatta och gripa folket i samvetet, emedan han kände sitt eget samvete. När han så med Guds ord grep fast i människornas samvete, så framkallade han en hel omgestaltning i kyrka, stat, samhälle, familj, skola, vetenskap och hela lifvet. *Innerlig kärlek till Guds ord* var ett det mest framstående drag i Luthers kristliga lif. Guds ord stod för honom högt öfver allt människoord och öfver all människovisdom. Man behöfver icke länge läsa Luthers skrifter, förrän man ser, att han måste hafva läst den heliga skrift med ovanlig ifver och flit. Han anför både nya och gamla testamentets skriftställen med den mest obesvärade ledighet. Hans hjärta och minne voro en fullständig bibelkonkordans. Guds ords tveeggade svärd var ock det vapen han ständigt använde emot djäfvul, kött och värld. Genom sin djupa bibelkunskap blef Luther den oöfvervinnelige jätte, inför hvilken de lärdaste och klyftigaste motståndare darrade. Emot påfven och alla hans stadgar satte Luther Guds eviga ord; emot svärmeandar, som åberopade sig

Tal och föredrag. 9.

blott på anden och det inre ljuset, satte han ock detsamma ofelbara Guds ord.—Luther var en *bönens* man. Det finnes ingen lefvande kristendom utan bön, och just därför var Luther en så frisk, sansad, brinnande och lefvande kristen, emedan han höll sig med sådan ifver till Guds ord och bönen. Vi hafva ju i reformationshistorien läst märkvärdiga bevis på Luthers böneifver och bönekraft. Under riksdagen i Augsburg, då Luther vistades på Coburgs slott, skref han väggarna i sitt rum fulla med bibelspråk och kämpade under glödande andakt med Gud i bönen. "Jag anser", sade han själf, "min bön vara starkare än själfva djäfvulen, och vore det icke så, så hade Luther för längesedan varit förlorad. Om jag en enda dag underlåter bönen, så förlorar jag en stor del af trons eld." Vi märka orsaken, hvarför vi i Luthers skrifter finna en sådan frisk och brinnande ande, en sådan kraft och smörjelse. Luther "aktade på Guds ord och bönen" (Apg. 6: 4), däraf kommer denna anderikhet i Luthers skrifter, tal och hela verksamhet.

Kärnan och medelpunkten i Luthers andliga lif var *Kristus.* Med Paulus kunde han därför i sanning säga: *Kristus är mitt lif.* Kristus är ock medelpunkten i Luthers lärosystem. *Vi tillfångataga allt förnuft under Kristi lydnad,* säger hednaaposteln. Detta var ock valspråket för Luthers hela lif och verksamhet. Med andra ord: det var rättfärdiggörelsen af nåd för Kristi skull genom tron, som var själfva hjärtat af Luthers kristliga lif. Vilja vi rätt fatta detta, måste vi grundligt läsa Luthers större utläggning öfver Galaterbrefvet. I företalet till denna utläggning säger han: "I mitt hjärta härskar denna enda artikel, nämligen tron på Kristus; och ifrån denna, genom denna och till denna komma och återvända dag och natt alla mina andliga betraktelser". Göra vi icke mer till firande af jubelåret, så borde vi åtminstone företaga oss att i höst genomläsa denna Luthers bok, däri han icke utlägger skriften i vanlig mening, utan rent af *lefver* i skriften med ande, själ och kropp. Evangelii fullhet flödar ur den eldige mannens hjärta, och när han slår till emot all egenrättfärdighet, hör man Pauli andlige broder.

Tron på *sakramenterna såsom verkliga nådemedel* var hos Luther synnerligen innerlig och stark och gaf hans andliga lif denna märkvärdiga gedigenhet, fasthet, visshet och orubblighet, som är så nödvändig för en kristen under stormar, strider och frestelser. När allt mörknar, när alla känslor fara, hvar och huru skall själen då finna och hålla Kristus, sin Frälsare? I *ordet, dopet* och *nattvarden.* Där är Kristus för syndare. Intet kan drifva bort Kristus ur ordet, dopet och nattvarden, intet kan fördärfva och bortdrifva den själ, som håller sig till dessa nådemedel. Sådan var Luthers enkla och orubbliga ståndpunkt.

Låtom oss nu höra något om Luther såsom *predikant.* Att Gud hade gifvit denne man utomordentliga gåfvor såsom folktalare, veta och erkänna vi utan någon lång öfverbevisning. Vi behöfva icke läsa många rader ur en predikan af Luther, förrän vi måste utropa: här talar en man, som *siktar rätt på åhörarnas hjärtan;* han vet ock hvar hjärtat sitter hos en människa, han håller sin båge hvarken för högt eller för lågt. Hans språk är så enkelt och lifligt, att ett barn kan fatta dess mening. Intet tomt känsloprål, inga såpbubblor, ingen fradga, intet lärdomskram, inga klyftigheter eller lärda fraser. Rakt på sak med ett

språk, om hvilket gemene man måste säga: det är mitt
modersmål han talar. "Man måste", sade Luther,
"fråga modern i huset, barnen på gatan, gemene man
på torget, man måste se efter på deras mun huru de
tala, så förstå de också samt märka, att man talar
tyska (svenska) med dem." Till en vän, som frågade
Luther huru han skulle predika för en furste, sade han:
"Ni bör ställa edra predikningar icke såsom till furs-
tar, utan till det obildade och simpla folket. Om jag
i mina predikningar tänkte på Melanchton och de
andra doktorerna, så gjorde jag ingen nytta; men jag
predikar uteslutande för de okunniga, och det behagar
alla. Hebreiska, grekiska och latin sparar jag, tills vi
lärde komma tillsammans, och då göra vi det så kons-
tigt och finurligt, att Gud själf är förvånad öfver oss."
Med mångahanda sköna och enkla liknelser och bilder
sökte Luther i sina predikningar göra den himmelska
sanningen *åskådlig* för sinnet. Hans predikningar äro
illustrerade med bilder ur lifvet och naturen. Såsom
vi förut hörde, hade Luther en liflig, varm och inner-
lig känsla för allt skönt, ädelt, stort och lärorikt i
lifvet och i den yttre naturen. Denna Luthers varma
och djupa känslighet kom honom till pass vid hans
förkunnelse af Guds ord. Hvad själfva formen och
uppställningen af hans predikningar angår, så se vi
här åter bevis på Luthers afsky för det konstlade.
Luther var icke särdeles ängslig om de fina, homiletis-
ka reglerna, ej heller satte han sin ära uti att kunna
välja besynnerliga ämnen och göra många och märk-
värdiga delar i predikan. Om "tron och kärleken"
har skriften så mycket att säga på ett omväxlande
sätt, att det icke tröttar ett sinne, som är öppet för
sanningen. öfver detta ämne "om tron och kärleken"

predikar ock Luther med en så förvånande anderike-
dom, liflighet och kraft, att hans enkla, konstlösa pre-
dikningar ingalunda äro enformiga eller tröttande.
Emellanåt gjorde hans rika ande predikningarna täm-
ligen långa. Men huru mycket och huru skönt kan
icke Luther på en kort stund tala öfver en text i *hus-
postillan!* Fråga vi vidare efter Luthers predikningar
med afseende på *innehållet,* så måste vi först och
främst säga, att de äro *bibliska.* Den *bibliska texten*
regerar helt och hållet i Luthers predikan. Huru glad
Luther var, när han fick skrämma Aristoteles och
"skolteologerna" från predikstolen och i stället led-
saga Herren Jesus, profeterna, evangelisterna och
apostlarna upp på detta heliga rum! Han jublar ofta
på det lifligaste däröfver, att han får och kan låta
folket höra *Herrens egna ord.* Vidare märka vi, att
Luther predikade Guds ord af lefvande *erfarenhet.*
Kristendomen var för honom icke blott en gammal
historia, eller en torr lära, utan någonting, som han
själf upplefvat och *erfarit,* ja, dagligen lefde och rörde
sig uti. Det är därför han slår så kraftiga slag med
lagens hammare på samvetet, emedan han själf erfarit
och dagligen erfor Guds buds makt och allvar; det är
därför han förkunnar evangelium med så obeskriflig
värma, eld och kraft, emedan han själf smakat och
dagligen smakar evangelii lif och kraft. "Jag tror,
därför talar jag." Det känner man i Luthers predik-
ningar. Luther stod icke och sof på predikstolen så-
som om han talat om något, som varit för honom främ-
mande. Orden lefde på läpparna, emedan de lefde i
hjärtat. Han betedde sig ej heller såsom en skåde-
spelare, ty han höll ej predikstolen för en plats, där
predikanten skall visa sig själf och sin konst. Ordet,

Guds ord var för Luther hufvudsak, däri ligger all kraft. Det står icke till någon mans vilja eller lopp, buller eller bång, utan till Guds barmhärtighet. Detta kände Luther på det innerligaste. Han använde i sina predikningar hela Guds ord, lag och evangelium, till varning, förmaning och tröst. Ehuru det var hans hjärtesak att predika evangelium för de fattiga, försummade han ingalunda förmaningen till ett heligt sinne och lefverne. Kristus till rättfärdighet, helgelse och förlossning var hans predikans A och O, begynnelse och ända. Han kunde ock i sina predikningar storma löst emot påfven och hela hans anhang af falsk lära och falska lärare, emot svärmeandar och förvillelser af allehanda slag. Vi böra härvid komma ihåg, att Luther måste vara polemisk i sina predikningar, d. v. s. han måste med ordet stöta undan påfven, munkarna och svärmeandarna, hvilka stodo i vägen för Kristus. "Se, Guds Lamm", var hufvudämnet i Luthers predikningar. När nu påfve, munkar, helgon, ceremonier och allehanda ting voro uppstaplade såsom en hög skiljemur, så att folket icke kunde se Kristus, då blåste Luther friskt och kraftigt i stridstrumpeten och sände ut hela härar af oförlikneliga kraftord emot allt, som stod i vägen för Kristus.

Många lutheraner kunna tyvärr icke rätt skicka sig efter tiden och missbruka därför Luthers exempel till försvar för okristliga stridspredikningar. Luther hade icke hjärtelust i strid, utan i Jesu Kristi frid. Denna Guds frid, Jesu Kristi förbarmande kärlek till syndare, genomtonar fördenskull alla Luthers predikningar. När han kommer på ämnet om Guds nåd i Kristus, hvilket är fallet nästan i hvarje predikan, då öfverflödar hans hjärta och därför också munnen och pennan af det allra ljufligaste evangelium för syndare. Då ropar han: "Gud är själfva kärleken, och hans väsende är idel kärlek, så att om någon ville afmåla Gud och träffa väl, så måste han uppfinna en sådan bild, som vore idel kärlek, såsom vore Guds natur intet annat än en brinnande ugn och het låga utaf sådan kärlek, som uppfyller himmel och jord." Om någon åter kommer med den förvillelsen, som med Guds kärlek förringar och borttager den sanna betydelsen af Kristi ställföreträdande lidande och död, då ropar Luther med stor ifver: "Låtom oss fördenskull taga oss för ett sådant helvetets gift till vara och icke mista Kristus, den hugnelige Frälsaren". Se predikan öfver episteln på Midfastosöndagen. Kristus först och sist och med honom Guds nåd och kärlek, det var Luthers *amen* i alla predikningar. Noga måste vi märka, att Luther icke ansåg det vara nog med att predika. *Kristlig undervisning* och *bildning* måste på det ihärdigaste öfvas jämte predikan. Till detta ämne återkommer han om och om igen i sina skrifter ända ifrån 1520, då han i sin skrift till den kristliga adeln så kraftigt ropade om upprättandet af kristliga skolor, och till sin död. Han fruktade högligen, att girigheten skulle så taga öfverhanden, att man försummade den kristliga skolan. Han beder under djupaste rörelse på det bevekligaste sätt sitt folk att vakna upp öfver denna viktiga fråga. Man läse hans glödande ord i "predikan om nödvändigheten att hålla barnen i skolan". Känna vi icke Luther såsom den väldige ifraren för den kristliga undervisningen, så känna vi honom ej såsom den väldige folkpredikanten och budbäraren af Kristi evangelium. "Tänken på edra lärare, de eder Guds ord sagt hafva."

Renässansen och nya födelsen.

å heta de tvenne stormakter, som under år-
hundraden kämpat och intill denna dag käm-
pa med hvarandra om öfverväldet i den civili-
serade världen. Och denna kamp mellan re-
nässans och ny födelse skall fortgå intill dagarnas
ända.

Men renässans och ny födelse är ju samma ord och
därför samma sak, det ena ett franskt ord, det andra
ett svenskt, men det svenska blott en ordagrann öfver-
sättning af det franska. Underligt, men historien gör,
att dessa båda ord, som ursprungligen hafva samma
betydelse, nu mera äro så vidt skilda som jord och him-
mel, som värld och ande. En blick några århundraden
tillbaka skall lära oss att närmare fatta betydelsen af
ordet renässans i förhållandet till ordet ny födelse.
Låtom oss först ägna en stund åt betraktelsen af en
skön aftonrodnad. Det är medeltidens dag, som går
till ända. Vi pläga kalla medeltiden en natt, och vi
hafva ju alla mången gång eller åtminstone någon
gång i historien vandrat bland skuggorna af denna
långa mänsklighetens natt. Rättare är det dock att
kalla medeltiden en dyster, melankolisk och svärmisk

skymningens dag, som slutar med en förtjusande, men vemodig aftonrodnad. Hvad var medeltiden? Den, som med några kraftfulla satser kunde upprulla hela medeltiden för våra ögon, vore sannerligen en mästare i historieteckning. I frånvaron af en historiemålare med tillgång på glödande färger måste vi nu för tillfället åtnöja oss med en, som lärt att teckna endast matta bilder.

Medeltiden var den romersk-katolska kristendomens utbildnings- och maktutvecklingstid. Glansen, prakten och makten af det gudsrike på jorden, som heter det romerska påfvedömet, nådde under medeltiden den högsta fulländning. Medeltiden är således det romerska påfvedömets världsrikstid. Denna tid beströdde hela midtel-, syd-, nord- och väst-Europa med ofantliga tempel, väldiga kloster och storartade borgar och herreslott. En tid, som förmår utströ öfver jorden sådana majestätiska himmelsblommor i sten som medeltidens katedraler, måste hos oss uppväcka häpnad och beundran. När man reser genom Europa och med egna ögon får se, huru hela berg, som det tyckes, blifvit förflyttade, omplanterade och förvandlade till blommor, som växa upp mot himmelen, så undrar man, huruvida millioner människor under århundraden gjorde något annat än byggde borgar åt Gud, präster och höga herrar. När man lustvandrar i en af dessa domkyrkor och stiger upp på dess tak och i dess torn, tycker man, att en enda sådan byggnad skulle vara arbete och kostnad nog för ett stort land under århundraden. Likväl befinnas alla de europeiska länderna vara besådda med dessa den mänskliga andens och armens maktprof till en sådan mängd, att det synes, som om en skapare hade i sin outtömliga rikedom och makt låtit dem växa fullfärdiga upp ur jorden, såsom blommorna spira upp under vårtiden. Betrakta vi därjämte de myriader bilder, prydnader och blomster i sten, hvarmed dessa byggnader äro utsirade, så blifver hela medeltiden för oss en gåta, hvartill vi ej finna någon lösning. Så outtömligt rik och så mäktig är den mänskliga fantasien, när den gripes af religionens allmakt. Lägga vi härtill alla oljetaflor och fönstermålningar samt alla bilder och prydnader i trä, hvarmed medeltiden smyckade sina tempel, kloster och borgar, så säga vi: medeltiden var den religiösa hänförelsens, fantasiens, byggnads-, målar- och bildhuggarkonstens tid. Så svärmade medeltiden under århundraden i tempel, kloster och riddarborgar, så låg slutligen hela medeltiden på knä vid påfvens, Marias och helgonens fötter.

Vi skynda till Florens för att se den hjärteförsmäktande synen af den svärmiska medeltidens aftonrodnad.

Vi hafva säkert hört namnet *Giovanni Angelico* da Fiesole, en dominikanermunk i Fiesole och Florens. Han var den, som med oförliknelig hänförelse och andakt målade medeltidens aftonrodnad. Den, som icke sett Angelicos Maria-bilder, har ej skådat medeltidens fromma svärmeri och andakt. Maria sväfvar på dessa bilder i guldmoln bland änglakörer, omstrålad af en gloria af himmelsljus, pärlor och diamanter. Hennes ansikte är idel stilla, ljuf, fridfull hänryckning. Änglaskarorna, som omgifva henne, äro jubelkörer af rena, obesmittade, oskuldsfulla himlabarn. Inför dessa Maria- och änglabilder förgäter den fromme allt hvad jord, värld och jämmerdal heter. Han känner sig på änglavingar upplyft till en annan värld, en bättre värld, en värld utan synd och smärta. Han har intet mer att med denna närvarande världen beställa. Jordelifvet är numera blott en Maria- och ängladröm. Dessa taflor äro den fromma fantasiens triumf. Angelico grät, bad och målade Marior och änglar. Med dessa tårar, böner, Maria- och änglabilder gick medeltidens skumma dag till ända. O sköna, fantastiska, fromma, vilda och grymma tid, din trolska skymning är icke mera till! Det skumma minnet lefver kvar, men själfva medeltiden är försvunnen och lyktad såsom en suck. Jo, medeltiden lefver kvar i de katolska kyrkorna i Italien och andra rent katolska länder. Hvarje helt katolsk kyrka är egentligen ett medeltidsmuseum. I kunnen göra en resa in i medeltiden, om I besöken en katolsk kyrka, men besöket bör ske i stilla ensamhet, i den trolska skymning, som är det utmärkande för medeltiden och katolicismen. En ny tid kom med väldiga stormar och skakningar i människoandens värld. Världshistoriens uppvaknande ur medeltidens sköna och vilda drömvärld kallar man renässans. Det finnes någonting, som närmast omgifver människan, det hon kan se med sina lekamliga ögon, den yttre naturen eller den synliga världen. Medeltiden lefde helt och hållet i sina tempel, kloster och borgar, bland sina Maria- och helgonbilder. Hela medeltiden var en dröm- och sagovärld. När man nu vaknade upp ur dessa drömmar och sagor, när man fick se den yttre, synliga och verkliga världen, frågade man: hvad är detta för en värld vi se med våra ögon, vi måste närmare bese henne, vi måste begynna bebo den synliga världen. En utomordentlig förtjusning och hänförelse öfver den yttre naturen och hennes skönhet grep sinnena. Man föll helt plötsligt ned ur medeltidens dröm- och fantasiskyar och fick se den

gamla jorden och hennes härlighet. Människorna blef-
vo till mods, som hade de nyss fått ögon. Den närva-
rande, synliga världen blef nu skönhetens och lycksa-
lighetens värld. Att njuta af världslifvet i fulla drag
blef nu den högsta sällhet. Söderns rika och tjusande
naturlif bjöd på en sådan mångfald af behag och
njutningar, att det milda luftstreckets folk blef betaget
af förtjusning, när dess ögon en gång öppnades för det
jordiskas och kroppsligas härlighet. I all synnerhet
blef nu människokroppen i dess nakna, naturliga skön-
het föremål för en gränslös dyrkan. Denna naturens
och det kroppsligas dyrkan kallas renässans, såsom
den framträdde vid begynnelsen af den nyare tiden.
Hvem öppnade naturens, det jordiskas och det kropps-
ligas paradis för söderns folk? Grekerna, de mest
hänryckta dyrkare af naturen och människan, som
funnits på jorden. Vid denna tid stod det gamla Hel-
las, Grekland, upp från de döda och tågade in i Italien.
Beröringen med grekiska riket, korstågen och i syn-
nerhet Konstantinopels eröfring af turkarna gåfvo
anledningen till denna återuppväckelse af den helle-
niska anden. De bildade grekerna, arftagarna och för-
valtarna af gamla Greklands vitterhet, filosofi och
sköna konst, flydde till Italien och mottogos där i de
rika städerna med jubel. Man begynte gräfva i ruin-
högarna i Italien efter den gamla världen, och man
fann flera exemplar af de sköna grekiska och romerska
marmorgudarna och marmorgudinnorna. Och hvad
voro dessa gudar och gudinnor? Sköna människor.
De italienska konstnärerna fattades af en ny ande, det
gamla Greklands kroppsskönhetsande. De grekiska
gudarna och gudinnorna i sin fulländade lekamlighet
trädde nu i stället för medeltidens fromma och from-

lande Marior och helgon. Bland bildhuggarna blef det nu på modet att medelst marmorbilder framställa människokroppen i dess nakna naturskönhet. Målarnas uppgift blef att jämte sköna människoporträtt måla intagande och färgrika vyer ur söderns rika natur. Man begynte ock med ifver söka bland spillrorna efter de tempel, hvari Greklands sköna gudar och gudinnor hade varit uppställda, och man fann i Rom och annorstädes lämningar efter dessa tempel. Med ens greps byggnadskonsten af en ifrig sträfvan att efterapa gamla Aténs och Roms tempel- och palatsbyggnader. Så uppkom det slags byggnadskonst, som man kallar renässansen.

Ännu ett annat jordiskt paradis hade under århundraden varit tillslutet för de civiliserade folken. Det var gamla Greklands och Roms sköna litteratur. Flyktingarna från Konstantinopel buro med sig nyckeln till detta paradis in i Italien. Så snart de hunnit bosätta sig i Florens och andra rika italienska städer, öppnade de portarna till gamla Hellas' bibliotek. Så begynte åter Homeros och hela skaldeskaran med honom sjunga sina hjälte-, skämt- och sorgesånger på gamla världens skönaste språk. Thucydides började om igen sina föreläsningar i historia, och Demosthenes höjde åter sin röst i tal, med hvilka han vunnit rykte såsom forntidens störste talare. Men framför allt: all filosofis ålderman och patriark Plato började åter med den bildade världen hålla de samtal öfver forskningen efter den eviga sanningen, som fordom med så oemotståndlig tjusningskraft fängslat vishetssökande sinnen. Här var nu en ny idealernas värld funnen för Italiens och andra länders trängtande andar, som tröttnat på munkarnas fromhetsvärld. Från alla håll strömmade hung-

rande och törstande ynglingar till Florens och andra
städer i Italien för att vid de nya grekernas fötter finna
den vishet och vitterhet, som ej stod till buds i klos-
tercellerna eller vid medeltidsuniversiteten. En forsk-
ningens och undersöknigens ande bemäktigade sig al-
la tänkande. Man begynte söka efter det förnuftiga
i allt. Vi kunna lätt tänka oss, hvilken verkan detta
nya grekiska förnufts sammanstötning med medeltids-
kyrkans lärosystem skulle hafva. Hela det med så
mycken möda, konst och klyftighet sammansatta me-
deltidslärosystemet förklarades snart vara blott en
myt, en dikt, en saga. En tviflets, ja, en hånets och
bespottelsens ande grep med hvarje dag allt starkare
omkring sig i den nya grekiska bildningens kretsar.

Låtom oss försöka att lifligt föreställa oss denna
sammandrabbning mellan den nyuppkomna grekiska
bildningen och medeltidskristendomen!

Å ena sidan stod en nästan oräknelig här af prelater,
präster och munkar, utrustade med Maria- och helgon-
bilder, fromma sagor och ceremonier i oändlighet, med
ett ord: hela ståten, prakten och makten af medeltids-
kyrkan var uppställd till strid. Å andra sidan upp-
ställde sig den nya bildningens, renässansens, män,
väpnade med gamla Greklands skönlitteratur, filosofi
och marmorbilder. Egendomligt nog gynnade påfven
och flera af de höga kardinalerna den nya bildningen.
Man hade ju ock på Italiens, det gamla Roms mark
återfunnit det gamla romarspråket i sin ursprungliga
kraft och renhet. Hvilken skillnad mellan Ciceros,
Virgilii och Horatii språk och det gängse munklatinet!
För sin heder inför den bildade världen måste påfven
och kardinalerna ställa sig på det gamla klassiska språ-
kets sida gentemot munkarnas kökslatin. När nu kyr-

kans högsta män gynnade den nya bildningen, blefvo renässansens förkämpar djärfva. De gingo ända därhän, att de förnekade allt öfvernaturligt, till och med själens odödlighet. Då, just då ryckte påfvens närmaste lifgarde, inkvisitionsregementet, fram, ty dess general anade oråd. Med ens måste alla gensägelser mot det katolska lärosystemet tystna. När inkvisitionsblodhunden med brandfacklan visade sig, visste hvar och en, att det gällde: *tyst* eller *brinn.* Italiens flesta renässansmän kastade sig genast i djupaste förskräckelse och underdånighet till påfvens fötter och förklarade, att de aldrig skrifvit eller utlåtit sig annorlunda, än att allt skulle vara underkastadt romerska stolens utslag. De hade sålunda icke menat någon pånyttfödelse, någon renässans i den romerska kyrkans lära, ej heller ville de i minsta mån rubba romerska stolen. Det var nog. Inkvisitionsregementet drog sig genast tillbaka in i sina kaserner. Den helige fadern och hela hans hof ingingo ett det allra såtaste vänskaps- och inbördes försvarsförbund med renässansens män. Dessa begärde rättighet att studera klassisk grekiska och latin, att bygga tempel och slott i klassisk stil, att måla taflor och hugga marmorbilder och så pryda med klassiska bilder dessa tempel och slott, samt att hafva och hålla så många grekiska gudar och gudinnor som helst med rättighet att bygga särskilda tempel för dem och att plantera sköna parker till sin och dessa gudomligheters förlustelse. Allt detta beviljades af påfven och kardinalerna med yttersta beredvillighet och förtjusning.

Påfven begärde, att renässansmännen skulle för alltid afsäga sig all rätt att offentligt motsäga den romerska kyrkans lära och makt. I djupaste underdå-

nighet och med finaste artighet beviljade dessa denna
begäran, ty de visste väl, huru betryggad deras ställ-
ning skulle blifva under skyddet af den största mänsk-
liga makt på jorden. Så ingicks mellan påfvedömet
och renässansen detta förbund, som är oupplösligt in-
till denna dag, ett förbund, som räddat den katolska
kyrkan och gifvit henne en för oss vid första påseen-
det oförklarlig makt öfver folken. Att det är den skö-
na konsten, som är den katolska kyrkans egentliga
kraft, vet hvar och en, som sett sig litet närmare om
i de katolska länderna. Låtom oss tänka oss, att alla
väggar och tak i detta kapell, i alla lärosalar och gång-
ar af detta vårt nya läroverkshus vore fullmålade med
tjusande bilder ur gamla Greklands och Roms samt
medeltidskyrkans sagovärld, och att vi sålunda under
hela vår skoltid här hade allt detta dagligen för våra
ögon, hvad verkan tron I, att sådana bilder skulle
hafva på hela vår själsodling. Ögonen äro de mäkti-
gaste uppfostrare. Den, som har barn- och ungdoms-
ögon i sitt våld, är nästan säker om styrelserätten öfver
hela människan för hela lifvet. Katolska kyrkan för-
står att i lära och lif handtera estetiken, hon har ingått
ett fostbrödralag med det skönas värld, därför kan hon
göra med teologien hvad hon vill utan att inom sitt
sköte behöfva frukta motsägelse, som skulle hafva
någon vidare betydelse.

Renässansmännen uppträdde, såsom vi nämnde i
början, med stor djärfhet emot romerska kyrkoläran,
men de tystnade strax, så snart de sågo påfven rynka
ögonbrynen, och de blefvo alldeles utom sig af förtjus-
ning, när de funno, att de med hela sitt renässanspara-
dis fingo för alltid bosätta sig på romerska kyrkans
område.

Med brinnande ifver stiftades nu ett renässansförbund i alla rika städer i Italien och andra länder. Rikedom måste finnas, annars kan renässansens välde icke bestå. Man studerade nu med all ifver den grekiska och latinska litteraturen och utbildade så en ny skönlitteratur, en ny poesi, som först talade latin, men snart begynte omskapa italienska och andra moderna språk till litteraturspråk. Men framför allt uppblomstrade nu en ny, klassisk byggnads-, bildhuggar- och målarkonst. Man läste visserligen fortfarande Plato för språk- och konstnjutning, men att uppställa någon filosofisk undersökning, som kunde strida mot romerska kyrkan, kom sällan eller aldrig i fråga. Huru dumt hade det icke varit att utsätta sig för inkvisitionens brandfackla, när man hade tillfälle att i all bekvämlighet och ära blifva bjuden på lustvandringar i ofantliga nya tempel, uppförda i klassisk stil och prydda med klassiska bilder i marmor och färger, bilder af helgon, som voro lika förtjusande att betrakta som gamla Hellas' intagande gudar och gudinnor. Det enda besväret man hade var, att man måste göra korstecknet och knäfalla framför dessa nya guda- och gudinnebilder. Men det är ju rent af ett behof att gifva uttryck i fromma och svärmiska åtbörder åt ens inre känslor af förtjusning och hänförelse, när man ser en skön bild. Tröttnade man att i kyrkorna smeka de sköna Maria- och helgonbilderna, så kunde man stiga in i de gamla gudarnas och gudinnornas tempel, som lågo strax bredvid. Inför dessa sköna gudomligheter behöfde man icke läsa radband. Där inne i salarna kunde man fritt och otvunget hängifva sig åt beundran af dessa gudars och gudinnors kroppsliga skönhet. Till yttermera renässansnjutning hörde det

Tal och föredrag. 10.

att kvällar och nätter samlas till kräsliga gästabud i
de stora salongerna inom de nybyggda väldiga slotten.
Allt var där utstyrdt och prydt med högsta och dyrba-
raste konst. Härtill kom lustvandring och luståkning
i vårsolsbelysta trädgårdar och parker. Än sedan svär-
meriet i Italiens månsken, det mest svärmiska af allt
svärmiskt naturlif på jorden, hvad skullen I säga där-
om? I skullen säga, att renässansen är en förtrollning,
som berusar till kropp och själ hvar och en, som med
sin fot träder in på det området. Peterskyrkan i Rom,
Rafaels madonnor, bildhuggerierna, de mytologiska
målningarna, Brunellescos och andra mästares slott i
Florens, Rom och Venedig äro den synliga uppenbarel-
sen af denna renässansens ande. Alla de stora stä-
derna i Italien sträfvade att öfverträffa hvarandra i
renässans, i vitterhet, byggnadskonst, bildhuggeri och
målningar. Hela lifvet och alla tillgångar i dessa
städer med deras landområden uppslukades i skön
konst. Rom segrade naturligtvis i denna täflan, ty
Rom hade hela den västerländska kristenheten till sin
skattkammare, och Rom ägde påfven, och där påfven
är, dit församla sig penningarna och skatterna. Ingen-
ting kan bättre bevisa och belysa påfvedömets inner-
liga förbund med renässansen än själfva den yttre och
inre anordningen af S:t Peter och Vatikanen. S:t
Peter är en renässansbyggnad. Vatikanen står i när-
maste förbindelse med S:t Peter och omsluter den på
tvenne sidor. I Vatikanen hafva vi genom Rafael och
Michel Angelo höjden af renässanskonst. I den delen
af Vatikanen, som ligger bakom S:t Peter, bo de
grekiska gudarna och gudinnorna i all sin intagande
skönhet. Deras tempelsalar äro ock utstyrda med
det hänförande behag, att hvarje besökande med

ens ryckes in i det grekiska lifvets jordiska förtjusning.

Sådan var, i korthet tecknad, renässansen. Men hvad blef det af nya födelsen? Var renässansen en ny födelse i anda och sanning? Ingalunda. Med renässansen gingo hednisk sedeslöshet och hedniskt lättsinne hand i hand, såsom renässanspåfvarnas historia det bevisar. Hvar skola vi då uppsöka nya födelsen? Norrut måste vi draga för att finna spåren af en ny födelse. Vid samma tid som renässansen blomstrade i Italien, låg en munk i Nord-Europa på knä vid en bibel. Genom det gudomliga ordet försiggick i hans hjärta det underverk, som vi kalla nya födelsen. Nya födelsen är ock en skön konst, Guds Andes sköna konst, en ny skapelse, födelsen och skapelsen af en ny, himmelsk människa i ett människohjärta. Detta konstverk, som vi kalla ny födelse, har i den heliga skrift flera namn, såsom *bättring, omvändelse, ny födelse, omskapelse.*

Den mänskliga sköna konsten griper fatt i ett berg, bryter ut stora klippstycken, hugger och formar dem, lägger dem på hvarandra och uppför så ett skönt tempel och slott efter olika stil, eller bryter löst ett marmorblock och bildar däraf en skön människobild, eller skaffar sig en duk och allehanda färger och breder så ut för våra ögon hela skaror af sköna människo- och naturbilder, allt detta till våra ögons och känslors förlustelse, eller ock tager den mänskliga sköna konsten hand om språket och skapar medelst poesi, talarkonst och filosofi hela idévärldar i vår själ eller ock genom tonerna en skönhetsvärld. Men med alla dessa konstarter, med själfva tonernas andespråk, når den mänskliga konsten icke in i vår andes allra innersta helgedom. Det är Guds Ande allena, som finner väg till människoandens förborgade hjärta. Det är dit Guds Ande kommer genom det gudomliga nyskapande och pånyttfödande ordet. Människan är en i synd djupt fallen varelse. Hon må omgifva sig med all den yttre världens och den sköna konstens prakt, tjusning och behag, hon är dock en fallen andevarelse. Till sin ande och till sin inre andevärld måste människan blifva ny och himmelsk, om hon skall återvinna det förlorade paradiset. Alla jordiska konstparadis äro blott ett tomt skal, en glänsande yta, ett sodomsäpple, en förförelse, ett grymt bedrägeri, tills människan får en ny ande, ett himmelskt, heligt och paradisiskt sinne. I alla renässansens förtjusande paradisiska tempel, slott, parker och konstsalonger saknade renässansens folk det rena, himmelska paradisiska sinnet, emedan det saknade kärleken, den rena, himmelska kärleken, som är af Gud. Tron det, mina unga beundrare af vitterhet, vetenskap och skön konst, när man lustvandrar i renässansens natur- och konstparadis, när man helt hängifver sig åt njutningen af allt det sköna man ser, när man önskar, att man kunde ostördt frossa i hela sitt lif i denna konstvärld, denna renässans, så suckar dock hjärtat alltjämt: Hvar är den eviga kärlekens konstland, hvar äro de människor, som genom den gudomliga frälsningskärlekens sköna konst blifvit omskapade till verkliga, heliga kärleks- och gudsmänniskor? En enda människa, som är genomstrålad och förvandlad af den rena, gudomliga kärleken, så att hon lefver och rör sig i denna kärlek, är dock mer än alla sköna marmor- och färgbilder.

Det var i mellersta och norra Europa, man på renässansens tid började studera den gudomliga sköna konsten, huru människor genom Guds ord skulle förändras och pånyttfödas till helt nya och himmelska människor i hjärta, håg, sinne och alla krafter. Det var mellersta och norra Europa, som trädde fram med det gudomliga nya födelsens ord, annars hade hela kristenheten genom den italienska renässansen blifvit förvandlad till en ny den sköna konstens hedendom.

Men det var icke blott i det sextonde århundradet, som renässansen och nya födelsens ord trädde fram såsom de tvenne stormakterna i mänsklighetens historia. Det skulle vara ytterst intressant att få försöka att i korta drag teckna det adertonde århundradets renässans, sådan den gjorde sin färd genom de protestantiska länderna. Men det är det nittonde århundradets renässans, som ligger oss närmast, det är denna jämte föregående tiders renässans, som träder oss till mötes under våra studier. Vi hafva ju ingenting vidare att beställa med byggnads-, bildhuggeri- och målarkonsten. Vår fattigdom stänger för oss för alltid vägen till dessa jordiska paradis. Vi komma knappast i våra lifsdagar att här vid Augustana College åtnjuta förmånen af en skön parkanläggning. Vi få åtnöja oss med naturen i dess ursprungliga skönhet.

Det är musiken, poesien, talarkonsten och vitterheten i allmänhet, som är vår lott bland de sköna konterna. Tänka vi nu på våra poeter och författare, med hvilka vi göra bekantskap på svenska, engelska och tyska, så är det väl knappast någon af dem, som vet, hvad ny födelse är. De höra ju alla, våra stora skalder och författare, till renässansen, till den blott mänskliga sköna konsten. Att de alla mer eller mindre tagit inflytande af den protestantiska kristendomen, erkänna vi gärna, men att deras hjärta hör konstens värld och icke Jesus Kristus till, torde vara

ganska säkert. Tag den store heroen i dramatisk
konst, Shakespeare, och säg mig, om icke han hör till
renässansen. I visen mig till Milton. Ja, jag vet litet.
I tänken på Tennyson, Longfellow och alla de sköna
skalderna, och I kännen strax själfva, att det är i en
egendomlig renässansens värld de föra eder in.

Och vår svenska storskald, hvar vistas han, hvar
lefver och rör sig hans hjärta? Hvad är själfva huf-
vudsaken i hans tjusande idyll Nattvardsbarnen? Än
sedan våra andra svenska storskalder, hvad är själfva
anden uti deras verk? Renässans.

Om Schiller och Goethe, de tyska skaparna af en
renässansvärld för tyskarna, viljen I säkert icke dis-
putera med mig. Och naturvetenskapens stormän, de
som representera nutidens älsklingsvetenskap, hvad
är ny födelse för dem? Det är ett ämne, som icke
rör dem, sägen I. Sant, det bästa och hälsosammaste
de göra är ock, att de icke röra det ämnet. Summan
är: vi protestanter måste lefva ett dubbellif, vi måste
lefva och röra oss i en dualism, så länge vi äro på jor-
den. Såsom bildade lefva vi ett renässansens lif, så
vidt det står oss till buds, såsom kristna, ifall vi äro
det på allvar, lefva vi den nya födelsens lif. Vi känna
vid ett läroverk som allra starkast denna dualism,
detta dubbellif. Ännu är nya födelsens lif hos oss en
makt, som med sin ande håller oss tillsammans i ge-
mensam gudstjänst och gemensam kristendomsunder-
visning. Men renässansens ande har dock redan om-
gestaltat ganska mycket i vårt fordom enfaldiga och
barnsliga jordelif. Vår ungdom måste ock genomgå
ett renässansens tidehvarf.

Katolikerna hafva intet besvär af denna dualism,
detta dubbellif. Hos dem är det endast ett renässans-

lif, framträdande i olika gestalter allt efter folkens
och enskildas bildningsgrad och lynne. Hos katoli-
kerna behöfves ingen ny födelse eller omvändelse, eme-
dan Guds ord hos dem är en oväsentlighet i lära och
lif. Den romerska kyrkan har satt sin renässans, sitt
konst- och ceremonilif i stället för bibelordet.
Men finnes då ingen sann försoning mellan urgam-
mal apostolisk ny födelse och sann renässans, sann
skön konst, vitterhet och vetenskap? Måste vi intill
dagarnas ända förblifva i denna pinsamma dualism?
O, mina älskade vänner, huru skulle jag kunna lösa
en fråga, som sysselsätter alla länders mäktigaste
andar i hela vår samtid? Vi lefva i sanning i en ad-
ventstid. Men hvad skola vi göra under denna vän-
tanstid? Vi skola hålla oss till det, som är visst.
All skön konst är kall, all vetenskap är kall, när det
gäller att uppvärma ett vid själfviskheten i människo-
lifvet frysande hjärta. I det stora hela, mina vänner,
frågar icke den ena människan efter den andra längre,
än det är hennes fördel att göra så. Hvarken skön
konst eller vetenskap eller ytlig kyrklighet kan ingju-
ta en sann, varm, oegennyttig kärlek och vänskap
i ett människohjärta. Detta, som är lifvets högsta,
största och skönaste uppgift, måste ske genom en verk-
lig, icke skrymtad ny födelse. Så mycket vet jag af
erfarenhet. Men jag vet ock, att en ädel kristen fröj-
dar sig öfver allt rent, skönt och ädelt, hvar han fin-
ner det, vore det så hos en samarit, en katolik, en hed-
ning. Den sanna renässansen är en förgård till nya
födelsens helgedom. Adventssyner har jag sett uti
allt hvad jag sett på jorden af byggnader, bildhuggeri-
er och målningar. Adventsröster har jag hört uti
allt det lilla jag läst af litteratur på några af de civili-

serade folkens språk. Adventsresor gör jag ännu i minnet till de adventskyrkor och adventspalats, jag besökt i gamla världen, med alla adventsbilder, jag där sett. Adventsbesök gör jag ock någon gång i något af världslitteraturens snilleverk. Men nya födelsens ande, nya födelsens kärlek och frid finner jag blott i nya födelsens bok, det stora jul- och fridsevangelium, som blifvit oss gifvet, det ord, som vi sätta högre än all konst, vetenskap och vitterhet, det ord, om hvilket hvar och en, som vandrat ett längre stycke af lifvets törnestig, måste utropa: "Om icke ditt ord hade varit min tröst, så vore jag förgången i mitt elände." "Till hvem skola vi gå? Du har eviga lifvets ord!"

Savonarola.

Hvarest är det ordet sammansatt? I de klara och mjuka vokalernas hemvist, i det land, där språket är en vek, smäktande, melodisk sång. Fjärran från våra gamla och ännu mera fjärran från våra nya hemlandsbygder uttalades dessa rena vokalstafvelser till ett namn för första gången, det höra vi strax. Vi höra ock, att våra talorgan icke äro så formade, att vi kunna utsäga detta namn med den klang, den melankoli i rösten, som ligger i namnets natur. Ordet Savonarola är en hel folkmelodi, men vi mäkta icke sjunga den, såsom den bör sjungas enligt det landets sånglagar, där melodien först sjöngs. Savonarola är en djup, vemodig folksång, ett helt sorgespel. Den man, som bär detta namn i historien, är till sitt lif och sin verksamhet ett helt folks och en hel tidsålders klagovisa.

Vi ville försöka måla ett porträtt, men vi måste först anskaffa ramen till porträttet Savonarola. Det är icke till de tusen sjöars land vi ställa vår färd, men det är till de tusen revolutionernas och blodiga krigens land, till landet af tusenfaldig skön konst och till bygderna af mångtusenfaldiga förföriska förtrollningar vi vilja våga en pilgrimsfärd. Det är i marmortemplens, marmorgudarnas, madonnornas och helgonens land vi ämna göra en påhälsning för att se porträttet af en man, som försökte eröfra detta samma land åt den sanne Guden. En händelse lik Bunyans *Det heliga kriget* är det vi skulle försöka skildra, men vi måste först lära känna något närmare den mark, där detta heliga krig rasade, och den stad, som skulle intagas för Immanuel.

Vi pläga tala om leende dalar, och vi anse en stad, en by, en hembygd hafva ett lyckligt läge, då den är belägen i en sådan dal. Vi Moline- och Rock Island-bor skulle blifva ytterst misslynta, om man frånsade oss berömmelsen af att bo i en leende dal. Nästa vår, om vi lefva, skola vi föra våra besökande vänner från andra trakter upp på en Moline-kulle eller på vår gemensamma Sions-kulle och med triumf utropa: Sägen nu, om vi icke bo i en leende dal!

Den, som vill taga sig tid att något närmare betrakta Italiens karta, skulle snart finna, att detta land är rikt välsignadt med leende dalar.

Apenniner-bergen synas vara skapade enkom för det ändamålet att bilda en massa leende dalar af alla möjliga skepnader efter ett outtömligt förråd af ritningar och mönster. Om vi alla kunde rita och måla väl, så skulle jag just undra, huru vi skulle teckna läget för en paradisisk stad. En flod skulle naturligtvis flyta genom dalen. En krans af kullar af olika höjd och form skulle vara flätad omkring vår dal, och på kullarna skulle allehanda träd och buskar vara planterade i täta grupper. Bakom kullarna vore ock en rundel af bergshöjder, än beströdda med högtidliga skogsdungar, än framträdande i nakna, fantastiskt formade klippor,

uppställda såsom lifvakter. Och träden på kullarna
och bergen vore säkert icke af samma slag. På bergen
vore de allvarliga barrträden uppställda och på kullar-
na löfträden, oliver och lagrar jämte allehanda busk-
växter inströdda bland löflundarna. Vore det en ita-
liensk leende dal, vi ville teckna, så finge de vemodiga,
alltid sorgsbundna cypresserna icke fattas. Huru le-
ende vi än sökt måla en dal på jorden, så skulle dock
än här, än där en tår smyga sig fram ur den leende
anblicken. Alla jordens sköna dalar locka fram tårar
ur leendet. Alla jordens leende dalar äro tåredalar,
och bland alla dessa synes mig Arno-dalen i Italien
framför många andra vara en leende tåredal. Dit
måste vi nu begifva oss, ty där finna vi ramen för det
porträtt, vi ämna måla.

I Arno-dalen är staden Florens, den sköna, belägen.
Knappast kan man tänka sig ett mera intagande, täckt
och förtjusande läge för en stad än den undersköna
leende dal, där Florens fått sitt hemvist sig anvisadt.
Jorden och himmelen, luftkretsen, solen och månen,
växtvärlden och alla riken i naturen synas hafva här
bildat sig till ett kompani för att visa, hvilka under
dessa stormakter kunna åstadkomma, när de uppträda
gemensamt. Den, som varit i tillfälle att aflägga ett
besök i Florens med dess leende dal, bevarar för lifvet
denna fläck på jorden i vemodig saknads håfkomst.
I fantasien återvänder man ofta dit, ty det är, som
hade man där blifvit bevärdigad med en skymt af
jorden, sådan hon var, innan syndens förbannelse läg-
rade sig öfver henne. Och dock är det just i Florens,
man som allra starkast känner naturens förbannelse
för den i synd fallna människans skull. Hela Florens
är ingenting annat än ett stort museum af minnesmär-

ken öfver naturens och människans förbannelse för syndens skull. De väldiga palatsen med de öfverrika skatterna af alla den sköna konstens alster, de vemodigt sköna parkerna och trädgårdarna, de dyrbara marmorkyrkorna, inuti utstyrda med all den katolska kristendomens prål och stät, de dystra stora klosterbyggnaderna, de melankoliska gatorna — allt är blott en enda naturens och människans suck öfver ett jordelif, som borde vara paradisiskt, men som är en fortsatt kamp och strid, jämmer och nöd i dödsskuggans dal.

Vi företaga en språngmarsch genom stadens gator, kyrkor, palats och konstmuseer. Palats efter palats, det ena ofantligare än det andra, gamla och grå, kyrka efter kyrka, utanpå glänsande af marmor, inuti fyllda af marmorbilder och taflor, grafkor och kapell, museer, fyllda af tusentals statyer, oljetaflor och minnesmärken från den sköna konstens alla tidsåldrar, skymta förbi oss under vår färd. Vi häpna och häpna återigen. Hvilket oerhördt arbete under århundraden, hvilka oräkneliga penningesummor här blifvit nedlagda, hvilket brokigt människolif bakom allt detta, hvilken historia, byggd med bergblock och marmor, upmurad till palats och huggen i bilder, hvilken mängd af konstskapelser! Vi ville gripa fatt i och göra oss närmare reda för någon viss tidpunkt af denna långa och rika historia. Vi stanna vid slutet af fjortonhundratalet, tiden närmast före reformationen.

Florens hade under en lång följd af år utvecklat en ytterst kraftfull och liflig handels- och fabriksverksamhet. Skatter på skatter samlades. I stadens slott sutto de rika handels- och fabrikantfurstefamiljerna. De gamla gräsliga medeltidsfejderna, som under århund-

raden kommit stadens gator att strömma af dess egna
invånares blod, utgjutet af de med hvarandra kämpan-
de adelsfamiljerna, hade afstannat. Staden hade till-
kämpat sig en folkstyrelse och blifvit i gammalhisto-
risk mening demokratisk. De rika bankirerna, han-
dels- och fabriksfurstarna täflade nu med hvarandra
i frikostighet för storartade byggnader, bildning, lär-
dom och skön konst. Florens var numera Europas
Atén. Konstantinopel hade ju nu nyligen blifvit er-
öfradt af turkarna. Alla lärda och vittra greker flyd-
de till Italien. Florens öppnade sina portar, sina hem
och sina kassahvalf för dessa den gamla grekiska
bildningens och konstens representanter. En ny tid
uppgick öfver Italien och särskildt öfver Florens. Me-
deltiden var tilländalupen med all sin romantik, re-
nässansens, vetenskaps- och konstpånyttfödelsens tid
var kommen. Här frestas vi att afvika från vår före-
satta stråt för att företaga en lustresa i renässansens
förföriska världsålder. Men vi måste vidblifva vårt
ämne. I Florens hade bankiren Lorenzo af Medici
genom outtömlig frikostighet svingat sig upp till veten-
skaps-, vitterhets- och konstbeskyddare samt högste
folkledare. Florens skulle nu blifva ett vitterhetens
och den sköna konstens paradis. Lorenzo af Medici
blef påfve i en ny kyrka med en ny gudsdyrkan, ett
förspel till våra dagars frimurargudstjänst, konst- och
vitterhetsdyrkan. Ett skönt världslif såsom gamla
Greklands blef nu idealet för människans jordiska till-
varo. Himmelen på jorden, men en himmel full af skö-
na grekiska gudar och gudinnor blandade med madon-
nor och katolska helgon, blef nu valspråket för dagen.
Det rika och välmående Florens, det glada och lefnads-
friska Florens med det oförlikneligt välljudande språ-

ket och de stora anlagen för skön konst tycktes ock vara den enda stad, som var värdig att blifva hufvudstaden i den nya bildningens världsrike. Sådan var ställningen i Florens, då helt plötsligt en dominikanermunk från Bologna kom vandrande in i staden. Ryktet om en lågande vältalighet, som oemotståndligt ryckte alla med sig, hade gått före vår munk in i Florens. Lorenzo, som hade samlat så mycket stort och glänsande omkring sig, ville ock hafva Italiens väldigaste predikstolstalare i sin närhet. Den stora domkyrkan öppnades för Savonarola, ty det var han som nu kom. Det ofantliga rummet fylldes af åhörareskaror timtal i förväg, närhelst den glödande predikanten skulle uppträda på domkyrkans predikstol. Den magra gestalten andades heligt allvar och brinnande nit för folkets timliga och eviga väl, de stora, mörka ögonen blixtrade som eldslågor ut öfver folkmassorna, de glödande orden slogo ned som bomber i åhörarnas samveten. Hela staden och hela Florens-landet lopp efter den nye Johannes döparen. Lorenzo hade misstagit sig, den nye predikanten var ingen rikedomens och vitterhetens smickrare. Bot och bättring ljungade Savonarola ned öfver hög och låg, rik och fattig från predikstolen i katedralen Santa Maria del Fiore. Lorenzo vardt, såsom Felix, förskräckt och hela staden Florens med honom. Man försökte att beveka Savonarola att förmildra sina domar öfver synd och syndare samt att slå af på sina fordringar om bot och bättring. Förgäfves — han var stålsatt mot penningar och smicker. Florens måste rensas från synd och orättfärdighet, Florens skulle blifva en helig stad, en rättfärdighetens boning. Sådant var den nye domkyrkopredikantens program.

Ingen makt i världen kunde afskräcka honom från den
kallelse, han kände sig hafva fått af Gud. Sänd af
Gud med samma uppdrag som en af Gamla testamen-
tets profeter, det var den vissa öfvertygelse, som ingaf
Savonarola mod att trotsa allt motstånd. Han I någon
gång sett, när en hel väldig skog, träd vid träd, böjer
sig ned mot jorden för en mäktig vind? Så böjde sig nu
folket i Florens och trakten där omkring, hög och låg,
för de mäktiga bättringsrop, som brusade fram öfver
profetens läppar. Kunnen I föreställa er den första
pingstdagen i Jerusalem, om hvilken det heter: "Då
vardt plötsligt ett dån från himmelen, såsom af ett
framfarande häftigt väder"? Så vardt ock nu plöts-
ligt ett dån från himmelen öfver staden Florens. Och
en tunga såsom af eld satte sig i Savonarolas mun.
Denna tunga tände eld i det af naturen eldiga Florens-
folkets hjärtan. Bland andra grepos en mängd gossar
af denna eld. Af dessa uppställde Savonarola en fräls-
ningsarmé. Denna andliga garnison och poliskår ge-
nomsökte Florens i alla riktningar för att taga reda
på och utrensa all synd och ondska. Denna frälsnings-
armé väckte med sina processioner i Florens säkert
lika mycket uppseende, som när i våra dagar general
Booth tågar fram i London och andra stora städer i
spetsen för sin frälsningsarmé. Väckelsen i Florens
på Savonarolas tid var af den art som den i England
i Wesleys och Whitefields dagar och som den man be-
vittnade i Sverige på Hoofs och roparnas tid. All lyx
och alla blott världsliga prydnader skulle utrotas.
Frälsningsarméen i Florens hade på Savonarolas be-
fallning hopsamlat en hel massa lyxartiklar och för
den allmänna sedligheten såsom skadliga ansedda
konstsaker. Allt detta blef högtidligt och offentligt

brändt å båle. Man vet, att det florentinska folket med
gränslös hänförelse älskar grannlåter och konstalster.
Man kan då ock tänka sig, hvilken öfverväldigande
ande- och samvetsuppskakning detta folk måste ge-
nomgå, innan det lät beveka sig att offra åt lågorna
sådant, som förut varit lifvets glädje och njutning.
Det var hårdt för vårt svenska landtfolk på Hoofs och
roparnas tid att offra sina röda västar och hufvud-
dukar, sina fransar och och sitt barnsliga bjäfs, men
det var ännu hårdare för invånarna i Florens att låta
elden förtära deras sköna prydnader, deras bilder och
taflor.

Knappast har det talade ordet någon gång uppen-
barat sig starkare än då, när det yppiga, prål- och
konstälskande Florens efter Savonarolas predikan för-
vandlade sig till en puritansk stad. Florens utan ly-
sande klädedräkter, utan granna ekipage, utan gästa-
bud och framför allt utan nakna grekiska gudar och
gudinnor, utan tjusande taflor och målningar i slott
och koja — det var icke mera Florens. Blomstersta-
den, Italiens Atén, var på god väg att blifva hvad
Geneve ett århundrade senare blef under Farel och
Kalvin. En teokrati, ett Guds och den moraliska la-
gens stränga välde ämnade Savonarola upprätta i
Florens. Från Florens skulle lagen utgå och Herrens
ord från vitterhetens och de sköna konsternas stad.
Ett ord af Savonarola var nog att böja folkmassan till
lydnad.

Den oerhörda makt, som Savonarola hade fått genom
sina väldiga botpredikningar öfver stadens borgare,
förledde honom att taga hand om politiken för att
dess säkrare och fortare nå målet. I sin öfversvallande
sydländska hänförelse menade sig Savonarola ock vara

verklig siare med gåfvan att genomskåda och bebåda
tillkommande händelser. Såsom siare utslungade han
domar öfver hela Italien, men i all synnerhet öfver
påfven och det grundfördärfvade påfvedömet. På
Petri stol satt nu en jätte i ondska och last, den afsky-
värde Alexander VI Borgia. Vi vilja icke försöka
måla porträttet af påfven Alexander och hans familj
(en gräslig familj hade han), ty det finnes sataniska
människor i historien och särskildt i påfvehistorien,
dem man med häpnad och förskräckelse går tyst förbi.
När emellertid odjuret på Petri-stolen ända till Rom
hörde ekot af Florens-profetens straffpredikningar, bet
det i raseri samman tänderna och beslöt att med sina
klor slita botpredikanten i stycken. Så stor var påf-
vens makt öfver folken på den tiden, äfven då han var
en allmänt känd bof, att han kunde röja hvilken helig
man som helst ur vägen. Vilddjuret i Rom röt, och
Florens darrade därvid. Savonarolas frälsningsarmé
bestod blott af oöfvade rekryter. De gåfvo vika, de
flydde vid första kanondundret. Ack, ack, vår glö-
dande profet från Ferrara (Savonarola var född i
Ferrara) hade icke Hoofs västgötar, icke Knox' skot-
tar, icke Kalvins genevensare att ställa i ledet mot
satan och påfven. Han hade blott de lättböjda, opå-
litliga, lättlefvande florentinerna till sitt förfogande.
Savonarola måste efter några hårda skärmytslingar
mellan partierna för och emot honom stiga ned från
domkyrkans predikstol och snart helt och hållet till-
sluta den mun, som för de väldiga folkskarorna hade
utropat de glödande bättringsorden. Opinionsvinden
vände sig med hast i blomsterstaden. Florens längtade
tillbaka till sina nöjen, sina gudar och gudinnor, sina
helgon och fester, sin vitterhet och sin slippriga sköna

konst, sin flärd. Det behöfdes blott att böja sig för påfvens maktspråk och uppoffra Savonarola, så var Florens åter den gamla sorglösa, lättsinniga och lefnadsglada staden igen. Herodias' dotter dansade i ungdomlig fåfänga hufvudet af botpredikanten Johannes döparen, blomsterjungfrun Florens dansade i samma ungdomssjälfsvåld bättringsprofeten Savonarola på bålet.

Äfven då vi läsa en utförlig beskrifning öfver händelserna i Florens på Savonarolas tid, är det oss knappast möjligt att göra oss en föreställning om den gräns- och sanslösa hänförelsen hos profetens vänner och det vilda ursinnet, den hejdlösa bitterheten hos hans motståndare. Hela Florens sjöd, skakade och darrade som en vulkan under utbrott. Savonarolas vän, munken Domenico, intog efter mästarens tvingade tystnad hans plats såsom predikant. En franciskanermunk, som med mycken framgång predikade i kyrkan Santa Croce emot Savonarola, erbjöd sig att uppträda som motpart, då Domenico i ifverns hetta hade föreslagit att med ett eldsprof göra Gud själf till domare i den sak, som nu delade Florens i tvenne läger. Nu flammade partielden upp till högsta höjd, och folket i staden var upprördt såsom vid en allmän eldsvåda. Styrelsen förmådde de båda munkarna att underskrifva ett kontrakt, som förband dem att gå igenom ett bål af eld, därvid den, som kunde komma ur elden oskadad, skulle inför hela Florens och världen bevisa sanningen af den sak, han förfäktade. I forntida medeltid hade man ofta hänskjutit viktiga frågor till Guds omedelbara afgörande genom sådana eldsdomstolar. Fjärde Laterankonciliet af 1215 hade förbjudit alla ordalier eller domsutslag genom elds- och

vattenprof. Detta sätt att afgöra Savonarolas sak var
sålunda af kyrkan förbjudet. Men partihetsigheten
var så stark i Florens, att man var färdig att gå i eld
eller vatten eller att göra hvad som helst för att bevisa
sanningen af sin sak. Savonarola omfattade förslaget
med ifver och förklarade, att hvem som helst kunde
gå i elden för hans lära utan ringaste fara. Så stark
var hänförelsen, att hela åhörareskaran reste sig som
en man och förklarade sig beredd att gå i elden, när
Savonarola dagen före det stora eldsprofvet predikade
därom i San Marco. Jag tyckte mig se den synen, när
jag tittade in i den gamla gråa, af helgongrannlåter
uppfyllda San Marco-kyrkan i Florens, och jag tycker
mig ännu se den synen, då jag tänker mig en skara
eldögda sydlänningar med lifliga åtbörder visa sin tro
på att Gud skall själf försvara sin sak inför all värl-
den.

Innan vi vidare omnämna denna hemska palmlördag,
låtom oss föra oss till minnes en änglasyn, som Florens
såg palmsöndagen tvenne år förut. Savonarolas fräls-
ningsarmé höll då ett änglahärtåg genom staden. Vår
profet, mäktig i kärlek och mäktig i ord, hade för-
vandlat gatpojkskarorna i Florens till änglaregemen-
ten. Nu på palmsöndagen voro de klädda i hvita dräk-
ter och buro blomsterkransar på sina hufvuden. Så
tågade de, regemente efter regemente, genom staden,
än ropande "Lefve Jesus Kristus, vår Konung", än
"Lefve Florens". Efter dem marscherade en skara
damer samt många allvarliga och ädla män, alla med
palmer i sina händer, dem deras general Savonarola
hade välsignat, och med det lilla röda korset, hans
rikstecken. Hvem erinrar sig icke härvid barnen i
Jerusalem omkring Herren Jesus? Och hvad var än-

damålet med denna änglaprocession? Upprättandet af hjälp- och lånestationer för de fattiga i stadens alla kvarter medelst allmosor, som dessa änglabarn hade samlat. Så tågade denna änglahär genom Florens' alla gator, och folkskaran såg på med ögon starkt fuktade af glädjetårar. Under hela marschen öfverhopades barnskaran af allmosor för de fattiga. Slutligen tågade hela änglaarméen under ljufliga barnsånger i skuggan af den gamla dystra dopkyrkan San Giovanni in i stora domkyrkan Santa Maria del Fiore. "Och så stor var glädjen i allas hjärtan, att paradisets härlighet syntes hafva stigit ned på jorden. Af rörelse och andakt flöto många tårar", säger en gammal tecknare af denna det himmelska ljusets tid i Florens. Hvilken palmsöndag i Arno-dalens obeskrifligt paradisiska vårnatur! Det var en ljuf aftonrodnad, ett återsken af det ursprungliga Eden öfver sista delen af Florens-profetens dag, som sedan slöt i blod och brand. Det var en intagande bild af det paradis på jorden, som Savonarola genom det profetiska ordet ämnade skapa i den leende Florens-dalen. Hela Arno-dalen med dess idylliska kullar och majestätiska bergshöjder log ett himmelskt leende denna palmsöndag. Men det var ett vemodigt ögonblicksleende i en jämmerdal.

Knappast hade denna nådens och fridens änglapalmsöndag nått sitt rörande slut, förrän dånet af den annalkande stormen begynte höras. Mörker, hemska olycksmoln sammandrogo sig öfver det nya gudsriket i Florens. Savonarola kände, att Gud, endast Gud kunde genom ett under göra Florens till ett verkligt paradis, till en helig stad. Natt och dag väntade Savonarola med sina närmaste vänner ett sådant utomordentligt Guds underverk till räddning för det sköna,

så högt älskade Florens. En dag efter högtidlig mässa
i Santa Maria träder Savonarola i full prästerlig skrud
med sakramentet i hand ut på torget utanför och upp
på en predikstol, som där blifvit uppställd. En ofant-
lig folkskara fyllde platsen, alla på knä i helig tystnad
och väntan. Här skulle nu ske ett Karmel-under.
Säkert stod Elia på Karmel nu i den lifligaste håg-
komst framför den glödande Florens-profetens ögon.
Savonarola besvor nu i heligaste allvar Gud att inför
allt folket sända eld af himmelen och förtära honom,
ifall han hade i oheliga afsikter företagit sin bättrings-
reformation i Florens eller lärt något stridande mot
Guds ord. "Om jag har", så ropade han, "om jag till
eder, medborgare i Florens, har sagt något i Guds
namn, som icke var sant, om den påfliga domen öfver
mig är rätt, om jag har bedragit någon — bed till
Gud, att han må sända eld af himmelen och förtära
mig i närvaro af detta folk, och jag beder vår Herre
Gud, den treenige, hvilkens lekamen jag nu håller i
min hand i detta välsignade sakrament, att sända dö-
den öfver mig på denna plats, om jag icke har predi-
kat sanningen." Men ingen eld kom från den höga,
rena, klara, blåa italienska himmelen. Den sköna vår-
dagen var lika högtidlig, lugn och stilla, som en vår-
dag är ännu i denna dag i det oförlikneliga vårlandet
Toscana. Savonarola återvände med sina munkar in
i den melankoliska klosterbyggnad, som ännu i dag
står vid det soliga San Marco-torget i Florens. Skall
jag försöka uppelda eder fantasi till föreställningen
om Savonarolas samtal med sig själf inför Gud i den
ensliga klostercellen efter denna Karmel-dag, eller skall
jag försöka skildra det öde San Marco, huru det talar
i vår tid? Men vi måste skynda. I ären otåliga. Ja,

ja, Gud bevisar sitt ord och sin sak. Men icke så, som Savonarola och hans vänner i sin öfverspända inbillning pockade på att det måste ske. Den stora eldsdomsdagen, hvarom vi förut nämnde, kom. På Florens' förnämsta torg uppstaplades en väldig hög af torr ved, gjord mera brännbar genom en mängd krut, olja, svafvel och sprit. En smal gång anordnades midt igenom det stora bålet. Torget fylldes af ofantliga människomassor. Hvarje fönster och hvarje hustak var till trängsel besatt af ifriga åskådare. Spänningen i sinnena hade nått den höjd, att staden Florens nu måste på ett eller annat sätt explodera. Regnet flöt i strömmar öfver staden, stormen tjöt och röt. Det var som om Dantes helvete hade uppenbarat sig lifs lefvande på denna dag i skaldens fädernestad. Förgäfves väntade massan på det storartade skådespelet. Man stridde öfver frågan, huruvida Domenico skulle tillåtas bära ett krucifix eller en hostia med sig genom elden. Aftonskymningen inbröt. Stadsstyrelsen förbjöd nu eldsprofvet. Folkmassan var förbittrad öfver sin förlust af ett så intressant skådespel. Franciskanerna drogo sig undan, och dominikanerna, Savonarola med sina munkar, måste under bevakning föras tillbaka till klostret San Marco. Savonarolas makt öfver folket i Florens var nu slagen i spillror. Själfva hans vänners tro var skakad intill grundvalen. Vännerna, de surmulna, såsom de på spe kallades, hade byggt sin tro på ett underverk. När underverket blåste bort, ramlade hela trosbyggnaden. Följande dag, palmsöndagen, blef en det grymma våldets, bespottelsens, sorgens och veklagans dag. Savonarolas fiender triumferade, och de triumferade genom illgärningar, blodsutgjutelse och mordbrand. Dominikaner-kyrkan San

Marco, Savonarolas kyrka, angreps med stenkastning. Med knapp nöd kunde den till gudstjänst samlade mängden rädda sig genom hastig flykt. En dominikanermunk försökte att predika i stora domkyrkan, som var packad af folk, men hela åhörareskaran skingrades med våld af Savonarolas fiender. Palats tillhörande vänner af Savonarola plundrades och brändes. Personer dödades. Så firades palmsöndagen i Florens år 1498.

Det nästa steget var nu att fängsla Savonarola och hans tvenne närmaste vänner, Domenico och Salvestro. De bundos till händer och fötter i kedjor och fördes genom gatorna, där den ursinniga pöbelhopen sparkade och knuffade dem. Nu skulle dom hållas öfver de tre, men ack, hvilken dom! Gång på gång och dag efter dag användes nu den grymmaste tortyr. Man sammanband deras händer på ryggen, fäste vid de så sammanbundna händerna ett rep och vefvade så upp dem mot taket samt släppte dem ned mot golfvet med ett häftigt ryck, som slet deras armar och hela kroppen på det ohyggligaste sätt. Man tände eld under deras bara fötter och stekte så deras fotblad. Kunna vi tänka oss, huru dessa pinomedel skulle verka på en redan utmärglad och utmattad kropp, såsom Savonarolas var. Någon bekännelse om brott kunde fienderna icke heller på detta sätt utpina, vare sig från Savonarola eller hans båda vänner. En hel eftermiddag pinades de tvenne vännerna till den grad, att de förbigående hörde deras jämmerskri ur fängelsehålan, men de förblefvo ståndaktiga.

De tre vännernas lidandestid nalkades sitt slut. Påfvemakten och onskans regemente i Florens gjorde gemensam sak, och för dessa tvenne stormakter var det en lätt sak att afdagataga trenne munkar. De tvenne vilddjuren, det i Rom och det i Florens, kastade sig öfver de trenne vittnena mot synd och ondska, och snart blefvo vittnena tystade. Kätteri, upror — så lydde anklagelsen. Domen var redan i förväg bestämd. Af en fiende hopsmidda bekännelser underlättade utslagets fällande.

Den 23 maj 1498 var ett stort bål åter upprest omkring en galge på torget framför stora rådhuset. Savonarola med sina tvenne vänner Domenico och Salvestro hängdes och brändes. Nu fick folkmassan ändtligen se ett skådespel. Själfva askan måste röjas ur vägen. Den kastades omsorgsfullt i Arno-floden. Så slutade ett utaf världens mest gripande sorgespel. Satan regerade nu fritt i Florens. "Det syntes", säger ett ögonvittne, "som om helvetet hade blifvit lössläppt i staden." "Blygsamhet och dygd syntes vara förbjudna i lagen", säger en annan tecknare af den tiden. Ett dystert vemod hvilar ännu i dag öfver Florens, tycktes mig, när jag var där.

Vi afsluta med den bön, Savonarola bad på morgonen af sin martyr- och dödsdag.

"Herre, jag vet, att du är människonaturens och världens sannfärdige Skapare; jag vet, att du är den heliga, odelbara treenigheten; jag vet, att du är det eviga ordet, som kom från himmelen till jorden i Marias jungfruliga lif. Du har uppstigit på korsets träd för att utgjuta ditt heliga blod för våra synder och för deras elände. Till dig ropar jag, min Herre, till dig ropar jag, min frälsning; till dig ropar jag, min tröst, att ditt heliga blod icke må förgäfves vara utgjutet för mig, att det må vara flutet till förlåtelse för alla mina synder. För dessa mina synder beder jag dig om förlåtelse, för alla, som jag har begått ifrån mitt dop intill detta ögonblick. För dig bekänner jag min skuld. Om förlåtelse beder jag dig för allt, hvarmed jag i andliga och timliga ting har förolämpat denna stad och dess folk, för allt, o Herre, jag som icke af mig själf kan känna, hvari jag felade. Om förlåtelse beder jag alla, som stå här omkring mig, på det de må bedja för mig, att du må göra mig stark i min sista stund, att fienden icke måtte få makt öfver mig. Amen."

Månne vi känna någon välsignelse af att blifva förda inför historiens stora händelser?

Den materialistiska världsåskådningen.

eningen är ej att på denna stund behandla vårt ämne endast abstrakt, i och för sig, utan att korteligen framställa den materialistiska världsåskådningens följder för människan, kyrkan och staten enligt historiens vittnesbörd.

Vi äro församlingens pastor tacksamt förbundna därför, att han anvisat oss att betrakta ämnet i historiens ljus och i enlighet med historiens vittnesbörd. Historien är den vetenskap, som vi alla bäst förstå. Det, som händer och sker inför våra eller andra trovärdiga människors ögon, talar med oemotståndlig bevisningskraft till oss alla. Hvarje människa är "den lilla världen". Det, som händer och sker i "den stora världen", står därför i det närmaste sammanhang med "den lilla världens" erfarenhet och lif. Vår egen lefnadshistoria är en del af och en lifs lefvande bild af världshistorien i stort. Det är därför vi kunna helt frimodigt gripa oss an med det höglärda ämnet om den materialistiska världsåskådningens *följder,* d. v. s. om den materialistiska världsåskådningens verk och gärningar i den lilla världen så väl som i den stora.

Vore det fråga om en naturvetenskaplig undersökning öfver materialismen, öfver "kraften och materien", då måste vi alla i hjärtans förskräckelse ögonblickligen taga till fötterna och fly hvar och en till sitt hem, ty naturvetenskapsmännen skulle gapskratta åt oss, ifall de bevärdigade oss med sitt hånleende. De skulle fråga oss: Hafven I studerat naturvetenskap? Och vi, hvad skulle vi svara? Vi måste sanningsenligt säga: Vi kunna icke läsa upp de milliontal grekiska och latinska namn, I hafven gifvit åt föremålen i naturen, vi äro således alldeles okunniga på det området. Och den okunnige måste ju tiga, om han har något vett, det är endast den lärde, som har rätt att tala.

Gäller det åter vårt eget lifs och därmed mänsklighetens historia, då äro vi alla lärda, ja, höglärda doktorer. Man plägar säga: detta kan äfven en blind fattigstugumma begripa. Man vill med ett sådant ordspråk låta förstå, att en blind fattigstugumma är den okunnigaste varelse i hela den civiliserade världen. Må så vara. Men låt henne upprulla sitt eget lifs historia, så är hon lärd. Och det är den lärdomen vi respektera och vörda öfver all annan lärdom. Af alla ting i naturen är dock en människovarelse det allra högsta och underbaraste, det medger äfven den mest inbitne materialist. Af alla företeelser i naturen är dock en människovarelses inre och yttre lifs historia det allra märkvärdigaste. Det mest värdiga föremål i naturen för vårt studium är människan. I den mening äro vi alla stora naturvetenskapsmän, ty vi känna vårt eget lifs historia. I det hänseendet hafva vi alla rösträtt, när det gäller våra och mänsklighetens stora lifsfrågor. Finnes det någon, som vill beröfva oss denna rösträtt, så kalla vi en sådan den störste tyrann och förbrytare mot människans och mänsklighetens heligaste rättighet.

Allra först måste vi klart och tydligt säga, hvad vi mena med "den materialistiska världsåskådningen". Vi kunde ju slå upp böcker och därur hämta en lärd beskrifning, men vi hålla oss till historiens, d. ä. först till vår egen historias vittnesbörd. Därför böra vi ock fästa oss vid något tillfälle i vår historia, då hela vår inre människa har varit upprörd och uppskakad, så att vi varit nödgade att hafva en åskådning öfver den lilla världen, oss själfva, så väl som öfver den stora världen.

Det är vissa tillfällen i lifvet, då vi *måste* tänka, då vi icke kunna annat än tänka och göra oss en åskådning. Hvar är det ställe, där vi äro tvungna att hafva en världsåskådning? Det är *vid grafven.* Det är vid den graf, däri någon af våra närmaste lägges ned, den graf, som förorsakar *oss* personligen bitter sorg och saknad. Hafva vi icke hört, att själfva de små barnen tänka och göra sig en världsåskådning vid grafven? Hafva vi icke läst om att själfva de lägsta och okunnigaste hednafolk göra sig en världsåskådning vid grafven? Vid grafven blifva vi alla lärda naturforskare, filosofer och teologer. Där är det den lärdom framträder, som har något egentligt värde för vårt lif och vår död.

Hvad är nu den materialistiska världsåskådningen *vid grafven?* Det är den åskådning, som säger: Här är allt slut med den människan, här är hela människan, just denna kropp, som här lägges ned, just detta stoft, som om några år är helt och hållet det samma som den jord, som nu ligger uppkastad vid grafven, och

som vi nu igenfylla grafven med. Den jord, som vi
plantera våra blommor i, det är människan, hela män-
niskan. "Af jord är du kommen, jord skall du åter
varda", det är hela människan, det är ock hela den
materialistiska världsåskådningen.

Kanske vi till yttermera visso borde anföra något ur
någon bok, ty det vi säga anses ju icke vara lärdt, om
vi icke hafva hämtat det ur någon lärd bok af någon
lärd man. Nåväl, för ett antal år sedan utgafs i Tysk-
land en bok, som fick en stor spridning i många upp-
lagor. Samma bok öfversattes naturligtvis till svenska
och heter på vårt språk: "Kraft och materia". Vi
förstå ju, att om tyskar, engelsmän och amerikaner
blifva fän, så måste svenskarna ock blifva det, ty vi
härma ju alltid efter det utländska. I nämnda bok
heter det bland annat: "Ett andligt väsende måste med
sin materiella underbyggnads förfall, med sitt afträde
från den omgifning, hvarigenom det utbildat sig till
medveten tillvaro och blifvit en person, också hafva
ända." D. v. s., när kroppen dör, så är allting slut för
alltid med den människan. Strax förut står det i sam-
ma bok: "Med en sådan sammanfattning af fakta för
ögonen återstår för den fördomsfria naturforskningen
intet annat än att från sin ståndpunkt afgjordt för-
klara sig emot idéerna om en individuell odödlighet,
en personlig fortvaro efter döden."

Vi förstå ju nu, hvad som menas med den materia-
listiska världsåskådningen. För min del behöfver jag
icke läsa sådana böcker för att få veta, hvad den ma-
terialistiska världsåskådningen är — jag har en graf
att gå till: där framträda de båda världsåskådningarna
skarpare och mera öfverbevisande än i någon bok. Där
måste jag vara antingen materialist eller en lefvande

kristen. Hafven I ock en graf att besöka, så afgöres saken där mera bestämdt än genom en lång bevisföring.

Men frågan om Gud, huru besvaras den frågan af den materialistiska världsåskådningen? Finnes det ingen odödlig människoande, så finnes det ännu mindre någon gudomlig ande. Hela världen är en maskin utan maskinist. Det är dessa vetenskapsmäns utslag, helt kort sagdt. Så där plumpt och rätt fram tala de tyska och de svenska materialisterna. Engelsmännen och amerikanerna äro i allmänhet mera artiga och fiffiga i sitt tal. De säga: "I don't know" och "I don't care". Det sättet att tala kallas "agnosticism", hvilket är det samma som materialism, men med ett finare namn. För öfrigt veta vi ju, att den, som skall vinna gehör i Amerika, måste kunna gyckla och bringa folk att skratta och applådera. Det betalar sig.

Vi hafva ju hört om Ingersolls föreläsningar. Han är en mästare i gyckel och hån. Honom höra massorna. Med högljudda gapskratt jubla de, att det ej finnes någon annan himmel än att hafva penningar på jorden, och intet annat helvete än att sakna den allsmäktige dollarn här på jorden.

Hvad är det, som har gifvit åt den materialistiska världsåskådningen en sådan utbredning i vår tid? De stora jordiska förhoppningar, man gjort och gör sig om de stora uppfinningarna i allt slags mekanik. "Vi hafva funnit naturens lagar", ropas det från alla håll. "Sen, hvad vi kunna göra med ångan, men i synnerhet med elektriciteten, sen maskinerna, sen, hvad naturlagen och kunskapen därom kunna åstadkomma. Nu skola vi snart hafva färdig den enda himmel, som behöfs, och det är här på jorden denna himmel är. En maskin är allt som finnes, intet annat, ingen ande, ingen osynlig värld."

Nu förstå vi ju, hvad det är fråga om, nu skulle vi ju höra, hvilka följderna af denna världsåskådning äro. Vi måste härvid ständigt ihågkomma skillnaden mellan själfva åsikten, åskådningen och läran å ena sidan samt lifvet och lefvernet å den andra. Det är icke sagdt, att läran och lefvernet alltid hafva sammanhang med hvarandra hos oss människor. En människa kan vara i sin lära och åskådning en materialist, men likväl icke visa det påtagligt i sitt lefverne. En annan kan vara till sin lära en kristen, men likväl icke vandra såsom en kristen, utan tvärtom vara en materialist i lefvernet. "Den rike mannen", som vi ofta hafva hört och läst om, var en materialist i sitt lefverne, men till lära och åskådning var han en Abrahams son. Eller om vi nu ej strax skola ställa materialism och kristendom gent emot hvarandra, utan blott tala om materialism och humanitet, om ädla och vanhederliga människor, så undra vi, om den världsåskådning, som en människa hyser, har något inflytande på henne, några följder för henne och andra.

En älsklingssats hos materialisterna lyder så: "Människan *är* det hon *äter*". Människan är det, hvaraf hon är omgifven. Ett gammalt välbepröfvadt ordspråk säger: "Säg mig med hvem du umgås, så skall jag säga dig hvem du är". Nu är det väl knappast möjligt för oss att i kristenheten, i den civiliserade världen finna en människa, som ifrån sin barndom varit i sällskap blott med materialister och under inflytande af ingenting annat än materialism och materialistisk världsåskådning. Vi tala så mycket om klimat, ett friskt, ett sjukligt, ett varmt, ett kallt, ett

tempereradt klimat. Materialisterna påstå, såsom vi
nämnde, att det är maten och klimatet, som göra män-
niskan till hvad hon är och som åstadkomma skillna-
den mellan invånarna i jordens olika länder. På sam-
ma gång kämpa materialisterna väldeligen, säga de
själfva, för bildning och upplysning. I all synnerhet
ifra de för allmän kunskap om naturens lagar. Kände
vi dessa lagar och lydde vi dem punktligt, så vore vi
redan i det jordiska paradiset. Något annat paradis
finnes ju icke enligt den materialistiska världsåskåd-
ningen. Men dessa materialister erkänna ju då, att
det finnes ett bildningsklimat, i hvilket de bildade fol-
ken lefva och röra sig. Detta bildningsklimat är ju i
de civiliserade länderna och utgör resultatet af kristen-
domen eller den kristna civilisationen. Eller hvad
mena vi med civilisation, ett ord, som vi så ofta an-
vända? Finnes det i något af de civiliserade länderna
någon rent materialistisk civilisation? Icke ännu, men
man försöker ju i vissa länder och på vissa orter att
åstadkomma en sådan. När den blir helt färdig någon-
städes, så få ju de som då lefva tillfälle att se följ-
derna.

Men vi skulle ju nu först se följderna hos en enskild
människa. Hvar skola vi då få fatt i ett riktigt prakt-
exemplar af en mäniska med utpräglad och oblandad
materialistisk världsåskådning, en som ända från
barndomen ätit och druckit ren materialism, och som
fortfarande äter och dricker, lefver och andas blott
materialism? Hafva vi sett och hört någon riktig
fritänkare (så kallas de ju vanligen) i vårt lif? Huru-
dan var han, om vi sågo honom? Var han en vanhe-
derlig och lastbar människa, eller var han en ädel och
älsklig människa? Mina värda vänner, hafva vi hört,

hur man bär sig åt, när man undersöker dricksvattnet för en stor stad? Vi hafva ju hört, att hälsa och sjukdom i en stor stad till stor del bero af dricksvattnet. Hvad vore att göra, om ryktet sprede sig: "Dricksvattnet i St. Paul är förgiftadt", vore då hvar och en af eder en så skicklig kemist, att han kunde upplösa vattnet i dess friska och sjuka beståndsdelar? Man komme ju att sända prof af vattnet till så kallade "experts", och dessa skulle afgöra saken. Finnes det nu några sådana "experts", till hvilka man kunde sända en riktig materialist för att låta följderna för honom och anden af hans materialism blifva undersökta?

Jag tror, att vi strax förstå, hvad meningen med denna något besynnerliga bild är. Jag tror, att vi göra bäst uti att pröfva följderna af den materialistiska världsåskådningen på oss själfva. Måste vi då nödvändigt indricka denna världsåskådning för att riktigt kunna smaka följderna? Visst icke. För min del är saken helt enkelt och kort afgjord. Materialisten ropar till mig: Hela din katekes med dess fem hufvudstycken är omöjlig! Och så begynner han håna och begabba mig. Jag svarar: Jag måste hafva denna min katekes med dess fem hufvudstycken; utan denna tro, denna kärlek och detta hopp vore jag den olyckligaste varelse i hela naturen. Din smädelse och ditt begabberi bevisa bäst, hvilka följder din materialistiska världsåskådning haft på dig. Smädelsen och hädelsen äro brännmärket på materialisten. Ingen ädel människa smädar och hädar, därom kunna vi vara vissa. Så fort jag hör af en människa smädelse och hädelse, säger jag strax: Nu vet jag hvem du är; kan du häda den heligaste och ädlaste tanke, som uppstår i ett människohjärta, så kan du lika lätt begå hvilken ill-

gärning som helst. Hädelsens följder för människan
äro uppenbara, ty hädelsen är råhet i högsta grad.
Hvarje ädelt sinne vänder sig med afsky bort från
hädelsen. Har man funnit någon helgjuten materia-
list, som icke är en hädare? Finna vi någon med ma-
terialistisk världsåskådning, som icke är en hädare,
så stannar en sådan ej i den åskådningen.

Men det är tid för oss att komma till frågan om den
materialistiska världsåskådningens följder för kyrkan
och staten. Låtom oss då först sysselsätta oss med
frågan *om materialismen och staten*. Frågan blir då
den, om vi i historien hafva någon stat med fullstän-
digt genomförd materialistisk världsåskådning? Icke
förr än i allra nyaste tiden har det funnits en veten-
skapligt utbildad materialism. På denna vetenskap-
liga materialism har man ej ännu hunnit grundlägga
och utbilda någon stat, ehuru starka försök därtill gö-
ras i Frankrike äfvensom i England och i vårt Nord-
Amerika samt i och genom den tyska socialismen och
anarkismen äfvensom genom den ryska nihilismen.

Den mäktigaste stat i gamla världen, Rom, kom i sin
utveckling så nära den materialistiska världsåskåd-
ningen som möjligt. Vi kunna därför i gamla Roms
historia se följderna af materialismen. I våra dagar
är Kina det märkligaste exemplet på en materialistisk
stat. Skräckregeringen under den franska revolutio-
nen är ett talande exempel på följderna för staten af
den materialistiska världsåskådningen.

Vilja vi på en kort stund lära känna det gamla Rom,
så behöfva vi blott skaffa oss en bilderbok öfver Roms
förnämsta byggnadsruiner och minnesvårdar. Min-
nesvårdarna i ett land äro det landets mest tydliga och
för alla begripliga historia. Vi inträda i det kapito-

linska muséet i det närvarande Rom. Den som ej själf
haft tillfälle att besöka Rom kan hjälpa sig till en
historisk åskådning och till åhörande af historiens vitt-
nesbörd genom en bilderbok. Där stå eller sitta vi nu
framför marmorbilderna af gamla Roms kejsare. Där
höra vi strax Roms valspråk, uttaladt af dess störste
skald: "Du, o Rom, kom ihåg din kallelse att med makt-
språk regera folken". Makten i och öfver *denna* värl-
den, det är Roms enda stora uppgift. *Denna* närva-
rande världen är allt för det gamla Rom. Makt, prakt,
rikedom och njutning i *denna* världen, här på jorden,
det är gamla Roms hela lycka och sträfvan. Och detta
är just den rena materialismen. Kejsarna voro Roms
gudar, åt kejsarna måste hela romerska folket offra,
kejsarna måste dyrkas såsom de enda verkliga gudar-
na. "Vi hafva ingen konung utan kejsaren", ropade
judarna emot Herren Kristus. "Vi hafva ingen gud
utan kejsaren", ropade romarna. De första kristna
måste, såsom vi minnas, lida den grymmaste martyr-
död, emedan de icke ville eller kunde dyrka kejsaren
såsom gud.

Rom hade visserligen haft och hade ännu andra gu-
dar och gudinnor, men dessa voro alla af denna värl-
den och för denna världen, dessa tillhörde alla den ro-
merska staten och dyrkades till statens nytta och nöje,
deras tjänst gällde blott detta jordiska lifvet. Och
till slut måste alla gudar och gudinnor böja sig och
vika för den ende guden, den romerske kejsaren. Hu-
rudana voro då dessa materialistiska gudar, de ro-
merska kejsarna? Vi hafva läst om Tiberius, Nero,
Domitianus, Caligula m. fl., m. fl. Den mildaste af
dem alla, människosläktets lyckliggörare, såsom han
kallades, byggde *Kolosseum,* hvars väldiga ruin ännu

står kvar i Rom. I denna teater, som rymde 100,000 åskådare, och som samlade inom sina murar kejserliga hofvet och allt hvad stort, rikt och bildadt var i Rom, i denna teater slaktades mångtusental människor och djur i de grymma gladiatorsspelen till det bildade Roms förlustelse och under dess högljudda jubel. Den romerske guden och hans folk, som kunde finna sin förlustelse i sådan grymhet, höra till det vedervärdigaste och hemskaste, som den jämmerfulla mänskliga historien har att uppvisa. Detta var den materialistiska världsåskådningens följder för staten.

I Rom stå ock ännu kvar de svarta ruinerna af de ofantliga kejserliga badhusen, hvilka voro tillhåll för de vedervärdigaste laster och styggelser, hvart och ett af dem ett Sodom och ett Gomorra. I Rom finnas ock ruiner af de kejserliga palatsen med deras historia af onämnbara skändligheter. Och huru såg det ut öfver hela det romerska riket? Den stora folkmassan var nedsänkt i det hjärtlösaste och mest bokstafliga slafveri, de få rika och väldiga voro de grymmaste tyranner och odjur, som besudlat vår jord. Sådana voro, kort sagdt, den materialistiska världsåskådningens följder i den gamla romerska staten.

De väldiga, rika och bildade i Rom voro hemfallna åt materialismen under formen af den åskådning, som våra moderna amerikanska materialister kalla "agnosticism". Vi känna en af dessa romerska materialister eller agnostiker väl. Det är ingen annan än Pontius Pilatus. Hans hånfulla fråga: "Hvad är sanning?" är nyckeln till hela det gamla Roms historia. Den stora massan af slafvarna och det lägre folket bestod af slöa arbetsdjur — idel oxar, åsnor eller vilddjur. Vilja vi läsa en trovärdig skildring öfver den materialistiska världsåskådningens följder för den romerska staten, så hafva vi denna skildring i Rom. 1 kap. från och med den 18 versen. Paulus kände Rom och världen. Uträttade då Rom intet godt på jorden? Voro icke romarna de största statsmän, de tappraste krigare, de visaste lagstiftare och lagskipare, de skickligaste tuktomästare för folken? Vi förneka ingalunda det goda, som fanns i Rom, ty agnosticismen förmådde ej att helt och hållet tillintetgöra det mäktiga vittnet emot materialismen — samvetet. Men ingen af oss skulle den dag, som i dag är, vilja vara romersk medborgare, än mindre romersk slaf.

Och nu till Kina. Men tiden är kort. Blott några ord öfver ett ämne, som hvar och en borde studera på det grundligaste. Vi förakta nu kineserna, vi se *ned* på den folkrikaste stat i världen. Besinnen, man talar om 3 @ 4 hundra millioner människor i en enda stat. Det måste betyda något. Och dock äro de ingenting annat än en skock harar. Så lärde vi känna kineserna af berättelserna om Kinas sista krig med Japan. Så hafva vi lärt känna dem förut. Men dessa skygga, arbetsamma, af den simplaste föda lefvande små människovarelser, hvad äro de? Endast småbitar af en enda stor maskin. I massa springa de, i massa låta de slakta sig, i massa låta de halshugga sig, ingenting annat äro de än en skock af varelser, nyttiga till tåliga och flitiga husdjur.

Huru äro de fostrade? Blott för denna jorden. Kina är deras enda himmel, ty Kina är det himmelska riket, kejsaren är deras gud, de rika och mäktiga mandarinerna äro deras maskinister och slafdrifvare. Några mångmillionärer, inför hvilka våra mångmillionärer äro som fattighjon, äga Kina och allt hvad däri är. Men kineserna hafva ju gudar? Res till San Francisco, så får du se hela deras gudahärlighet. Kinas religion är blott för *denna* jorden. Confucius, Kinas store lärofader, besvärade sig icke med en annan värld. Här hafva vi då lifs lefvande för våra ögon följderna för staten af den materialistiska och agnostiska världsåskådningen. Kanske vi skulle önska att vara medborgare i Kina?

Om materialismen under franska revolutionen och skräckregeringen vid den tiden hafva vi alla läst och hört. Vi blott påminna därom. Vill man se, huru människan varder ett vilddjur, så läse man dessa blodröda blad i världshistorien. Hvilka voro orsakerna till allt detta? Man läse därom, vi hinna ej nu skildra dem.

Och till sist några ord om den materialistiska världsåskådningens följder för *kyrkan*. Nu vet jag, att man strax ville ställa till mig den frågan: Finnes det någonting *grymmare, afskyvärdare* och mera *vilddjurslikt* i världshistorien än *inkvisitionen?* Jag svarar helt kort: Nej, historien om inkvisitionen är det *rysligaste* i hela världshistorien. Hvart hör inkvisitionen? Till *kyrkan*. Just därför är denna pinohistoria det hemskaste af allt, man läser om i människosläktets häfder. Till hvilken kyrka hör då inkvisitionen? Till den romerska. Hvar lärde den romerska kyrkan dessa hemska brott mot Gud och mänsklighet? Af det gamla materialistiska Rom. Hvar har den protestantiska kyrkan, när hon öfvat inkvisition, lärt denna sataniska konst? I det påfliga Rom. "Du, o Rom, kom ihåg din kallelse att med våld härska öfver folken." Så lydde det gamla Roms valspråk. Samma valspråk sökte det påfliga Rom efterapa. Däraf kom inkvisitionen och all styggelse. Har vårt nuvarande Rom ändrat sitt valspråk? Det har strukit ordet "med våld" och satt in ett annat ord i stället. Hvilket ord då? Det behöfver man icke säga för det folk, som bor i St. Paul.

Skulle vi fråga, hvad den materialistiska världsåskådningen i vår tid har för följder för kyrkan, så svara vi därpå helt kort: den har gjort det omöjligt att numera hafva en kyrka, till hvilken ett lands hela befolkning skulle kunna höra, såsom vi, som kommit från en statskyrka, varit vana vid. Att hafva kyrkomedlemmar, som öppet förneka Gud och själens odödlighet, måtte väl ändå vara ogörligt. Numera måste kyrkan vara fri och bestå af sådant folk, som erkänner sig hafva en odödlig själ och en evig personlig Gud. Sedan kyrkan blifvit fri, kommer hon ock i alla de strider och svårigheter, som höra till tillvaron bland högmodiga och oförståndiga människor. Nu måste den sanna kyrkan hafva och hålla Herren Kristi valspråk: "Hvar och en, som är af sanningen, han hör min röst". Det gäller för kyrkan att i lära och lif blifva fast vid Kristi evangelium. Hon kan gärna våga att lefva och dö med evangelium, hon behöfver då ej frukta vare sig den falska eller den sanna naturvetenskapen.

Hafva vi nu med våra enkla ord velat förneka eller förringa de stora tjänster, som naturvetenskapen gjort mänskligheten, i synnerhet i vårt århundrade? Ingalunda. Vi glädjas uppriktigt öfver alla uppfinningar och allt framåtskridande. Vi njuta såsom kristna af de välgärningar, som naturen bringar oss genom människans konst. Ty naturen med alla dess lagar och krafter hör Gud och oss till. Men vi komma ihåg ett ord af vår Frälsare: "Hvad skall det hjälpa en män-

niska, om hon vinner hela världen, men förlorar sin
själ? Eller hvad kan en människa gifva till lösen för
sin själ?" Hvad hjälpa oss alla uppfinningar, all ve-
tenskap och all jordens härlighet, om vi ingen odödlig
själ hafva, om ingen uppståndelse och ingen evig här-
lighet finnas, eller hvad kan ersätta förlusten af "nya
himlar och en ny jord, i hvilka rättfärdighet bor"?
Eller har materialismen kunnat borttaga de "hårda
tiderna", de hårda sorgerna från folken på jorden, är
det den materialistiska världsåskådningen, som kan
aftorka alla tårar från våra ögon, som kan rena oss
af alla synder? O nej, o nej, det är Jesu blod, som
renar oss af alla synder, det är Gud, som aftorkar alla
tårar af våra ögon där, hvarest vi icke mer skola
hungra eller törsta, hvarest icke solen eller någon hetta
skall falla på oss, hvarest döden icke skall vara mer,
icke heller sog, icke heller rop, icke heller värk varder
mer, ty det första har gått till ända. *Och den, som satt
på tronen, sade: Se, jag gör allting nytt— dessa ord
äro vissa och sanna.*

Betydelsen af den lutherska läran om de kristnas allmänna prästadöme för prästbildningen.

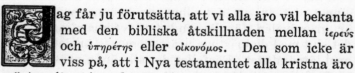ag får ju förutsätta, att vi alla äro väl bekanta med den bibliska åtskillnaden mellan ἱερεύς och ὑπηρέτης eller οἰκονόμος. Den som icke är viss på, att i Nya testamentet alla kristna äro präster (ἱερεύς), och att de, vi vanligen kalla präster, äro präster lika med alla kristna och skilda från de öfriga blott därigenom, att de äro andras tjänare (ὑπηρέται, οἰκονόμοι), han läse sitt nya testamente om och om igen, tills han blir viss. I Nya testamentet finns intet prästestånd annat än alla kristnas gemensamma prästestånd.

Den som var viss i denna fråga, det var Luther. Från början af hans reformatoriska lif ända till slutet stod läran om de kristnas allmänna prästadöme klar för hans inre öfvertygelse. Luther var ock den, som icke teg stilla med sanningar, hvilka lågo honom varmt om hjärtat. En rik samling af yttranden öfver denna fråga kunde göras ur hans skrifter. I förbigående hänvisar jag bland annat till hans predikan öfver "En kristen människas frihet", episteln på annandag jul.

Med denna klara och väldiga framställning af Guds ords lära om de kristnas allmänna prästadöme bombarderade Luther påfvens och de romerska prelaternas fästen. Påfven och hela hans lysande armé af präster förklarades vara idel röfvare och tyranner, som trampat de kristnas fri- och rättigheter under sina fötter. Det är en hög njutning att se och höra Luther, när han lägger an och aflossar sina oförlikneliga kraftord emot påfven och prästerna.

Men vi få icke nu sysselsätta oss med denna den mest afgörande drabbning i historien sedan apostlarnas dagar.

Hvad vi nu särskildt djupt ville fästa i minnet och sinnet, det är, att det allmänna kristna prästadömet är grundvalen för läroämbetet i församlingen. Är det slut med de kristnas prästadöme, så är det ock slut med läroämbetet. Förfaller det allmänna prästadömet, så förfaller ock läroämbetet.

Men det allmänna prästadömet, det är det samma som de sanna, troende, lefvande kristna. Att vara präst och att vara kristen är alldeles det samma. Så lär bibeln, så lär ock den lutherska kyrkan. Hvilka en prästs rättigheter äro, säger oss skriften alldeles tydligt. Så ock Luther. Lika tydligt lär ock Guds ord, att endast vissa af dessa präster, sådana, som Gud därtill begåfvat, skola vara lärare och herdar, eller innehafvare af församlingsämbeten. Dessa tjänare och förvaltare af Guds håfvor i församlingen måste nu väljas bland hela det andliga prästerskapet. Sådan anden och sådant lifvet är bland alla prästerna eller de kristna, sådana blifva ock tjänarna eller de, som vi vanligen kalla präster.

Hvad sammanhang har nu detta med prästbildningen? Det allra innerligaste sammanhang, mina bröder. Sammanhanget är ingenting mindre än det, att en skola, därifrån församlingslärare skola utgå, måste vara ett andligt prästerskap, d. v. s., skolan måste vara en församling af lefvande kristna. Det är alls icke säkert, att alla sanna kristna duga till församlingslärare, men det är alldeles säkert, att en icke kristen är helt och hållet oduglig till församlingsherde.

Här uppstå nu nästan oöfverstigliga svårigheter. Dessa svårigheter äro af den art, att kyrkan i anledning af desamma många gånger varit nära sin ruin.

Vi lefva nu i en tid, som kräfver, att församlingsläraren står i jämnhöjd med den allmänna bildningen. Härtill fordras en studiekurs af många års längd. Följden är, att studierna måste begynnas i unga år, innan ännu den andliga karaktären är så utbildad, att hvar och en kan se, att den och den är begåfvad och till följd af det andliga lifvets särskilda beskaffenhet kallad till präst.

En annan svårighet är, att de, som äro ämnade att blifva församlingslärare, måste fostras vid skolor, där ingen egentlig "de trognas församling" kan upprätthållas, där således det allmänna prästadömet såsom ett sammanbundet helt icke finnes till.

Tag vår skola här såsom ett exempel. Hon var ursprungligen ämnad att vara en prästbildningsanstalt. Numera får man icke nämna den saken. Augustana College är nu en anstalt för allmän bildning hufvudsakligen, och man får ju icke göra det ringaste afseende på deras sinnelag, som begära inträde vid skolan. Vi söka ju, det är sant, ställa särskilda fordringar på dem, som säga sig ämna ingå i kyrkans tjänst, men icke kunna vi numera med sanning säga, att vi hafva

en församling af blott sådana, som, så vidt människor
kunna döma, höra till de kristnas allmänna prästa-
döme.

Här uppkomma nu trenne viktiga frågor.

Böra församlingslärare uppfostras vid allmänna sko-
lor eller vid särskilda? Jag menar: bör Kristi kyrka
hålla särskilda präst- och profetskolor, eller böra sko-
lorna vara en samling af allehanda människor utan
afseende på kristligt sinne, tro och lif? Och med af-
seende på vårt läroverk i Rock Island, då det nu en
gång är vordet ett College, en samlingsplats för alle-
handa folk, bör man så snart som möjligt söka för-
flytta seminarium till en särskild plats för att vid in-
träde i den teologiska afdelningen kunna öfva den
strängaste och noggrannaste pröfning angående den
kristliga karaktären?

Som det nu är och allt mer och mer blir, ser jag
ingen annan råd, än att alla prästkandidater måste
sändas till synoden blott med kunskapsbetyg. Mini-
sterium får då på sitt ansvar att företaga den grund-
ligaste undersökning om det kristliga lifvet hos den,
som söker inträde i predikoämbetet. Numera kan icke
synoden vänta, att dess prästkandidater komma ifrån
en anstalt, som är ett de kristnas prästadöme, emedan
synoden själf har upphäft skolans egenskap af att vara
i särskild bemärkelse en prästbildningsanstalt.

Man talar så mycket om möjligheten och nödvändig-
heten af att upprätthålla kristligt lif och kristlig tukt
vid skolan. Våra kära präster och vårt folk, som så
tala, besinna icke, hvad detta vill säga. Synoden be-
faller oss att taga emot hvem som helst vid läroverket,
och på samma gång bjuder denna höga kyrkliga myn-
dighet: Håll nu ett varmt kristligt lif vid makt.

Hvarje lärare har nog och öfvernog af arbete med de lektioner, som åligga honom. När en hvilodag kommer, behöfver läraren i verkligheten hvila. Läroverkets president har mer att sköta, än hans höga ålder medger. Hvad mig beträffar, känner jag nu med full visshet, att jag alls icke kan sköta det, som åligger mig såsom lärare och såsom s. k. vice president. Hvad man bör göra med ett ämbete, som man icke kan sköta, vet hvar och en. Jag vet det ock, i all synnerhet som min svaga hälsa anvisar mig trånga gränser och en undangömd plats för min verksamhet. Jag anser det tillbörligt att aflägga denna själfbekännelse, på det de rättsinniga och välvilliga bland våra studerande må öfva tålamod och kärlek under det tillstånd af interimsstyrelse, som vi nu hafva vid vårt läroverk.

Våra yngre skolors storartade verksamhet skall med all visshet uppväcka vederbörande till insikt om nödvändigheten af att anställa starka andens och lärdomens heroer vid vårt gemensamma läroverk. Jag skall då få återgå till den stilla, undangömda lärareverksamhet i en liten församling, som allt mer och mer föresväfvar mig såsom min egentliga kallelse. Augustana-synodens högre skolarbete har slagit in på spåren af en sådan hetsjakt, en sådan "survival-of-the-fittest-plan", att alla svaga krafter måste taga till bens åt något busksnår, medan det ännu finnes förstånd och krafter nog kvar att fly.

Det går med mig såsom med ministären i en konstitutionell monarki. När riksdagen har förkastat en ministärs politik, så måste ministrarna för att rädda sin heder och ära afträda från sin befattning, åtminstone någon eller några af dem. Min åskådning och åsikt om ett gemensamt läroverk för vår ännu fattiga synod är den, att läroverket skulle vara en stilla, anspråkslös prästbildningsanstalt, där man sökte hålla fullt jämna steg med tidens bildning, men utan prål och prakt, med ögonmärke, såsom de gamle sade, hufvudsakligen på det ödmjuka, barnsliga, kristliga sinnet. Den lärda, bildade och förnäma världens aristokratiska later äro min djupaste vämjelse. Man kunde för den skull icke hafva funnit någon mera opassande vice president för ett College i nutidsstil än mig. I beundran för vetenskapen står jag efter ingen, men om prästers sätt har jag högst besynnerliga åsikter. Jag får ju säga allt detta i förtroende, medan jag har ordet.

Frågan om prästbildningens förhållande till de kristnas allmänna prästadöme ger anledning till många tankar, om man närmare sysselsätter sig med frågan.

Vårt kyrkliga arbetes betydelse i landets allmänna utveckling.

andsmän och landsmaninnor!

Jag beder om ursäkt — eröfringen af den stora amerikanska öknen är en mycket större bragd i Amerikas historia än Deweys seger vid Manila eller tillintetgörelsen af Cerveras flotta vid Santiago. Prärieskonaren är för mig det märkvärdigaste krigsskepp i nyare tider. Hvarje nybyggare, i synnerhet väster om Missouri-floden, och hvarje grufarbetare vid Rocky Mountains är lika tapper som någon af de nu världsberömda kanoniärerna hos våra amiraler. Jag är kanhända en kättare i denna fråga. Om rapportörerna få fatt på mig, så komma de att bränna mig vid den allmänna opinionens påle. Dessa våra goda vänner äro det nittonde århundradets inkvisitorer, såsom man vet, och ve oss, om vi ådraga oss deras missnöje. Likväl kan jag icke återkalla.

Det finns ingen plats lik hemmet, och det finns ingen makt på jorden lik hemmets makt. Detta är den stora grundsanningen i den mänskliga tillvaron, och detta är grundlagen för hvarje fosterland på jorden och i synnerhet för de frias land och för de tappras hem. Om ni önskar lära känna ett enda ord, som betyder mer för det mänskliga hjärtat än något annat ord — det är ordet *hem*. Det finns därför ingen strid mera ärofull än den, genom hvilken ett ökenland förvandlas till ett land af lyckliga hem. Förliden vår och sommar hade vi alla tillfälle att känna den oemotståndliga makt, som finnes i patriotism. Likt rösten af ett mäktigt tordön hördes den öfver hela landet. Från Atlantiska hafvet till Stilla hafvet, från yttersta norden till Mexikanska viken reste sig en förenad och oskiljaktig nation. Inga olika nationaliteter märktes då i hela detta underbara land af immigranter från alla jordens länder. Hvad var och hvad är den alltid lefvande springkällan till sådan öfverväldigande patriotism? "Hem, ljufva hem", ni vå vara säker därom.

Vi äro alla förvånade öfver vårt lands märkvärdiga framåtskridande. Några år sedan inbjöds hela världen att komma och se, och folkmassor kommo till Chicago och sågo och sände sitt budskap öfver hela jorden.

Vi, som hafva sett den "amerikanska öknen", äro förvånade öfver den stora västerns utveckling. I hafven helt hastigt låtit denna storartade "Trans-Mississippi Exposition" framträda såsom en hägring i öknen. Nu hafva vi kommit hit för att fråga: Är detta en dröm eller en verklighet? Om västerns tillgångar äro verkliga, och om denna underbara utveckling af dessa tillgångar är hvad den synes här vara, hvad var då den makt, som åstadkom denna utveckling på så kort tid? Visserligen ingenting annat än detta samma: "hem, ljufva hem". Ett folk, som kom för att stanna, för att göra sig ett hem här, tog fatt på dessa nakna och ödsliga prärier och lät så öknen och ödemarken glädjas och blomstra såsom en ros.

Hvad har nu allt detta att göra med kyrkan och det kyrkliga arbetet?

Jag hör svaret från edert hjärtas innersta helgedom, svaret från eder, I som veten hvad lifvet i den amerikanska öknen betyder. Svaret lyder så: Det finns ingen plats lik det himmelska hemmet, och ingen makt för mänskligt framåtskridande lik kraften från hemmet därofvan. Hafven I någonsin sett ett land med lyckliga hem utan kyrkor, eller ett lyckligt folk i hemmet utan hopp för evigheten? "Utan hjärtan finns intet hem", säger en poet. Vi tillägga: Utan hopp för evigheten finns inga hjärtan, utan ett Guds hjärta finns intet mänskligt hjärta, utan Jesu Kristi kärlek ingen kärlek i hemmet. I mån vara förvissade, att när hoppet om det himmelska hemmet är förloradt, så är ock lyckan i det jordiska hemmet försvunnen.

Tron I, att vi, som reste in i den amerikanska öknen för att bygga våra hem där, tron I, att vi kommo dit för att låta vårt evighetshopp förströs i de fyra vädren? Tänken på oss immigranter från ett långt aflägset land, midnattssolens sköna land. Det är en gåta för mig nu, huru det var möjligt, att vi kunde våga att lämna så mycket som var oss kärt, vårt ljufva barndomshem, huru vi kunde våga att fara rätt in i öknen för att försöka bygga oss ett nytt hem. Jag för min del var ordinarie pastor i en församling i Sverige, jag öfvergaf allt och for med min unga kära hustru och ett litet barn tillsamman med en koloni af älskade vänner in i själfva hjärtat af den amerikanska öknen, mellersta Kansas. Dårar, ömkliga dårar hade vi alla varit, ifall vi förlorat vårt hopp om det himmelska

hemmet. Veten I hvad det betyder att blifva slagen
med häpnad, när man finner sig själf och sina kära i
ett "shanty", i en "dug-out" eller i ett "sod house" på
prärien i öknen under en årstid af heta vindar, midt
inne i förödelsen genom gräshoppor eller i en kall vin-
ter? Jag talar till dem, som af erfarenhet veta hvad
allt sådant betyder.

Ett är säkert, och det är: ni skulle aldrig finna lyck-
liga nybyggen af svensk-amerikaner på prärierna i
den stora västern, om det icke vore för kyrkan och
Guds ord. Hvarifrån skulle styrkan och trösten kom-
ma till oss, när vi voro påkallade att begrafva våra
kära i öknen? Människan måste hafva en andlig, ja,
en gudomlig kraft, som uppehåller henne, när hon
måste utstå vedermödor, missräkningar, sorger och
förluster år efter år. Nybyggarlifvet i öknen är intet
gyckel, det är ett krig, en kamp utan glödande tidnings-
beröm och utan pension, om ni mistar er hälsa i stri-
den eller om ni måste lämna edra kära efter eder.

När vi se tillbaka på dessa flydda trettio år af vårt
ökenlif, hvad skola vi, mina älskade pilgrimsfäder och
pilgrimsmödrar, säga öfver detta ämne: om det kyrk-
liga arbetets betydelse för landets utveckling? Vi veta
det. Men, unga vänner, när I hören någon, som talar
ringa om den kristna kyrkans betydelse vid bebyggan-
det af den stora västern, hänvisen honom till oss gamla.
Vi hafva en berättelse att omtala för honom, om han
har sans nog att lyssna. Och nu, vi alla, låtom oss
fråga pilgrimsfäderna från flydda tider, låtom oss läsa
pilgrimshistorien från Atlantiska hafvet till Rocky
Mountains och sedan till Stilla hafvet, låtom oss följa
denna eröfringsstrid, och vi skola då lära en läxa, den
vi ej kunna glömma.

Huru skulle vi kunna sluta detta lilla tal utan att säga några kärlekens och högaktningens ord till de tusenden och åter tusenden barn och ungdom, hvilkas fosterland och barndomshem befinnes vara just det land, som fordom kallades den stora amerikanska öknen? Föreställen eder den stora kör af våra unga, som nu om just detta land sjunger den ljufva sången, den skönaste nationalhymn som kan sjungas: "Home, sweet home". Edra fäder och mödrar hafva under stor försakelse, men med innerlig kärlek uppfört de sköna och kära kyrkliga hem, som pryda västerns prärier. Hvad ämnen I, våra barn, nu göra med dessa hem och med det kyrkliga arbete, som vi hafva begynt? Ämnen I fortsätta detta arbete och utföra det med ännu större kärlek och ifver, än som stått i vår förmåga; ämnen I på allvar söka det himmelska hem, dit vi hoppas att snart få flytta? Kära äro dessa kyrkliga hem på jorden för oss, vi kunna aldrig glömma invigningsdagen af vår första kyrka i öknen, men kärast är vårt himmelska hem och det Guds ord, som leder oss dit.

Låtom oss nu alla stå upp och sjunga fjärde versen af psalmen 124:

Guds ord och löfte skall bestå,
vi det i hjärtat bäre.
för himmel, ej för jord, vi gå
till strids och glade äre;
äro alltid väl till mods,
fast vi våga gods
och ära, lif och allt:
ske blott, som Gud befallt!
Guds rike vi behålla.

Tal i Concordiaföreningen.

Aristokratiska tendenser inom Augustana-synoden.

 en af detta lands ansedda periodiska tidskrifter står att läsa en afhandling öfver ämnet: "Aristocratic Tendencies of Protestantism." Ännu har jag icke lyckats få läsa denna uppsats; men ämnet har så ofta sysselsatt mitt sinne, att jag icke kan afhålla mig från att säga eder några ord härom. Jag väntar icke att blifva rätt förstådd, då jag med ifver påstår, att "aristokratiska tendenser inom Augustana-synoden" är ett ämne, som kräfver vår allvarligaste uppmärksamhet. Ej heller vågar jag framställa afgörande bevis för tillvaron af aristokratiska tendenser inom vår synod, ty sådan bevisföring skulle blifva allt för närgående och i så måtto sårande. Jag kan blott gifva vissa antydningar i ändamål att fästa de vaknas uppmärksamhet på en hotande fara.

För mig personligen framstå dessa aristokratiska tendenser så uppenbara, att jag icke blott ser hotande fara, utan en i verk och gärning redan framträdd borgerlig, andlig och kyrklig riktning, mot hvilken det icke lönar mödan att kämpa. Det enda man kan göra är att tillkännagifva, att man är medveten därom, att denna aristokratiska ande är i full verksamhet i enlighet med sitt program. Det svåraste af allt är, att dessa aristokratiska tendenser äro rent af obeskrifliga. Att bringa den aristokratiska andan inom gränserna af en definition är nästan omöjligt. Han är en Proteus, som just då, när man håller på att få honom fatt, plötsligt förvandlar sig och med den ödmjukaste min i världen utropar: "Det är icke jag, såsom du ser". I all synnerhet äro de aristokratiska tendenserna på det andliga och kyrkliga området af den beskaffenhet, att de rent af trotsa all beskrifning. Likväl *känner* man den aristokratiska andans närvaro, hvarhelst den uppenbarar sig. Luften är kväfvande och tryckande, hvarhelst denna anda begynner härska. Det enfaldiga kristliga lifvet flämtar och pustar af vanmakt, där dessa aristokratiska tendenser äro rådande.

Vi borde dock, innan vi vidare framkasta våra antydningar, försöka säga, hvad den aristokratiska andan är för slags varelse.

Vi veta något hvar, hvad orden "förnäm", "högdragen", "bättre folk", "högre stånd", "öfverlägsen", "förnäm nedlåtenhet" vilja säga. När en person med ett "förnämt sätt" inträder i ett sällskap af lägre folk, så känna de icke förnäma strax den förnäme gästens närvaro. De, som äro förnämt uppfostrade, kunna omöjligen trifvas bland dem, som icke kunna iakttaga den förnäma hållning, det fina sätt, de sällskapsceremonier, det bildade språk, som utmärka förnäma sällskapskretsar. Hvilket afstånd mellan adelsherrskap och backstugusittare i de europeiska länderna! Det är ju precis, som om dessa båda folkklasser icke tillhörde samma folkras. Kast- och ståndsskillnaden utgör en af de ömkligaste och hemskaste följderna af syndafallet. Det är ju detta, som är ett af de kraftigaste bevisen på kristendomens gudomliga ursprung, att den så bestämdt och afgjordt uppskattar och värderar människan såsom människa. "Här är icke jude eller grek, här är icke tjänare eller fri, utan allt i alla Kristus", utropar Paulus med jubel. Ingenting är heller ett starkare bevis för Herren Jesu frälsarehärlighet än just hans djupa, innerliga, uppriktiga och fria sympati med de fattiga, ringa och oansenliga i denna världen. Hvarför försakade Herren Jesus all rikedom, alla jordiska förmåner, all ära, ja, allt hvad förnämt heter, och hvarför trifdes han så hjärtinnerligt bland fiskare och dagsverkare, så att just de blefvo hans förtrognaste umgängesvänner? Bröder, hvarför läsa vi icke evangelierna med mera öppna ögon och hjärtan? Jag försäkrar på fullt allvar: vi känna icke Herren Jesus, såsom vi borde känna honom.

Ingenting kan vara en starkare motsats till den bibliska kristendomen än aristokratiska tendenser. Betrakta de förnäma amerikanska församlingarna i våra städer! Hvar äro de fattiga arbetarna med deras familjer? Kunna de känna sig hemma, om de träda in i dessa fina föreläsningssalar med stoppade stolar, där de förmögnare pråla i all sin härlighet och mottaga den fattige med en fin, förnäm nedlåtenhet. Där står på predikstolen en A. M., D. D., LL. D., D. C. L., och huru mycket längre hans svans är, kan jag icke säga. Hvad skulle en man, som försökt att klifva så högt han kunnat på ärans trappa, hvad skulle han hafva för verklig sympati med en fattig arbetare. Detta känna ock de förnäma amerikanska församlingarna. De veta, att det är ett stort svalg mellan den förnäme affärsmannen och den fattige arbetaren. Därför söka dessa förnäma kyrkor att upprätta s. k. missionskyrkor, dit de fattiga skola inbjudas. Förnäma damer kunna till och med nedlåta sig så djupt, att de undervisa i en missionssöndagsskola. Med en nådig min söka de sålunda framställa Kristi evangelium för de fattiga.

När Moody senast besökte Chicago, gjordes storartade insamlingar för upprättandet af en evangelistskola i Chicago. Dessa evangelister skulle arbeta särskildt bland arbetarebefolkningen. Det finns redan flera teologiska seminarier, men dessa anses odugliga att uppfostra evangelister för de fattiga. Särskilda väckelser anordnas för de fattiga, såsom den stora Sam Jones-väckelsen, som nu pågår i Chicago.

Det är att märka, att alla sådana evangelister heta hvarken A. M., D. D., LL. D. eller någonting dylikt, utan de äro kallade att rätt och slätt vara evangelister. Men stackars den förnäma församling, som icke har en präst med lång apsvans af A. M., D. D. m. m. Huru skulle det gå an att komma upp på en predikstol i en förnäm kyrka och helt enkelt vara en Kristi tjänare utan prål och titlar? Fåfängan och titelsjukan har i Amerika så väl som i hela världen blifvit en mani. Förenta staternas konstitution förbjuder sina medborgare att bära adelstitlar och ordnar. Men Kristi kyrka är oförmögen att på sitt område bevisa samma ödmjuka och försakande sinne som den ädle och själsstore fritänkaren Jefferson bevisade i det borgerliga lifvet. Skam och nesa öfver en sådan Kristi kyrka!

Men hvad har nu allt detta med Augustana-synoden att beställa? Det är icke länge sedan jag i detta läroverks fakultet blef ganska illa tilltygad blott därför, att jag bad om våra prästers förskoning från titel-väsendet. En riktig hetshunger efter titlar har redan brutit ut inom vår synod. Högljudda rop förspörjas allestädes inom vårt samfund efter biskopsvärdigheten. Det är naturligtvis alltför simpelt för ett så storartadt samfunds ordförande att kallas blott och bart pastor. Vi härstamma från en moderkyrka, som har biskopar, ett högre prästerskap med allehanda titlar och ordnar och ett lägre prästerskap, som får sitta i skamvrån, hvarför skulle vi icke likna vår vördade moder? Hvarför skulle vi icke använda "ärans och hjältarnas språk" för att skaffa oss ära och anseende, och om vårt modersmål icke räcker till, hvarför skulle vi icke sätta det latinska, grekiska och hebreiska alfabetet efter våra namn, på det de dumma bönderna måtte oemotståndligen öfverbevisas om vår lärdom? Kunna vi icke befordra Guds rike på något annat sätt, så låtom oss åtminstone rita bokstäfver efter våra namn, sak samma om de dumma bönderna stirra på dessa bokstäfver med samma andakt, hvarmed en ko betraktar en nymålad grind.

Hvad hafva vi att lära af den inom amerikansk-luther-ska kyrkan pågående striden om utkorelsen?

Det torde förlåtas mig, att jag vill försöka säga några ord öfver denna fråga, ehuru jag ingalunda gör anspråk på att hafva läst alla skrifter och uppsatser i ämnet. Sant är, att vi hafva varit alldeles oberörda af denna strid. Men "när en lem lider, så lida alla lemmarna med"; skola vi icke tillägga: när en lem

strider, så strida alla lemmarna med? Vi höra dock
till den amerikansk-lutherska kyrkan; vi böra för den
skull ej vara alldeles okunniga om det, som försiggår
inom detta samfund. Jag tror mig fördenskull göra
eder en tjänst med att väcka eder uppmärksamhet på
saken, midt under det jag på det allvarligaste undan-
beder mig det omdömet, som skulle jag göra anspråk
på att kunna utreda den svåra stridsfrågan. Vare all
förmätenhet långt ifrån mig och eder i denna så öm-
tåliga stridsfråga.

I kännen ju alla till den gren af amerikansk-luthers-
ka kyrkan, som gemenligen går och gäller under nam-
net Missouri-synoden eller, korteligen, "Missouri".
Hufvudmannen inom denna synod, som officiellt kallas
synodalkonferensen, är dr C. F. W. Walther. Denne
man har från början satt såsom sin uppgift att fram-
ställa en ren, äkta, sann luthersk kyrka i lära, författ-
ning och lif. Det säger sig själft, att Walther anser
sig själf och sin synodalkonferens *ofelbart* lutherska,
hvarför han ock, då Ohio-synoden utträdde ur synodal-
konferensen, i tidningen *Lutheraner* yttrade följande
ord: "Det är förskräckligt, att Ohio-synoden, som
berättigade till så stora förhoppningar, med ganska
stor majoritet offentligt och högtidligt förkastar den
rena läran i en så viktig punkt och lössäger sig från
det i lära och praxis *enda* verkligt lutherska samfund
i Amerika i stället för att gifva sanningen äran" (Luth.
för den 15 september 1881).

I märken häraf, att vi nödvändigt måste taga reda
på dr Walthers lära i alla stycken, ty skulle vår tro
i något hänseende skilja sig från synodalkonferensens,
så hörde vi icke längre till lutherska kyrkan. Vi vilja
ju dock vara sanna lutheraner.

För flera år sedan begynte striden om utkorelsen mellan Missouri- och Iowa-synoderna. Den senare kallas i stridsskrifterna korteligen *Iowa* och är i mänsklig mening utgången från den gudsmannen Löhe. I spetsen för Iowa-synoden stå bröderna Fritschel, lärare vid teologiska seminariet i Mendota, Ill. Denna Iowa-synod har nu beslutat att ingå i full förening med "General Council". Därmed äro ock vi sammanbundna med Iowa och iklädda samma harnesk gentemot Walther och synodalkonferensen som Iowa-synoden. Vi hafva ock därmed iklädt oss Iowa-synodens lära om utkorelsen gentemot Walthers och synodalkonferensens. Dr Fritschel har icke allenast här i landet i många år kämpat emot dr Walther, utan utsträckt denna kamp till Tyskland i där utkommande teologiska tidskrifter.

När allt kommer omkring, kanhända vi icke hafva reda på huru det ser ut i det kyrkliga hem där vi bo. Komme vi att rätt skåda in i den nutida lutherska kyrkans inre strider, skulle vi, tror jag, blifva ganska fogliga och milda gentemot andra samfund.

Missouri och Iowa hafva i åratal levererat de skarpaste teologiska drabbningar mot hvarandra. Måtte nu General Council blifva för Iowa den lugna hamn, där hvila bjudes efter de heta striderna!

Det märkliga är, att prof. Schmidt, som förr var en af Missouris väldigaste kämpar emot Iowa, nu i några år legat i det mest brinnande krig mot Missouri angående utkorelseläran. Han är nämligen nu en af Norska synodens teologiska lärare. Denna synod är nu delad i tvenne läger, det ena med Missouri, det andra mot Missouri med Schmidt i spetsen.

Men jag får icke vidlyftigt omtala den historien.

Det synes emellertid äfven i teologiskt afseende gå i fullbordan, hvad Herren Jesus sade: "De, som taga till svärd, skola förgås med svärd". Börjar man med teologiska fejder, nog får man hålla på i oändlighet, om man så vill. Emellertid har utkorelsestriden ryckt oss närmare därigenom, att den nu pågår med all ifver bland de norska lutheranerna här i landet.

Hvad är det då egentligen fråga om? Vi förstå saken bättre, om vi först kasta en blick in i kyrkohistorien. Vi minnas alla Augustinus och Pelagius. Människan frälses af *blott nåd*, ropade Augustinus. Människan frälses genom sin fria viljas ansträngning till det goda med mer eller mindre tillhjälp af nåden, svarade Pelagius. Gud har af evighet utkorat ett visst antal människor till salighet, och dessa måste blifva saliga, de öfriga har han lämnat åt förtappelsen, ropade ytterligare Augustinus. Till undvikande af så hemsk lära måste vi så mycket mer lägga vikt vid människans fria val och medverkan vid omvändelsen, svarade semipelagianerna. Striden fortgick tyst eller högljudt hela medeltiden igenom.

Så kom reformationen. *Nåden* allena frälsar, förkunnades då öfverljudt i tal och skrift. Vi hafva ju läst om Luthers skrift emot Erasmus. I denna och andra skrifter hade Luther talat ganska starkt i Augustini stil om predestinationen. Likaså Melanchton i sina Loci. Huru Luther undvek Kalvins slutsatser, veta vi. Melanchton fasade för den hårda predestinationsläran och sökte och sökte om och om igen efter utväg att afstänga denna hemska lära. Slutligen efter Luthers död sade han rent ut i sina Loci, att människan har förmåga att anamma nåden eller att förkasta den samma. Så upplågade den synergistiska striden. Lutherska kyrkan delades i tvenne läger. Den ena parten fruktade för och ville försvara sig emot pelagianismen, och den andra parten räddes för och ville värna sig emot Augustini och Kalvins predestinationslära. Så kämpades och kämpades, till dess Konkordieformeln försökte och trodde sig kunna bringa de stridande till ro. Våra gamla vördnadsvärda dogmatici togo ock frågan om hand och försökte för alltid skrämma bort både Pelagius och Kalvin.

Så har striden om denna fråga fortgått ända sedan reformationstiden, än mera i det stilla och fördolda, än mera högljudt och bullrande. Då kom i vår tid den väldige dr Walther. Han fann, att till och med våra stora dogmatiska fäder Gerhard, Quenstedt, Holazius m. fl. icke voro precis renläriga i denna fråga. Det var hög tid att draga fram i ljuset den äkta, rena och oförfalskade lutherska läran om utkorelsen. Så har nu skett. Hur lyder då den läran?

1:o. Bibeln och Konkordieformeln lära alldeles det samma.

2:o. Konkordieformeln talar alls icke om någon *utkorelse* i vidsträckt bemärkelse, eller så, att utkorelsen skulle i något hänseende gälla *alla* människor.

3:o. Utkorelsen är ett af evighet skedt *utväljande* af vissa personer till salighet, och dessa personer skola och måste på grund af utkorelsen blifva saliga.

4:o. Dessa personer äro på samma gång utvalda till tron och till allt, som behöfves för deras bevarande i tron intill ändan. De kunna falla, men *måste* åter blifva upprättade.

5:o. *Tron är* således *af utkorelsen,* men icke utkorelsen af tron.

6:o. Dessa utvalda personer äro precis lika ovärdiga, lika onda, lika motsträfviga, lika odugliga till tron som de icke utvalda.

7:o. Samma Guds nåd, som omvänder och frälsar de utvalda, kunde också omvända och frälsa de icke utvalda.

8:o. Att tala om olika motstånd mot nåden, eller olika mottaglighet för nåden hos olika människor, är rationalism, synergism, semipelagianism och i allo gruflig villfarelse.

9:o. Att säga, att Gud har utvalt de troende med hänsyn till deras tro, förutseende deras tro, eller på grund af den förutsedda tron och mottagandet af nåden, är gruflig villfarelse.

10:o. Hvad de gamla dogmatici hafva talat om "intuitu fidei", "praevisa fide", det hafva de gjort ovetande och i otro. Det vare dem förlåtet, men ingen göre det efter.

11:o. Att Spener i sin katekes säger: "Men dem han utvalt, dem har han från evighet i Kristus utvalt, *emedan* han förutsett, att dessa skulle mottaga den nåd, han genom Sonen låtit erbjuda dem", är naturligtvis villfarelse. Samma villfarelse framträder såsom ofullständig framställning af utkorelseläran hos Pontoppidan.

Äro vi i fara att få för många präster?

an begynner redan diskutera denna fråga ibland oss, om icke offentligt, så dock enskildt. Hvar borde denna fråga ifrigare afhandlas än just här vid vår skola, vår prästbildnings-anstalt?

Å en sida sedt kan man visserligen säga, att denna fråga är en statistisk angelägenhet, där siffror fälla sitt omutliga utslag. Vi skulle således endast hafva att rådfråga vårt sunda förnuft för att vinna ett till-fredsställande svar. Ja, vi behöfde ju blott slå upp detta års synodalprotokoll och se efter. Där hafva vi 198 präster och 428 församlingar, alltså 230 försam-lingar, som sakna pastor, ifall vi beräkna, att hvarje församling borde hafva sin egen pastor. Men huru många af våra 428 församlingar äro väl mäktiga att underhålla egen lärare? Ja, hvem vill åtaga sig att tillförlitligt upplysa oss om den saken? Kanhända flere af eder, älskade ynglingar, begynna att se eder om-kring och säga: De bästa församlingarna, d. v. s. de, som kunna gifva en ordentlig prästlön, äro redan

upptagna, endast de fattiga och svaga församlingarna
äro kvar. Och så mycket värre: just nu, när vi be-
gynna få präster, som graduerat med heder både i
college och seminarium, nu äro endast de dåliga för-
samlingarna lämnade kvar. Hvad skola vi taga oss
till? Är det icke hög tid och stora skäl att begynna
jämra sig alldeles som immigranter, hvilka, när de
komma till ett något äldre nybygge, utropa: Det bästa
landet är upptaget, hvad skall jag nu få?

Mina unga bröder, begynna vi sjunga sådana klago-
visor på sådan melodi, så är det bäst vi stänga vår
skola strax och begifva oss ut någonstädes i västern
för att uppföda och göda svin. Svinhandteringen är
ju ytterst vinstgifvande här i landet, antingen man
sysselsätter sig med att uppföda sådana svin, som
äro skapade att vara svin, eller man med tyskarna tar
sig för att göra svin af människor, dem Gud har skapat
att vara hans barn och himmelrikets arfvingar. Egent-
ligen finnes det blott tre slags handtering och syssel-
sättning här på jorden: a) att uppföda kreatur, b) att
uppfostra människor, c) att vinna människor för Kris-
tus och att sålunda föda hans lamm och hans får. Det
första, att uppföda kreatur, betalar sig bäst. Vill man
blifva rik, så bör man välja den banan. Den stora
massan af mänskligheten är sysselsatt med denna
handtering. Hvad annat gör en farmare, som endast
lefver i och för de jordiska tingen? Han behandlar
icke blott djuren såsom kreatur, utan ock sig själf och
alla människor, i synnerhet sina arbetare. Hvad an-
nat gör en affärsman, som blott tänker på att tjäna
pengar? Han betraktar ju och behandlar sig själf och
alla lefvande varelser blott såsom djur. Jag menar
icke härmed, att *alla* farmare och affärsmän äro sys-

selsatta blott med boskapsskötsel. Somliga söka genom Guds nåd först efter Guds rike och hans rättfärdighet. För dem är det jordiska arbetet en gudstjänst. Än en gång, den som vill bli rik och må godt här på jorden, han bör slå sig på boskapsskötsel, ja, själf bör han blifva ett nöt. Den materialistiske vetenskapsmannen hör ock till denna klass, ty han betraktar sig själf och alla människor såsom djur. Den andra handteringen, nämligen att uppfostra människor, lönar sig på långt när icke så väl med afseende på penningevinst. Den, som vill uppfostra människor, måste vara en människovän. Den, som är en människovän, hyser en djup sympati för hela mänskligheten. Denna sympati tillåter icke den sanne människovännen att samla och behålla rikedomar för sig själf, utan han måste uppoffra dem för den i så många afseenden nödställda mänskligheten. Till dem, som äro kallade att uppfostra människor, höra skollärare. Huru många äro de, som åtaga sig denna svåra, men sköna och ädla handtering för sakens skull?

Den tredje sysselsättningen, eller den att vinna och fostra människor till kristna, är den i världsligt afseende minst vinstgifvande och därjämte den mest försakelsekräfvande af alla kallelser i lifvet, om nämligen denna kallelse skall skötas rätt.

Vi talade om siffror och statistik. Den, som af Gud är kallad att vara präst, och som därför efter Guds vilja vill låta fostra sig för detta ämbete, har icke med andra siffror att göra än dem, som omtala, huru många förtappade syndare det finnes på jorden. Öppna vi vårt synodalprotokoll, så finna vi, att omkring *ett hundra tusen människor,* odödliga själar, höra till vår synod. En hvar af dessa är enligt Herren Jesu statistik värd mer än hela världen. Inom våra församlingars område och närmast intill kunna vi med vår verksamhet nå åtminstone ett femtiotusental till. Alltså, vår predikstol, våra hvardagsskolor och söndagsskolor, vår pastorala verksamhet, våra tidningar och böcker nå ett hundra femtio tusen odödliga själar af vårt eget folk. Lägga vi därtill de många, som vi ännu kunde uppsöka, om vi hade den rätta kärleken, så behöfva vi sannerligen icke vara modfällda ännu öfver brist på arbete. Men ännu mer: hade vi Brödraförsamlingens anda och sinne eller hellre Kristi sinne, så skulle vi sända ut åtminstone *fem hundra* missionärer till hednaländerna. Ja, begynna vi med fullt allvar att studera Guds rikes siffror och statistik, då få vi sannerligen rik anledning till syndabekännelse, bot och bättring, blygsel och förödmjukelse inför vår Gud.

Men vi få icke lämna vår fråga med blott några statistiska notiser.

Äro vi i fara att få för många präster? Ack, att Herren finge gifva oss nåd att under bön på fullt allvar betrakta frågan! Vi måste svara på frågan både med ett *vemodigt ja* och ett *gladt nej.*

Nog äro vi i fara att få för många präster. Hvem ser icke denna stora fara? Kristi församling har i alla tider varit i denna fara. Judas var en för mycket bland de tolf. Hvarje oomvänd präst är en för mycket bland dem, som äro satta att föda Guds hjord.

Att vi äro i fara att få oomvända präster, det kan, hvar och en se, som är vaken öfver sig själf och öfver Guds rikes angelägenheter. En efterhärmad och påträngd ortodoxi, eller att man antager ett lärosystem utan någon inre kamp och helgelse och utan andlig matsmältning, är här den hotande faran. "Det halp dem icke, att de hörde ordet" o. s. v. (Ebr. 4: 2).

Huru torr och kall en sådan ytlig ortodoxi är!

Vi äro i denna fara, just emedan vi vilja vara bekännelsetrogna. En eftersägning af dogmatiska satser utan trosöfvertygelse är sannerligen en utanläsning.

Vi kunna åtminstone se, att vi äro i fara att få sådana präster, som en längre eller kortare tid hafva *härmat efter* och själfva *tillkonstlat* omvändelse och kristendom. Här hafva vi en kristlig skola. Allmänt bekant är, att vi fordra bekännelse om personlig kristlig erfarenhet af dem, som begära inträde i det heliga predikoämbetet. Af dem, som åtnjuta helt eller halft understöd i och för studiers bedrifvande vid vårt läroverk, fordra vi redan en bekännelse, att de hafva på ett närmare, mera medvetet och personligt sätt erfarit Guds Andes verk på sitt hjärta, och att de nu under sin skoltid vilja lefva det fördolda lifvet med Kristus i Gud.

Hvilken stark, ja, nästan oemotståndlig frestelse till skrymteri och tillgjord samt efter människomått tillskuren kristendom! Man tänke sig en fattig yngling, som af en eller annan orsak har brinnande lust för studier, huru skall han undvika att falla i den frestelsen att skrymta för att blifva upptagen till frielevskap, ifall han icke kan vinna denna förmån på den ärliga vägen. Tänka vi allvarligt, så måste vi rent af häpna öfver de förhållanden, i hvilka vi äro försatta. Och vi arma stackare, som äro satta att pröfva, döma och skilja mellan skrymteri och sann kristendom hos ynglingar! Sannerligen, det är icke underligt, att många kalla oss stora stackare, när det gäller denna pröfning. Jag för min ringa del vet rakt ingen råd i detta fall annat än Davids bön: "Utrannsaka mig, Gud, och känn mitt hjärta; pröfva mig, och känn mina tankar, och se till, om jag är stadd på en olycksväg, och led mig på den eviga vägen." Och denna bön vill jag bedja icke allenast för mig själf utan för eder. Ja, om någon bön borde vara en skolbön vid en prästbildningsanstalt, så är det denna. Denna bön tillsammans med den inbördes förmaningen och varningen i kärlek borde vi dagligen använda i stället för det där stygga kritiserandet, dömandet och pratandet i våra lärares och kamraters frånvaro.

Är det någon, som är så lågsinnad, vårdslös och utan känsla för sitt eget och andras väl, att han vill skrymta och narra sig in i predikoämbetet, så får han sannerligen ut för sitt skrymteri mer än någon annan skrymtare. De orden: "Det är gräsligt att falla i lefvande Guds händer", gälla i synnerhet med fasaväckande sanning dem, som narra sig till att blifva herdar för Guds hjord, fastän de i själfva verket äro tjufvar och röfvare. Det finns sannerligen intet gräsligare missfoster på jorden än en skrymtare, halfkristen eller öppet ogudaktig människa, som narrat sig till att blifva präst, och som fortfarande stannar kvar i detta ämbete. Man föraktar i allmänhet en *fuskare,* men hvem är mera förakt värd än en *fuskare* till präst? Huru skall den, som själf icke är en kristen af hjärtat, veta, hvad hjärtekristendom är? Huru skall den, som själf icke lefver helt för Kristus, kunna lefva för att vinna människor åt den gode Herden? Och hvartill är herdeämbetet i församlingen, om icke för att uppsöka förlorade syndare och föra dem till Frälsaren? Lefver affärsmannen i och för sina affärer, den lärde i sin vetenskap, konstnären för sin konst, så borde väl en präst så mycket mer lefva i och för sin Frälsare. Den, som utför musik blott med kroppen, är sannerligen ingen konstnär i ordets sanna mening, huru skulle den, som predikar blott med kroppen, vara en präst i detta ords verkliga betydelse?

Bland det myckna underliga, man finner i kyrkohistorien, är det det mest underliga, att teologer hafva tagit sig för att försvara oomvända präster. Men en teolog så väl som hvarje annan vetenskapsman kan göra svart till hvitt och hvitt till svart, när han så önskar. De ortodoxas strid till försvar för de oomvända prästerna gent emot pietisterna är nogsamt bekant. Hvad den lutherska kyrkan i alla tider har lidit af detta teologernas försvar för de oomvända prästerna, det är ock bekant.

Men kan man icke gå för långt i striden mot oomvända präster? Jo, visserligen. Många separatister hafva tagit de ogudaktiga prästerna till text och ämne för sina predikningar, ja, de hafva sökt sin och andras uppbyggelse i bullret mot oomvända präster. De, som äro rädda för ogudaktiga präster, borde allra minst söka sin uppbyggelse af och hos dem. Somliga hafva ock gått så långt i denna ifver mot ovärdiga präster, att de förkastat själfva Guds ord och sanningen för att blifva riktigt olika de oomvända prästerna, som åtminstone utvärtes hafva försvarat Guds ord och sanningen. Hvad teologerna angår, så hafva de i allmänhet haft väl reda på det språket: "På Moses' stol sitta de skriftlärda och fariséerna" o. s. v., samt på 8:e artikeln i Augsburgiska bekännelsen, oaktadt den artikeln uttryckligen icke talar om ordets predikan och tillämpning utan blott därom, att sakramenten äro kraftiga, äfven om prästerna, som utdela dem, icke äro fromma. Den oerhörda mängd bibelspråk, som bevisa, att en kristen präst själf måste vara kristen, hafva många teologer och kyrkans styresmän liksom glömt af.

Hvad oss angår, må vi vara förvissade därom, att vi icke kunna vederbörligen vederlägga och öfvervinna vår tids och våra svenskars subjektivism genom att söka bevisa, att oomvända präster kunna rent och klart predika och tillämpa Guds ord. Ju förr och villigare vi erkänna en sanning hos våra motståndare, desto snarare och säkrare skola vi afväpna dem. Den bästa polemik mot kättare af alla slag är lefvande, troende, verkliga präster. Ja, vi må rent af säga, att vår kyrkas närvarande och framtida tillstånd beror, näst Gud, på prästerna. Tänk, vi hafva Kristi kyrka i våra händer! Det ligger därför en djupt beaktansvärd sanning i hvad någon sagt: "Segern tillhör den kyrka, som har de bästa prästerna."

Vi klaga öfver att våra svenskar, i synnerhet de, som varit med i de senare årens väckelser, icke värdera ämbetet och den rena läran, utan se blott på *personen*. Vår tid har förlorat all objektivitet och förfallit i en ohjälplig subjektivism, så sucka vi. Ett är visst, vi kunna aldrig med våld eller bång, ej heller med klyftig och vidlyftig bevisning i hast vrida om en tids riktning.

"Visa oss kristliga personer, lef kristendom för våra ögon, så vilja vi tro", ropar vår tid. "Viljen I framkalla vördnad för kyrka, präster och bibel, så gif oss präster, som förtjäna respekt, vördnad och kärlek. Så lyder det moderna språket. Skola vi klaga däröfver, att vår tid med dess mångahanda lärdomsväder vill nödga oss att blifva kristna helt och hållet, på fullt allvar? Gamla lagar, stadgar och vördnadsvärda minnen hafva i vår tid fallit; kristendomen är ställd på fria fältet utan stöd af kunglig majestät, af gammal folksed och andra skyddsmurar. Skola vi nu likt judarna blott jämra oss, såsom de göra på sin klagoplats vid de gamla stenarna i Jerusalem, dem de mena vara en kvarlefva efter Salomos tempel? Eller skola vi på allvar lefva det personliga nya lifvet i Kristus och därmed bevisa, att kristendomen och kyrkan kunna lefva och röra sig utan alla mänskliga skyddsmedel?

Hvad hade kristendomen för skydd i de första tiderna? Hvad vördnad hade man då för predikoämbetet, kyrkan och bibeln? Ack, att vi ville med allvar och öppna ögon läsa Nya testamentet! Gå blott igenom aposteln Pauli historia. Hvarför möta vi så ofta de orden, *jag, mig, mitt evangelium* i hans lif och skrifter? Vi tycka nästan, om vi skulle säga ut vår mening, att han talar för mycket om sig själf. Dock, hvarför sker detta? För att visa oss, att Kristus var helt och hållet denne apostels personliga lif. *"För mig är lifvet Kristus"*, ropade han. Jag vet icke af något annat och vill ej veta af något annat än att lefva för Kristus, verka för honom, dö för honom. Det var entusiasm och hänförelse i dessa ords fullaste och härligaste betydelse.

Och det hjälper icke med något mindre, mina älskade unga vänner, om vi ämna blifva präster, än en sådan helgjuten, sann, allt uppoffrande *entusiasm.*

Kom ihåg, jag menar icke, att entusiasm och "excitement" äro samma sak. "Excitement" kommer och går, men den sanna himmelska tros- och kärleksentusiasmen är sådan som kärleken. Den vänder aldrig åter. Hvar och huru få denna entusiasm, som heter

Jesu Kristi kärlek? I och genom umgänge med Frälsaren, genom sann tro och helgelse, genom mystik (*unio mystica*) i detta ords sanna bemärkelse, ja, i den betydelse, som Johannes beskrifver i sitt första brefs första kapitel och Paulus i de underbara tredje och fjärde kapitlen af andra Korintierbrefvet.

En präst får icke vara en vanlig kristen blott; han måste vara mer än en vanlig kristen. Vi erkänna alla, att en präst bör och måste hafva mera kunskaper och insikter än allmänheten. Månne han icke också bör hafva *mera tro, kärlek och helgelse?* Månne han icke bör vara mera himmelskt sinnad och hafva mera af Guds Andes smörjelse än kristna i allmänhet? Jag menar icke därmed, att han skall vara en andlig pladdrare, som alltjämt pratar andliga ord. Det är icke mångtaligheten, som verkar det goda, utan den andliga kraften. Och huru skola vi få den andliga kraften, om icke genom umgänget med Herren i ordet och bönen? Behöfva prästerna mera andlig kraft än kristna i allmänhet, så behöfva de ock mera Guds ord och bön. Det var därför själfva apostlarna sade: "*Men vi vilja ägna oss ständigt åt bönen och ordets tjänst*" (Apg. 6: 4). Hören, så tala apostlarna, som dock hade undfått den underbara andeutgjutelsen. Läs Ef. 3: 14—19. Så talar en apostel, Paulus, den andligt rike. Är det icke häraf tydligt, att vårt inträngande i sanningens kunskap står i oupplösligt samband med vårt personliga kärleks- och umgängeslif med Jesus?

Hvad behöfva då vi? Och hvad behöfva vi, medan vi vistas vid skolan? Det är sant, vi böra allvarligt arbeta på våra studier, ty den där icke vill arbeta, han skall icke heller äta, han skall icke komma att duga någonting till under sin verksamhet. Skulle en studerande falla på samma idéer som de kristna i Tessalonika, nämligen att drifva fåfängt och icke arbeta, icke studera, så skulle säkerligen aposteln Paulus komma med samma varningar som till dessa kristna. Ja, han skulle uppmana oss att skrifva upp och anmärka den lättjefulle i "class records". Ty han bad församlingen i Tessalonika anteckna den, som vandrade oskickligt och icke ville arbeta, utan befattade sig med onyttiga ting.

Men midt under det vi för Herrens skull böra vara flitiga och ifriga i våra studier, så må vi bedja Herren om nåd att vakta oss för den tyska lärdomsfanatismen. Huru har man icke i det arma Tyskland uppskrufvat fordringarna på prästers lärdom till det högsta möjliga. De teologie professorerna där hafva hållit sina beniga, långrandiga föreläsningar och skrikit "Wissenschaft, Wissenschaft", och midt under all denna "Wissenschaft" har folklifvet förvildats mer och mer, ty de flesta predikningar hafva saknat andekraft, den andekraft, som ingen vetenskap gifver, utan som fås endast genom Guds ord och bönen. Denna fanatiska vetenskap har gjort, att man i de stora tyska städerna har endast ett försvinnande fåtal präster. Hade icke den innerlige dr Wichern och andra af Herren uppväckta män satt den inre missionen i gång, så vore Tyskland dränkt blott i vetenskap och synd. När jag vistades vid missionsinstitutet i Leipzig, läste flera af ynglingarna där sina hedniska författare på söndagarna. När skulle de få tid till den enskilda bönen och Guds ord? Jag vet inför Gud, att jag icke var lat under min studietid, men sådan vetenskapsfanatism väckte min djupa afsky och fasa. Lärarna vid en kristlig skola må se till, att de icke nedlasta sina lärjungar med vetenskap, så att de stackars last-dragarna förlora både lust och kraft att se uppåt.

Söndagen, söndagen, mina unga lärdomsidkare, huru använden I den kostliga pärlan? Om söndagen icke vore stiftad för någon annan människa, så är den gifven såsom en gåfva åt studerande. Hade jag icke haft söndagen, så vore jag förgången i mitt elände. Den, som med skoj stör söndagen vid en kristen skola, gör en dubbel synd.

I mån med skäl tycka, att jag språkar mycket utom mitt ämne. Många ord synas vara utom och äro dock inom ämnet, äfven om den retoriska tumstocken för tillfället är kastad i vrån.

Slutsatsen af det hittills sagda är, att vi få för många präster, när vi få sådana, som icke i sanning lefva det nya lifvet i Kristus, eller sådana, som lefva ett slappt och liknöjdt kristligt lif utan bättring och allvarlig tillväxt i nåden, eller sådana, som blott söka efter mänskligt vetande och stoltsera med sin konst och klyftighet, eller sådana, som förakta de mänskliga studierna och slå sig på andlig lättja och löst prat, som hafva ett sken till gudaktighet, men sakna dess kraft. Vi få ock för många präster, när vi få sådana, som tänka mest på bekväma prästgårdar och goda inkomster. Månne ej en fara ligger i vår väg häruti?

Vi äro nog icke så stora helgon, att vi skulle vara oberörda af mänskliga beräkningar och utsikter. Men det gäller att bedja emot sådana begärelser så väl som mot andra onda lustar. Hvad vi vore lyckliga, om vi kunde besluta oss för att helt uppoffra oss för Herren och blindt taga emot, hvad han vill gifva af bekväm-lighet. Det har smärtat mig mycket, då jag flera gånger har hört det påståendet, att våra å studiernas vägnar mera utbildade ynglingar söka blott efter bekväma församlingar och neka att begifva sig ut i vildmarken till att uppsöka och igenhämta det förvillade. Månne denna beskyllning är sann? Är den sann, så beror det i de flesta fall på förlofningar med flickor, som icke söka först efter Guds rike, utan först efter granna kläder och en fin "parlor". Detta bringar mig att tala närmare om en sak, som förorsakat så mycken bedröfvelse.

Vi få för många präster, när vi få sådana, som förlofva sig än med den ena flickan, än med den andra samt sålunda lämna efter sig brustna kvinnohjärtan än här, än där. Tänk hvilka anklagelser, som följa en sådan yngling i predikoämbetet! Har prästen icke respekt för det dyrbaraste, kvinnan äger på jorden, hjärtat, hvem skall då hafva respekt för denna helgedom? Mina unga bröder, vi äro alla människor, vi kunna ej undfly den mänskliga kärleken, om icke Gud på ett särskildt sätt har kallat oss till ensamhet. Men vi kunna genom Guds nåd undgå att prata om våra känslor i otid, vi kunna och böra genom Guds nåd undfly trolösheten. Hvarför har vår skola varit besmittad af så mycken trolöshet i detta stycke? Det måste vara till följd af brist på heligt allvar, vaksamhet och bön.

Frestelserna till kärleksslarf äro så stora här i landet, där våra studerande så ofta komma ut än hit och än dit bland ungdomen. Men nåden är mäktig, om man lefver i nåden. Ja, redan den naturliga sansen borde vara stor nog hos den vise, och vi kalla oss ju visa, när vi komma ut med vackra klassbetyg, till och med diplom och andra grannnlåter såsom annons om vishet. Slarf och trolöshet äro sannerligen icke bevis på vishet.

Tersteegen sade så sant: "Barn, varen försiktiga och undviken tillfällen till synd. Naturliga människor kunna ofta med förståndet bättre bevara sig, än de benådade kunna det genom nåden, när dessa icke synnerligen fly tillfället; ty efter de senare traktar fienden mer än efter de förra." Så är det. Leker man med synden, nog griper hon en fatt, så att man blifver liggande, oaktadt all vishet och lärdom.

Vi få också för många präster, när vi få sådana, som äro stolta, styfva, själfkära, egensinniga, kitsliga och bråksamma, så att de alltjämt lyckas ställa till kif och gnabb om allehanda småsaker i församlingarna och mellan ämbetsbröder. Mina bröder, hvad böra vi först lära af all visdom om icke ödmjukhet och konsten att kufva vårt lynne och styra vårt sinne. "Den, som råder öfver sitt sinne, är mer än den, som städer vinner", heter det. Den, som råder öfver sitt sinne, är säkerligen ock mer än den, som kan matematik, latin, grekiska och allehanda mer af hufvudfyllnad och hjärnsubstans.

Paulus säger uttryckligen, att en präst skall vara "oförvitlig såsom Guds förvaltare, icke egenkär, icke ondsint, icke drinkare, icke våldsam, icke sniken efter slem vinning, utan gästfri, det godas vän, tuktig, rättfärdig, helig, återhållsam." När skola vi begynna lära på dessa ämnen för att få betyg af Guds Ande? Månne vi icke behöfva begynna med dessa läxor på fullt allvar just här vid skolan? Här är det vi skola begynna vara Herrens tjänare. "En Herrens tjänare", heter det, "bör icke tvista, utan vara mild mot alla, skicklig att undervisa, fördragande det onda, med saktmod tillrättavisande motståndarne, att tilläfventyrs Gud gifver dem bättring till att förstå sanningen."

Vi få ock för många präster, när vi få sådana, som kasta sig i allehanda affärer och spekulationer. O, huru många frestelser en präst möter öfverallt i världen och ej minst i detta land! En präst är människa och måste såsom människa hafva att beställa med hvarjehanda jordiska ting. Särskildt i nya församlingar i stad och på land äro förhållandena ofta sådana, att en präst måste hjälpa till med alla möjliga affärer. Då behöfs en särskild Guds nåd, att han må behålla sig obesmittad af världen, att han ej må bråka med affärer mer, än som är precis nödvändigt, att hvar man må se, att han är glad öfver att slippa jordebestyren, och att han ej söker sin vinning. Hvar är det man skall börja motarbeta den prästerliga girigheten? Just under förberedelsen för ämbetet. Ju renare afsikten är med inträdet i predikoämbetet, desto starkare är man genom nåden mot de frestelser, man möter i ämbetet.

Vi få ock för många präster, när vi få sådana, som sakna den naturens och andens begåfning, som församlingens Herre och Herde gifver dem, han utser att vara hans tjänare såsom församlingsherdar. Jag behöfver icke här upprepa alla de bibelställen, som visa, att Andens gåfvor måste åtfölja Nya testamentets ämbete. När aposteln Paulus uttryckligen fordrar, att en församlingslärare skall vara "skicklig att undervisa", så kunna vi tydligen se, att den, som vill blifva präst, måste besitta den naturens och andens begåfning, den röst, det sätt, den talegåfva, det förstånd, den reda och sans, att han må vara "skicklig att undervisa". Punden kunna vara olika i detta afseende, men något pund måste finnas. Saknas all begåfning, så har Herren tydligt anvisat en sådan att vara en kristen i det enskilda lifvet. Det är det uppriktiga sinnet, som härvid beder: "Visa mig, o Herre, din väg." En sann kristens största fröjd är att vara en lem i Kristus utan afseende på den mer eller mindre framstående kallelsen i lifvet. När lärjungarna fröjdade sig öfver sina stora gåfvor och sitt höga ämbete, så ropade Herren: "Fröjden eder icke däröfver, att andarna äro eder underdåniga i mitt namn, utan fröjden eder, att edra namn äro skrifna i lifvets bok." Gåfvor måste finnas, större eller mindre, hos en Jesu Kristi skaffare, men troheten står öfver gåfvorna och kärleken öfver allt. Där ringa gåfvor och andlig lättja slå sig tillsammans och röfva till sig prästämbetet, där må man icke undra, att förödelse åstadkommes i Guds församling.

Men ack, huru skall det gå oss, när vi utarbeta oss eller af en eller annan orsak mista våra kropps- och själskrafter, när vi komma ur modet, så att ingen församling mera vill kalla oss, och den vi förestå helst ville vara af med oss? En utsliten och afsigkommen präst är ju dock den allra ömkligaste syn man kan se. Jag skall aldrig glömma det intryck af förkrossande fasa, som jag erfor, då jag under min första vistelse här i landet helt oförmodadt inbjöds till en afsigkommen sjuk präst från Sverige. Han bebodde med sin familj ett obeskrifligt uselt och jämmerligt ruckel, sådana man får se dem i västerns nybyggen, spöken från gamla dagar. Fasan beröfvade mig sömn och nattro. Jag tänkte: Skall det gå mig och de mina så i detta hemska land? I smålen, mina unga bröder, och utropen: För mig är ingen fara, jag är ung, frisk och populär. Ja män, ung, frisk och populär. Hvart tar hälsan ofta vägen, huru går det med folkgunsten, när

vi blifva svaga och usla på alla sätt och nykomlingar
rycka till sig allmänhetens uppmärksamhet? Nå väl,
sägen I, så finns det lifförsäkringsanstalter. Ack ja,
de äro för de friska, men ej för de sjuka. Mina unga
bröder, jag vet ingen annan lifförsäkringsanstalt för
präster än den, som är beskrifven i den 90 och 91
psalmen, begynnande med "en bön af gudsmannen
Mose." Vår enda räddning till kropp och själ är
att lefva oss in i närmare förtrolighet med Herren
Jesus, vår gode Herde. Den, som lefver i nåden och i
förtroligt umgänge med sin Frälsare, är aldrig olyck-
lig, om än lifvets bitterhet öfverfaller honom med all
sin fasa. Är Kristus vårt lif, då få vi sjunga midt
under all skröplighet äfven den 92 psalmen.

Kunden I, älskade ynglingar, se alla de pröfningar
som skola möta eder i lifvet, så skullen I redan nu
krypa nära Jesu kors. Därom är jag viss. Det står
icke förgäfves: "Tänk på din Skapare i din ungdom."
Detta måste gälla i synnerhet de ynglingar, som stu-
dera för att inträda i det heliga predikoämbetet.

Summan af det sagda är, att vi aldrig skola få för
många af Herrens präster, men "om någon student
eller präst icke har Herren Jesus Kristus kär, han
vare anathema. Maran ata — Vår Herre kommer. —
Herren Jesu Kristi nåd vare med eder!"

Ordinationstal. I.

Utrannsaka mig, Gud, och känn mitt hjärta; pröfva mig och känn mina tankar, och se till, om jag är stadd på en olycksväg, och led mig på den eviga vägen.

essa skriftens ord läsa vi i Ps. 139: 23, 24. Det är här den uppriktiga själen, som inför Gud företager en allvarlig själfpröfning, det är David, som här talar. Han kände väl människohjärtats falskhet, han visste, huru man i sin salighetssak är allt för benägen att bedraga sig själf, att låta vikten af en hel evighet bero på någonting ovisst, han kände, huru människan af naturen gärna vill taga sin pröfning lätt, då det gäller att utrannsaka i hvilket förhållande hon står till sin Gud. Men David hade låtit Gud gifva sig en uppriktig ande, det var hans innerliga, högsta begär att vandra på den väg, som drager till lifvet, han fruktade att bedraga sig i en så allvarlig angelägenhet, därför framträder han här inför Gud, som ser i hjärtats fördolda djup, bedjande, att Gud måtte pröfva och utrannsaka hans innersta tankar och begär, på det att han själf icke måtte misstaga sig i denna evighetssak.

Hvar och en sann och uppriktig kristen framställer
sig på samma sätt så ofta som möjligt inför sin Gud
med en bön lik denna af David. Det är ett väsentligt
kännetecken på en sann kristen, att han är rädd för
att misstaga sig i den stora hufvudsak, som angår
hans eviga salighet, att han icke vågar lita på sig
själf blott, att han vill, det Gud genom sitt ord skall
pröfva och utrannsaka hans hjärta. Själfpröfningens
stunder vid Guds ord äro för honom de allvarligaste,
men tillika de hälsosammaste och saligaste. Men, mina
bröder, är denna bön: "Utrannsaka mig, Gud, och känn
mitt hjärta, pröfva mig och känn mina tankar, och se
till, om jag är stadd på en olycksväg, och led mig på
den eviga vägen", är denna bön viktig för hvarje sann
kristen, skulle den då icke vara det för oss, vi som
ämna blifva det ords tjänare, som är "skarpare än
något tveeggadt svärd och går igenom, till dess det
åtskiljer själ och ande, leder och märg, och är en do-
mare öfver hjärtats uppsåt och tankar." O Jesus,
hjälp oss du vid en sådan självpröfning, ja, pröfva
oss du och låt äfven denna stund, som vi nu tillbringa
i betraktandet af ditt ord, vara en allvarlig självpröf-
ningens stund. Därom bedja vi dig, hör oss i din
egen bön. Fader vår, som är i himmelen, etc.

Text: Joh. 21: 15—17.

När de nu hade ätit, sade Jesus till Simon Petrus: Simon,
Jonas' son, älskar du mig mer än dessa? Han sade till honom:
Ja, Herre, du vet, att jag har dig kär. Han sade till honom:
Föd mina lamm. Åter sade han till honom för andra gången:
Simon, Jonas' son, älskar du mig. Han sade till honom: "Ja,
Herre, du vet, att jag har dig kär. Han sade till honom: Vårda
mina får. Han sade till honom för tredje gången: Simon, Jonas'

son, har du mig kär? Petrus vardt bedröfvad däröfver, att han för tredje gången sade till honom: har du mig kär? Och han sade till honom: Herre, du vet allting; du vet, att jag har dig kär. Jesus sade till honom: Föd mina får.

De upplästa orden äro högst märkvärdiga. Genom dem framställes lefvande och klart, huru Herren Jesus själf pröfvar en lärare, som han vill utsända i sin församling. Vi måtte väl undra, huru Herren Kristus skulle gå till väga, om han vandrade här på jorden i synlig gestalt ibland oss, hvilka han skulle pröfva skickliga till herdar och lärare, huru det skulle tillgå att aflägga en prästexamen inför honom, som pröfvar hjärtan och njurar, som vet, hvad i människan är, och icke behöfver, att någon vittnar om henne inför honom. Här, mina bröder, i denna text hafva vi för oss framställdt ett sådant förhör, en pröfning inför Jesus själf, själarnas biskop, en pröfning, som genom vår text framstår så lefvande och klar, som skedde den nu, och vi kunna fullkomligt tillämpa alltsammans på oss.

Vi vilja därför genom Guds nåd såsom ämne för vårt gemensamma betraktande och behjärtande uppställa:

Huru Herren Jesus, den store Öfverherden, pröfvar de herdar, han utsänder till sin hjord, och hvilket uppdrag han ger dem, om de bestå profvet.

Ett djupt och allvarligt behjärtande af ett sådant ämne som detta synes vara för oss viktigt, mina bröder, vi som nu ämna undergå en pröfning för att sedan utgå såsom herdar bland Kristi dyrköpta hjord. Ty ingen af oss lär väl åtnöja sig blott därmed, att han blifvit godkänd af människor, vi vilja väl icke hafva ett blott mänskligt uppdrag, blott mänsklig fullmakt, när vi komma till Kristi församling, vi vilja väl alla

undergå en pröfning af Herren Jesus själf, vi önska
väl att framför allt vara pröfvade skickliga af honom
till att föra Andens ämbete, vi åstunda väl att gå på
hans kallelse, med hans fullmakt, ty hvad skulle vi
annars uträtta till hans ära?

Sen, mina bröder, våra mänskliga lärare och för-
män kunna blott pröfva *vårt förstånd*, vår skicklighet,
hvad kunskapen angår. Om den är lefvande, om kris-
tendomen är vårt innersta hjärtas sak, det kunna de
icke pröfva eller med visshet afgöra. Men Jesus, den
store öfverherden, pröfvar *vårt hjärta*, den examen,
vi hafva att undergå inför honom, rör sig omkring
den största af alla hufvudsaker, den nämligen, om
vi älska honom. Jesus går oss med sina frågor på
lifvet, på själfva hjärtepunkten, han gör inga omvä-
gar, han gifver en bestämd, klar, enkel, men viktig
fråga, han vill ock af oss hafva ett lika bestämdt, klart
och allvarligt svar. Låtom oss då först betrakta själf-
va profvet. Det är Petrus, som i texten inför vår
Frälsare undergår prof till herdeämbetet.

Vi känna Petrus, huru djärf han varit, huru han
mången gång alltför mycket litat på egna krafter,
huru han ansett sig äga mod och kraft att följa Jesus,
äfven om det gällde döden. Hos Petrus fanns visser-
ligen en eldig kärlek till Frälsaren, men han hade en
alltför stark själfförtröstan, han satte icke allt sitt
hopp på Herrens nåd och kraft allena. Men ack, huru
hade det gått Petrus, han som ansåg sig så stark. Vi
veta det alla. I den sorgfulla natten hade han fallit
och tre gånger förnekat den Frälsare, som han förut
trodde sig kunna följa ända in i döden. Se, nu var
hans egen kraft bruten, nu stod han ensam såsom en
fattig syndare, ja, en förnekare af den Frälsare, som

bevisat honom så mycken kärlek. Vi känna dock,
huru kärleksfullt Jesus upprättade honom, huru vän-
ligt den uppståndne Frälsaren särskildt hälsade ho-
nom på den glada morgonen, då dödens band voro sön-
derslitna. Petrus var väl nu redan försäkrad om
förlåtelse för sin synd, men han torde hafva tvekat,
om han skulle återfå sitt kall såsom apostel eller ej.
Han återfick det, han förblef en apostel oaktadt sitt
fall, men ett prof, ett allvarligt prof måste han under-
gå, innan han fick sin fullmakt.

Vi undra, hvilka frågor Jesus förelade honom, om
de voro svåra att besvara. Se, detta är frågan: "Si-
mon, Jonas' son, älskar du mig mer än dessa?" Blott
en fråga! Alltså, allt berodde på en enda fråga. Men,
mina bröder, en bestämdare och innehållsrikare, en
viktigare och betydelsefullare fråga har väl aldrig
blifvit gifven. Det är också himmelens och jordens
Herre, som här frågar. På besvarandet af denna
enda fråga beror det, om Petrus kan blifva en försam-
lingsherde eller ej, ja, på svaret beror hela evigheten
för Petrus själf, ty hade Petrus gått ut såsom lärare i
Guds församling utan att kunna besvara denna fråga,
så hade han icke blott dragit sin egen, utan många
andra dyrköpta själar till fördärfvet: när en blind le-
der en blind, så falla de båda i gropen, säger Herren
Jesus just med afseende härpå.

"Älskar du mig", detta är frågan, så kort och enkel,
men utomordentligt viktig. Vi se det däraf, att Je-
sus tre gånger upprepar densamma, och Petrus måste
tre gånger besvara den. Jesus vill härmed visa, att
han icke frågar utan mening. Han vet, att människo-
hjärtat är ett argt och illfundigt ting, som gärna
halkar förbi sådana på lifvet gående frågor. Jesus

vill visa, att detta icke går an, han fordrar ett ur
hjärtat gående svar på en evighetsfråga, på en sådan
fråga som denna, vid ett tillfälle sådant som detta, då
svaret på densamma gäller icke blott en, utan många
själars salighet eller osalighet. Petrus svarar på frå-
gan, och han svarar uppriktigt. Gud hade fått göra
Petrus uppriktig och ödmjuk, därför svarar han ock
uppriktigt och ödmjukt på samma gång. Han fattar
frågan på allvar, såsom Jesus hade gifvit den, och
han svarar såsom på en hjärtefråga, det är sin själs
innersta han inlägger i svaret. Här kan man säga,
att svaret låg i frågan, ty just därför att Jesus så
frågade, därför kunde ock Petrus så svara. Petrus
var en man, i hvars själ Guds Ande verkade, han lefde
ett nådens lif med sin Gud, Kristus bodde genom tron
i hans hjärta. Därför uppflammade vid Jesu fråga
kärleken hos Petrus, ty den var ju en verkan, en kraft,
gifven af honom, som först hade älskat Petrus.

Men Petrus säger icke nu mera djärft och frimo-
digt: Ja, jag älskar dig, utan han säger: "Herre, du
vet allting, du vet, att jag älskar dig." Petrus vädjar
till Jesu allseende, in i hjärtat trängande blick, det är,
som ville han säga: Jag känner, att jag älskar dig,
men jag vågar icke lita på mitt omdöme blott, utan
du, som ser till hjärtat, du måste afgöra det, och du
ser, att en gudomlig kärlekseld brinner i mitt inre, en
låga, den du själf af idel nåd tändt. Petri svar är
icke genom detta tillägg obestämdt, utan tvärtom,
ty just detta, att han inför den allvetande Frälsarens
ögon med frimodighet, fastän i stor ödmjukhet kan
säga: Du vet allting, du vet, att jag älskar dig, just
detta visar, att Petrus kan besvara frågan med ett
bestämdt ja, att det är hans glädje att få uttala ett så

bestämdt svar, ty det var hans hjärtas innersta, som svarade ja på Jesu fråga. Ingalunda ville Petrus upphöja sig själf med detta svar, nej, af nåden var han, det han var, detta kände han också nu innerligare än någonsin tillförne, därför kunde han ock afgifva ett sådant svar. Han säger icke nu, att han älskar Frälsaren mer än de andra. Så hade han förut trott, men nu visste han, att nåden kunde vara lika mäktig hos alla, och att kärleken till Jesus var en nådegåfva. Jesus hade nämligen första gången frågat: Älskar du mig *mer än dessa?* för att påminna Petrus, huru han förut trott sig, äfven om alla de andra öfvergåfvo sin Mästare, själf kunna följa honom, och för att höra, om Petrus nu ville upphöja sig framför de öfriga. Men då Frälsaren märkte, att Petrus nu är ödmjuk och ingalunda ställer sig framför de andra, så upprepar han icke detta tillägg vid förnyandet af frågan.

Då Jesus sist frågade: "Simon, Jonas' son, älskar du mig", blef Petrus ängslig, han hörde, att det gällde någonting högst viktigt, och tänkte: Kanhända jag bedrager mig. Men han bedrog sig icke, utan utgöt för tredje gången sin själs innersta inför Herren i detta svar: Herre, du vet allting, du vet, att jag älskar dig. Petrus hade bestått det allvarliga profvet, och han fick sedan tillfälle att visa sin kärlek till Frälsaren vid utförandet af det viktiga uppdrag, han nu erhöll.

Nu till oss, mina bröder. Föreställom oss, att vi skulle undergå samma pröfning som Petrus inför vår Herre och Frälsare. Ja, vi skola icke blott göra oss en tom föreställning därom, nej, det måste blifva lefvande verklighet för en hvar af oss. Hafva vi icke undergått ett dylikt prof, så måste det ske, och Herren frågar icke blott en gång, han återkommer flera gånger med samma enkla, men allvarliga fråga: "Älskar du mig?" I all synnerhet plägar han vilja tränga till vårt hjärta med denna fråga vid viktigare tilldragelser i vårt lif, skulle han då icke nu vilja affordra oss ett svar på denna hjärtegripande fråga vid en tidpunkt af vårt lif så viktig som denna? Jo, just nu är det vi i synnerhet böra undergå ett sådant prof. Och, mina bröder, låtom oss icke undandraga oss detsamma. Ack, huru benäget är icke vårt hjärta af naturen att skjuta upp med en sådan examen eller att söka genom halfva, otydliga och likgiltiga svar undkomma själfva hufvudsaken vid frågan! Men måtte vi för vår egen och andra själars väl nu vara uppriktiga emot vår Frälsare och oss själfva. Ack, mina bröder, hvad skola vi uträtta bland Kristi hjord, om vi icke älska honom, den store Öfverherden, och det kan icke vara oss fördoldt, om vi älska Kristus eller ej. "Guds kärlek är utgjuten i våra hjärtan genom den Helige Ande, som har blifvit oss gifven", säger aposteln Paulus. "Däraf, att han har gifvit oss af sin Ande, veta vi, att vi förblifva i honom och han i oss", säger Johannes. Om Guds Ande bor i våra hjärtan, om nådens lif där uppenbarar sig, det måste vi känna och veta, ty när Guds Ande bor i våra hjärtan, så åstadkommer han där stora rörelser och märkbara verkningar. Och, mina bröder, om vi hafva denne Ande, så måste vi erkänna, att Gud har hos oss åstadkommit ett nådens verk, vi måste känna, att det sinne vi hafva fått icke är naturens, utan nådens, äfven om vi i oss själfva anse oss aldrig så svaga och ofullkomliga. Hvarifrån komma annars dessa förunderliga verkningar af Guds ord, som förspörjas i Guds barns hjärtan, hvaraf dessa märkbara rörelser af Guds Ande, då han manar till bön och lof, då han i själen inleder samtal mellan människan och Gud? Sannerligen den, som erfar detta, måste säga: Det är icke naturens verk, utan nådens, som jag förnimmer oaktadt all min svaghet och skröplighet. Ja, äfven om vi en gång erfarit Guds kärlek lefvande och kraftig till vår omvändelse och pånyttfödelse, så att en kärlekseld också blifvit tänd i våra hjärtan till honom, som först har älskat oss, så är det dock nödvändigt, att Herren förnyade gånger ropar till vår själs innersta detta: "Älskar du mig?" Och han gör det, han upprepar frågan flera gånger. Hafven I känt det, att efter tröghetens tider komma stunder af en helig, högtidlig förklaring mellan själen och Frälsaren, då han ställer henne på allvarliga prof, och en helig bäfvan genomfar henne. Men man kommer efter sådana allvarliga och högtidliga stunder liksom i ett nytt förhållande till sin Frälsare.

Mina bröder, någon af eder har säkert gjort den erfarenheten, att vi, som skola förvärfva oss något högre kunskaper än folket i allmänhet, äro utsatta för många snaror, hvilka den enfaldige undviker. Ibland dessa är också den faran att förlora och komma bort från enfaldigheten i Kristus och den barnsliga kärleken till Herren. I veten, huru man i början, när Herren med nåden fattar ens hjärta, visserligen eldas af en barnslig och innerlig kärlek till Frälsaren, men huru man i många afseenden är oförståndig, oförsiktig, inskränkt och småaktig. Sedan man kommit ut i världen och vunnit mera människokännedom, sedan man genom studierna fått mera vidsträckta utsikter och åsikter, så är man visserligen icke mera så trång-

bröstad som förut, man aflägsnar de många ensidighe-
terna. Men just då händer i denna brytning, att man
råkar i en annan ytterlighet, kanske ännu farligare,
man blir nämligen alltför frisinnad, man börjar vilja
anse mycket, som hör till det barnsliga och innerliga
umgänget med Gud, för inskränkthet och småaktighet,
och man kommer på detta sätt så småningom bort från
enfaldigheten i Kristus och den hjärtinnerliga bönen
till Gud. Då är det nödvändigt, att Herren Jesus an-
ställer en allvarlig pröfning med oss. Han gör det
ock, han framställer en fråga för själen, som går ge-
nom märg och ben: "Älskar du mig?" Man bäfvar
och känner, att Herren skulle hafva skäl att säga just
till dig såsom till församlingsängeln i Efesus: "Jag
har det emot dig, att du har öfvergifvit din första kär-
lek". Saligt är det då, om man blott lyssnar till Jesu
röst, så att han genom sin Ande får verka ett nytt
kärlekslif i hjärtat.

Sen, mina bröder, dylika prof måste vi genomgå in-
för vår Frälsare, och den viktiga frågan vi därvid
hafva att besvara är: "Älskar du mig?" Kunna vi nu
såsom Petrus inför Herrens ögon besvara den, så ger
han oss ett på samma gång härligt, viktigt och ansvars-
fullt uppdrag. Hvilket detta stora uppdrag är och
hvad det angår, se vi af orden i texten, som lyda:
"Föd mina får", "föd mina lamm". Detta är det här-
liga, viktiga och ansvarsfulla uppdraget, vi skola föda
Herren Jesu lamm och får.

Hvilka äro då lammen och fåren? Vi veta det. Det
är egentligen de sant troende Jesu lärjungar, men
Kristus kallar ock de öfriga genom hans blod åter-
lösta människorna får, då han säger: "Jag har ock
andra får, som icke äro af detta fårahus". Sålunda

äro alla människor, i synnerhet i kristenheten, i viss mening får, fastän många äro borttappade. Men de äro dock får, de hafva en gång såsom lamm blifvit upptagna bland Kristi hjord, fastän flertalet, sedan de växt till, lupit bort på syndens irrvägar.

Hvad det vill säga att föda lammen och fåren, lära vi af Herren själf, då han genom profeten förkunnar: "Jag skall uppsöka det borttappade och igenhämta det förvillade och förbinda det sargade och stärka det svaga och skall sköta dem, såsom de betarfva det".

Se, detta är då, hvad vi hafva att göra såsom herdar bland Kristi hjord: vi måste genom bättringspredikan väcka de ogudaktiga och sorglösa till besinning och eftertanke, för de öfver synden sörjande skola vi predika det ljufliga ordet om en Frälsare för syndare, vi skola gjuta evangelii balsam i det af lagen sargade samvetet, de svaga lammen bland Guds barn, de stapplande och ostadiga, skola vi söka med Guds ord styrka, upprätta och stödja. Med ett ord, vi hafva såsom församlingsherdar det uppdrag att rätt dela sanningens ord, att föra hvart och ett af fåren på den plats af ordets friska äng, där det finner bete. Tänkom oss en trogen herde i jordisk mening, hvilket vaksamt öga han har på hvart och ett af sina får, huru han icke blott för dem på bete, utan huru han vårdar dem i alla afseenden! Men framför allt skola vi härvid taga Jesus, den store öfverherden, till ett föredöme. I hvarje särskildt fall skola vi tänka efter: huru gjorde Jesus, eller huru skulle han hafva gjort med den eller den människan vid det eller det tillfället? Han är den gode Herden, och han beskrifver för oss i Johannes 10:e kap., hurudana de herdar äro, dem han utsänder, de som hafva fullmakt från honom och genom honom

trädt in i fårahuset. Höra vi själfva till Kristi sanna
hjord, då veta vi ock, huru Jesus sköter oss, först och
främst huru han sökte oss i sin obegripliga kärlek,
tills han fann oss, och huru han sedan vårdat oss med
en himmelsk herdetrohet, nåd, kärlek och barmhärtig-
het. Och se, han har låtit oss i allt en efterdömelse,
att såsom han gör, så skola vi ock göra.

Aldrig få vi härvid lämna ur sikte, att den hjord,
öfver hvilken vi blifva satta till herdar, är en sådan,
som Kristus har förvärfvat med sitt dyra blod. Så
hafven nu akt på eder och på hela hjorden, i hvilken
den helige Ande har satt eder till biskopar att regera
Guds församling, hvilken han har förvärfvat med sitt
blod. Tänk, om jag genom mitt förvållande skulle för-
därfva någon, för hvilken Kristus lidit döden! Ack,
det är icke underligt, mina bröder, att Guds ord uttalar
så stränga domar öfver falska herdar. Vi behöfva
blott läsa Hesek. 34:e kapitel och dylika ställen samt
Jesu egna utsagor för att blifva öfvertygade om det
evangeliska herdekallets vikt. Den milde Frälsaren
är nämligen aldrig strängare, än då han talar om och
till folkets falska herdar och lärare.

O, det är då sannerligen ett stort, viktigt, ja, för hela
evigheten viktigt uppdrag att vara satt till herde öfver
Kristi hjord! Men huru skönt på samma gång att få
församla dyrköpta människosjälar till Kristus, deras
rätta herde, om vi vilja gå åstad i hans namn och
under hans ledning! Men, mina bröder, huru skola vi
kunna utföra detta stora uppdrag, om vi icke själfva
stå under den store öfverherdens vård, om icke hans
kärlek eldar våra hjärtan? Ack, detta är oundgäng-
ligen nödvändigt för en rätt herde, annars har han

intet hjärtligt medlidande med fåren, ja, i annat fall
kan han icke sköta dem, såsom de behöfva det.
Det evangeliska herdekallet är ett ansvarsfullt, stort
och viktigt uppdrag i alla tider, men icke minst i vår,
som visar så många olikartade företeelser på alla om-
råden, särskildt det andliga. Huru skola vi kunna
uträtta vårt stora uppdrag i alla dess invecklade för-
hållanden, i all den förvirring, som i många afseenden
företer sig för vår syn? Jo, det är svårt, men, mina
bröder, äro våra hjärtan upptända af en brinnande
kärlek till Herren Jesus och till att rädda dyrköpta
själar för Guds rike, då skola vi ej blifva rådlösa, ty
då hafva vi en stor Rådgifvare, och kärleken är upp-
finningsrik, den söker upp alla lofliga utvägar för att
vinna sitt mål, hvilket i detta fall är vår Herre Jesu
ära samt vår och våra medmänniskors frälsning och
salighet. Huru man går till väga, när Kristi kärlek
är driffjädern till ens handlingar, beskrifver Paulus
i de bekanta sköna orden om den kristliga kärleken:
"Kärleken är långmodig och mild, kärleken afundas
icke, kärleken förhäfver sig icke, han uppblåses icke,
han skickar sig icke ohöfviskt, han söker icke sitt,
han förtörnas icke, han tillräknar icke det onda. Han
gläder sig icke öfver orättfärdigheten, men han gläder
sig med sanningen. Han fördrager allting, han tror
allting, han hoppas allting, han tål allting." Ack, huru
mycket ligger icke i dessa ord! Om Herrens Ande
får göra dem lefvande för våra hjärtan, så skola de
lära oss, huru vi böra förhålla oss i hvarje särskildt
fall. Herren skall gifva dig i allting förstånd, säger
Paulus till Timoteus, den unge församlingsläraren. Så
skall ock Herren gifva oss, om vi i ödmjuk bön hålla
oss till honom och företaga allt i hans namn. Ja, om

vi blifva vid Kristus, i honom, och hans ord blifver i oss, då kunna vi tillämpa på oss hvad Johannes säger: "Och den smörjelse, som I hafven fått af honom, förblifver i eder, och I hafven icke behof af att någon lär eder, utan såsom samma smörjelse lär eder om allting, så är det ock sant och icke lögn; och såsom han har lärt eder, så förblifven i honom."

För att kunna utföra vårt viktiga uppdrag med afseende på de får, som låtit sig förvillas eller hålla på att förvillas af den finare eller gröfre otrons lärdomsväder, som börjar blåsa allt starkare i vår tid, med afseende härpå, säga vi, skall visserligen Kristi kärlek tvinga oss att, så mycket i vår förmåga står, söka följa med vår tid i vetande och bildning, på det vi må kunna gifva hvar och en skäl till det hopp, som uti oss är. Men detta är dock icke hufvudsaken, vår hufvudsak är att vittna om Kristus, den korsfäste. Är vårt hjärtas innersta genomträngdt af en lefvande öfvertygelse om kristendomens sanning och hafva vi verkligen erfarit den på oss, predika vi då Jesus Kristus, den korsfäste, i Andens och kraftens bevisning, detta skall vara den bästa vederläggning af otron.

"Och våra stridsvapen äro icke köttsliga, utan mäktiga inför Gud att nedslå fästen, enär vi nedslå tankebyggnader och hvarje förskansning, som uppreses mot Guds kunskap, och taga allt förnuft till fånga till Kristi lydnad." Att med ord och gärning vittna om Kristus, det är vårt högsta syftemål såsom församlingsherdar, och denna predikan har samma oemotståndliga kraft än i dag som på Pauli tid. Otrons makter skola i många fall bekämpa sig själfva, men hvar och en som är af sanningen, han hör sanningens röst och faller till Jesu fötter som en fattig syndare. Att föra så många som möjligt dit, det är vårt uppdrag. Måtte Herren bistå oss med sin allsmäktiga kraft vid utförandet af det samma. Och nu, bröder, anbefalla vi oss åt Gud och åt hans nåds ord, som förmår uppbygga oss och gifva oss arfvet ibland alla dem som äro helgade. Amen.

Ordinationstal. II.

Herre, om din första pingstförsamling heter det: "Alla dessa framhärdade endräktigt i bön". Vi äro ock en pingstförsamling, vi hafva ock varit stadigt tillhopa under dessa pingstdagar, vi vilja ock genom din nåd på denna stora pingstdag vara endräktiga i böner och förmanelse. Vi förbida ock i dag en andeutgjutelse öfver oss alla, och särskildt öfver dessa unga män, som sitta framför oss. De skola på denna stund invigas att vara Andens män och Andens redskap för hela lifvet. Det är din högtidsstund, o helige Ande, vi nu fira. Våra händer, våra ögon och våra hjärtan lyftas nu till dig i stilla bön och förbidan. Utan dig kunna vi intet göra, utan dig kunna vi icke hålla ordination, utan dig kunna vi icke vara rätta präster och sanna ordets tjänare. Och denna stora skara, som kommit hit i dag för att vara vittnen till denna helige Andes handling och högtid, månne de alla känna stundens betydelse? Många af dem skola återvända härifrån klagande: Jag kunde ingenting se, ingenting höra, folkmängden var för stor. Månne de ock hafva orsak att klaga: Jag kunde icke heller bedja? Vi hafva åtminstone icke anledning att

säga: Här äro för många bedjande åskådare. Men vi
tro oss hafva fullt skäl att jublande utbrista: Här äro
många bedjande hjärtan. Vi tro, o Herre, att dessa
unga bröder kunna bära med sig genom lifvet det
ljufva, stärkande minnet, att de blefvo insatta i det
heliga predikoämbetet midt ibland en stor, bedjande
församling. Du hör *ett* hjärtas bön så väl som *många*
hjärtans förenade böner, men du vet, o Herre, att vi
i vår svaghet känna mera kraft, när vi bäras och lyftas
på många bönearmar. Så bäras och lyftas nu dessa
bröder på en stor böne- och pingstförsamlings armar
in i det heliga ämbetet. Det största och skönaste af
allt är dock, att du, församlingens herde och Herre,
uträcker din starka nådeshand för att välsigna dessa
bröder i det ämbete, som du själf stiftat för ditt rikes
utbredande på jorden. Hör oss i ett stilla Abba, Fa-
der, Fader vår, som är i himmelen, etc.

Text: 1 Petr. 5: 6, 7.

Ödmjuken eder därför under Guds mäktiga hand, på det att
han må upphöja eder i sinom tid, och kasten allt edert bekym-
mer på honom, ty han har omsorg om eder.

Våra förmaningsord äro tagna ur ett herdabref till
präster, skrifvet af aposteln Petrus. Väl må vi kalla
hela detta kapitel ett ordinationstal, om vi så vilja.
"Ödmjuken eder", är det första, sista och ständiga för-
maningsord, som en ordets tjänare behöfver taga med
sig på ämbetsvägen. Det var detta ord: "Ödmjuken
eder", som var hufvudämnet och hufvudsaken i Herren
Jesu undervisning till sina lärjungar. De förmanings-
ord, som vi här hörde af aposteln Petrus, äro därför
ett djupt hjärte-eko af den undervisning, som denne

lärjunge af sin Mästare hade mottagit i lära och exempel, och hvilket han sedan förde med sig under hela sitt ämbets- och arbetslif, och som han nu i våra och de kristnas hjärtan, till hvilka han skref, vill framkalla. "Hvilken är den störste i himmelriket?" var den fråga, som ofta afhandlades i den första lärjungakretsen. Till svar ställde Herren Jesus fram ett litet barn och sade: "Hvilken sig själf så förnedrar, så förödmjukar, som detta barn, han är den störste i himmelriket". Hvilket är det högsta ämbetet, den största äran på jorden? är en fråga, som öppet eller i tysthet ofta afhandlas bland oss; och Herren svarar på samma sätt till oss: Hvilken som sig själf så förnedrar som detta barn, han är genom nåden den störste i himmelriket. Hvilken som nu med alla sina gåfvor, med alla sina kunskaper och studier ödmjukar sig själf såsom ett barn, han är värdig att mottaga det högsta ämbete på jorden, ordets tjänst, den heliga tjänsten, han är således den störste i himmelriket, det är i Guds rike på jorden.

Ödmjuken eder under Guds mäktiga hand.

Guds mäktiga hand är först och främst en frälsande hand, en nådeshand, utsträckt mot förtappade och förlorade syndare.

I hafven redan ödmjukat eder under Guds mäktiga hand, då I med den förlorade sonen för första gången fingen ligga i Faderns famn och erfara betydelsen af detta ord: "Han föll honom om halsen och kysste honom". Ty I hafven ju, mina bröder, själfva på detta rum inför oss, de äldre i ämbetet, bekänt och betygat, att I hafven erfarit kraften af denna Guds frälsande nådeshand på edra hjärtan. Det samfund, den för-

samling, i hvars tjänst I nu inträden, väntar därför
med rätta, att I af egen lifs lefvande erfarenhet skolen
kunna bära vittne om de nådesunder, som denna Guds
utsträckta nådeshand gör i den förlorade mänsklig-
heten. Det är ock på grund af denna eder aflagda
bekännelse, som dessa bröder å Guds och samfundets
vägnar beslutat att inbjuda eder till ordination i dag.
Men denna samma Guds församling väntar, att I under
hela edert lif ständigt förblifven under ledning af
samma Guds frälsande nådeshand, af hvilken I en
gång fingen erfara den saliggörande kraften, så att
I tillväxten i nåden och vår Herre Jesu Kristi kun-
skap.

*Guds mäktiga hand är ock en välsignande och invi-
gande hand.* Med händers påläggning varden I i dag
till det heliga predikoämbetet invigda. Det är en stor
handpåläggningsfest vi fira denna pingstdagseftermid-
dag, älskade församlade. Det är skönt äfven för det
yttre ögat att se en skara unga män med böjda knän,
samlade omkring Herrens altare, och en skara af äldre,
stående omkring dem, läggande sina händer på deras
hufvuden under bön. Det är en väldig syn, mina
älskade, att omkring denna skara af Herrens präs-
ter se en ännu större skara af en bedjande församling
här inför Gud. Men, älskade unga bröder, våra hän-
der äro endast svaga, svaga människohänder. De äro
människohänder, det är sant, och det betyder något
genom Guds nåd, men de äro svaga mänskliga händer,
som läggas på edra hufvuden. Men Herren själf, som
uträckte sina händer på korsets trä och där lät dem
fastspikas för eder, för oss och för hela världen, han
utsträcker sin mäktiga nådeshand, den genomstungna
handen, och lägger den i dag på edra hjärtan för att

Tal och föredrag. 16.

välsigna och inviga eder till den heliga tjänsten, och
såmedelst, mina bröder, fån I mottaga detta ämbete,
icke af människor, fastän genom människor, utan af
Herrens egen mäktiga hand.

Det är Guds ämbete, som gifves eder i dag. Vore
det blott ett mänskligt ämbete, och skulle det utdelas
till oss blott efter mänsklig förtjänst, ack, då vore vi
ju frestade att känna oss stora och höga i oss själfva.
Men nu är det Gud själf, den allsmäktige, som gifver
oss denna tjänst att förvalta. Huru stort och saligt,
men också på samma gång huru förkrossande och för-
ödmjukande!

Därför, mina bröder, ödmjuken eder under Guds
mäktiga hand, då I nedfallen bredvid detta altare för
att af Herren Jesus Kristus, kyrkans herde, mottaga
försoningens stora ämbete och därmed äfven kraften
och välsignelsen till det samma.

*Guds mäktiga hand är ock en fostrande och tuktande
hand.* I hafven redan under eder förberedelsetid er-
farit denna Guds fostrande och tuktande hand. För-
samlingen väntar ock, att I icke ären nykristna, ty
voren I det, så stoden I uti fara att blifva uppblåsta
och att sålunda falla uti frestarens dom, säger en apos-
tel. Församlingen väntar därför, att I hafven någon
tids erfarenhet af den store öfverherdens fostrande
och tuktande hand. Guds församling väntar, att I så
länge hafven gått i Guds skola och i mänskliga skolor,
att I hafven lärt ödmjukhet.

Men, mina älskade bröder, det största ämbete på
jorden, ordets tjänst, predikoämbetet, är också *det
mest förödmjukande ämbete*. Hela eder ämbetstid
skall därför blifva en sammanhängande kedja af fost-
rande, tuktande och förödmjukande erfarenheter.

Bittra äro ofta de erfarenheter, man i denna höga tjänst måste göra.

I skolen med aposteln Paulus säkerligen få smaka den påle i köttet, som han omnämner, så att I med samme starke Herrens tjänare skolen bäfvande ropa till Herren, att han icke skall låta sin hand hvila så tungt öfver eder. Så skolen I lära den underbara pastoralteologi, som heter: "Låt dig nöja åt min nåd, ty min kraft är mäktig i de svaga". Ödmjuken eder då under Guds mäktiga hand.

Men Guds mäktiga hand är ock en upphöjande hand. Hela välsignelsen af eder verksamhet i ordets tjänst beror helt och hållet på Guds nåd. "Af nåd är jag det jag är", tillropar oss den store kraftverkaren, aposteln Paulus. Af Herren således skolen I uteslutande vänta välsignelse och framgång i edert arbete. Nu gifves Guds nåd endast åt de ödmjuka, men åt dem gifver han den.

Förödmjukande är detta dock såväl som det, att man måste bida och vänta, ofta länge. Men kommen här ihåg, mina bröder, att "de, som så med tårar, skola skörda med jubel", äfvensom att det ofta är så, att "en annan är den, som sår, och en annan den, som uppskär". Somliga måste, såsom det synes, under hela sin ämbetstid så på en förhoppning. Då gäller det att ödmjuka sig under Guds mäktiga hand, ihågkommande löftet: "Han skall upphöja eder i sinom tid". Det skall icke fela. Han skall i sinom tid upphöja alla sina trogna tjänare, deras arbete och frukten däraf. Men den tiden håller han i sin hand.

Men till sist, älskade bröder, när den store öfverherden, själarnas herde och biskop, utsträcker sin mäktiga, upphöjande hand och sätter härlighetens ovanskliga krona på edra hufvuden efter slutad kamp, strid, nöd och arbete här nere, hvad då? Då skola vi, vi svaga och skröpliga redskap, få erfara fullheten af detta löfte: "ödmjuken eder därför under Guds mäktiga hand, på det att han må upphöja eder i sinom tid". Detta är den sista stora upphöjelsen öfver all upphöjelse.

Och nu till sist, det outsägligt tröstrika prästbrefvet. Så lyder det: "Kasten allt edert bekymmer på honom, ty han har omsorg om eder".

I skolen nu ut, mina bröder, såsom vi pläga uttrycka det, på egen hand. Nu kommen I att ställas ensamma hvar och en på sin kallelses plats. Hittills hafven I stått under edra lärares vård och ansvar och åtnjutit förmånen af stärkande och upplyftande kamratskap. Nu faller hela ansvaret på eder själfva, och mången gång skolen I komma att känna eder outsägligt ensamma och öfvergifva. Då gäller det att noga se på detta sköna prästbref: "Kasten allt edert bekymmer på Herren, ty han har omsorg om eder". Han, den store öfverherden, har omsorg om sina får, ty han har låtit sitt lif för dem. Och I måsten ständigt vara hans får, annars kunnen I icke vara hans folks herdar. "Mina får höra min röst, och jag känner dem, och de följa mig, och jag gifver dem evinnerligt lif och de skola icke förgås evinnerligen. Ingen skall rycka dem utur min hand." Och för öfrigt: "Allt eder bekymmer!" Alla de där omsorgerna, som skola möta oss i studiet af lifvets pastoralteologi, alla de frågor, som vi tycka oss icke kunna lösa, allt detta få vi kasta på honom, "ty han har omsorg om oss", och "de ödmjuka gifver han nåd". Och då få vi triumferande utropa med aposteln Paulus: "Hvem skall skilja oss från Kristi kärlek? Nöd eller trångmål eller förföljelse eller hunger eller nakenhet eller svärd, såsom det är skrifvet: För din skull varda vi dödade hela dagen, vi hafva blifvit aktade såsom slaktefår. Men i allt detta öfvervinna vi rikligen genom den, som har älskat oss. Ty jag är viss därpå, att hvarken död eller lif eller änglar eller herradömen eller väldigheter eller de ting, som nu äro, eller de ting, som skola komma, eller höghet eller djuphet eller något annat skapadt skall kunna skilja oss från Guds kärlek, som är i Jesus Kristus, vår Herre". Amen.

Ordinationstal. III.

erre, du anbefallde dina första lärjungar att blifva stilla i Jerusalem, till dess de fingo erfara uppfyllelsen af Faderns löfte, till dess de blefvo beklädda med "kraft af höjden". Genom ditt blod, o Jesus, äro ock vi helgade, så att Faderns löfte om den Helige Andes gåfva äfven gäller oss. Vi behöfva, dessa våra unga bröder, hvilka nu äro samlade omkring ditt altare, behöfva "kraft af höjden" till det verk, hvartill de i dag skola afskiljas. Vi äro ock en del af din församling, vi vilja i dag vara stilla inför dig i stilla bön. Alla troende och bedjande hjärtan inom vår synod äro i dag stilla inför dig i bön om din Helige Ande, om kraft af höjden. Du, som är den samme i dag som i går, hör oss, gif oss denna kraft, som är den samma i dag som i går. Amen.

Text: Joh. 14: 26.

Men Hugsvalaren, den Helige Ande, hvilken Fadern skall sända i mitt namn, han skall lära eder allt och påminna eder allt, hvad jag har sagt eder.

Här hafva vi:

Hugsvalelsens ord för hugsvalelsens söner och budbärare.

Det heter i Apg. 4: 36 om en af de första lärjung-
arna, Joses, att han af apostlarna kallades Barnabas,
hvilket betyder hugsvalelsens eller förmaningens son.
Så, mina bröder, kallar ock vår kyrka dem, som hon
utsänder i ordets tjänst, "evangelii tjänare", hugsva-
lelsens och förmaningens söner.

Så säger den 5 artikeln i vår lutherska kyrkas tros-
bekännelse: "För att verka denna tro har Gud inrättat
predikoämbetet (tjänsten att lära evangelium) och
gifvit oss evangelium och sakramenten, genom hvilka
såsom medel den Helige Ande verkar (tröstar hjärtat)
och gifver tron, hvar och när han vill, åt dem, som
höra evangelium, hvilket lärer, att vi genom Kristi
förtjänst, icke genom vår förtjänst, hafva en nådig
Gud, om vi tro detta."

I ären sålunda kallade att vara hugsvalelsens och
förmaningens söner och budbärare, ty "Gud förmanar
genom eder". Så skolen I nu bedja människor i Kristi
ställe: "Låten försona eder med Gud". Såsom hug-
svalelsens, evangelii, söner och budbärare måsten I
vara rika på evangelium, på hugsvalelse. Hvarifrån
skolen I då få en sådan rikedom, ett sådant förråd,
som icke tager slut? En hugsvalelsens son, en evan-
gelii budbärare har ständigt stora andliga utgifter, ty
han måste drifva stora andliga affärer i Guds rike.
En enda hungrande och törstande själ behöfver stora
håfvor af evangelii skatter. Hvem skall förse vår
andliga skattkammare med innehåll, hvem skall fylla
vårt förråd med nytt och gammalt af Guds mångfal-
diga nåd?

Svaret är gifvet af Herren själf i våra minnesord:
"Hugsvalaren, den Helige Ande, — han skall lära eder
allt och påminna eder allt, jag har sagt eder". O,

detta stora löfte, kan det gälla oss? Är det möjligt,
att vi skola vara lärda i allting, och att vi skola hafva
hela förrådet af Jesu ord att taga af? Hvem skulle
icke då vilja och kunna gå åstad ut i världen såsom
en hugsvalelsens son?

Den stora frågan är nu den, om Hugsvalaren, den
Helige Ande, kan blifva sänd till oss. Huru sändes
den Helige Ande? "Hvilken Fadern skall sända i mitt
namn", heter det. Sen på bilden framför eder och
uppöfver eder, den korsfäste med dufvan där ofvan.
Där Jesu namn är, där är sålunda den Helige Ande.
En kristen har den Helige Ande. Jesu namn ibland
och hos oss är först och främst evangelium och sakra-
menten. Så tror och lärer vår kyrka i den 7:e artikeln
af vår trosbekännelse: "Det läres äfven, att alltid
måste en helig, kristlig kyrka vara och förblifva, hvil-
ken är alla troendes samfund, hos hvilka evangelium
predikas och de heliga sakramenten i enlighet med
evangelium utdelas". Hafva vi evangelium, behöfva
vi evangelium för vårt hjärta, hafva vi någon person-
lig erfarenhet af evangelium? Det är frågan. I kom-
men från lärdomsskolan och från lifvets skola att söka
inträde i det heliga predikoämbetet. Hvad hafven I
lärt i lärdomsskolan, och hvad hafven I lärt i edert
inre och yttre lifs skola?

Vår kyrka erkänner ingen annan såsom en kristen
och evangelii budbärare än den, som lefver i den tro,
som bekännes i den 4:e artikeln af vår bekännelse. Så
har vår kyrka öfversatt Herren Jesu pastoralfråga:
"Älskar du mig?" Det är denna lefvande tro, som
undfår den Helige Ande, och det är denna tro, som är
verksam i kärleken. Där evangelium är, där är Jesu
namn, där är den Helige Ande.

"Detta vill jag allenast veta af eder", frågar aposteln Paulus: "Hafven I undfått Anden af lagens gärningar eller af trons predikan?" Och vidare: "Den som gifver eder Anden och verkar krafter bland eder, gör han det genom lagens gärningar eller trons predikan?"

Där nu Anden är, där lärer han ständigt allting. Detta Andens lärande, hvad är det för en lära? Är det den evangeliskt lutherska läran? Så hafven I bekänt, och så ämnen I nu inför många vittnen bekänna i dag. Men är då denna vår kyrkas lära skild från hela den öfriga kristna kyrkans? Hvad säger därom hela vår Concordia Pia med de tre symbola från urkyrkans tid? Vi veta det. Är då vår kyrka rik på ett sådant Andens lärande? Hon är ju rent af den lärande och sjungande kyrkan, hon är ju den kyrka, som i sin teologi, sina uppbyggelseskrifter, sina psalmer och sånger blifvit en uppfyllelse af de apostoliska orden: "Låten Kristi ord rikligen bo ibland eder, lären och förmanen eder inbördes" m. m. (Kol. 3: 16).

Så rik är vår kyrka på sina grundspråk, skall hon blifva fattig nu, när hon begynner predika och sjunga på världsspråket, engelska? Eder är ännu i de flesta fall gifvet att predika på ett af vår kyrkas grundspråk. Månne I skolen med eder predikan lägga en så god grund, att den står, när grundspråket faller? Ack, huru saligt, att evangelium alltid är och kan vara det samma, äfven om det måste frambäras i olika kärl.

Bröder, skola vi lära detta underbara allting, som vår text förkunnar, så måste vi alltjämt förblifva lärjungar i Andens skola. Men det märkvärdiga påminnandet om Jesu ord, hvad kan det vara? Först märka vi här, att all vår predikan och all vår verksamhet

måste öfverensstämma med Jesu ord. Hållandet af
Jesu ord, blifvandet vid Jesu ord, därpå beror hela
kraften och hela välsignelsen af vår verksamhet så-
som pastorer. Intet får sättas i stället för Herrens
ord, intet kan ersätta Jesu ord.

Men huru kan Jesu ord räcka till i vår tid, den tid,
som äskar så mycket? Man kan lätt blifva förledd
att tro, det människorna i vår tid skulle behöfva något
annat från predikstolen och i själavården än Guds ord,
Jesu ord. Mången gång ropas i våra dagar till oss,
att vi äro för gammalmodiga med vårt gamla evange-
lium, att vi icke förstå vår tid, att vi med vårt envisa
fasthållande vid det gamla evangelium komma att göra
kyrkan folktom. Det var nog så den förlorade sonen
orerade, när han lämnade sitt fadershem. Han öfver-
gaf sålunda sin moderkyrka med hennes gamla evan-
gelium för att försöka en mera frisinnad religion, han
följde med sin tid. Men hvar hamnade han med sin
tid? O, huru saligt, att det gamla fadershuset och det
gamla fadershjärtat och det gamla evangelium stodo
kvar, och att tjänarna hade tagit vara på den yppersta
klädningen och det öfriga, som den arme behöfde, så
att det fanns till hands i nödens stund.

Just sådana äro vi satta att vara, mina bröder.
Många förlorade söner och döttrar af vårt folk och
andra folk äro ännu borta. Många hålla på att förgås
i hunger i det främmande landet, där det icke finnes
annat än fruktskidor, tomma fruktskidor, tomma skal.
Låtom oss blott se till, att vi hafva något att gifva
dessa hungrande till mats, när de komma hem, något
att kläda dessa med, hvilkas kläder äro nedsölade och
sönderrifna i världstjänsten, något att hugsvala dessa
förtviflande hjärtan med, när de återvända från det

sällskap, där ingen kunde gifva det hjärta ro, som
ingen ro finner, förrän det finner ro hos honom, som
är mild och ödmjuk i hjärtat. Om vid våra gudstjäns-
ter det finnes endast en enda arbetande och betungad,
som vi få läka och hugsvala med Jesu ord, så är det
nog, så hafva vi en salig tjänst. Det är en härlig,
outsägligt härlig kallelse att få vara en hugsvalelsens
son och tjänare.

Men lagen, skola vi icke förkunna både lag och evan-
gelium, måste vi icke mången gång vara rätta *Boaner-
ges*, tordönssöner, som nedkalla Guds vredeseld öfver
de ogudaktiga, såsom Johannes döparen? Visserligen
hör ock lagen till detta lärande af allting genom den
Helige Ande, som Herren omtalar, visserligen är ock
lagen en del af allt det, som Jesus oss sagt. Vi få
således icke undandraga oss att i lära och lif förkunna
människan allt Guds råd. "I allt har jag", säger
Paulus till församlingsherdar, "visat eder, att så måste
man arbeta och antaga sig de svaga och ihågkomma
Herren Jesu ord, att han själf sade: Saligare är gifva
än taga."

Vårt ämbete är ett det ständiga gifvandets ämbete.
Därför behöfva vi alltid hafva hos oss den store gifva-
ren, Hugsvalaren, som sänder oss med gåfvorna.

"Vår Herre Jesu Kristi nåd, Guds kärlek och den
Helige Andes delaktighet vare med oss alla." Amen.

Ordinationstal. IV.

Text: Joh. 14: 26, 27.

Men Hugsvalaren, den Helige Ande, hvilken Fadern skall sända
i mitt namn, han skall lära eder allt och påminna eder allt, hvad
jag har sagt eder. Frid efterlämnar jag åt eder, min frid gifver
jag eder; icke gifver jag eder, såsom världen gifver. Edert
hjärta vare icke oroligt; ej heller försagdt.

essa ord återfinnas i pingstdagens gamla hög-
mässotext. Vi äro samlade på den nytesta-
mentliga församlingens första stora präst-
vigningsdag. Vi hoppas och bedja till Her-
ren, att denna talrika åhörareskara omkring oss i dag
må vara en rätt pingstförsamling, en församling "en-
dräktig i bön", en församling, som "förbidar Faderns
löfte". Måtte dessa våra bröder, som i dag ådraga
sig allas uppmärksamhet, vara ett föremål, icke för
mänsklig nyfikenhet, utan för särskild bön och förbön,
att de måtte varda beklädda med "kraft af höjden" till
det heliga och höga ämbete, som på denna stund skall
antvardas åt dem för deras hela återstående lif.

Det skall säkert vara för oss hälsosamt och uppbygg-
ligt att för några ögonblick fästa vår innerliga upp-

märksamhet vid de tre förnämsta namn, som detta ämbete har i vårt kyrkospråk:

Predikanten, prästen, pastorn.

I.

Predikanten — hvad är hans ämbete och kallelse? Att säga människorna, hvad "Jesus har sagt och hvad Jesus har gjort". Behöfves det ett särskildt ämbete för att säga människorna, hvad Jesus har sagt? Så säga vi i vår bekännelse: "För att erhålla en sådan tro (den saliggörande tron) har Gud insatt prediko-ämbetet och gifvit oss evangelium" m. m. (Se 5:e art. i Augsburgiska bekännelsen). Så säger Herren själf: "Gån ut i hela världen och prediken evangelium för hela skapelsen" (Mark. 16: 15). Så säger ock aposteln Paulus: "Hvilken ock har gjort oss skickliga att vara det nya förbundets tjänare, icke bokstafvens, utan Andens" (2 Kor. 3: 6). "Gud har gifvit oss försoningens ämbete" (2 Kor. 5: 18).

Men vi behöfva ju icke försöka att här ytterligare bevisa, att predikoämbetet är en Herrens stiftelse. Hufvudsumman är: det finnes i Guds församling på jorden ett ämbete, som har det till sin kallelse att förkunna Guds ord, att säga, hvad Jesus har sagt och gjort, och ingenting annat. Det finnes ju talare i denna värld, som hafva såsom sin kallelse att lära och säga, hvad de lärda och visa hafva sagt i allehanda ämnen, men Guds kyrka har predikanter, som skola tala och säga *Guds ord* i församlingen och ingenting annat. "Så säger Herren", det var ingångsspråket till alla de gamla profeternas predikningar, det är ännu i dag ingångsordet till alla sanna evangelii bud-bärares och predikanters heliga tal.

Men huru skola Herren Jesu *få* ord i skriften räcka till för en hel lifstid af predikningar flera gånger i veckan? På denna fråga gifver vår text det härliga svaret: "Han (den Helige Ande) skall lära eder allt och påminna eder allt, hvad jag har sagt eder". Mången gång se vi vår predikotext så liten, att vi utropa: "Hvad förslår det bland så många?" Blott vi begynna dela ut såsom lärjungar, blott vi taga Herrens ord och ej tomma människofunder i våra hjärtan och i vår mun, så går det, som när de fem bjuggbröden och de två fiskarna utdelades bland de tusenden: hvar och en får så mycket han vill för hela lifsdagen och lifsmåltiden, och det blir ändå öfver. Tänk, så länge Guds ord har räckt till nu i dessa flydda tusental år för dessa millioner hungrande människoandar, likväl är det ännu det samma ordet i dag som i går. Det är som oljekrukan och mjölskäppan hos änkan i Sarepta. Det är som den friska luft vi andas, den räcker till för de oräkneliga millioner varelser, som förbruka

Men den svåraste frågan är den: Huru skola vi predikanter kunna rätt förstå det Jesus sagt och rätt fördjupa oss däri samt blifva skickliga att gifva Guds husfolk af denna mat och dryck i rättan tid? Vår text har samma svar på denna fråga: Den Helige Ande skall lära oss allt och påminna (förklara, utlägga och uppenbara) det Jesus har sagt. Visst är brunnen djup, visst stå vi där mången gång utan öskärl. Den som lefver i trosgemenskap med Jesus i hans ord, ur hans hjärta "skola flyta strömmar af lefvande vatten". Bröder, I hafven ju under de närmast flydda åren varit sysselsatta med att förskaffa eder öskärl att användas vid den lefvande brunnen. Låten nu ej öskärlen rosta bort. Hafven I någon gång varit vid en hälsobrunn och betraktat de små tjänare och tjänarinnor, som fylla kärlen åt de lidande och räcka dem hälsodrycken? Där är eder tjänst. Men hälsokällans egen tjänst är att flöda år efter år, århundrade efter århundrade. Den hälsokälla, som sprang upp på Golgata, flödar ännu lika frisk.

Paulus sade, att han ej visste af något annat lifs- och hälsomedel för den dödssjuke syndaren än "Jesus Kristus och honom korsfäst". Veten I af något annat? "Talet om korset", det var Pauli "tal och predikan". Hafven I lärt någon annan predikometod och talarekonst?

Bröder, vi måste vara fullt öfvertygade om att människorna behöfva *Guds ord*. Människoord hafva vi nog och öfver nog i våra tider. Det är ingen ände på att skrifva och trycka böcker och tidningar. Det är ingen ände på att läsa, höra och tala om allt detta. Det är ingen ände på politik och allehanda världsliga ting. Vi äro alla "arbetande och betungade" i detta stycke. Vi behöfva "ro till våra själar". Denna ro söka vi vid våra gudstjänster och bönestunder. Guds ord allena kan gifva ro till själen. Då måste detta ord ock komma genom en själ, som har ro. Denna själ är predikantens. Det är tre hjärtan här, som måste vara ett: Jesu hjärta, predikantens och åhörarens.

II.

Hvilka äro *präster* i Nya testamentet? Hela den troende församlingen, små och stora, kvinnor och män. Så heter det i Guds ord till alla kristna: "I ären ett utvaldt släkte, ett konungsligt prästerskap, ett heligt folk, ett egendomsfolk" (1 Petr. 2: 9). "Lammet,

som har köpt oss åt Gud med sitt blod — — —, har
gjort oss åt vår Gud till ett konungadöme och till
präster" (Upp. 5: 9, 10).
Hvad är dessa prästers förnämsta sysselsättning?
Att tjäna Gud, att fira gudstjänst. Gudsdyrkan, kul-
ten, hör prästerna till. Men om nu alla kristna äro
präster, så att man talar om "de kristnas allmänna
prästadöme", hvarför kallar man då predikanterna
och inga andra präster? Emedan *en* måste stå i spet-
sen för den firande prästerliga församlingen. I vår
lärobok hafva vi läst, att gudstjänsten är församling-
ens firande utöfning af sitt *gemensamhetslif i Gud.*
Så skönt! Detta är den sköna Herrens gudstjänst,
som psalmisten besjunger. Gemensamhetslifvet i
Gud, den sköna Herrens gudstjänst, det är detta Her-
ren Jesus i vår text beskrifver med de orden: "Frid
efterlämnar jag åt eder, min frid gifver jag eder."
Jesu frid är det rätta prästerliga lifvet. Det var den-
na frid, han, vår öfverstepräst, vann för oss, såsom
det heter: "Näpsten låg uppå honom, på det vi skulle
frid hafva." Frid är gudstjänsten i anda och san-
ning, frid är hjärtats gudstjänst, frid är ock den
sanna yttre gudstjänsten, fullkomlig frid är guds-
tjänsten i himmelen. Därför kallas ock den himmel-
ska härligheten "sabbat", hvila, frid. Församlings-
gudstjänsten på jorden är en försmak af och förgård
till den eviga fridsgudstjänsten. Kyrkan är det rätta
fridshuset och den trygga boningen, i hvilken Guds
folk bor. Det högtidliga, det fridfulla, det rätta firan-
det och tillbedjandet måste därför vårdas af Guds
präster på jorden med den innerligaste pietet och den
djupaste vördnad. Prästen, som leder gudstjänstfi-
randet, måste därför vara en "präst i sin prydnad",

ej i yttre, världslig ståt och prakt, men i den kyska skrud, som anstår en ny-testamentlig präst. Gudstjänsten är icke teater och världslig skön konst, men hon är den himmelska sköna konsten, som tager allt det sköna, som ägnar och anstår Guds barn, i sin tjänst. Alla de heliga handlingarna, som höra till gudstjänsten, äro stora och betydelsefulla, men störst är ordets förkunnande, hvartill ock hör sakramentens förvaltande.

Men vi behöfva ej i dag föreläsa öfver de särskilda delarna af en prästerlig gudstjänst, vi behöfva blott säga, att en helig hänförelse hör till den inre och yttre firning, den heliga ro och hvila i Gud, som Herren Jesus i texten kallar "sin frid". Denna frid *gifver* han, den sanna gudstjänsten är därför en fridsgåfva af Herren, hvarvid den prästerliga församlingen med sin präst i spetsen tager emot de rika fridsgåfvorna och därför offrar tackoffer. Hos oss står predikstolen så nära altaret som möjligt, hos oss är predikanten och prästen ett, predikanten först, sedan prästen, men predikanten utdelar ej *sitt* ord, utan *Guds*, prästen gifver ej *sina* fridsgåfvor, utan tager emot Jesu frid midt i en mottagande fridsförsamling.

Vår tid talar så mycket om det sköna och den sköna konsten. Hvad är det sköna, om icke frid? O, huru skönt, utropa vi, och en outsäglig frid genomströmmar hela vår själ. Är det då det jordiskt sköna, som gifver frid? Ja, "såsom världen gifver", säger Herren i vår text. En frid, men en frid, som vissnar snart såsom de sköna vårblomstren. "Blomstret förvissnar, men vår Guds ord blifver evinnerligen." Den sanna prästerliga gudstjänsten gifver en frid, som blifver evinnerligen.

"Smaken och sen, huru ljuflig Herren är." Det måste vara intrycket af våra gudstjänster.

III.

Låtom oss ock nu slutligen höra några ord om *pastorn*. *Pastor*, själaherde, *själasörjare* — o, huru vårt hjärta måste bäfva vid frågan om att ikläda oss ett sådant ämbete! Att sörja för odödliga själar, det är ett ämbete tyngre och ansvarsfullare, än änglaskuldror kunna bära. Så sade de gamle, och de talade rätt. Huru skulle då svaga och darrande människoskuldror kunna bära bördan af en människosjäl, ja, af hundratal och tusental människosjälar?

Den gode Herden och Själasörjaren svarar i vår text: "Edert hjärta vare icke oroligt, ej heller försagdt." Här stanna vi, mina bröder, här lyssna vi till de ljufva herdeorden: "Kommen till mig, I alla, som arbeten och ären betungade, och jag skall vederkvicka eder, och I skolen finna ro till edra själar." De orden gälla särskildt pastorn, själasörjaren. Han behöfver dem i all synnerhet. Det är själasörjaresysslan, som bringar oss de största bekymren. O, hvilka förkrossande erfarenheter vi mången gång måste göra såsom själasörjare, då vi påkallas att taga hand om de sårade och döende i syndens stora järnvägsolyckor, eller i de förfärliga drabbningarna med mörkrets furste, då så mången söndersliten själ måste vårdas för att om möjligt räddas.

"Hvad skall jag göra nu?" ropar mången gång med ängslan en samvetsgrann och trogen själasörjare. Edert hjärta vare icke upprördt, likt ett stormande haf, rädens icke, ropar den gode Herden. En pastor frestas ofta att blifva nervös, som vi kalla det, både lekamligen och andligen. I faran måste man hafva själsnärvaro, lugn och sans. "Excitement" är en farlig sjukdom för en pastor. Huru skola vi blifva rätt lugna, stilla och frimodiga? Se på Jesus, hör på honom, när han talar och säger: "Edert hjärta vare icke bedröfvadt, oroligt, upprördt eller försagdt." Det är nog. Amen.

Tal efter prästvigningen i Omaha den 7 Juni, 1896.

(Utkast.)

"Mina bröder! Om ock en människa råkade falla i någon synd,
I som ären andliga, upprätten en sådan med saktmodig anda, och
se på dig själf, att icke äfven du varder frestad." Gal. 6: 1.

SJÄLASÖRJARE är det allvarliga, innerliga och
trösterika ord, hvarmed vårt sköna svenska
språk benämner dem, som innehafva pas-
torsämbetet. Dyre unge bröder, I hafven i
dag blifvit invigda till själasörjare. I veten redan,
hvad det innebär, men låtom oss ännu ytterligare läg-
ga på hjärtat de anförda apostoliska orden, hvilka så
skönt och hjärtegripande beskrifva en själasörjare.
"Mina bröder", ropar aposteln till alla kristna, men i
synnerhet till *själasörjarna.* Behöfva eller kunna vi
förklara dessa ingångsord till alla apostoliska bref och
förmaningar? Huru mycket betydde de orden i den
apostoliska tiden, och huru mycket betyda de nu ibland
oss i dag? Huru många hjärtedörrar är det, som
springa upp på vid gafvel här i denna vår prästvig-
ningsförsamling i dag vid dessa ord?

Det första själasörjare hafva att betänka är, att de äro satta att verka, icke bland änglar eller i änglarena församlingar, utan bland arma, svaga och skröpliga människor. "Om en människa råkar", säger aposteln. Hvarför säger han ej: om en *kristen?* Ack, vi glömma så lätt, att de kristna äro människor, svaga och skröpliga. I veten väl, hvad det betyder att vara en människa. Vi hafva sagt oss emellan många gånger i våra undervisningssamtal, att en pastor måste hafva sann människokännedom. Här höra vi det om igen. Fariséen och den bistra domaren hafva ock människokännedom, men en kristen och en pastor, en själasörjare, måste hafva en särskild människokännedom. Hvarför kallar Herren Jesus sig själf så ofta *människans son?* Är det icke därför, att han så djupt känner människan och så innerligt ömmar för människan?

Det andra en själasörjare ständigt måste hafva i hjärtat är, att alla människor, äfven de kristna, ständigt äro utsatta för att falla i någon synd. Hela det mänskliga lifvet är en färd på en väg, som är fullsatt af snaror och frestelser, starka och häftiga frestelser, som öfverrumpla den arma, svaga människan. En af de gamla heliga såg i en syn hela jorden belagd med snaror och nät. Den synen var sann. Vi snafva mången gång på släta vägen. Vi råka falla i någon synd både i medgång och motgång, i barndomen, i ungdomen, i mannaåldern, ja, i sena ålderdomen. När man ser sig omkring i en människoskara sådan som den i dag här församlade, så frågar man på djupaste allvar: finnes det bland alla dessa någon enda, som aldrig råkat falla i någon synd? Hvar är du, du oskyldige, som ingen nåd behöfver? Träd fram, att vi måtte få se en änglasyn bland människobarnen på jorden. Men du, som råkat falla, minns du huru oförmodadt, huru hastigt du blef öfverrumplad af den och den syndasnaran?

Än vidare märka vi, att en själasörjare måste höra till de *andliga*: "I som andliga ären", heter det i våra minnesord. "Den, som icke har Kristi Ande, han hör honom icke till." Den, som icke hör Kristus till, kan icke vara en själasörjare. Men att hafva Kristi Ande, det är att hafva den ande, som heter *Hugsvalaren*. Häröfver talar Luther de allra skönaste och ljufligaste ord, men vi hinna ej anföra dem. Djäfvulen är en anklagare och fördärfvare, men den Helige Ande är en Hugsvalare och upprättare.

Vidare måste en själasörjare besinna, att hans kallelse är att *upprätta*. Ordet är ett läkareord. En själasörjare är sålunda en läkare. Han bär alltjämt medicin, salfva med sig. Hela hans verksamhet, hela hans umgängelse är en läkande och helande. Vi minnas, hvad Herren Jesus sade till de där lärjungarna i Lukas' nionde kapitel.

Och nu det sista i vår vers: "Se uppå dig själf, att icke äfven du varder frestad."

Kristus och kristendomen såsom grundval för våra högre skolor.

Vi lägga i dag hörnstenen, d. ä. grundvalen, till ett större och högre hus vid en af våra högre lärdomsskolor. Vi anse oss såsom ett samfund hafva kommit så långt och så högt i vår utveckling, att vi behöfva och böra hafva ett större och högre hus.

Det är farligt att bo högt på denna stormiga jord. Må vi ej förakta denna fara. Ingen, som sätter något värde på sitt lif, vill bo i ett högt hus, om dess grundval, väggar och tak äro vårdslöst och osäkert byggda. Kommer så därtill, att grundvals- och byggnadsmaterialierna äro af dålig beskaffenhet, så är faran så mycket större. Högre lärdomsskolor äro därför ytterst farliga, för så vidt de sakna god och säker grundval. Luther, som ifrade så mycket för goda högre och lägre skolor, sade om de farliga högskolorna: "De drifva sitt apespel och själfsvåld i templet, ja, sätta Samarie afgudar och altare därin, såsom Ahas gjorde. Sådana äro alla de, som drifva sitt öfverdåd med skriften, vränga och draga henne till mänsklig mening

samt sätta därin sin *trägud,* förnuftet, och göra verk-
läror och människostadgar af henne. Ändtligen ohel-
ga och fördärfva de detta tempel alldeles och drifva
däruti all synd och skam, såsom påfven genom sina
stadgar och *högskolorna* genom sin Aristoteles hafva
gjort och ännu göra." Må vi lyssna med allvarlig
uppmärksamhet till dessa enkla kraftord af vår läro-
fader, ty vi måste med djup sorg bekänna, att en icke
ringa del af den lutherska, i synnerhet tysk-lutherska,
kyrkans historia ligger innesluten i dessa profetiska
ord. Då också vi begynna krypa upp i de högre skol-
regionerna, så låtom oss taga varning, medan Herren
ännu håller oss i det sinnet, att vi vilja låta varna oss.

Hufvudtanken hos många af vår tids skolifrare är
denna: skolor, bildning, vetenskap och skön konst äro
människosläktets frälsare i stället för den gamle Fräl-
saren, som heter Jesus Kristus. Hvilken människa
med vett skulle icke vara glad och tacksam öfver
skön konst? Men Frälsaren är ingen annan och intet
annat än Jesus Kristus, sann Gud och sann människa.
Det är denna sanning, vi äro kallade att bekänna med
hjärta, håg, sinne och alla krafter och i synnerhet nu
med denna vår byggnad och denna vår skola. "Jesus
Kristus den samme i går och i dag och i evighet."
Vare de orden skrifna med Guds Andes bokstäfver i
hela vårt lif och vår verksamhet och i all synnerhet
i vår skolverksamhet. Denna vår fest är en tom cere-
moni, och hela vårt lif är ett ömkligt bedrägeri för
oss själfva och för andra, om Jesus Kristus icke är
vårt allt i alla. Äro vi kristna, så beder, lefver och
brinner vårt hjärta i Jesus Kristus, vår Frälsare.

Det finns särskildt ett bibelord, som *i dag* talar
och sjunger, jag ville hoppas det, i allas våra hjärtan.

Jag behöfver ju knappt nämna de orden, ty vi stå ju färdiga att utropa dem i kör utan någon föresägare. Det är de orden:

En annan grund kan ingen lägga än den, som är lagd, hvilken är Jesus Kristus.

Jag borde egentligen högt uppläsa de fyra första kapitlen af Pauli bref till församlingen i Korint, ty därmed gjorde jag denna högtidsdag rättvisa, hvilket icke kan ske med mina matta ord. Men eftersom det blifvit vanligt, att svaga människor skola framstamma sina skröpliga ord på våra högtidsdagar, så måste jag också följa denna sed. Emellertid får jag ju taga för gifvet, att I alla ären innerligt förtrogna med Pauli *skoltal,* som står att läsa i de nämnda kapitlen. Paulus var väl åtminstone en af världens förnämsta skolmän. Har det någonsin funnits någon professor — professor som betyder *bekännare* —, nog var Paulus en. Han visste, hur man skulle hålla ett skoltal för de lärda invånarna i det högt bildade Korint. "En annan *grund* kan ingen *lägga* än den, som är lagd." Vi antaga i allmänhet, att med grundens läggande här menas, att Gud själf i sitt eviga frälsningsråd lagt en grund, som ingen kan eller får rubba. Det är sant. Men sammanhanget visar oss tydligt, ja, aposteln säger oss det bestämdt, att han genom sin apostoliska verksamhet lagt den grunden Jesus Kristus i församlingen i Korint. Alltså äro människor af Gud kallade att lägga denna grund i de olika länderna, bland folken, i de olika kyrkosamfunden och församlingarna. Vid reformationstiden voro Luther och hans medarbetare kallade att lägga grunden, ty påfven hade blifvit så stark, att han vräkt grunden på sned, och dock låg grunden kvar, fastän den icke låg kvar i det romerska kyrkolifvet. Att Luther och hans medarbetare lade grunden i öfverensstämmelse med det apostoliska grundläggandet, därom äro vi öfvertygade och kunna alltjämt öfvertyga oss genom ett troget bedjande och studerande i skriften. I vårt fädernesland blef ock grunden lagd. Ibland våra landsmän här i Amerika har också grunden blifvit lagd, den grund, som heter Jesus Kristus.

Men hvad är nu detta, att lägga grunden Jesus Kristus? Det är den kristna läran i sin bibelenliga renhet, säga vi. Alltså, *ren lära,* det är det rätta grundläggandet. Det är sant; ty Herren Jesus säger: "Om I förblifven i mitt ord, så ären I mina sanna lärjungar." *Ren* lära, det är att förblifva i Jesu ord. Men må vi här vara på vår vakt! Ren lära är icke någonting, som hänger i luften utan att hafva beröring med människohjärtan och människolifvet. Det heter: "Om *I förblifven* i mitt ord." Vi se ju tydligen, att ren lära måste stå i det innersta samband med personens hjärta och lif. *"Om I förblifven."* Dessa ord gifva tillkänna något, som griper hela personen, omskapar och förvandlar honom till hjärta, håg, sinne och alla krafter. Outsäglig skada har åstadkommits i Kristi kyrka och icke minst i den lutherska däraf, att man uppfattat kristendomen såsom ett mänskligt vetenskapligt lärosystem. Här är de högre lärdomsskolornas största fara.

Af den ensidiga uppfattning, som gör kristendomen till ett blott lärosystem, komma tvenne dödsbringande förvillelser. Dessa själafarliga villfarelser heta *död ortodoxi* och *rationalism.* De båda ligga hvarandra mycket nära, huru otroligt det än kan synas. Hvad är död ortodoxi? Det är att erkänna den kristna lä-

rans alla sanningar, men behandla och handhafva dem
med ett *naturligt, oomvändt* och *opånyttfödt* sinne.
Aposteln Paulus har i 1 Korintierbrefvet med be-
stämda ord visat, att den döda ortodoxien är en för-
färlig förvillelse. "En naturlig människa fattar icke
det, som tillhör Guds Ande, ty det är henne en dår-
skap, och hon kan icke begripa det, emedan det måste
andligen dömas" (1 Kor. 2: 14). Vi må försöka,
huru vi vilja, att förminska kraften och den skarpa
betydelsen af dessa ord. De stå där, och de stå där
icke enstaka, utan i innersta samband med dessa märk-
värdiga fyra första kapitel i 1 Korintierbrefvet och
i sammanhang med hela bibeln. Ja, hela Guds ord
visar oss, att kristendomen icke är blott ett lärosys-
tem och en vetenskap, utan kristendomen är Kristus,
som säger: "Jag lefver; I skolen ock lefva." Kristen-
domen är *lifgifvande, pånyttfödande sanning.* Kris-
tus säger: "Jag är vägen, sanningen och lifvet." Och
Paulus utropar: "Kristus *lefver i mig.*" Huru kan
man inför sådana ord påstå, att den opånyttfödda
och oomvända människan har Kristus och kristendo-
men eller den rena läran? Den döda ortodoxien låter
visserligen den kristna läran vara oförändrad, såsom
den går och gäller inom kyrkan, men denna samma
döda ortodoxi låter också det mänskliga hjärtat och
lifvet vara oförändrade och lämnar människan i hen-
nes naturliga tillstånd. Den döda ortodoxien anser
kristendomens hufvudsak vara någonting oväsentligt
och en bisak. Och hvad är kristendomens hufvudsak
hos oss och inom oss? Det är en lefvande tro, ett
nytt lif i Kristus och sann helgelse. För allt detta är
den döda ortodoxien bekymmerslös, död och likgiltig,
den är nöjd med den yttre läran och de yttre kyrko-

formerna samt med ett någorlunda moraliskt lif, så-
dant den naturliga människan kan åstadkomma.
Mina älskade, kännen I icke, att vi stå i en stor fara?
Sådant lifvet vid våra högre lärdomsskolor är, sådant
är lifvet i våra församlingar, och sådant lifvet i våra
församlingar är, sådant är lifvet i våra skolor. Sko-
lorna och församlingarna stå i en innerlig förbindelse
och växelverkan med hvarandra.

Hvad är då att säga om rationalismen? Det är den
moderna världens kristendom inom kristenheten. Ra-
tionalismen är den *naturliga* människans religion, så-
dan hon kan åstadkomma den med sitt förnuft och dess
ljus. Rationalismen låter människohjärtat vara oför-
ändradt, men förändrar kristendomen, så att den skall
passa efter den opånyttfödda människans natur. Vi
sade, att den döda ortodoxien vill hafva hvarken en
förändrad lära eller ett förändradt hjärta; rationalis-
men vill framför allt hafva en förändrad lära, men
för ingen del ett förändradt hjärta.

Hufvudsaken i den sanna kristendomen är hvad
aposteln Paulus säger: "I Kristus Jesus gäller hvarken
omskärelse eller förhud, utan en ny skapelse". Denna
nya skapelse är för rationalismen en bisak, ja, en dår-
skap. För den sanna kristendomen är Kristi gudom
en hufvudsak, men för rationalismen en bisak. Likaså
med försoningen och med bekännelsen om människans
synd och fördärf. Huru lefvande har icke aposteln
Paulus skildrat skillnaden mellan rationalism och sann
kristendom i de tvenne första kapitlen af 1 Korintier-
brefvet!

Jag får icke nu vidare försöka tala om denna viktiga
sak, men jag ville bedja alla grundligt läsa nämnda
kapitel såsom tänkespråk för denna dag.

Summa: det finns icke mer än ett sätt att lägga grunden, och det är att i lefvande tro och helgelse förkunna Jesus Kristus enligt bibeln med ord och gärning. Hvad nu de kristliga högre lärdomsskolorna angår, så hafva de i denna tid i synnerhet en outsägligt viktig kallelse. De världsligt sinnade människorna i vår tid vurma på försöket att sätta mänsklig bildning, vetenskap och konst i stället för en sann och lefvande kristendom. Kristendomen måste böja, rätta sig efter vetenskapen och konsten, annars måste den landsförvisas ur den bildade världen, så lyder världsmänniskornas valspråk i vår tid.

Då gäller det att bevisa den kristna tron genom ett verkligt troslif och med den tillkommande världens krafter. Hvad satte Paulus emot sin tids förvända bildning och konst? Den korsfäste Kristus såsom Guds kraft. Så säger han själf. Och därvid sökte han att använda den världsliga vetenskapen och konsten för att därmed leta upp människornas innersta behof. I Pauli besök och predikan i Atén hafva vi en den mest lärorika undervisning därom, huru Kristus och kristendomen böra vara grundvalen för den högre lärdomen. Hvarför anför aposteln grekernas egna skalder? Hvarför letade han upp det altare, hvarpå stod skrifvet: "Åt en okänd gud"? Hvarför gick han omkring och betraktade *noga* deras helgedomar, såsom han själf säger? Vi veta hvarför. Aposteln ville vinna människor åt Kristus. Hvarför skola vi *noga* betrakta de världsvises helgedomar? Hvarför skola vi vid skolorna studera den allmänna världslitteraturen? För att få rätt på de där orden: *"Åt en okänd gud"*. De orden stå här och där på våra bildade samtidas afgudaaltaren. Med ett ord: vi skola med aposteln "för alla

blifva allt för att på allt sätt frälsa några." *Detta*
är våra högre kristliga skolors höga, härliga, oskatt-
bara kallelse och uppdrag. Kan och skall vår skola i
Herren Jesu innerliga kärlek fylla denna sin kallelse?
Herre, vi gifva dig i dag det löftet genom din nåd att
vara och förblifva *dina* helt och hållet. Amen.

Arbetarefrågan och den kristliga högskolan.

å jag sätter denna öfverskrift öfver mitt lilla anspråkslösa tal, har jag därmed ingalunda velat gifva det intryck, som om jag skulle åtaga mig att lösa den mest svårlösta af samtidens frågor. Tanken är fri, ordet, äfven det simpla ordet, är fritt.

Hvem kan undgå att tänka öfver det ämne, som nu möter oss i alla dagens tidningar, hvem kan afhålla sig från att säga några ord i en angelägenhet, som rör mänskligheten så nära som arbetarfrågan och den kristliga högskolan, äfven om ens ord hafva en ytterst inskränkt och tillfällig betydelse.

Man torde undra öfver den egendomliga sammanställningen — arbetarfrågan och den kristliga högskolan, hvad släktskap månde där finnas mellan så olikartade ämnen? Hvad har den höga vetenskapen att beställa med den fattige kroppsarbetarens låga brödbekymmer?

Jag känner åtminstone en högskola, som nästan uteslutande sysselsatte sig med arbetarfrågan eller frågan om den fattiges lycka och sällhet för tiden och evigheten. Det var den högskolan, i hvilken man lärde predika *evangelium* för de fattiga. Det är ju efter denna skola vi bära vårt namn, ty vi kalla oss en *kristlig* högskola. Det är ju i det uttrycket *kristlig*, som hela berättigandet för vår anstalts tillvaro ligger. Är det en så total brist på högskolor i detta land, i denna stat, i denna trakt, att vår skola är alldeles oundgängligt nödvändig för den allmänt världsliga bildningens och vetenskapens upprätthållande och framåtskridande? Alldeles icke. Vore det icke för det ordet och den saken *kristlig*, så hade vi knappast någon giltig orsak för vår skolverksamhet här.

Men hvar finns en *äkta* förklaring och utredning öfver betydelsen af ordet *kristlig?* I Nya testamentet och där allena. Ty att vara kristlig måste vara att likna Kristus. Ju mera Kristus-lik man är, desto mera kristlig är man. Att vara kristlig måste betyda, att man ser saker och ting, såsom Kristus såg dem. Att bedöma lifvet och människorna, såsom Herren Jesus bedömde dem, det är att vara kristlig. Att tillämpa Herren Jesu grundsatser på vår tid, att tala och handla så, som Herren Kristus skulle talat och handlat, om han nu lekamligen vistades ibland oss, det är att vara kristlig. Påfven kallar sig Kristi ställföreträdare, emedan han påstår sig handla och tala precis såsom Kristus själf. Påfvedömet är den största lögn, som uppfunnits på jorden; påfven är antikrist, säga alla renläriga lutheraner. Sanningen är, att hvarje kristen är Kristi ställföreträdare på jorden, ty hvarje kristen är kallad att tala, lefva och handla såsom Kristus själf med samma sinne, som Kristus visade, därför kalla vi oss *kristligt* sinnade.

Är det någonstädes detta kristliga sinne skulle uppenbara sig i sin renhet och sanning, så är det vid en kristlig högskola. Den måttstock, hvarefter vi bedöma frågor i tiden, det sätt, den hållning, det beteende, den opinion, som gör sig gällande här ibland oss, skulle vara allt igenom kristlig. Detta är ändamålet med vår skola.

Nu till arbetarfrågan. Hvad är det, som ligger på djupaste djupet af denna fråga? Det är utan tvifvel *högmodet, stoltheten* och *öfvermodet.* Hvad är det, som alstrar det vedervärdigaste och mest odrägliga högmod? Penningen, i synnerhet den hastigt och hänsynslöst förvärfvade penningen och rikedomen. Hvarigenom är det, som ofantliga rikedomar som hastigast och som mest hänsynslöst förvärfvas. Genom järnvägsspekulationer i Amerika. Är det icke de trasiga utlänningarna, så föraktade af de förnäma amerikanerna, som bygga landets järnvägar? Hvarför tänka aldrig de rika: den fattige har förvärfvat mig mina rikedomar?

Människan är människa, äfven den fattigaste och uslaste är en människa och vill blifva behandlad som en människa. Människan kan fördraga nästan allting, fattigdom och elände af alla slag, men blir hon i grund föraktad, behandlar man henne med vedervärdigt öfvermod, så reser hon sig i hela sin innersta ursprungliga konungavärdighet och ropar ve och förbannelse öfver den öfvermodige föraktaren, äfven om hon måste dö den grymmaste död för sitt motstånd mot öfvermodet. Man komme ihåg, att hvarje människa, äfven den mest sjunkna, är en afsatt konung eller drottning. Människan har höga anor. Hon skapades till Guds afbild.

Tal och föredrag. 18.

Det är omöjligt för oss att fatta det öfvermod, som vanligtvis regerar de rika i denna världen. Det finnes sköna undantag, men de äro blott undantag. Mestadels spelar i den rikes ansikte och i alla hans åtbörder ett högförnämt förakt för mänskligheten och i synnerhet för den fattige.

Huru det kännes att blifva behandlad med detta högförnäma förakt, det torde vi litet hvar hafva erfarit vid flere tillfällen i lifvet. Den, som erfarit det, glömmer det aldrig, jag säger icke, att han aldrig förlåter det, men jag säger, att han aldrig glömmer det. Jag säger ock, att jag aldrig vill glömma det, ty jag vill alltid känna den känsla, som den fattige har, när han blir föraktad och öfvermodigt behandlad af den rike.

Jag skall icke besvära eder med att berätta mina erfarenheter vid ankomsten till detta land. Jag skall blott nämna, att vid mitt första besök i Kansas' hufvudstad blef jag med familj barskt utdrifven ur väntsalen, då vi ville hvila på det blotta, smutsiga golfvet efter en lång och svår emigrantresa. Ej fullt två år därefter var jag legislaturmedlem och blef naturligtvis föremål för all möjlig artighet, i all synnerhet då det gällde att välja en Förenta staternas senator. Jag nämner detta blott för att visa, att jag vet, huru i synnerhet järnvägsmän kunna behandla människor. Ett annat exempel. Då jag senast reste öfver oceanen på ett engelskt skepp, förklarade högste kökstjänstemannen för mig personligen, att en första klassens passagerare icke alls får umgås med tredje klassens folk, ty sådant skulle ådraga honom den skarpaste tillrättavisning från de öfriga första klassens passagerare. När man med egna ögon på resor och vid andra tillfällen

ser, huru de rika behandla de fattiga, när man själf har
känt, huru förödmjukande och förkrossande det är att
vara fattig och blifva behandlad, som en fattig blir
behandlad i den civiliserade, ja, den kristna världen,
då undrar man icke alls öfver arbetaroroligheterna.
Någon frågar: Är det då din mening att försvara
arbetarföreningarnas våldsbragder, mord och illgär-
ningar? Ingalunda. Jag vill aldrig försvara synden,
vare sig hos den rike eller den fattige, men ett säger
jag: jag kan finna tusen ursäkter för den fattige arbe-
tarens synder och förvillelser, då jag knappast ser en
enda ursäkt för den rike magnatens och hans handt-
langares öfvermodiga beteende mot den fattige.

När man i tidningarna läser t. ex. Jay Goulds tal,
så upprores hela ens varelse, ifall man är en människa
med sympati. "Egendomen är min, jag gör hvad jag
vill med min egendom, behöfver jag arbetare, så tar
jag dem i min tjänst till hvad pris jag vill, behöfver
jag dem ej, så afskedar jag dem, de få taga vägen
hvart de vilja; staten måste skydda mig och min egen-
dom." Därjämte uttalar han ett vildt hån öfver arbe-
tarnas dumhet och brottslighet. Sådant är det evan-
gelium, som den rike predikar för de fattiga. Det är
i sanning en hård lott att vara fattig. Man är ansedd
såsom öfverflödig på jorden, ja, man har ingen rätt
att finnas till. De rika ha rätt att slå under sig så
mycket de behaga; staten måste ju skydda egendoms-
rätten, ty hela samhället hvilar ju på denna rätt.

Finnes det då inga rika, som göra väl med sin rike-
dom? I själfva verket måste ju alla rika tjäna andra
med sin rikedom, ty de kunna ju icke äta bara pengar,
icke ligga och sitta i blott pengar; dessutom måste de
ju hafva mer och mer. Sålunda måste de rika alltid

vara i verksamhet med sina penningar. Därigenom få de fattiga arbete.

Vore det icke för det gräsliga högmodet, den högförnämhet och det upprörande öfvermod, hvarmed de rika behandla de fattiga, så vore den olika fördelningen af egendom mera en välsignelse än en förbannelse. Icke alla äro skickliga att sköta stora affärer. Somligas kallelse är att hafva mycket, emedan de skulle uträtta mycket till mänsklighetens timliga eller eviga väl. Det är icke den jordiska egendomen såsom Guds gåfvor, som vi klandra, det är icke däröfver vi sörja, att somliga hafva mycket af det förgängliga goda. Det är öfvermodet, egennyttan, själfsvåldet, öfversitteriet och föraktet för människan, det är dessa synder, hvilka åtfölja rikedomen, som förstöra och förbittra lifvet på jorden.

Det är *kärlekslösheten*, som drager öfver människosläktet sådana gräsliga olyckor och lidanden, som vi se för våra ögon. Det är kärlekslösheten, som är hufvudorsaken till arbetaroroligheterna i vår tid. Och det är hos de rika, som vi finna den största kärlekslösheten, ty kärleken till denna världen, till mammon, utsläcker kärleken till Gud och medmänniskor. Hvad hjälper det, att de rika hylla ett slags förnäm kristendom? Den förnäma kristendomen i vår tid är så skild från Kristus och apostlarna som natt från dag. Hvad hjälper det, att de rika högförnämt nedlåta sig till en kall missionsverksamhet bland de fattiga? Denna mission är oftast blott en sten i stället för bröd. Jesus älskade människan såsom människa, därför att hon är en människa. Han lefde och vandrade såsom en verkligt fattig bland de fattiga. Ack, huru litet vi förstå af Kristi människokärlek, vi som säga oss vara kristna!

Det är detta, som är det sorgliga vid en kristlig läroanstalt sådan som vår, att vi så snart förfalla i ett högförnämt väsen och sätt, liknande de rikas, ehuru vi ej äro rika. Studierna och i synnerhet grader och titlar hafva det med sig, att man förlorar det enkla sätt, den innerliga barnsliga kärlek, den fattiga anda, den sympati med det ringa, som utgör kristendomens kärna och kraft. Jag vet, att jag är ansedd såsom dum, inskränkt och oefterrättlig. Då jag ingenting har att förlora, så kan jag ju i detta sammanhang få uttala en inskränkt tanke.

Det nya huset och de nya omständigheter, i hvilka vi komma, blifva för oss såsom en kristlig skola en olycka, en djup olycka, om vi icke längre fara efter att vara simpla och enfaldiga Kristi efterföljare och budbärare; om vi icke längre söka att hjälpa den *fattiga* mänskligheten. Vi löpa numera fara att blifva förnäma herrar, med hög lärdom, granna titlar, stort anseende bland de stora och rika i denna världen. Och ju större och märkvärdigare vi blifva inför världen, desto odugligare blifva vi att förkunna evangelium för de fattiga. Jag hoppas, att något annat samfund åtager sig den kära och sköna sysslan att predika evangelium för de fattiga, om Augustana-synodens graduerade och betitlade präster blifva för den uppgiften alltför stora herrar, förnäma män, högadliga kavaljerer. I len åt och förakten mina profetior. Tron I icke, att man känner någorlunda, hvart vinden blåser, sedan man vistats vid denna skola i tio år? Guds outsägliga barmhärtighet allena kan rädda oss.

När man, i synnerhet i städerna, ser de massor af fattiga arbetare, som måste kämpa för detta arma, korta lifs uppehälle och nödtorft, när man därjämte

märker, att många af dem blifva allt mer och mer
främmande för himmelska ting, när man förnimmer,
huru bitterheten mot allt bestående, i synnerhet mot
kyrka, präster och kristendom, alltmer tilltager i de
djupa lederna, då suckar man: ack, Herre, hvarför
kunde det icke bland alla de många kyrkosamfunden
finnas ett enda, som ville verka för Guds rike lika sim-
pelt, enkelt, hjärtligt och barnsligt, som Herren Jesus
och apostlarna gjorde? Hvarför faller det icke några
in att genom en verklig sympati för människorna söka
rädda dem undan synd och fördärf?

Nog äro många fattiga arbetare djupt sjunkna i
synd och elände, i dryckenskap och andra laster, hvari-
genom de göra sig olyckliga för detta lifvet redan.
Nog ser man, att det är en dårskap att göra "strike"
emot kapitalister, så länge man icke har gjort "strike"
emot sina egna synder och laster. Men hvad hjälper
det att slunga högförnäma domar öfver dessa oför-
ståndiga? Ingenting annat än Jesu Kristi ödmjuka,
ringa och fattiga kärlek hjälper dessa fattiga. Hvar-
för skulle vi icke få vara en sådan högskola, där vi
lärde och öfvade "Kristi fattiga lefvernes efterföljel-
se"? Omöjligt, om vi nu börja på med det förnäma
sättet. Då måste vi fortsätta och försöka, hvad ett
högdraget och storartadt kyrkoväsende kan uträtta
till våra medmänniskors räddning. Hvad det ändå
skulle vara skönt att få likna Herren Jesus i sinne och
sätt att älska och rädda människor, hvad det skulle
vara ljufligt att med hjärtelust studera Kristi sinne!

Månne det kan vara oss tveksamt, hvad Herren Je-
sus tänkte och talade i arbetarfrågan? Hvad månne
en sådan berättelse som den om den rike mannen och
Lasarus hafva att betyda med afseende på denna frå-

ga? Jag vet, att vi strax äro färdiga att genom en andlig tolkning undvika hvarje häntydning på den rikes skuld och Guds åtanke på den fattige såsom fattig. Emellertid står berättelsen där, sådan den står, och den, som läser den, gifve akt därpå. När Jesus talade om mammon, och vi veta hvad han sade därom, heter det hos evangelisten Lukas: "Allt detta hörde ock fariséerna, som voro giriga, och de gjorde spe af honom."

Och nu till sist: för hvad ändamål äro vi här vid denna skola? Är det för att söka titlar, ära och bekvämlighet, för att blifva hälsade af människorna rabbi, rabbi? Eller äro vi här för att lära, huru vi skola kunna blifva våra medmänniskor till någon hjälp andligen och lekamligen? Äro vi här för att i lifvet kunna sätta den sanna kunskapens makt emot penningens maktmissbruk? Äro vi här för att lära kärlek och ödmjukhet på denna genom kärlekslösheten och högmodet så förbannade jorden? O, hvad vår kallelse är skön, om vi ville lära af honom, som var mild och ödmjuk i hjärtat! Snart skolen I utgå bland vårt folk i hela detta vidsträckta land. Om vår skola gäller det ordet: "Af deras frukt skolen I känna dem". Skall man kunna draga känsel på oss alla, att vi vistats vid en kristlig skola, skall det märkas, att Kristi Ande bor i oss? "Om någon icke har Kristi Ande, så hörer han icke honom till."

Ännu ett slutord. Om min röst kunde nå detta lands arbetare, synnerligen dem af vårt folk, så skulle jag ropa till dem: hvad I ären fåkunniga, som striden med kapitalisterna om arbete och dagspenning! Begifven eder i tjänst hos allas vår moder *jorden*. Hon betalar litet i början, men hon ökar för hvarje år dagspenningen åt den trogne arbetaren, och för ålderdomen gör hon honom åtminstone till friherre, ja, måhända till grefve. Ännu är det rum i Amerika för den frihetsälskande arbetaren. Vore jag ej präst, blefve jag farmare. Jag vet, att det är omöjligt att beveka den fattige att flytta ur de arma städerna. Hungersnöden allena kan göra mänskligheten denna tjänst.

Vårt gemensamma läroverk och det svenska folket i Amerika.

"**E**tt alltför tungt ämne för en julikväll, dessutom alltför benigt för att kunna väcka det intresse, som man har skäl att vänta af en föreläsning." Jag förstår eder strax, och jag erkänner det rättmätiga i eder anmärkning. Jag vet, att vi alla vid denna tid på året behöfva något som uppfriskar vårt af Amerika-värmen domnade sinne. Något mera humoristiskt, mera lifligt och skämtsamt ämne skulle vara mest tacknämligt, jag vet det. Frågan är, om man bör tala ur hjärtat eller utmed hjärtat. Man brukar tala om att tala *bredvid* munnen. Ett sådant tal, kort eller långt, blir ju alltid misslyckadt. Man kan undra, huru det går och hvad verkan det har att tala *bredvid* hjärtat.

Nu vågar jag försöka att säga några enkla ord *ur hjärtat* öfver ett ämne, som helt och hållet hör till min närvarande kallelse i lifvet, ett ämne som borde ligga hvarje svensk-amerikanskt hjärta mycket nära.

Den allra kinkigaste frågan för oss att lösa är den, huruvida de föremål, vi ämna tala om, i verkligheten finnas till eller ej. Det är säkert *tu* tal om den frågan. Men vi äro i en ungdomsförening. Ungdomen tycker ju alltid om *tu* tal om en fråga, den positiva och den negativa sidan af saken. Vårt *gemensamma läroverk.* I veten alla, att det på senare åren blifvit *tu* starka tal om den frågan i enskilda samtal, i tidningar, på våra konferens- och synodalmöten.

Låtom oss dock först upptaga den andra kvistiga frågan, den om *svenska folket* i Amerika. Det är säkert *tu* tal om frågan, huruvida det finnes eller bör finnas ett svenskt folk i Amerika. Nu, I unge, måsten I hafva tålamod med oss äldre en stund, medan vi sjunga en djupt vemodig klagovisa, en hemlandston. Låten mig dock först anföra några verser ur ett poem af eder pastor, vår gemensamme poet. Poemet har till öfverskrift: "Den unge invandrarens jul". Enligt detta poem känna de unga svensk-amerikanerna åtminstone en gång på året de gamla svensk-amerikernas känslor. Den tiden är visst icke juli månad, utan, såsom antyddes, jultiden. I det nämnda poemet beskrifves den svenske ynglingens färd från det gamla fäderneslandet till frihetens förlofvade land. Lätt förgäta de unga det gamla och de gamla, men vid jul är det alldeles omöjligt för den, som en gång haft Sverige till sitt fädernesland, att icke komma ihåg gamla barndomshemmet i Norden. Så ock vår yngling i poemet:

> "Det var så tyst och stilla,
> ty det var julekväll,
> och det var nätt och pyntadt
> i lågt nybyggartjäll;
> men i sin lilla kammar
> den raske yngling satt,
> nu tänkte han på hemmet
> och hemmets julenatt.

Han tänkte på de gamle
ännu i hemmet kvar,
såg moderns gråa lockar
och hörde stämman klar
om Jesusbarnet sjunga,
han kände denna röst,
o, kunde han sig luta
igen mot moderns bröst.

Och juldagsmorgon kommer,
han hör en sällsam klang.
Var det en hemlandston ej,
som genom rymden svang?
Och ljus i fjärran skimra,
där står en helgedom.
Det klockan var, som mante:
'Välkommen, kom, o kom!'

Han ilar dit, där hör han
det samma gamla ord:
'Frid vare Gud i höjden,
frid, människa och jord!'
Och samma gamla kyrka
här öppnade sin famn.
Ej heller här han blygdes
för lutherskt kristligt namn."

Således, en gång på året kännen äfven I unge, som ären födda och fostrade i Sverige, den outsägliga känsla, som minnet af det fosterländska barndomshemmet framkallar.

Men vi äldre, vi erfara dessa känslor oftare än en gång om året. *Vi hafva intet fädernesland.* Så lyder helt kort innehållet af vår klagosång. Vårt gamla fädernesland hafva vi öfvergifvit, vi kunna aldrig mer återfinna det öfvergifna, vårt nya fosterland kan aldrig blifva vårt fädernesland i samma mening och med samma känsla som det gamla. Vi äldre hafva således intet fädernesland på jorden, vi äro gäster och främmande. Och dock, det gamla fäderneslandet kan aldrig helt utplånas ur vårt minne och vår känsla. Nu äro vi då komna till ett svar på frågan om ett svenskt folk i Amerika. De gamla svenskarna äro ett svenskt folk i Amerika. Hvad är det då, som gör dem till ett *svenskt* folk äfven i främmande land? *Språket* i hemmet först och främst. Hemmet är ett folks rot och kärna. Sådant hemmet är, sådant är folket. Så länge svenska talas i hemmet, måste vi kalla hemmet svenskt, äfven om det är beläget i Amerika. Moderns språk är hemmets och familjens språk. Så länge modern talar svenska, är hela familjen svensk. Det finns ännu många svenska hem i Amerika.

Men icke blott språket, utan de goda svenska sederna göra oss till ett svenskt folk. Märk, vi tala icke om de *dåliga* svenska sederna. De svenska osederna blygas vi öfver, dem vilja vi aflägga hastigt och grundligt. Den äkta, ädla svenska bildningen är det som gör oss till ett svenskt folk. Nödgas vi nu åter gifva svar på frågan: Hvad är bildning? Vi taga för gifvet, att ingen af oss här närvarande anser bildningen bestå i *klädedräkten* eller i sättet att föra näsan, eller i tillgjorda talesätt och tomma fraser. Vi tro, att alla här närvarande hafva ett djupt och allvarligt begrepp om bildning såsom det innerligaste, skönaste, ädlaste och härligaste, som ett folk äger, den hjärtats och den inre människans adel, den yttre människans hyfsning, som utmärker ett i sanning civiliseradt, kristet folk. *Hela den civiliserade världens innersta och starkaste bildningskraft är kristendomen.* Därom äro alla världshistoriekännare ense. Men kristendomen är en gudomlig kraft, så rik, att den bland olika folk framträder i olika gestalter. Dessa olika gestaltningar af andlig bildning äro dock i grunden en och samma kristendom. Likasom Gud i naturen är så rik, att de olika länderna förete en obeskriflig mångfald af egendomligheter i det vi se och förnimma omkring oss, så är ock Gud på nådens område så rik, att människans själs- och bildningslif företer en mångfald af olikheter bland de olika folken. Nordens natur synes vara karg i jämförelse med söderns, nordens själslif däremot är obeskrifligt rikt, djupt och innerligt. Därför har ock kristendomen hos de nordiska folken framträdt i en särskild gestalt, den evangelisk-lutherska, en egendomlighet af kristlig bildning, som har sitt hemland särskildt i Sverige. Det djup, den innerlighet, den värma, det evangeliska allvar, som utmärker denna art af kristlig bildning, hörer oss såsom ett svenskt folk till äfven i Amerika, och det är detta andliga arf, som rör oss närmare än allt annat svenskt, som hört oss till.

Våra första pilgrimsfäder på 1850- och 1860-talen kände allt detta djupare och innerligare, än vi möjligen känna det nu. Det var af den orsaken de underkastade sig de största försakelser och vedermödor för att bygga den svenska lutherska kyrkan såsom ett *andligt hem* för svenska folket i Amerika. Det var af samma orsak som de grundlade det läroverk, som alltid har kallats och ännu kallas *vårt gemensamma* läroverk, ty de insågo, att ett sådant läroverk skulle vara *det enda kärlet,* i hvilket den stora bildningsskatten kunde bevaras och förvaltas till det svenskamerikanska folkets välsignelse.

Ej saknas sådana, som påstå, att det hade varit bättre för svenskarna att strax vid ankomsten till Amerika kasta bort både språk, seder, kyrka och allt hvad svensk bildning heter. Det finnes ju nog många, som i verklighet göra detta försök. Låt mig taga en hvardagsbild, som belyser och utreder denna fråga, på det vi må slippa upptaga tiden med ett vidlyftigt resonnemang.

Är det någon skillnad mellan att hafva ett hem, ett lyckligt hem, eller att vara nödgad att bo och vistas på ett boardinghus? I unge, som så gärna vid edra möten hållen diskussioner, hafven I löst frågan om skillnaden mellan *hemmet* och *boardinghuset?*

Våra fäder trodde, att vår vistelse i Amerika skulle blifva för oss alldeles odräglig, om vi skulle nödgas att hela vårt lif bo på boardinghus. De ville bereda oss ett hem, ett andligt hem, ett bildningshem. Därför upprättade de här den svenska lutherska kyrkan, därför uppbyggde de vårt gemensamma läroverk. Utan denna vår lutherska kyrka och utan vårt gemensamma läroverk hade vi svenskar aldrig funnit ett hem i Amerika.

Så hafva vi då kommit till själfva hjärtat af vårt ämne. "No place like home; be it ever so humble, there is no place like home." Känslan af hem är den djupa, räddande känslan hos människan. Förstör denna känsla hos en människa, och du har gjort henne ohjälpligt olycklig. Det var denna känsla, som räddade den förlorade sonen. Det är denna känsla, som räddar millioner söner och döttrar, så länge världen står. Det är denna känsla, som är värd mer än millioner dollars för vårt svenska folk i Amerika. Det är denna känsla, som är värd mer än allt hvad vi inom Augustana-synoden hafva uppoffrat för kyrkor och skolor. Hvad säga vi? Är en *känsla* värd så mycket? Känslan är här en lifs lefvande verklighet.

Men vi tala ej blott om ett jordiskt hem. Det är det himmelska, som är den stora hufvudsaken. Dock, I önsken ej att höra en predikan i kväll. Likväl, en fråga återstår oss, innan vi få sluta. Och den är säkert själfva hufvudfrågan i ämnet. Vi tro, att våra barn och vår ungdom unna oss äldre den glädjen att äga ett andligt hem, medan vi lefva, en svensk luthersk kyrka och ett gemensamt svenskt lutherskt läroverk och bildningshem. Men hvad nytta skola alla dessa kyrkor och församlingar och detta gemensamma läroverk göra, sedan vi äro döda? Icke ämna vi väl försöka bevara det svenska språket i Amerika? När den gamla svenska stammen dör, så dör det gamla svenska språket, och sorgen öfver de döda blir ej lång. Då måste ju alltsammans blifva till alla delar amerikanskt, hvad tjänar det då till att fäkta så förtvifladt för det gemensamma läroverket?

Här vore nu mycket att svara på, men I ären redan trötta. Blott en fråga: hvad slags folk viljen I härstamma från? Ett folk, som gjorde intet för kristlig bildning i det nya hemlandet, eller ett folk, som gjorde allt för sådan bildning? I kännen det icke nu så starkt, som I kommen att känna det, när I blifven äldre. "Min fader och moder voro med om uppbyggandet af den kyrkan och det läroverket", kommer att blifva ett ord på eder ålders dagar, som väger mer än ett adelsbref i forna dagar. Men det är icke blotta minnet, som kommer att blifva så dyrbart, det är saken, den stora saken, att I själfva från barndomen och ungdomen fån vara med i det stora bildningsarbetet, det gemensamma andliga bildningshemmet, det är detta, som är en fostran värd mera för eder timliga och eviga välfärd, än vi med några ord kunna uttala.

Nebraska-konferensens lefvande minnesvård.

innesvård? Är då Nebraska-konferensen redan död? Den, som har en lefvande minnesvård, dör icke. Det finnes *döda* minnesvårdar, och det finnes *lefvande* minnesvårdar, likasom det finnes *döda* gärningar och *lefvande* gärningar. Ett folk, som tjänar *lefvande* Gud, är ett *lefvande* folk, ett folk, som tjänar *döda* afgudar, är ett *dödt* folk. Alla folk, som lefvat på jorden, hafva lämnat minnesvårdar efter sig. Man kan knappast säga om något folk, att det *spårlöst* försvunnit. Somliga folk hafva under sin vistelse på jorden uppfört minnesvårdar, som stått kvar i årtusenden, och som ännu i dag väcka vår häpnad. Vi tänka härvid alla på Egyptens pyramider och andra sådana den mänskliga kraftens och maktens storverk. Tornet i Babel var människosläktets första försök att skaffa sig en evig åminnelse. Jorden är beströdd med minnesvårdar, och dessa stenar tala, de tala om *död*, de tala om *lif*, de äro antingen *döda* eller *lefvande*.

Ej länge hade pilgrimerna från höga Norden vistats i det fjärran, öde, underliga landet väster om Mississippi-floden, förrän de begynte tala om uppförandet af en gemensam minnesvård. Och de första pilgrimerna ville midt i sin fattigdom och i sitt främlingskap begynna denna minnesvård. Frågan väcktes på fullaste allvar: *Hvar* skall minnesvården stå, och *hvad* skall den blifva? Skarp var fejden om platsen, eldig var striden om minnesvårdens art och beskaffenhet, ty folket från kalla höga Norden är ett folk af varmt skaplynne. Utan ett varmt hjärta uppföres aldrig en lefvande minnesvård. Slutligen valdes den sköna ängden vid Wahoo såsom minnesvårdens blifvande plats. Men så kom frågan, hvad slags minnesvård det skulle blifva.

Vi kunna med sanning säga, att alla pilgrimerna voro ense om den *kristliga* skolan såsom den mest *lefvande* af alla minnesvårdar. Men tänkom oss, att Nebraska-konferensen i sin barndoms dagar hade beslutat att på kullen vid Wahoo för $25,000 uppföra en granitpelare samt förordnat, att namnen på de första pilgrimerna och medlemmarna af konferensen skulle till evärdelig åminnelse inristas å denna granitpelare. Föreställom oss, att vi i dag voro samlade omkring en sådan granitpelare för att läsa våra fäders namn och fira minnesfest. Låtom oss på fullt allvar måla för våra ögon en konferens med en så storartad minnessten, men utan en kristlig skola. — Hvad skulle vi säga, skulle vi kalla den sköna stenen en *lefvande* minnesvård? Det är sant, man kunde ju en gång om året samla vältalare, som med sin konst försökte sätta lif i stenen, som talade så, att stenen fällde tårar, men kunde man med allt detta säga: stenen lefver? Nu

hafva vi här i dag, mig veterligt, inga vältalare. Ingen
behöfves heller. Ty den minnesvård, där vi nu äro
samlade, *lefver* och talar själf, vi alla äro blott åhö-
rare; några af oss söka blott tolka ett och annat ord
af det vi höra.

Den mest *lefvande* af alla ett folks minnesvårdar
är den *kristliga* skolan. Huru kunna vi säga så?
"Kristus är mitt lif." "Jag lefver icke mera jag, utan
Kristus lefver i mig." Kunna vi såsom ett svenskt
kristet folk med sanning säga och bekänna så med
aposteln? Är det sant om hvar och en enskildt och
om oss såsom ett helt folk, att Kristus är vårt lif, och
att Kristus lefver i oss? Vi äro vana att kalla vårt
gamla fädernesland ett *kristet* land. Visst och sant
är det, att alla dess inbyggare hafva blifvit "döpta i
Jesu Kristi namn till syndernas förlåtelse", och att de
blifvit undervisade i Guds ord. Men släpp dessa krist-
na ut i vida världen, så få vi se, huru många af dem
som blifva kvar vid det lefvande Guds ord. Vi vän-
tade väl, att alla svenskar äfven i detta land skulle
vidblifva vår oförgätliga evangeliska tro och lära. Vi
väntade, att alla svenskars högsta mål i Amerika skulle
blifva att söka först efter Guds rike och hans rättfär-
dighet. Har det gått, såsom vi väntade? Ack nej.
Emigrationen visade sig vara en storm, som försking-
rade och bröt sönder de svenska träd, som voro plan-
terade i den evangeliskt lutherska kyrkans gårdar.
Och när vi sågo oss omkring här i vårt nya hemland
efter den stora utflyttningsstormen, så såg det ut, så-
som profeten Esaias så gripande beskrifver sitt folk
i slutet af det sjätte kapitlet i sina profetior: "Och
om än tiondedelen blifver kvar där inne, så skall den
ändock yttermera varda förhärjad; men såsom en tere-

bint eller ek, af hvilken vid fällningen en stam blifver
stående. En helig säd skall sådan stam vara." En
stam har blifvit stående, sedan eken, vårt svenska folk
i Amerika, är förhärjad och fälld i stormen, världs-
bekymrens storm. Och vi äro denna stam, vi som
ännu vidblifva vår gamla oförgängliga tro och lära.
Skola vi blygas för att offentligt bekänna, att vi äro
denna stam, att Augustana-synoden är denna stam,
att vår Nebraska-konferens är denna stam, planterad
i den forna stora öknen mellan Missouri-floden och
Rocky Mountains? Det är icke oss själfva vi prisa
med denna bekännelse; det är Guds outsägliga nåd vi
upphöja och berömma. "Vi predika icke oss själfva,
utan Kristus Jesus såsom Herre och oss själfva såsom
tjänare för Jesu skull." Och i den kvarstående stam-
men är lif. Kan lifvet i naturen vara så mäktigt, att
det skjuter ut från en kvarstående stam, sedan för-
härjelsen gått öfver den förr så väldiga eken, huru
mycket mer Andens lif, som ofta är doldt i en kvar-
stående stam. "En helig säd skall sådan stam vara",
utropar profeten. Vi äro då en helig säd med en hög
och helig lifskallelse.

När nya lifsgrenar skjuta ut från den gamla lef-
vande stammen, så bildar sig en plantskola för Guds
rike. Detta är den kristliga skolan. Här på denna
kulle är nu en sådan lefvande plantskola, tillhörande
vår Nebraska-konferens. Här sås den heliga säden,
som sedan spirar upp och utbreder sig öfver Nebraskas
stora åkerfält.

Är det möjligt för oss att rätt, väl och tillbörligt
beprisa evighetsvärdet af en sådan plantskola? Vi se
på dess ringhet och obetydlighet i jämförelse med sta-
tens stora, lysande plantskolor. Vi fråga med ängslan,

kanske med förakt: hvartill tjäna Kristi fattiga kyr-
kas fattiga läroanstalter i en tid, då staten, som har
oinskränkt makt öfver skattläggningen, uppför skol-
palats och tillsätter berömda lärare på ett sätt, som gör
det löjligt för kyrkan att på vetandets och bildningens
område söka täfla med staten? Bör icke Kristi kyrka
i våra dagar upphöra att tjäna vid den allmänna
mänskliga kunskapens bord för att kunna uteslutande
och ständigt ägna sig åt bönen och Guds ord? Det vill
med andra ord säga: Guds rike är blott i himmelen,
men ej här på jorden. Jorden och det på jorden är
hör ej Gud till. Ej ens människan och det mänskliga
hör Gud till.

Men nu tror jag, att vi hafva råkat in i en riktig
grundvillfarelse. I Guds ord heter det: "Jorden är
Herrens och allt hvad därpå är, jordens krets och de,
som bo därpå". "Allt är edert", ropar Paulus till den
kristna församlingen, "det må nu vara Paulus (med
sina grekiska och hebreiska kunskaper) eller Apollos
(med sin stora vältalighet) eller Kefas (med sin kurs
i Herren Kristi egen akademi) eller värld eller lif eller
död eller det, som nu är, eller det, som skall komma,
allt är edert." Är den frågan afgjord nu? Är det
då rätt, att Kristi kyrka i alla tider räknat det såsom
sin högsta mission att upprätta skolor och bildnings-
anstalter för barnen och den uppväxande ungdomen?
Ett väldigt, enhälligt *ja* måste blifva vårt svar på en
sådan fråga.

Huru kännes det i våra hjärtan, när vi komma ut i
Guds fria natur vid denna sköna årstid? Är det Guds
gåfvor och verk vi se omkring oss, eller är det satan,
som skapat denna sköna jord? Det är Gud, den kär-
leksrike och allförbarmande, som skapat och uppehål-

ler allt detta för oss. Detta alltsamman skall väl ej uteslutande tillhöra dem, som ej fråga efter Gud. Och när vi blicka in i kunskapernas och bildningens skönhetsvärld, hvad skola vi säga därom? Hör den världen, den härliga våren, blott till dem, som ej tacka Gud för dessa gåfvor? O nej, o nej, den hör Guds folk till.

En sak är det, som vi med visshet veta; ett är det, som vi känna med hela vår kropp, själ och ande, och det är, att våra barn höra oss till. Ett är det, som vi af innersta hjärta önska; ett är det, som vi af alla våra krafter eftersträfva, och det är, att våra barn må vara och blifva så lyckliga som möjligt redan här på jorden och sedan i evigheten. Gud har gifvit våra barn stora nådegåfvor. Hvad skola vi nu göra med denna rika jordmån? Skola vi låta den ligga för fäfot, eller skola vi låta plöja upp denna mark och beså den, så att den må bära rika skördar och blomstra såsom en lustgård? Hvad är det, som försätter en gammal präriepilgrim i sådan hänryckning, när han vid denna årstid skådar ut öfver den sköna Wahoo-nejden? O, jag vet ju, säger han vid sig själf, jag vet ju, huru det såg ut i denna trakt för trettio år sedan. Då var allt tomt och öde, den jungfruliga jorden låg ouppodlad och obebodd. Och nu är den beströdd med sköna, lyckliga hem. Men han ser på samma gång de tusenden och åter tusenden barn och ungdom, hvilkas fädernesland är just detta landet väster om Missouri och intet annat. Och de, dessa barn, dessa ynglingar, dessa jungfrur, äro detta fäderneslands allra skönaste blommor. Har man nu, så frågar främlingen, odlat denna ungdoms själsgåfvor lika ifrigt, som man odlat prärien? Det är då den gamle präriepilgrimen utbrister i ännu större jubel vid åsynen af denna skola och den ungdom, som här vistas. Här bor ett folk, som icke blott odlat jorden, utan ock odlat själen, här bor ett folk, som älskar sina barn, som räknar sina barn högre än farmer och penningar. Här bor ett folk, som slagit sig tillsamman såsom en familj för att upprätta en odlingsanstalt, om hvilken de kunna säga: Denna skola är *vår*, den hör oss och våra barn till, här äro vi alla hemma, här är vårt gemensamma familjehem, här är det godt för våra barn att vara, hit styra ock vi gamla med glädje våra steg, när det gäller att fira våra gemensamma familjefester.

Hvad är det, som med tjusning fyller ungdomens hela själ, som lämnar outplånliga minnen efter sig för hela lifvet. Det är vistelsen vid en skola, där lifvet är varmt af Kristi kärlek, där nya världar upplåtas för det vetgiriga unga sinnet. Skola vi unna våra barn en sådan glädje i deras ungdomstid? Begynna våra hem blifva förmögna nog att tillåta en sådan ett fritt folks stora förmån och lycka? Se vi här skillnaden mellan slafven och den frie?

Men hvad sedan? Hvad skall det blifva af den studerande ungdomen? Hvad svarar du själf, du glada ungdom, du vår fröjd och vår krona? "Vi hafva lärt att arbeta, och vi hafva lärt, att Herren är vår herde." Är det sant, då veta vi redan, hvad det blir af eder. Då gäller löftet: "Du skall blifva en välsignelse", och det är nog och öfver nog.

Själsrikedom.

Hvilken trollkraft det ligger uti ordet rikedom! Komme tillförlitliga budbärare nu hit in och sade oss, att om vi skyndade ut någonstädes i närheten af Minneapolis, skulle vi finna de rikaste guldgrufvor, som någonsin sedan världens begynnelse blifvit upptäckta; jag undrar, huru många som då gåfve sig ro att stanna här för att höra om själsrikedom. Det är alldeles öfverflödigt att upptaga tiden med att försöka skildra den oerhörda makt rikedomen eller till och med blott talet om rikedom utöfvar på människan. Vi känna alla den elektriska stöt, som kommer från ordet rikedom, så snart det nämnes eller läses. Hvaraf kommer denna oerhörda törst efter rikedom och denna obegränsade hänförelse och beundran för jordiska skatter och ägodelar? Det måste vara ett förvilladt minne af något djupare behof, som ursprungligen tillhör människonaturen. Vore människan skapad blott för att söka och äga jordiska rikedomar, så vore hon antingen rent af en i yttersta måtto löjlig varelse eller ock ett rofdjur värre än alla rofdjur, som sprida död, jämmer och förödelse omkring sig.

Jag är viss på, att det lilla ord, som vi satt såsom

öfverskrift öfver vårt anspråkslösa tal, skulle intressera oss alla på det lifligaste, om vi toge bort begynnelsen af ordet *själsrikedom*. Tag bort *själ* och tala sedan om rikedom, så finner du uppmärksamma åhörare, hvarhelst du må gå, på gata och torg, bland hvad slags folk som helst. Sätt dit ordet *själ* och tala om *själs*rikedom, så har du strax beröfvat det allra intressantaste ämne dess tjusningskraft. Själsrikedom, hvad är det, är det någonting, som tål att handtera, någonting som man kan sätta in på banken eller få "deed" på inför vederbörlig domstol, är det någonting, som man kan göra affärer med? Det låter alltför andligt! *Själsrikedom,* det är ju någonting osynligt och undangömdt, som hvarken ögat, örat eller handen kan fatta och hålla fast?

Ja, det beror på om själen själf är en obetydlighet, som icke är värd någon vidare uppmärksamhet. Har du någon gång stått vid någon af dina närmastes liflösa kropp? Hvarför griper dig vid sådana tillfällen en så förkrossande sorg? Kroppen är ju kvar, den samma kropp, med hvilken du varit så nära förbunden genom släktskapens och kärlekens starka band. Kan du icke vara lugn och nöjd, så länge du ser denna kropp, kroppen är ju det synliga; du kan taga ditt barns, din makas, din systers, din broders, din faders, din moders lik i handen, hvarför sörjer du så? Ack, säger du, lifvet, själen är ju borta, huru kan den liflösa kroppen fröjda? Alltså, själen, det osynliga, är borta, därför sörjer du så. Du märker däraf hvad betydelse själen har, fastän han är osynlig.

Eller har du någon gång sett en vansinnig människa? Hvarför verkar en sådan syn en så djup sorg, häpnad och bäfvan hos hvarje tänkande och känslig?

Det är kanhända en stark, skön kropp, lifvet är ock kvar. Men ack, säger du, förståndet är borta. Förståndet, denna osynliga, men dock så underbara makt, när den är borta, hvad är då den allra skönaste och starkaste kropp? När vi blicka omkring på jorden och ofvan jorden i Guds härliga natur, finna vi idel under och märkvärdigheter. Men af allt det märkvärdiga i Guds synliga skapelse är dock *människan* det allra märkvärdigaste.

Gåfve vi oss tid att eftersinna, hvad människan är för ett stort, förunderligt och härligt väsende, skulle vi sannerligen nedfalla i den djupaste tillbedjan inför den Allsmäktige, som frambragt en sådan varelse att bebo denna jord.

Hvad är det vi beundra hos människan? Är det blott hennes yttre gestalt, som väcker vår uppmärksamhet? Visst är människans kropp ett stort under, men ännu större än den odödliga ande, hvars tjänare och boning kroppen är. När du ser en af dina medmänniskor, äfven om hennes kropp synes ringa och oansenlig, tänker du icke då på den stora ande, som bor inom denna kroppshydda? Stora ande, utropar någon. Stora andar äro ju mäktiga män och i synnerhet lysande snillen. Vi lämna nu de lysande snillena åt sitt värde; vi beundra med tillbörlig ödmjukhet, men vi vilja ej afguda de lysande själsgåfvor, dem Gud har gifvit åt vissa människor. Men vi påstå med all rätt, att Gud har gifvit hvarje människa en stor ande, ty människan är skapad efter Guds beläte. När jag står inför den allra ringaste människa på jorden, måste jag, om jag har några allvarliga tankar, bekänna: Inom dig, o min medmänniska, bor en själ, en ande, som är utrustad med stora förmögenheter, mäktig att mottaga, äga och evigt besitta oändliga rikedomar. Åsynen af en människa i djupt armod väcker vårt djupaste medlidande. Jag kan icke glömma de intryck jag erfor i mitt inre, då jag en dag förliden vinter företog en vandring här i Minneapolis. Jag betraktade stadens palats, men jag betraktade ock hyddorna djupt där nere i Mississippi-dalen. I hafven alla sett dem. Kanske några af eder äro närmare bekanta med dem. Hvilka underliga känslor man får, när man gör en jämförelse öfver de stora yttre olikheterna i människolifvet. Hade man hälsa och krafter såsom man önskade, så tycker jag, att det icke skulle finnas ett skönare lif på jorden än det lif, hvarigenom man finge helt uppoffra sig för att göra de fattiga rika. Mina vänner, för min del tycker jag, att lifvet på jorden är så fullt af vemod och sorg. Man må komma till hvad land som helst, till hvad stad som helst, i synnerhet till de stora städerna, så finner man de hemska bevisen på det mänskliga lifvets djupa elände, fattigdom och uselhet, och det värsta af allt, man finner en hel mängd människor, hvilkas hela arbete och sträfvan går ut på att göra det mänskliga lifvet så ömkligt och fasligt som möjligt.

Den lekamliga fattigdomen och eländet väcker vår djupaste sorg, ängslan och oro; men hvad är en fattig kropp, torftiga lekamliga omständigheter mot en tom och utfattig själ? En tom själ, en själ, som behöfver så mycket och har intet, känna vi alla i djupet af vårt hjärta, hvad en tom, utfattig själ är för en hemsk och fasaväckande företeelse? Kan du låta bli att fråga dig själf, när du ser en af dina medmänniskor: Månne denna min medbroder eller medsyster har en utfattig, på all verklig rikedom utblottad själ?

Jag vet, att hvarje människa har stora själsförmö-
genheter, d. v. s., hon har förmåga att mottaga stora
rikedomar, men hon har ej dessa rikedomar i sig själf,
om hon ej fått mottaga dem. Vore själen rik, hvad
betydde då i det stora hela den lekamliga fattigdomen?
Är själen fattig, ja, alldeles utfattig, hvad båtar då
i det stora hela den jordiska rikedomen? Se på de
tomma själarna, huru de jaga den arma kroppen, sin
tjänare, i allehanda elände, emedan de ängslas i sin
pinsamma tomhet och fattigdom. Hvad är orsaken till
den hemska dryckenskapen? Ingenting annat än en
tom själ, en utfattig själ, som, insatt på svältkur, hål-
ler på att dö af hunger och därför jagar den arma
kroppen att med bier, brännvin och andra dryckes-
varor döfva känslan af tomheten och fattigdomen.
När kroppen lider svåra smärtor, söker man stilla dem
med döfvande medel; när själen lider fattigdom, hung-
er och törst, söker man stilla henne genom att hälla
kroppen full af starka drycker.

Hvad är orsaken till den råhet, vildhet, det ohyfsade
och oanständiga uppförande, som visar sig hos många
bland ungdomen? Det är den tomma och utarmade
själen. Hon vantrifves i sitt fängelse, hon sliter och
rycker i bojorna och vill blifva fri och rik. När då
den arma människan likväl låter sin själ svälta och
blifva alltmer utarmad, varder hon vild och ursinnig
och bryter ut i den råhet och oanständighet, som vi
med bitter smärta se äfven hos många af våra lands-
män och landsmaninnor.

Men huru göra själen rik? Det är den stora frågan.
Gifven alla människor kunskap och upplysning, ropa
nu många i kör. *"Bildning är själens rikedom"*. Ja
väl, bildning är själens rikedom, det är sant. Blott vi

nu ock få den sanna bildningen. Pengar äro lekamlig rikedom, men hade man ock fått hela magasin fulla af söderns papperspengar efter kriget, hade man sannerligen haft så måttlig rikedom, ty de stora penningehögarna hade icke kunnat köpa ett enda mål mat. Så kan man ock stoppa minne, hufvud och hjärta öfverfulla af den falska bildningen, och själen är ändock lika utfattig, tom, ömklig och hjälplös.

Men äro då kunskaper af intet värde? Jo, visserligen, af högt värde. Det lilla vi hafva af denna rikedom ville vi säkerligen icke sälja till något pris.

Det kan dock höras, säger någon, att det är en läsarpräst, som talar, ty han värderar icke kunskapen egentligen, utan han blott söker komma in på den gamla sången, att det är religionen, som gifver människan själsrikedom. Ja, nog sjunger jag af hjärtat denna gamla sång; men det är likväl min uppriktiga öfvertygelse, att kunskaper äro en själsrikedom, då de rätt användas.

Vi hafva dock tusentals sorgliga bevis därpå, att kunskapen och den yttre bildningen ingalunda äro ofelbara. Hvaraf kommer det, att vi så ofta här i landet få se den hemska synen, att män, som i Sverige fått en god skolbildning, här uppträda såsom föraktliga drinkare och i alla afseenden opålitliga och odugliga människor? Man vore många gånger färdig att i förtviflan öfver de hemska exemplen af förfallna bildade män utbrista: Kunskapen måste vara rent af skadlig, ty han gör ju människan oduglig till ett ordentligt, arbetsamt och hyfsadt lif.

Gjorde vi nu såsom fritänkarna, så skulle vi utgjuta de hätskaste smädelser öfver kunskap och bildning. Hvad göra nämligen dessa fritänkare? De vilja nödvändigt häda kristendomen, för hvilken de i hjärta och lefverne äro främmande; därför gripa de fatt i exempel af skrymtare, som komma till deras kännedom. Se nu, ropa de med förtjusning, att kristendomen är blott bedrägeri. Vi vilja ej så använda de många exempel på kunskapsrika brottslingar, af hvilka de civiliserade ländernas historia är full. Tvärtom, vi vilja af hjärtans grund ifra för folkbildning och upplysning för alla.

Frågan är nu: huru skola vi kunna i någon mån bidraga att gifva våra medmänniskor den själsrikedom, som heter kunskap och bildning? Upprätta läseföreningar, bibliotek, och, framför allt, sprid tidningar, svaras med ifver och hänförelse.

Alltså, först och främst tidningar. Jag kan säga i all uppriktighet, att jag hyser en obegränsad beundran och respekt för en god tidning. Tidningspressen är ett fritt lands högsta jordiska regent. Man talar väl om att det är folket, som regerar i Förenta staterna. Men när allt kommer omkring, är det egentligen tidningarna, som regera Förenta staterna. Gif oss goda tidningar, så hafva vi en god styrelse här i landet; gif oss dåliga tidningar, så få vi en ond och dålig regering. Men tidningarna, hvad äro de? De äro precis sådana, som de personer äro, hvilka skrifva och utgifva dem. En tidningsredaktör utgjuter medeller omedvetet hela sin själ i tidningen, likasom en präst utgjuter sin själs innehåll i sin predikan, om han är en uppriktig man.

Ville vi nu inlåta oss på en grundlig forskning efter den själsrikedom, som finnes i våra allmänna tidningar, så funne vi visst ett intressant ämne för undersökning. Men jag fruktar, att denna undersökning toge oss för lång tid. Så mycket jag än beundrar goda tidningar, måste jag dock säga, att jag vore ytterst illa däran, om mitt bibliotek icke bestode af annat än tidningar.

Hvilka afdelningar i de allmänna tidningarna är det, som mestadels sysselsätter tidningsläsarna? Med andra ord: hvad är det du mest och helst läser i en politisk tidning? Jag tror mig träffa sanningen så nära som möjligt, om jag säger, att de flesta, som läsa våra allmänna tidningar, mest och framför allt sysselsätta sig med nyheterna och romanerna. Jag läser aldrig romaner, men nog ögnar jag igenom nyheterna, när jag får fatt i en tidning. Om vi nu sansadt öfverväga saken, kunna vi sanningsenligt säga, att vi få själsrikedom genom att läsa nyheterna i en tidning? Själfva nyheterna äro ingen själsrikedom, men en själ, som är rik förut, kan öfver vissa nyheter anställa ganska rika betraktelser.

Men romanerna! Ja, det lönar icke mödan ens att tala om dem, ty man kan se det af blotta öfverskrifterna, att de flesta af dem äro svinadraf, om hvilka själen måste ropa: Jag förgås här i hunger. Äro berättelser skrifna af en ren och sant rik själ, då kunna de vara mycket goda och lärorika. De flesta romaner äro komna från bryggerier, som stinka af orenlighet och gudlöshet. Brännvinsbrännare, bryggare och krögare måste göra sina drycker så retande, kittlande och bedöfvande som möjligt, på det att så många som möjligt må dricka så mycket som möjligt, att således vinsten för de säljande må blifva så stor som möjligt. Så har man ock anstalter, där romaner bryggas, och där man gör dessa så retande som möjligt, för att inbringa så mycket pengar som möjligt för romanbryggaren och för den, som utminuterar drycken. Man kan icke tänka sig, hvilken oerhörd samvetslöshet som regerar romanaffärerna. När man nu känner tidens ytlighet, människans tanklöshet och lättsinne, kan man ock något tänka sig, i hvilken förfärlig frestelse en tidningsutgifvare är försatt. Har han att bjuda på retande romaner, nåväl, då kan han räkna på god vinst; lyder han sitt samvete och sanningen, måste han ofta kämpa med stora ekonomiska svårigheter.

Men vi måste lämna detta så obeskrifligt viktiga ämne och komma till frågan om bibliotek. Det är ju i böcker vi skola hämta *själsrikedom*. Men här möta oss samma svårigheter. Det finnes här i landet, i synnerhet i de stora städerna, stora lånebibliotek och sålunda rika tillfällen att inhämta själsrikedom. Uppgifter från biblioteken visa oss det häpnadsväckande tillståndet, att ett väldigt öfvervägande flertal af dem som läsa, *läsa romaner*. Alltså, alltjämt *romaner. Men hvaraf kommer nu allt detta oemotståndliga romandrickande?* Af samma orsak som den oemotståndliga dryckenskapen.

Till mänsklighetens väl har man i vissa stater sökt stifta förbudslagar mot starka drycker. Dessa lagar trampas vanligen under fötterna, och man dricker lika hejdlöst. Så ock med romanerna och den dåliga litteraturen i allmänhet. *Själen, märken det, mina vänner, själen vantrifves i denna jordens fattigdom, brist och elände, hon vill nödvändigt emigrera till ett annat land.* Får hon icke komma till sitt egentliga och verkliga hemland, får hon icke söka sitt rätta arf, så tvingar hon sig in i inbillningens, fantasiens och diktens värld och dricker för det ändamålet romaner. Eller ock tvingar hon kroppen att dricka rusdrycker, på det hon må få sofva och i sömnen glömma det ömkliga land, till hvilket hon blifvit landsförvist såsom slaf och fattighjon. O, den ursprungligen så rika och mäktiga drottningen, hon har blifvit en neslig slafvinna och söker nu alla möjliga rätta och orätta vägar för att fly ur sitt slafveri. Vilja vi icke förbarma oss öfver den arma utfattiga fången? O, huru många fångna, förnedrade själar i detta frihetens land Amerika!

Hafven I någon gång sett taflor öfver den bevingade springaren Pegasus, den poetiska flyktens symbol, huru han tvingas att göra tjänst som lastdjur, och huru han beter sig i sitt slafveri? Så ock med människosjälen. Hon är sannerligen bevingad och vill uppåt, men man slår henne i slafbojor och tvingar henne till slaftjänst midt i frihetens land. Skall hon slå sig fri, eller göra vi något för hennes frigörelse?

Men vi talade om bibliotek. Skulle vi icke göra något för att på allt sätt uppmuntra läsning af goda böcker? Ack, när vi se dessa tomma, råa, vilda själar, dem man möter på gatorna öfverallt, och vi tänka nu särskildt på våra landsmän och landsmaninnor, skulle vi icke inrätta ett läsrum för dem — särskildt för de unga männen — i våra kyrkor och försöka bjuda dem in för att sitta ned och läsa en god bok en stund? Skulle vi icke tillhandahålla goda planschverk och illustrationer, på det vi måtte kunna locka dem att "titta" åtminstone, om man icke kunde förmå dem att läsa? Och när vi icke kunna förmå dem att läsa mera undervisande, svårfattliga böcker, så borde vi skaffa dem goda, intressanta berättelser, som intressera på samma gång de undervisa. Hafva de afvoghet

mot innerligt kristliga berättelser, så kunna vi sätta
i deras händer berättelser behärskade af den kristliga
andan, fastän icke berättelsen är hållen i predikoton.
Tyvärr äro många redan så långt bortkomna, att de
kasta en bok, så snart de finna något slags kristlig
anstrykning däri. Det finnes ju en förgård till helge-
domen, kunde vi icke bringa några af våra medmän-
niskor in i denna förgård och glädjas öfver att få dem
så långt, äfven om vi ej strax kunna förmå dem att
inträda i helgedomen? Men det är sant, umgänget
med råa själar är ödsligt och tråkigt till det yttersta.
Här fordras hela den sanna kärlekens ömhet och ihär-
dighet, om något godt skall uträttas.

Skall vår själ blifva rik, måste hon äga icke blott
kunskaper och vetande, utan hon behöfver framför
allt *krafter*, rent af gudomliga krafter. Vi tala om
karaktärsstyrka och själsstyrka. Är det någonstädes
den sanna själsstyrkan behöfves, så är det här i Ame-
rika, i främmande land, och i synnerhet i en stor stad.
Huru vilja vi bestå i alla pröfningar och svårigheter,
och i synnerhet i alla de starka frestelser, för hvilka
vi dagligen äro utsatta, utan själsstyrka? Du be-
klagar en man, som måste arbeta med ytterst svaga
kroppskrafter. Huru skall en sådan kunna tjäna sitt
lifsuppehälle? Ännu mer hafva vi skäl att fråga:
huru skall den, som har svaga eller inga själskrafter,
kunna reda sig i den hårda kamp, det svåra arbete,
som kräfves i striden mot det onda i världen och i
människohjärtat?

Släpp ut en ung människa utan själsstyrka i denna
förföriska värld. Hvad skall det blifva af henne?
Hon måste blifva kastad såsom agnar för vinden af
frestelsernas stormar. Skulle vi icke vilja göra så-

dana själar rika på krafter, starka motståndskrafter mot det onda. "Gif dem moral!" Ja väl, vi ville gifva dem moral, god sedlighet, entusiasm för ett rent, upphöjdt och ädelt lif; vi ville gifva dem afsky för allt orent, vanhederligt och syndigt.

Men, mina vänner, hvarifrån skola vi taga moralen och de sedliga krafterna? Sätt Shakespeare, Tegnér, Schiller och Göthe i deras händer. Jaha, där ha vi det. Det skulle just lysta mig se, huru en 15 @ 16 års flicka eller yngling skulle hämta sedliga krafter ur Shakespeares "Hamlet", Tegnérs "Frithiofs Saga", Schillers "Barnamörderskan" och Göthes "Faust". Det är sant, Shakespeares Hamlet, Schillers Barnamörderskan och Göthes Faust gifva den, som läser dessa stycken med förstånd, en obeskrifligt hemsk blick in uti människohjärtats ondska och syndens förfärliga förförelsekraft och elände, men sedliga krafter komma icke från dessa snilleskrifter. Allraminst passa dessa skrifter, fastän de äro världens underverk, att sätta i händerna på en obildad, oerfaren ungdom.

Jag har läst de nämnda snillestyckena med fasa. De hafva för mig bekräftat bibelns lära om människohjärtats outsägligt djupa fördärf, om syndens oerhörda makt. Men alltjämt har under sådan läsning den frågan skriat i mitt inre: hvarifrån få krafter att öfvervinna dessa synder och undvika den jämmer, som skildras i de nämnda skrifterna? Jag vet ingen annan utväg än att blifva en sann och lefvande kristen. "Kommen till mig I alla, som arbeten och ären betungade", ropar han, som allena kan göra våra själar rika på nåd och kraft, lif och salighet.

Och, mina älskade, när nödens och bedröfvelsens dagar komma, och de komma i större eller mindre grad öfver oss alla, när sjukdomen och plågan gripa oss, när slutligen döden fattar oss med sin omutliga hand, hvad är då vår *själs* rikedom? Hvad äro då kunskaper, bildning, tidningar, skaldeverk, snille, vitterhet, kvickhet, och hvad det allt heter, hvad är då allt emot det löftet: "Hvar jag är, där skolen I ock vara"?

Om känslans bildning och förädling.

id denna tid på året — det är ju våren —, då vi på det kraftigaste manas att prisa Guds härlighet i naturen, böra vi ingalunda förglömma att lofsjunga Guds härlighets uppenbarelse i vår egen natur. Skönt har Luther förklarat denna sak i första artikeln i vår barnalära: Jag tror, att Gud har skapat mig och alla varelser, gifvit mig kropp och själ, ögon, öron och alla lemmar, förnuft och alla sinnen m. m. Vidare heter det: Och detta allt af sin blotta nåd och faderliga godhet, utan all min förskyllan eller värdighet. För hvilket allt jag är pliktig att tacka och lofva, lyda och tjäna honom. Det är visserligen sant. Ja, det är sant, och då allt detta är sant, böra vi noga gifva akt därpå. Vårtiden är särskildt passande för betraktelse af de ämnen, som höra till första artikeln i vår tro. Om somliga hafva betraktat första artikeln så mycket, att de aldrig hunnit till andra och tredje artiklarna, skola vi för sådant missbruks skull alls icke fråga efter första artikeln? Vare sådant förakt för Guds nådegåfvor i skapelsen långt ifrån oss. Herren Jesus själf, vår Frälsare, har ropat till oss: "Sen på fåglarna under himmelen, skåden liljorna på marken!" Själf var Herren Jesus en högst ifrig betraktare af naturen, såsom vi kunna se af hans liknelser; han låter ju Guds skapade varelser och ting i naturen predika för oss. När Herren Jesus ville bedja rätt ifrigt, gick han afsides på ett berg i Guds fria natur för att tala med sin Fader. I örtagården kämpade han den stora själskampen för oss.

Nu är det en af Guds underbara gåfvor i vår egen natur, som vi för en stund ville ägna vår synnerliga uppmärksamhet. Stora kropps- och själsgåfvor hafva vi i sanning fått af vår Skapare. Om någon ville på allvar företaga sig att betrakta, hvilka stora under våra ögon och öron äro, skulle han för visso komma att förvånas öfver Guds visdom och godhet. Men är vår kropp med dess lemmar det största undret bland de oräkneliga undren i Guds synliga skapelse, så äro dock våra själsgåfvor ännu större under. Vi pläga vanligen tala om *tre* stora hufvudgåfvor, dem vår själ, vår osynliga ande, fått af vår Skapare. Dessa trenne gåfvor äro: *förnuftet, viljan* och *känslan*. Ville vi taga oss tid att försöka utgrunda det underbara i dessa våra själsgåfvor, så skulle våra betraktelser rent af blifva oändliga. O, hvilka krafter till oändlig andlig rikedom och salighet Gud gifvit oss, om blott dessa krafter blefve rätt använda! Vi kunde i sanning blifva rika öfver all beskrifning redan här på jorden, om vi läte oss uppfyllas af all Guds fullhet, det är af Guds outtömliga och oändliga härlighetsrikedom. Ty dessa våra själsgåfvor äro dock kärl, som kunna mottaga ett oändligt mått af härlighet och salighet. Det finnes ingen varelse på denna jord, som har så omättliga och omåttliga behof och begär som människan. Häraf kunna vi se, att människan är skapad för omätlig lycka och sällhet. Men ack, ack! Synden har bemäktigat sig vår själs sköna gåfvor. Denna hemska makt regerar vårt förnuft, vår vilja, vår känsla. "Det som är födt af kött, det är kött." Men det är dock ej ett oupplösligt band mellan vårt förnuft, vår vilja, vår känsla och synden. Vi kunna frälsas, och vi hafva en Frälsare, detta är det saliga budskap, som kommit ifrån Gud själf till oss. Mena vi något sant med orden bildning och förädling, så måste vi mena det samma som frälsning. En bildning, som icke också är frälsning, är icke värd det sköna namnet bildning.

Om den underbara själsegenskap, som heter *känsla,* ville vi nu höra något närmare. Vi veta ju skillnaden på *känsla* och *känsel.* Känsel hör till vår kropp, känslan till vår själ, vårt hjärta. Det är märkligt, att de båda orden i vårt språk komma af samma stamord *känna.* Så är det ock i engelskan: *feeling* betyder både kroppens känsel och själens känsla eller rörelse. Känsel är den märkvärdiga rörelse, som uppkommer i hela vår kropp vid *beröringen* af något föremål. Om t. ex. en nål sticker oss blott i ett finger, så hafva vi en känsel af smärta i hela vår kropp. Vi veta strax, att det var någonting hvasst, en nål, äfven om vi icke se nålen eller det hvassa, som stack oss. Så stark kan denna känsel vara, att blinda kunna läsa böcker, däri bokstäfverna äro upphöjda, med fingerspetsarna eller till och med med läpparna. Känseln kan blifva störd genom frost, brand och sjukdom. Genom hårdt arbete kan huden t. ex. i händerna blifva så tjock, att känseln försvinner. Vi hafva ju med djup känsla läst berättelsen om den blinda flickan, som läste bibeln med läpparna. Hon hade genom hårdt arbete mist den fina känseln i fingrarna. I bedröfvelsen kysste hon den kära bibeln och fann då till sin stora glädje, att hon kunde läsa de upphöjda bokstäfverna med läpparna. Huru underbar Guds godhet midt i lidandet! Känseln af smärta eller välbehag uppkommer i vår kropp genom att *vidröra* och således komma i omedelbar närhet till något yttre föremål. En häftig smärta i vårt lillfinger blott kan uppröra hvarenda blodtår i vår kropp. Något hvar vet hvad tandvärk vill säga. Hvarför utöfvar smärtan i en liten tand ett sådant välde öfver oss, öfver den starkaste man, att han af denna ringa anledning kan förlora sömn, matlust, arbetskraft och all trefnad? Hela vår kropp genomlöpes af en hel väfnad af nerver, hvilka stå med hvarandra i ett så innerligt samband, att när blott en enda af dessa fina trådar beröres, så gör hela kroppen uppror, eller och känner den välbehag, såsom under frihet från smärta, under kraftig hälsa.

Men är nu känseln en så stor makt, som griper, fattar, håller och betvingar hela vår kropp, så är dock *känslan* en ännu starkare makt öfver både kropp och själ. *Känslan* är en själskraft af obeskriflig styrka. Denna kraft kommer ock i rörelse och verksamhet genom beröring med osynliga och synliga makter. När känslan vidröres, fattas, gripes och behärskas af det onda, hvilken oerhörd förhärjelsens makt är icke då denna själsgåfva!

Här måste vi stanna något, mina unga vänner. Det är under ungdomstiden, som den själsgåfva, som vi kalla *känsla,* framträder med synnerlig liflighet och kraft. Det är sant, icke alla unga äro lika känslosamma, men i allmänhet äro ungdomsåren de häftiga och starka känslornas tid. Icke heller är ynglingen

lika känslig som den unga kvinnan, ty känslan är ju
kvinnans starkaste och skönaste själsegenskap. Men
i verkligheten är ynglingen också ytterst känslig, fast-
än hans känslor yttra sig på ett egendomligt sätt, så
att de icke synas vara känslor, ehuru de vid närmare
betraktelse måste erkännas vara det. Saken är dock
den, att känslan under ungdomstiden är en så viktig
drifkraft i vårt lif, att vi måste med yttersta omsorg
taga reda på vårt känslolif för att få veta af hvad
beskaffenhet det är. Våra ungdomskänslor äro det
mäktiga utsäde, hvars frukter vi skola skörda både i
detta och det tillkommande lifvet. Här gäller i dju-
paste mening det allvarliga ordet: "Hvad människan
sår, det skall hon ock uppskära". O, mina unga vän-
ner, om I för eder egen skull villen akta på denna
sanning! Skriften säger: *Bevara ditt hjärta med all
flit, ty därutaf går lifvet.* Dessa märkvärdiga ord,
dem hvarje yngling och jungfru borde taga till sitt
dagliga tänkespråk, säga oss, att vi med all flit måste
taga vara på och vaka öfver våra känslor, ty af dem
går lifvet. Vårt hjärta, våra känslor är det, som sätta
hela vårt lif i rörelse, våra känslor är det, som bära
frukter för hela vårt lif. Tänk, hvilken värld af
känslor i ditt hjärta, du yngling, du jungfru! Huru
bildar och förädlar du dessa dina känslor? Eller låter
du dem växa vildt? De ligga visserligen förborgade
såsom frön i ditt eget inre till en tid, men snart bryta
de fram med oemotståndlig kraft och rycka hela din
själ och kropp med sig antingen till ditt fördärf eller
till din lycka och välsignelse. Mina känslor, hvad är
det? frågar du. Det är dina inre rörelser af lust och
olust, af välbehag och af smak, af frid och ofrid, af
sorg och glädje, af en oändlig mängd planer för fram-

tiden, af verklig eller inbillad lycka, af tycke eller lik-
giltighet för den eller de personerna, af kärlek eller
liknöjdhet, af värme eller köld för en sak, och
framför allt är det din känsla af lust eller olust till
Gud och hans ord, af bön eller ingen bön. Ja, huru
skulle jag kunna gifva en förteckning öfver eder inre
känslovärld, I unge? Det vore mig omöjligt, fastän
jag själf varit ung och i mitt hjärta burit samma käns-
lovärld, som I nu bären. I hafven hört om skepp, som
måste frakta dynamit och andra sprängämnen öfver
hafvet. Huru försiktiga måste icke de vara, som vistas
på ett sådant skepp; vid minsta vårdslöshet kan hela
skeppet sprängas i luften. Hvilken bild, mina älskade,
af det med brusande känslor uppfyllda ungdomslifvet!
Hvem är klok och förståndig nog att föra dessa dyna-
mitkrafter af känslor öfver ungdomslifvets stormande
farvatten? Allra mest förvånas jag öfver de unga,
som våga vandra genom ungdomslifvet utan Jesus så-
som sin herde och vän den bäste. Han var min per-
sonlige vän och Frälsare genom hela mitt ungdoms-
lif, likväl såg det ut mången gång, som skulle min
farkost sprängas i stycken af de häftiga och starka
känslor, som rörde sig i mitt känslofulla hjärta. Jag
blef stormdrifven genom de vådliga ungdomsåren, men
räddades, och äran tillhör ungdomens vän, Jesus, alle-
na. Utan honom hade jag varit ett vrak, därom är jag
viss. Jag talar till bekanta, därför kan jag tala så fritt.
    Men det skulle ju bli fråga om känslans bildning
och förädling. I viljen därför icke nu höra en predi-
kan om synden. Sant, men så mycket måste jag säga,
att det tyvärr mången gång är de med det rikaste
känslolif begåfvade, som falla i de hemskaste synderna
och förvillelserna. Huru mången med liflig och var-

ma känslor utrustad yngling har icke ohjälpligt fallit
i dryckenskapens hemska afgrund! Huru mången med
ett känslofullt och innerligt hjärta begåfvad jungfru
har icke fallit offer för ett blindt kärleksraseri och
därmed störtat sig i olycka för hela lifvet! Således I,
som hafven de starkaste och varmaste känslorna, ären
ofta i den största faran. I behöfven allra mest den
sanna bildningen och förädlingen för edra känslor.
De af naturen mera tröga och liknöjda äro mindre
utsatta för häftiga ungdomsförvillelser; men äfven de
stå i fara, och just de behöfva en särskild bildning och
förädling, om ej deras lif skall blifva ett torrt, inne-
hållslöst och glädjefattigt träldomslif.

Jag förmodar, att jag icke kan vinna eder fulla
uppmärksamhet för vårt ämne, förrän jag nämner det
ord, som är nyckeln till ungdomshjärtat. Det är ordet
kärlek. Att *kärleken* hörer till känslan, att männi-
skans hela känslokraft tages i anspråk af kärleken, att
kärleken sätter alla känslans oerhörda krafter i rö-
relse, i synnerhet hos de unga, behöfver jag ju icke
bevisa. O, huru lycklig man är, så länge man får *älska*
såsom ett barn! Aldrig skall eller kan jag glömma de
dagar af min senare barndom, då jag om våren och
sommaren fick taga mitt nya testamente och sätta mig
under björkarna omkring mitt ringa, men lyckliga för-
äldrahem. Trastarna, lärkorna och mitt hjärta sjöngo
i kapp Guds lof. Oförgätlig är den pingstfrid jag
erfor, då jag under vår- och sommarhögtiderna
eller söndagarna läste Herren Jesu tal i Johannes evan-
gelium eller om hvardagarna med en bok i handen
sprang barfota genom skogen. Mina dyra unga vän-
ner, låten I den tidiga ungdomstiden gå förbi utan att
mottaga Jesu kärlek i edra hjärtan, så misten I det

ljufvaste af detta jordiska lifvet. Det är icke öfver-
drifter jag talar nu.

Men tider komma, då annan kärlek än den, som
sträcker sig till himmelen, vaknar i det ungdomliga
hjärtat. I gossens och ynglingens inre begynna käns-
lor uppstiga, som beröra det sjätte budet i Guds lag.
Dessa känslor äro af två slag: dels det Guds ord kallar
ond lusta och begärelse, dels det, som Guds ord omta-
lar med dessa orden: såsom en ung man hafver en
jungfru kär. Om den onda begärelsen skall jag icke
tala mycket vid detta tillfälle. Blott det vill jag säga
dig, o yngling, kämpar du härvid en god kamp, så att
Gud och det goda hos dig vinna seger öfver det onda,
så har du vunnit en seger, som är mera värd än alla
jordens millioner. Ingenting gifver en så härlig lön
för lifvet som en verklig seger i dessa frestelser, och
inga sorger blifva bittrare än de, som följa lustarnas
seger. Vaka upp rätteligen, så varder Kristus dig
upplysande, och han allena kan föra dig välbehållen
genom frestelserna. O, de som hafva det brännmär-
ket i sitt samvete, att de förfört en medmänniska till
dessa synder! Framför allt måste en yngling vara
rädd för dessa styggelser och bedja Herren om nåd
att få likna Josef i ståndaktig tapperhet emot allt lätt-
sinne. Den yngling, som icke är ädel i detta afseende,
är rå, huru bildad han annars må kalla sig. Nog
härom.

Nu om de känslor, som skriften beskrifver med de
orden: "Såsom en ung man hafver en jungfru kär".
Att den sanna kärleken i detta afseende är en gåfva af
Gud, behöfver jag icke söka bevisa. Men ack, huru
många tygellösa känslor och lidelser, som gå och gälla
i världen under det sköna namnet kärlek! Ett af de

allvarligaste böneämnen för alla unga borde vara detta: Bevara mig för en *vild* kärlek. Lek icke med dessa känslor, rusa icke åstad i råhet, besinningslöshet och yra till vilda kärleksfantasier! Kom ihåg, att dessa känslor måste i all synnerhet förädlas, om de skola kunna kallas med det höga namnet kärlek. Och framför allt, unge man, lek ej med kvinnohjärtan! Det finnes skändliga och lättsinniga män, som anse hvarje ung flickas hjärta och känslor såsom de billigaste leksaker, som man kan taga och roa sig med, så länge man behagar, och sedan kasta, när man så tycker. Är en sådan människa värd att kallas bildad? Uppkomma dessa känslor hos dig, såsom de naturligen måste göra, så umgås med dem, med dessa dina känslor, menar jag, på det blygsammaste sätt, såsom det anstår en ädel yngling. Gif dig tid att pröfva af hvad beskaffenhet dessa känslor äro, och vill du hafva dem rätt pröfvade, så lägg dem fram inför honom, som rannsakar hjärtan och njurar. Sans och besinning få vi, när vi låta Hugsvalaren, den Helige Ande, lugna och stilla våra af stormande känslor upprörda hjärtan.

Den unga kvinnan, huru svag och oerfaren hon är, huru väl hon behöfver en trofast vän att hålla sig till, en som icke leker med hennes ömmaste känslor, hennes uppriktigaste tillgifvenhet! Tron mig, det finns ingen människa, åt hvilken I kunnen utan fruktan, utan tvekan, utan fara öfverlämna edert hjärtas odelade kärlek, eder oinskränkta hängifvenhet, och dock behöfver kvinnan i synnerhet någon att älska, någon att med fullt förtroende stödja sig vid. Om någon behöfver lyssna till Herrens ord: *Gif mig ditt hjärta,* så är det den unga kvinnan. Jag menar icke nu, att man skall i egen kraft, med naturlig, svärmisk kärlek kunna

hängifva sig åt sin Frälsare, men jag menar, att om
Guds Ande får utgjuta Kristi kärlek i en ung kvinnas
hjärta, så får hon, hvad hennes hjärta önskar, det är,
hon får älska den, som är värd att älskas, hennes var-
ma, känslofulla hjärta får en tillfredsställelse och frid,
som ingen människokärlek kan gifva. Det finnes i vår
psalmbok en psalm, som i vissa delar är svärmisk och
öfverdrifven, men som dock innehåller mycken san-
ning. Det är 351, som har till öfverskrift: *För ett
ungt fruntimmer*. Första versen lyder:

> Du, hvars gudahjärta blödde
> för att mänskohjärtan gläda!
> Du, som huld de svaga stödde
> och i famnen slöt de späda!
> Jesus, trygg jag öfverlåter
> åt din ledning mina dagar,
> och af salig fröjd jag gråter,
> att du mig så ömt ledsagar.

Och när I fån erfara de känslor, som vi kalla mänsk-
lig kärlek, så bedjen Herren innerligt, att I måtten
slippa det ursinniga kärleksraseri, som världen prisar
i sina romaner, ja, äfven i svärmisk och giftig poesi.
I måtten väl aldrig läsa s. k. kärleksromaner? Tron
I icke, att edra eldiga känslor kunna förblinda eder
nog illa ändå, äfven om I icke berusen eder med det
giftiga opium, som hjärtat indricker i romanerna?
Hafven I läst om dem, som nyttja opium, huru detta
hemska gift förtär människans ädlaste krafter, under
det den arme förförde i fantasien kastas mellan him-
mel och helvete? En ung flicka, som sysselsätter sig
med läsning af kärleksromaner, fördärfvar sina käns-
lor helt och hållet och blir snart en ruin till kropp och
själ. Skulle någon af eder hysa denna giftiga orm

vid sitt hjärta, så slunga honom genast så långt bort som möjligt. Den mänskliga kärleken omtalas och beprisas i den heliga skrift såsom en Guds gåfva, men där göres en stor skillnad mellan Guds gåfva och den afgudiska och vilda kärlek, som gör människan till en neslig slaf under galna inbillningar. Är det möjligt att räkna de unga kvinnor, som i vild yra, i sanslöst kärleksraseri offrat sig själfva och hela sitt lif åt en Molok, en vild sälle, som med den mest djuriska råhet plågat sitt offer? Om någon behöfver djupt begrunda ämnet om känslans bildning och förädling, så är det den unga kvinnan, ty ingen blir lättare ett rof för farliga och sanslösa känslor än hon. Huru svag är icke ofta en ung människa för smicker och flyktiga artigheter! Man måste många gånger förvåna sig till det yttersta öfver huru en ung, oerfaren flicka kan våga lämna sitt förtroende åt en alldeles obekant yngling. Ack, den arma, hon vet icke, hvilken tiger som ofta döljer sig under den fina, artiga ytan! Hvarför säga sådant? frågen I. Jo, för att visa, huru väl I behöfven, att edra unga och lifliga känslor rätt fostras, bildas och förädlas, på det I icke måtten blifva ett rof för de stormvindar af falska känslor, för hvilka I blifven utsatta. Jag har dock icke sagt mycket. Huru skulle jag, då jag talar om ungdomens känslolif, kunna gå förbi den delen däraf, som är den förnämsta och den farligaste. Tron I, att jag förnekar att den mänskliga kärleken är ljuf och skön, då den är sann? Nej, visst icke. Men jag tror icke, att människor äro änglar. Jag påstår ock, att det är omöjligt skapa ett bestående paradis på jorden med mänsklig kärlek. Den, som är utan Gud i världen, är också utan paradis. Jag vet nog, att äfven sådana, som med munnen be-

känna Kristus, kunna i hjärtat vara råa och vilda
människor; jag vet, att det finns ulfvar i fårakläder,
men jag vet också, att när jag vill finna en sann män-
niska, så söker jag en sann kristen. Ett vill jag säga
eder, och det är, att I kunnen använda eder sköna ung-
domstid bättre än genom att bränna upp och förstöra
edert hjärta med dumma kärleksgriller och människo-
afguderi. Det finnes människor, som äro hjärtlösa
nog att narra en medmänniska att förnöta hela sin
sköna ungdomstid i förtärande, svärmiskt afguderi.
Somliga njuta af att vara föremål för sådant gränslöst
afguderi. Det är att göra sig själf till en Molok och
en Baal. Bed Herren, att du må slippa att offra den
skönaste tiden af ditt lif åt sådana hjärtlösa afgudar.
Dina känslor förädlas sannerligen icke af sådan afgu-
datjänst.

En ungdomsförening, om hon rätt brukas, bör verka
bildande och förädlande på de ungas känslor. Nog
är det hälsosamt för unga män att hafva ett anstän-
digt och blygsamt sällskap med de unga af det andra
könet i en ungdomsförening i stället för att vältra sig
på svinhusen, krogarna. Hälsosamt är ock för en ung
kvinna att i en ungdomsförening få se verkliga yng-
lingar i stället för att läsa vilda kärleksromaner och
inbilla sig, att hvarje ung man är en öfverjordisk va-
relse. När man får se hvarandra i det verkliga lifvet,
så märker man snart, att hvar och en är en helt vanlig
människa. Men väl behöfves det, att man är vaksam
öfver sitt beteende både under vägen till och ifrån
ungdomsmötena och under själfva samvaron där. Man
måste låta fostra sig och sina känslor till den sträng-
aste blygsamhet och till den mest ömtåliga finkänslig-
het. Skulle slipprigt tal och sårande glam begynna

innästla sig, då är det tid att fly med hast. Skulle det visa sig benägenhet bland de unga att gå och släpa arm i arm sent ut på kvällarna, då är det tid att taga till den allvarligaste, men på samma gång ömmaste kyrkotukt.

Att Guds ord är det egentliga bildande och förädlande medlet för våra känslor, det veten I mycket väl, det har ju redan förut blifvit sagdt. Men låten detta vara eder sagdt icke blott därför, att det skall så vara, utan därför, att det *är* så, ja, därför att Guds ord är oundgängligen nödvändigt för känslans förädling och bildning, så att ingenting kan sättas i stället för detta ord. Bönen kommer därnäst, jag menar bönen i anda och sanning. Huru skulle våra känslor kunna förädlas bättre än under umgänget med honom, som var oss i allting lik, dock utan synd? Läsning af goda böcker i allmänhet är ett godt bildningsmedel för känslan. Näst umgänget med Gud är det ingenting, som så förädlar känslan som god sång och musik. Musiken är känslans språk. Musiken, jag menar den sanna musiken, är en telefon mellan himmel och jord, och hjärtat kan tala genom denna telefon, känslan hör och förstår detta Guds språk. O, huru ljufligt det är att få sitta vid sin lilla orgel och telefonera till himmelen och så få svar strax! Men denna telefonering sker icke genom dansmusik och andra råa, köttsliga toner. Den som har sångens gåfva, tänk, hvad man kan telefonera till den triumferande församlingen omkring Lammets tron och höra deras sång!

Är det svärmeri, jag talar? Nej. Men vår känsla måste vara rikt utbildad, om vi skola njuta af allt det sköna, som vi kunna få genom denna stora Guds gåfva. Därför skulle de unga fara efter att få ett rikt hjärta, en stor, outtömlig skatt af höga, härliga, upplyftande, hänförande himmelska sanningar för sina känslor. Det är ljuft att hafva en rik känsla. Jag vet väl, att man lider så mycket mer af det onda hos sig själf och i världen, när man har en varm känsla; jag vet ock, att den, som har innerliga känslor, är i stor fara och kan störta i grufligt fördärf, om känslorna råka på afvägar, men jag vet ock, att den, som är fattig på känslor, lefver ett fattigt, ett torftigt och dystert lif. Man plägar nog tala med förakt och varnande om känslo-kristendom, men hvad är kristendomen, om han icke är rik och varm känsla, rik och varm kärlek? Gud är kärleken, därför är han ock fullheten af de skönaste känslor. Se på Herren Jesus! Hans hjärta var öfverfullt af de varmaste, innerligaste, mest upphöjda, härliga känslor. Hans tal äro idel hjärta. Det torra resonerandet är fjärran från hans samtal och predikningar. Någon känslofullare människa än Herren Jesus har icke lefvat på jorden. Läs Johannes, Paulus och de öfriga apostlarna, läs psalmerna och profeterna, hvilket haf af brinnande och ljufva känslor! Men vi missuppfatta ofta ordet känsla. Vi mena, att det är blott en flyktig rörelse, som försvinner såsom en dimma. Nej, känslan är den omedelbara förnimmelsen, det verkliga andliga vidrörandet af Gud och hans närvaro, hans gåfvor och nåd. Vi bruka säga: det och det är så visst, att jag kan taga på det med händerna. Så säger ock den sanna känslan; hon kan taga på, beröra, fatta, gripa, hålla i, känna det evigt sanna, goda och sköna, Herren Jesus och hans nådesnärvaro.

Så underbart är vår själ begåfvad med känslor, när Guds Ande fått föda oss på nytt, att vår ande vidrör Guds Ande, att vi känna Guds närhet lika visst, som vår kropp känner närheten af de föremål, som röra vid honom. Aposteln Paulus kallar evangelium en *söt lukt*, således någonting som sannfärdligen kännes och uppfriskar hela vår ande, själ och kropp. Hafven I känt något af denna söta lukt för eder ande, när I hafven läst Guds ord? Om I gån ut i den sköna naturen med Guds ord i handen denna sköna vårtid, då träden prunka i sin härlighet, fåglarna kvittra och allt doftar af Guds närhet, när I därjämte läsen något Guds ord och begynnen bedja, *kännen* I icke då Guds närvaro så visst, att I icke kunden vara vissare, om I sågen Gud själf med edra lekamliga ögon? Den sanna känslan är den omedelbara förnimmelsen och åskådningen af Guds härlighet. Våra yttre ögon äro för svaga för att se Gud. Vi äro lika de blinda, som läsa med känseln de upphöjda bokstäfverna, emedan de icke kunna läsa med ögonen. Så läsa ock vi med känslan, emedan våra ögon ännu äro skumma, men en gång skola vi evigt se honom såsom han är och känna honom såsom han känner oss. Att fritänkarna hafva förlorat känslan af Guds närvaro i bibelordet är det allra sorgligaste bevis på att de alldeles sakna känslans bildning och förädling. Af den sanna känslan blifver allt mer och mer det sanna *kännandet* eller kunskapen, såsom vårt svenska språk så sant visar genom att härleda känsla och kunskap af samma grundord. I bibeln äro känsla och känna *ett*. Så skall det ock blifva i härligheten. Till sist hören apostelns ord: *"Växen i nåden och vår Herre Jesu Kristi kunskap".*

Bildning och kristendom.

mnet har ingalunda nyhetens behag, ty det har ofta, af många och på mångahanda sätt blifvit behandladt. Likväl är det ett ämne af största vikt och betydelse för vår tid och i all synnerhet för oss svenskar här i landet.

I förväg vill jag ock tillkännagifva, att jag alls icke gör anspråk på att kunna fullständigt utreda och framställa detta så allvarliga och djupgående ämne. Allra minst ämnar jag anställa försök i vältalighet. Helt rätt fram vilja vi höra några enkla tankar öfver ett ämne, som angår både lärda och olärda, fattiga och rika, oss alla. Vårt ämnes ordalag kunna uppställas på många olika sätt, och man kan sålunda genom själfva ordställningen gifva själfva saken olika betydelse. Vi kunna säga: *bildning* och *kristendom* eller *kristendom* och *bildning*. När vi säga så, mena vi, att kristendom och bildning äro oupplösligen förenade, så att man icke kan hafva det ena utan det andra. I denna betydelse är det jag vill betrakta ämnet.

Men man kan ock sätta bildning och kristendom mot hvarandra och säga: antingen *bildning* eller *kristendom,* och man vill då påstå, att man måste äga antingen bildning eller kristendom, men icke båda på en gång. Man kan ock säga: först *bildning,* sedan kristendom, d. v. s. det viktigaste är bildningen. Vi måste söka först efter den förra, sedan få vi se efter, om vi få någon tid för kristendomen, och huru mycket kristendom vi kunna förena med vår bildning. Man kan ock säga: bildning för de förnäma och begåfvade, kristendom för det låga och dumma folket. Men man kan ock säga: först *kristendom,* sedan bildning. "Söken först efter Guds rike och hans rättfärdighet, så faller eder allt detta till."

Nu först om själfva ordet *bildning.* Det är i sanning ett bildbart ord, så att hvar och en kan efter sitt tycke gifva det en betydelse. Människan *allena* kan bildas, icke djuren. Det råder ock en babylonisk språkförbistring angående detta ords mening. Somliga förstå med bildning det samma som att kläda och skicka sig efter nyaste modet. Ej behöfva vi spilla många ord på dessa ytliga, lättsinniga människor, som blott fråga: Huru skola vi kläda oss, huru buga och skicka oss, så att vi icke bryta mot modets och etikettens stränga och omutliga lagar? Här vore skäl att försöka med bitande gyckel gissla modets galenskap, hvaraf äfven många af vårt folk äro hårdt angripna, men det anstår en präst bättre att gråta än gyckla öfver tidens fåfänga. När man emellertid allvarligt betraktar lyxen och galenskapen, hvilka i världen gå och gälla under det sköna namnet bildning, är man färdig att betrakta hela jorden såsom ett enda stort dårhus. Men höra då icke artighet, snygghet och anständighet i klädedräkt till en sann bildning? Visserligen. Men det är stor skillnad mellan artighet och tillgjordhet, mellan anständig klädedräkt och lyx.

Andra anse, att den är bildad, som är väl bevandrad i romanlitteraturen, på teatern och i balsalongen. Romanen, teatern och dansen äro det triumvirat, som i våra dagar sammansvurit sig att bilda synden, så att hon icke mera skall synas vara öfvermåttan syndig. Romanen, teatern och balsalongen hafva slutit förbund för att åstadkomma en bildning, som kan förkunna för mänskligheten det glada budskapet, att synden icke mera är farlig. Här hafva vi nästan på en gång träffat brännpunkten af kristendomens kamp mot den falska och farliga sig så kallande bildningen. Kristendomen förkunnar förlossning från det onda genom att uppenbara synden, predika bot och bättring, nåd, förlåtelse, rättfärdiggörelse och helgelse genom Kristus. Romanbildningen, teaterbildningen, balsalongsbildningen förkunna förlossning från synden genom att med tjusningens förtrollande medel framställa henne såsom oskyldig och icke farlig. Men hvad lönar det att höja sin röst mot romanen, teatern och dansen? Så länge det törstande människohjärtat icke låter föra sig till Jesus, som gifver det lefvande vattnet, så dricker det med raseri ur världens förgiftade smutspölar. Staden New Yorks polismästare uppgaf för någon tid sedan, att största delen af den stora stadens fallna kvinnor hade kommit in på sin fasaväckande syndaväg genom dansen; ändock vågar man påstå, att dansen är ett oskyldigt nöje. Tidningen *Pioneer Press* här i staden, som annars vederkvicker sina läsare med lysande teaterberättelser, i synnerhet i söndagsupplagan, intog dock nyligen i ett söndagsnummer, som jag läste på måndagen, en ganska allvarlig korrespondens från New York. Däri visades, huru sedligt förfallet teaterlifvet är vid de förnämsta teatrarna

i den stora staden. Teaterbiljetterna berättiga till
inträde på en storståtlig och lysande krog, som sam-
manhänger med teatern. Där får man, säger kor-
respondenten, vid midnattstid se mera dryckenskap än
någonsin annars, och de druckna äro till största delen
flickor! I en af de stora teatrarna användas unga
flickor till uppasserskor (ushers), och de måste na-
turligtvis, säger samme korrespondent, vara och blifva
fördärfvade, ty inga andra än fördärfvade flickor
skulle taga plats såsom uppasserskor på en teater.
Ändå kunna många påstå, att teaterlifvet är ett oskyl-
digt nöje, ja, bildning och skön konst.

Och romanerna, hvad äro de? Just det samma som
starka drycker. Att det kan och bör finnas goda ro-
mantiserade historiska berättelser förnekas ej. Huru
många äro de, som hafva förstånd, smak, takt och
sedlig kraft nog att bland de oerhörda massorna af
dåliga romaner välja de ytterst få, som äro goda och
hälsosamma? Skulle vi begifva oss in på kapitlet om
den bildning, som den dåliga och sedeslösa litteraturen
i våra dagar ger de civiliserade folken, åtoge vi oss
ett ämne, som vi ingalunda kunde utreda på en kväll.
Man märke, att de böcker och tidningar vi läsa äro
våra intima vänner. Säg mig, med hvem du umgås,
så skall jag säga dig, hvem du är.

Men goda kunskaper måste väl ändock höra till den
bildning, som är nödvändig och hälsosam? Ja väl, om
dessa goda kunskaper rätt och väl användas. Huru
ofta få vi icke se de allra sorgligaste exempel därpå,
att personer, som i Europas och detta lands skolor för-
värfvat sig mycket goda kunskaper, likväl äro i grund
och botten sedligt förfallna människor. Kunskapen
sitter hos mången blott utanpå, i minnet och förstån-

det, utan att någon sann kunskap fått intränga i samvetet och hjärtat. Men själfva kristendomen sitter utanpå hos en mängd människor, som kalla sig kristna och likväl icke äro det. En sansad människa förkastar icke kristendomen därför, att det finns många skrymtare; likaså kan ej den, som vill använda sitt förstånd, förakta goda kunskaper, därför att många på det gröfsta sätt vanvårda och missbruka kunskapen.

Borde man icke då försöka inrätta goda folkbibliotek, på det att allmänheten måtte komma i tillfälle att förskaffa sig god boklig bildning? Borde icke äfven våra församlingar tillhandahålla ett godt lånbibliotek för vår svenska befolkning, isynnerhet i städerna? Visserligen vore detta både en god och nödvändig sak. Många skulle vilja gå så långt, att de sade: låtom oss i stället för kyrkor bygga bibliotekshus och föreläsningssalar, där folket genom läsning af vetenskapliga arbeten och åhörandet af populära föreläsningar kunde blifva bildadt.

Jag undrar, huru många föreläsningssalar och bibliotekshus de af våra svenskar i Amerika, som hata kyrka och präster, hafva byggt? Månne det är omöjligt att räkna antalet? Att de, som icke bry sig om kyrka och präster, hafva byggt många krogar, det veta vi. Men jag måste bekänna min okunnighet, att jag icke vet om ett enda svenskt bibliotekshus eller en enda föreläsningssal, som blifvit byggd genom de svenska tidningar, som jämra sig så illa öfver kyrka och präster och språka så vältaligt om bildning och lärdom. Vi hafva här ett fasaväckande exempel uti det tyska folket. En mängd af detta så rikt begåfvade folk hatar kristendomen, men älskar bier och söndagsskoj så mycket ifrigare och innerligare. Jag läste nyligen i en Chicago-tidning, huru flera tusen "bildade" tyskar tillbragte en söndag i det gröna utom Chicago. Jag behöfver ju icke säga eder, huru det gick till. Och dock är det tyska folket icke ett vildt folk; men det är ofta vildt i sin fiendskap mot kristendomen. Hvilka bildningsanstalter är det tyskarna bygga i stället för kyrkor? Bryggerier, krogar, bierträdgårdar och "Turnhallen". Hvad en "Turnhalle" användes till, veten I nog utan min beskrifning därom. Våra gudlösa svenskar äro icke så företagsamma som de gudlösa tyskarna. Blott den gudlöse svensken får behålla sin krog och sitt råa, okyska gyckel med det kvinnliga könet, är han belåten. Se'n får det gå med bildningen, huru det kan. En duktig sup, en grof svordom, ett rått, okyskt ord äro bildning nog för många af våra arma svenskar. Skämmer jag härmed ut mitt eget folk? Många af vårt folk skämma tyvärr ut sig själfva. Jag vill visst icke skämma ut dem. Mitt hjärta blöder, och hvarje svenskt hjärta borde blöda och sjunka ned i stoftet af skam, blygsel och syndasorg, när man läser sådana berättelser om våra svenskar, som det stycke svenske sjömansprästen i Liverpool har skrifvit "om de svenska emigranterna i England". Jag kan icke läsa det för eder i kväll. I skullen anse mig rent af taktlös, om jag gjorde det. Stycket står att läsa i *Augustana* för den 20 augusti i år. När man läser sådana berättelser, då ser man, huru obeskrifligt råa människor äro midt i kristenheten i det nittonde århundradet. Då önskar man, att man hade hälsa och krafter, så att man kunde kasta sig midt in bland de i synden vilda människorna med Guds lefvande ord och alla sant bildande medel, på det man måtte kunna rädda så många som möjligt från timligt och evigt fördärf.

Säkert är, att församlingarna borde göra något för upprättandet af goda lånbibliotek. Det är icke så svårt att så småningom samla medel för ett godt bibliotek, men svårigheten är: hvem vill läsa de *goda* böckerna? Goda böcker finnas i mängd både på svenska och engelska; men huru många hafva den rätta läslusten? De, som bäst behöfde läsa goda skrifter, hafva ingen lust därtill. Det samma gäller goda tidningar, huru många läsa dem? Där stå vi då åter rådlösa med all vår bildningsifver. Och hvad skola vi göra med de många, som till följd af fattigdom, sjukdom och andra hinder ej kunna inhämta boklig bildning?

Men, mina älskade, vi behöfva icke och vi böra icke ännu förtvifla om vårt svenska folk i Amerika. Så länge vi se så mycket folk samladt till gudstjänsterna i våra kyrkor, böra vi glädjas. Ty, säga hvad man vill, det är från Kristus och kyrkan, som den sanna folkbildningen måste utgå. *Samvetet* måste uppväckas, gripas och sättas i verksamhet, om vi skola blifva bildade människor. Hjärtat måste pånyttfödas, omskapas och förnyas, om det skall blifva någon sann bildning af. Hvad är det, som kan gripa samvetet, skaka och väcka det? Hvad är det, som kan förnya hjärtat? Det är Guds ord.

> "Hvad är den kraft, hvad är den makt,
> den kristna riddarskarans prakt,
> den skärm, den sköld, den borg för hären,
> de blanka, slipade gevären,
> som aldrig föllo ned till jord?
> Det är Guds ord, det är Guds ord.

Hvad är som ett tveeggadt stål,
som aldrig något motstånd tål
och intet pansar utestänger,
men genom själ och ande tränger
och egen vanmakt känna lär?
Det är Guds ord, Guds ord det är.

Hvad brusar så mot stormens ljud
och öfverröstar åskans bud?
Hvad dundrar uti syndarns öra,
som domens röst han skulle höra,
och straffet honom frukta lär?
Det är Guds ord, Guds ord det är.

Hvad susar som en västanfläkt
och kläder allt i sommarns dräkt,
hvad friskar upp de slagna hjärtan,
hvad ropar tröst i syndasmärtan,
hvad drifver sorgen fjärran här?
Det är Guds ord, Guds ord det är."

Den sanna bildningen måste komma ofvanifrån, från Gud, in i människans innersta, in i hjärtat och samvetet. Och därifrån måste denna himmelska bildning genomtränga vår ande, själ och kropp, vårt inre och yttre lif.

Hvem är det, som har gjort mest på jorden för den sanna folkbildningen? Kunna vi vara tveksamma om svaret? Det är Jesus Kristus, som har kommit med bildningen till jorden, det är han, som har förkunnat bildning för alla, hög och låg, fattig och rik, för den å förståndets och själsgåfvornas vägnar rikt begåfvade och för den mindre begåfvade, ja, för själfva idioten. "Det är", säger en engelsk predikant, "i den allt omfattande och fullkomliga sympati med hela mänskligheten, som Jesu hjärta skiljer sig från hvarje annat hjärta, som finnes bland människobarnen." Och hvad gjorde Herren Jesus, då han ville gifva alla människor en sann bildning? Upprättade han filosofskolor, lärda föreläsningar, teatrar, krogar och dansskolor? Slog han sig på uppfinningar och penningförvärf, skref han böcker och utgaf tidningar? I veten alla, hvad han gjorde. Han byggde icke ens kyrkor. Men I veten, att genom honom är det, som kyrkorna byggas än i dag. I veten, att af honom hafva den sanna vetenskapen, den sköna konsten, den verkliga civilisationen blifvit helgade. I Jesus Kristus måste ännu allt "hvad sant, hvad ärligt, hvad rätt är, allt hvad kyskt, hvad ljufligt, hvad väl lyder lefva och hafva sin varelse."

O, att vi blott hade många, som under bön med lefvande hjärte- och troshänförelse förkunnade evangelium om Jesus Kristus, så skulle ock de rätta bildningskrafterna utströmma till folken.

Kristendomen är ingalunda fientlig mot vetenskap, skön konst och mänsklig bildning. Det finnes t. ex. i folkens poesi mycket, som pressats såsom nödrop ur mänsklighetens samvete och hjärta. Sådana stycken kunna läsas till stor nytta. Ack, att tyskarna t. ex. ville på allvar läsa vissa stycken ur sin Schiller, en skald, som tyskarna ägna nästan gudomlig dyrkan. Läs Schillers poem om förförelsens gräsliga synd, en synd så allmän i våra dagar. Han gifver stycket öfverskriften "Barnamörderskan". Det är skrifvet med djup sympati för det elände och den jämmer, som synden medför. Men när då tyskarna vända sig till sin störste skald Göthe och finna, att så gräsliga brott kunna genom älfvorna aftvås med *morgondagg,* då slå de sig snart åter till ro öfver och i sina synder vid ett godt glas bier.

Alltså, de väckelser, som utgå från den mänskliga poesien, äro i det stora hela icke djupgående. Man brukar tala om "krokodiltårar", men jag undrar, hvad *romant*årarna, de *poetiska* tårarna äro värda? En sann poetisk tår kan vara en begynnelse till den sorg, som är efter Guds sinne, och därför förakta vi ingalunda god poesi. Man läse Wallins "Dödens ängel", Topelii "Till min moder", Tegnérs "Till solen" och dylika stycken ur vår svenska poesi. Sådana sanna bekännelser af det mänskliga hjärtats ädlaste känslor hafva sin stora betydelse och äro värda att taga vara på.

När man vill se, om det finns några minnen kvar hos människan däraf, att hon ursprungligen är skapad till Guds beläte och afbild, så måste man genomsöka de bättre styckena af poesien och den bättre litteraturen i allmänhet. Sådana minnen från människors ursprungliga bildning uppsökte aposteln Paulus i den hedniska litteraturen, såsom vi se af Apg. 17:e kapitel.

Jag nämnde uttrycket: *antingen* bildning *eller* kristendom. Detta påminner oss om huru en tidsbildning kan komma i skärande motsats mot kristendomen, så att det gäller: den som världens vän vill vara, han varder Guds ovän. Äfven den egendomliga företeelsen har förekommit och förekommer, att det gifves kristna, hvilka förakta den allmänna bildningen såsom något ondt och farligt. Exempel härpå finna vi i de finska hihuliterna, som midt i sin ifriga kristendom i detta stycke blifvit snedvridna, ja, rent af råa. De åter, som påyrka *först* bildning, *sedan* kristendom, fordra, att kristendomen måste foga sig efter den tillfälliga världsbildningen. Detta sätt är nu mycket modernt i Amerika. Man predikar och skrifver mycket därom, huru de kristna lärorna måste omstöpas, så att den moderna världen må kunna antaga dem. Ack, de stackars präster, som äro sysselsatta med att gjuta om kristendomens lära efter nyaste modet, hvilket fåfängt arbete ha de ej företagit sig! Det vore bäst, att de sysselsatte sig med den frågan, huru deras egna och andra syndares hjärtan skulle omgjutas och pånyttfödas.

Om de kristna gäller ordet: "Allt är det edert", äfven när det är fråga om bildning och kristendom. De kristna böra tillägna sig sann bildning äfven inför människor. En sann kristen är en sant bildad människa. "Lären af mig, ty jag är *mild* och *ödmjuk* i hjärtat", ropar Herren Jesus. Denna obeskrifliga mildhet, ömhet, sympati och finkänslighet, denna ödmjukhet, som hör till en sann bildning, kan läras endast af och hos Herren Jesus. Vi tala om *bildadt* umgänge. Skall du blifva bildad, måste du umgås med bildade människor, men skall du i sann mening blifva bildad, måste du umgås med Herren Jesus själf.

Vår ungdom.

Vår ungdom — detta är ett uttryck, som vi ofta begagnat vid detta möte såväl som vid många andra tillfällen. Hvad betyder det uttrycket för oss alla och för vår ungdom i synnerhet? Låtom oss söka ett kort svar på denna fråga från trenne synpunkter:

1) från familjens,
2) från kyrkans,
3) från den nationella synpunkten.

1. Det första vi tänka på, när vi säga *våra* barn, *vår* ungdom, är hemmet, barndomshemmet. Tillåten mig ock att begära ett barnsligt svar. Huru många af oss härinne är det, som måste med tanken fara öfver världshafvet för att finna sitt barndomshem? Räcken upp edra händer!

Huru många af oss är det, som hafva sitt barndomshem i nya världen? Låten oss se!

Huru många i Minnesota?

Finnes det någon enda ibland oss, som glömt sitt barndomshem?

Gud har så skapat människan, att inga band äro starkare i hennes hjärta än hemmets band. Den för-

lorade sonen hade farit långt bort i främmande land
och var djupt sjunken i synd, fattigdom och nöd, han
hade förslösat hela sitt arf. Men ett minne och ett
arf kunde han aldrig förstöra, och det var detta '"Min
fader". Fadern hade sörjt och väntat länge förgäfves,
men detta enda ena stod alltid för honom: "Denne
min son".

De mest gripande sånger på jorden hafva sjungits
på melodien: "Min moder, min fader, min son, min
dotter, mitt barn." Det är detta *min,* detta *vår,* som
är den räddande och bevarande makten i människo-
världen, annars skulle synden fördärfva allt. Hafven
I märkt denna starka makt, då I ensamma företagit
resor i främmande trakter och länder? Hafven I sett
den öfverväldigande kraften af detta *min* och detta
vår vid järnvägsstationer och ångbåtsbryggor? Än
mer, hafven I själfva på sådana resor känt den ööfver-
vinneliga makten af detta "de mina, de våra"? Vi
älska att tro, att våra barn älska sitt barndomshem
och allt, som påminner om detta hem. Väl kännes det
för oss äldre i våra mörka stunder, som om det gräs-
liga amerikanska "I don't care" skulle beröfva våra
barn och vår ungdom alla djupare och ädlare känslor
af ömhet och tillgifvenhet, väl har ock ett folks om-
flyttning till främmande mark de mest förödande följ-
der för detta folks hem- och familjekärlek, dock hop-
pas vi, att vår svensk-amerikanska ungdom har dju-
pare känslor af öm tillgifvenhet än som synes oss.

Det är ju en svår frestelse för vår ungdom att se
ned på oss äldre, på sina fäder och mödrar med en
viss blygsel. Vi äldre behålla ju mestadels vår gamla
nordiska enkelhet och tillbakadragenhet i vårt upp-
trädande, vi kunna ej taga på oss den min af tvärsäker

öfverlägsenhet, som tillhör det amerikanska lifvet. Vi
bära därför spår af en viss tafatthet och skygghet.
Ännu värre, när det kommer till den sorgliga språk-
frågan. Vi fäder och mödrar tala ju helst det gamla
nordiska modersmålet. Ack, ack, när vi skola tala det
nya modersmålet, huru ömkligt det låter! Tänkom
oss nu den svåra frestelse för hvilken våra barn och
vår ungdom äro utsatta. Den här gubben, som talar
engelska så fult och otympligt, är *min fader*, den här
gumman, som rör ihop en rotvälska, som hvarken
svensk eller amerikan begriper, är *min moder*. Huru
går det nu med fjärde budet, det bud, som för öfrigt
är så svagt i den nya världen? Huru går det nu att
sjunga den sköna sången:

"Home, home, sweet, sweet home,
Be it ever so humble, there's no place like home"?

Redan hafva vi många hem, där barnen och ungdo-
men tala blott engelska och de gamle blott svenska. Är
ett sådant hem ett helt hem? Språket är ju hjärtat i
hemmet. Där språket är sönderslitet, där blöder re-
dan hjärtat, där är redan hjärtsjukdom å färde. Vi
pilgrimsfäder och pilgrimsmödrar i Amerika måste
bevisa en mångdubblad kärlek och ömhet, om vi skola
kunna begagna uttrycket *vår ungdom* med något efter-
tryck. Oss går det ofta, som det går hönan, när hon
söker samla sina kycklingar under sina vingar, om
hon till sin fasa finner dessa kycklingar vara af den
art, att de simma midt ute i strömmen, ej aktande
hennes ångestrop mot faran. Då får uttrycket *vår
ungdom* ofta en betydelse, som skär oss äldre genom
märg och ben. Hvarför foro vi till främmande land
med våra barn, till ett land så vidsträckt och så oroligt,

att *vår ungdom* far än hit, än dit utan hem och skydd, ett rof för främlingar utan kärlek, ett land fullt af söner och döttrar, hvilka alla farit långt bort i främmande land. Där är den enskilda fadern och modern vanmäktig. Hvilket rop är det, som höres mest och högljuddast i himmelen vid Guds tron från jorden? Säkert är det ordet "min son, min dotter, våra barn, vår ungdom" en helgongloria af föräldraböner. En så många tårars och böners son eller dotter kan ej gå förlorad.

Här komma vi då strax till vår andra fråga om vår gemensamma moder, vår evangelisk-lutherska kyrka, och den betydelse hon inlägger i orden *vår ungdom*.

Hon, kyrkan, är en moder med högre modersplikter och med större modersansvar i detta vårt pilgrimsland än i något annat land på jorden. Här har hon intet underhåll af staten, här har hon inga gamla hem och tempel, strödda öfver hela landet, här måste hon vara en fattig nybyggerska, här måste hon uppsöka sina barn, som i yran och villan sprungit och gömt sig öfver hela det ofantliga landet, utan att fråga efter, huru det skulle blifva sörjdt för deras själ.

I vårt gamla barndomshem sjöngo vi:

> Så lämna all otidig möda
> och var ej en fåfängans träl,
> sörj icke för kläder och föda,
> men sörj för din fattiga själ.

Dessa allvarliga ord hafva blifvit omsatta i detta frihetens land ungefär så här:

> *"Sörj väl för kläder och föda,*
> *men minst för din fattiga själ."*

Tal och föredrag. 22.

Därtill betänke man det väldiga väckelseropet, den mäktiga reformation, som gått öfver det kära hemlandet i Norden under de närmast flydda 50 åren. Efter en sådan tid kastas hundratals tusenden från det kära hemmet såsom öfver världshafvet in i främmande land, där de skingras såsom fröfjun i häftig blåst.

Hvad betyder nu för den svenska lutherska kyrkan det uttrycket: *"vår ungdom"*?

Älskade vänner, jag erkänner strax, att jag är oförmögen att tolka den hjärtgripande betydelsen af detta ord under sådana omständigheter. Här är kyrkan mer än i något annat land satt i faders och moders ställe. Om vi skulle anställa en räkning bland vår svenska ungdom i denna stad för att undersöka, huru många af *vår ungdom* det är, som här hafva förmånen att bo i sitt föräldrahem, under vården och skyddet af sina närmaste, huru stor tror man den skara af unga skulle vara, som endast genom bref kunna stå i förbindelse med sitt hem? Hvad förmår nu modern, kyrkan, göra för alla dessa sina barn, dem hon i det heliga dopet burit till Herren med löfte att lära dem allt det han har henne befallt? Här tänka vi då strax på våra konfirmander. Här griper ordet *vår ungdom* så djupt hvarje trogen pastors hjärta, att han varder stum af häpnad. Tänk, om vi hade samlingen af alla konfirmandtaflor från hela Augustanasynoden blott för ett enda år, då skulle vi vid åsynen af alla dessa ansikten upphäfva ett jubel- och smärterop: *Vår ungdom!*

När vi vandra omkring vid våra nattvardsbord, klappar vårt hjärta häftigt och frågar vid hvarje slag: Hvar är vår ungdom, och när vi se många eller några af dem vid nådebordet, ropa vi starkt men tyst: Tack, o Jesu, du gode Herde.

När vi vid ungdomsmöten sådana som detta se en deltagande och varmhjärtad ungdomsskara, fira vi jubelfest och utropa: *Vår ungdom!*

Men knappast hafva vi hunnit bygga ett kyrkligt hem och ett andligt bo för oss och vår ungdom, så kommer öfver oss den omutliga frågan om språket. Här hafva vi nu *vår ungdom,* men huru länge? Olycksprofeter bebåda redan: blott några år till, och så består Augustana-synoden endast af några ensamma gubbar och gummor. Språket har jagat ungdomen in i andra samfund eller ut i vida världen. Hvar är då *vår* ungdom? Hvilket är då vårt ungdomsspråk? Du gamla svenska moder, du svensk-lutherska kyrka, huru snart skall du lära dig ditt ungdomsspråk och huru skall det tillgå?

Ja, men är det icke skönt ännu att höra gamla mor tala och sjunga det sköna språket, som ljuder som en sång, en högtidlig koral?

Hvad sägen I, I unge, som talen "business" och hvardagslif på engelska, är det icke en ljuf ton, som når djupet af edert hjärta, när I hören det högstämda gamla svenska andaktsspråket i kyrkan? Det är ju oförklarligt, men det är sant, att modern i hemmet och modern kyrkan måste tala samma språk, bönens språk vid vaggan och bönens språk vid altaret måste vara detsamma.

Tal för barnen.

I.

 ären alla barn af fattiga immigranter. Så, nu ären I strax misslynta och surmulna! Surmulna barn vilja vi icke se i dag. Glada barn, glad ungdom, glada åldringar vilja vi alla se på glädjens och jublets dag. "Det är ditt fel", ropa till mig barnen och deras föräldrar, "om vi äro surmulna, du borde hafva förstånd nog att icke gifva denna jublande, glada barnskara titeln förargliga barn af fattiga immigranter! Ingen vill hata en fattig och ingen är fattig i dag."

Vänten, vänten en liten stund, så blifva vi snart alla rika. Det går fort att blifva rik i Amerika, säges det i Sverige.

I ären nu alla så missnöjda på mig för begynnelseorden i mitt lilla tal. Jag frågar: hvilket är bättre, att börja fattig och sluta rik eller börja rik och sluta fattig?

Barnen minnas säkert ett par svar ur bibliska his-

torien. I kommen ihåg den rike mannen och Lasarus.
Hvem började fattig och slutade rik? Hvem började
rik och slutade fattig? — — — — — — —

Nu ären I icke missnöjda längre, ser jag. Nu får
jag säga, hvad jag menade, när jag kallade eder "barn
af fattiga immigranter".

Nu vilja vi undersöka, huru det är med vår fattig-
dom och vår rikedom.

Huru många af eder, barn, hafva rest öfver hafvet?
Låten oss se! Räcken upp handen, alla som hafva fa-
rit öfver Atlanten.

Än pappa och mamma då, hafva de rest öfver ocea-
nen? Låten oss se, räcken upp handen!

Hvad kalla vi dem, som komma ifrån Sverige för-
sta gången och stanna här i Amerika?

Immigranter.

Se, nu hafven I redan gifvit mig rätt. Mamma
och pappa voro en gång immigranter.

Men det var ju fråga om fattiga immigranter. Det
där ordet fattiga, vilja vi icke tala om länge, ty vi
fingo ju löfte om att nu strax blifva rika.

Jag skall blott tala om en liten berättelse från Min-
nesota. För flera år sedan hälsade jag på en gammal
vän i västra delen af staten, en farmare. Han var
redan då välbärgad, nu är han säkert mycket rik. Un-
der våra samtal sade han en gång: "När jag kom hit
hade jag intet, blott min hustru och en vagnsbox full
af barn."

Sägen mig nu: var denne vår vän en fattig immi-
grant, när han kom från Sverige?

Ja, sägen nu säkert, om han var rik eller fattig.

Ack ja, han var rik, ty han hade en vagnsbox full
af *snälla* barn. Tänken så rika församlingarna i Min-

neapolis och St. Paul äro, som hafva ett så stort hus fullt af snälla barn. I ären ju alla snälla, eller hur? Nu veten I också, om pappa och mamma äro rika eller fattiga.

Alla föräldrar, som hafva snälla barn, äro rika, öfvermåttan rika, alla föräldrar, som hafva elaka barn, äro fattiga, mycket fattiga. Nu veten I ock, på hvad sätt I kunnen göra pappa och mamma rika.

II.

I ären alla barn af rika immigranter.

Nu ären I glada, nu tycken I om det. Vänten, vänten, jag menar icke att I alla ären riktigt fullkomligt snälla. Det finnes nog elaka barn ibland eder, och det finnes mycket eller något elakt hos hvar och en.

Likväl ären I alla rika barn af rika immigranter.

Hvad är det för fest vi fira nu? Jubelfest. Hvad jubla vi öfver? Öfver Uppsala möte. Är det ett möte, som har hållits nu däruppe i Uppsala i Becker co.?

Är det någon här från Uppsala, Becker co.? Låt oss se. Har det hållits något så skönt möte däruppe, att hela Minnesota-konferensen jublar däröfver?

Nej, det var ju ett möte i Uppsala i Sverige, ett möte, som hölls för tre hundra år sedan.

Men hvad gjorde de på det mötet, som var så härligt, att vi jubla så märkvärdigt så lång tid efter och så långt borta från mötesplatsen?

Hela Sverige blef rikt genom det mötet och alla svenskar födas ännu i dag rika, mycket rika, för det mötets skull.

Hvad är det för slags rikedom vi tala om nu? Är det penningar? Finns det någon annan rikedom än penningar?

Hvarenda svensk har med sig från Sverige ett stort, rikt arf. Hvad är det? Men många svenskar göra som den förlorade sonen, de fara långt bort i främmande land och förskingra sin egendom, sitt rika evangeliska arf.

Vi hafva farit långt bort i främmande land, men vi få behålla vårt rika arf. Däröfver jubla vi i dag.

Nu lämna vi åt eder, kära barn, detta rika arf, därför äro vi så glada i dag. Så ären ock I glada, emedan I fån ett så rikt arf. Sjungen nu om detta arf!

Svenska folkets rustning för striden till evangelii försvar.

En stor kallelse har det svenska folket haft i världen och Guds rikes historia. Genom reformationen återgafs Guds ord, som påfvedömet undangömt, åt kristenheten. Endast en del af de kristna länderna mottog med glädje och tacksamhet den stora gåfvan och det glada budskapet.

Södra Europa förblef under påfvens välde, liksom ock södra delen af den nya världen lades under samma makt.

Romerska kyrkan, hvilken hade alstrat inkvisitionen, den hänsynslösaste grymhetsanstalt i den civiliserade världens historia, samma kyrka hade frambragt jesuitorden, som svurit att till hvad pris som helst och med hvad medel som helst lägga världen vid den helige faderns fötter. Det var sålunda att vänta, att det påfliga Rom skulle vid första lägliga tillfälle göra det yttersta för att med våld krossa protestantismen.

I början af det sextonde hundratalet kom det tillfället. Det gällde då, om bland de evangeliska folken fanns någon nation enig och tapper nog att träda fram i spetsen mot det romerska vilddjurets gap, för att med lif och blod försvara evangelium.

Det visade sig, att Gud utkorat det svenska folket att vid denna tid vara evangelii lifvakt. Det folk, som skulle intaga denna ansvarsfulla hedersplats i historien, måste vara utrustadt för en sådan kallelse. Till en sådan rustning hörde en själfuppoffrande tillgifvenhet för Guds ord och friheten, inre enhet och andlig kraft, hjältemod och tapperhet samt oinskränkt förtroende och lydnad för anföraren, hvilken själf måste vara den högsta uppenbarelse af alla dessa egenskaper.

En minnesvård, som synes inför all världen och som står till tidens slut, har till inskrift:

Gustaf Adolf och svenska folket.

Ett minne, som räcker utöfver tidens gränser in i evigheternas evighet, är den evangelii och frihetens räddning, som köptes med svenskt blod på Breitenfelds och Lützens slag- och martyrfält.

Men till denna höga kallelse i evangelii och frihetens tjänst rustades det svenska folket icke på en dag, en månad eller ett år. Det tog århundraden att fostra detta folk i frihet och tapperhet, det tog ett århundrade att ingifva svenskarna den kärlek till Guds ord och den enhet i evangelium, att de voro rustade för den afgörande striden.

Det är om detta förberedelsens, fostrans och rustningens århundrade vi nu skulle nämna några ord, det är med anledning af den evangeliska lärans slutliga seger öfver svenska folket vi i år fira jubelfest.

Vi behöfva blott nämna namnen Engelbrekt, Sture,

Gustaf Vasa, så upprullas för oss taflor öfver svenska folkets mångåriga modiga och blodiga kamp för frihet, själfständighet och oberoende. Men hvad hjälpte det Sverige att vara politiskt oberoende af Danmark och andra utländska makter, om det i alla andliga, kyrkliga och borgerliga frågor måste vara fullkomligt beroende af Rom?

Detta insåg den kloke och vise Gustaf Vasa. Svenska folket kunde aldrig vinna den frihet, som sökts med så oerhörda offer, om ej Guds ord fick sina fri- och rättigheter i landet. Guds ord måste svenskarna hafva, annars äro de förlorade. Så lyder i korthet beskrifningen öfver Gustaf Vasas statskonst.

Således, det *första* som hörde till svenska folkets rustning för striden till evangelii försvar, var, att Sveriges konung måste vara en man, som kände Guds ords betydelse för sig själf och sitt land. Det erkännande måste all sann historia gifva åt gamle kung Gösta, att han med äkta svensk ärlighet och uppriktighet vördade Guds ord, och att han önskade att grunda och uppbygga ett fritt och lyckligt svenskt rike på Guds ords fasta och orubbliga grund. Denna djupa vördnad för Guds ord är det äkta gamla vasaarfvet, som mer eller mindre troget vårdades af våra kungar af vasaätten. När denna vördnad för Guds ord slocknade inom vasahuset i och med Gustaf II, så slocknade hela vasaätten på svenska tronen. Sverige var störst i historien, när vördnaden för Guds ord var störst på kungatronen, nämligen under Gustaf Adolf, som var den store i och med Guds ord.

Det *andra*, som hörde till svenska folkets rustning för striden till evangelii försvar, var att hela folket, alla riksstånden genomträngdes af samma vördnad för det gudomliga ordet. Huru skulle man kunna vänta, att ett helt folk, som under århundraden varit fostradt i katolicismens ceremonigudsdyrkan, skulle på en gång, helt plötsligt lära känna kraften och värdet af Guds ord? Mycket gjordes af svenska reformatorerna och deras vänner för bibelns spridning och läsning och för Guds ords predikan och kunskap, men, kunde vi med rätta fråga, hvad förslog det bland så många, hvad förslog det i ett land så upprördt af inre och yttre strider, som Sverige då var? När vasaaffällingen Johan III uppsteg på tronen, skulle det visa sig, om Guds ord slagit verklig rot i Sverige eller ej. För denna konungs häftiga försök att bringa Sverige tillbaka under katolicismens ceremoniväsende syntes i början adel, präster, borgare och bönder böja sig. Jesuiterna voro redan säkra om segern. En trogen bekännare af vasastammen fanns dock kvar, och flere Guds ords bekännare ur alla stånden funnos kvar. Ja, just i den förödelse, som Johans Röda bok åstadkom, visade det sig, att Guds ord slagit så djupa rötter inom Sveriges landamären, att det var omöjligt att utrota det. Johan dog, och med honom dog den svenska katolicismen. Sverige skulle nu i Sigismund få en helt katolsk kung.

Då reste sig hela folket, höge och menige man, till ett högtidligt kyrkomöte, därvid det blef på allvar fråga om, huruvida Sverige skulle kasta Guds ord öfver bord. Det var det allbekanta Uppsala möte af 1593, hvars minnesfest i år allestädes firas i vårt gamla Sverige och bland svenskarna i Nya världen. Frågan gällde nu i Sverige, huruvida Guds ord skulle sättas öfver kungen eller kungen öfver Guds ord, huruvida Sverige skulle hafva Guds ord först och sedan kung eller kung först och sedan Guds ord, efter som denne kung behagade göra eller låta. Kungen var i Polen, men väntades till Sverige att där låta hylla sig såsom kung på vasatronen. Ingen tid var att förspilla. Nu var den afgörande stunden kommen för svenska folkets kallelse i världens och Guds rikes historia. Påfvens eller evangelii lifvakt — hvilketdera ärestället skulle svenska folket intaga?

Af hertig Karl såsom riksföreståndare med rikets råd sammankallas då ett möte, där hela svenska folket, bestående af de fyra stånden, adel, präster, borgare och bönder, skulle genom ombud vara tillstädes. Svenska folket kom till Uppsala på det sätt, som vi redan hafva läst om och ytterligare få höra och läsa under detta jubelår. Vi kunna bespara oss många och vidlyftiga ord öfver vårt ämne, om vi blott erinra oss de två stora alltid minnesvärda tänkespråken från Uppsala möte. Då mötet pröfvande och granskande hade genomgått Augsburgiska bekännelsen, uppstod biskopen i Strengnäs, Petrus Jonae, och frågade de församlade, om de ville och kunde något våga för en sådan bekännelse. Alla svarade därpå med en mun: "Vi vilja därför våga allt, hvad vi i denna världen äga, både gods och lif." Det var ord, talade ur svenska hjärtans djup. Det var ord, som sedermera beseglades med svenska hjärtans blod. Efter de orden sade mötets ordförande med hög röst: "Nu är Sverige blifvet en man, och alla hafva vi en Herre och en Gud." Det är det andra tänkespråket.

Något om sann svensk-amerikansk patriotism.

"ch kanske när han (emigranten) uttröttad sista gången slutit sina ögon, innehålla de amerikanska tidningarna om honom, likasom ofta om mången annan, blott de gripande orden: 'Emigrant and friendless', hvilket på svenska språket betyder: Utvandrare och vännelös."

Så lyder ordagrant den klagande, ömma och rörande hälsning, som vår gamla moder Svea i år sändt till oss svensk-amerikaner genom svenska almanackan af jubelåret 1893. Vi komma ihåg, att svenska almanackan är, såsom orden lyda å titelbladet: "Efter H. Kongl. Maj:ts nådigste stadgande, med uteslutande privilegium, utgifven af dess vetenskapsakademi."

Vår gamla ömma moder betraktar oss svensk-amerikaner såsom okynniga barn, som sprungit bort från hemmet och gått så illa vilse, att vi icke finna vägen hem. Nu måste vi till straff för detta vårt okynne, så fruktar vår moder, lefva och dö utan fädernesland och utan vänner. Skola vi nu till vår olydnad lägga det brott att i öfvermodigt trots bespotta vår ömma moders tårar öfver oss? Vare ett sådant sinne långt fjärran från oss! Vi barn af moder Svea hafva för nästa år utgifvit en svensk almanacka från Rock Islands horisont. Däri förekomma tröstebref till vår moder om hennes bortlupna barn. Våra skolkataloger, våra synodalprotokoll äro ock sådana tröstebref, som vi böra sända vår gamla moder. En hel mängd andra handlingar och böcker hafva vi offentliggjort, allt till hugsvalelse för vår gamla moder. Nu senast hafva vi här skrifvit och tryckt ett litet simpelt julbref, som helt barnsligt omtalar hvad moder Sveas barn taga sig för i det främmande landet. Med allt detta vilja vi säga: kära, älskade moder, sörj icke så bittert öfver oss, vi äro ju rätt snälla här långt borta från hemmet. Det såg nog mycket elakt ut, att vi sprungo bort, men vi tyckte, att du, kära mor, hade för många barn att försörja, vi ville lätta dina bekymmer, och vi trodde det vara vår plikt att skaffa oss hem själfva, då det ju var ganska trångt i det gamla kära hemmet hos dig.

"Det finns icke mer än en moder och ett modershjärta för barnen. Nu hafven I sökt upp en styfmoder, innan eder rätta moder var död, och denna eder nya moder är styf, hon älskar eder icke, ty hon talar icke eder moders språk. Mig älsken I icke längre, ty mig och mitt språk hafven I glömt eller skolen I snart glömma, och eder nya moder kunnen I icke älska, ty hennes språk kan aldrig blifva edert modersmål och hennes seder kunna aldrig blifva edra seder. Och mina barnbarn och barnbarns barn, hvad skall det blifva af dem? De måste blifva ännu mera själfsvåldiga än I ären. I ären sålunda barn utan moder, utan fädernes-

land, utan hem, utan vänner — emigranter." "Mina
barn äro *emigranter*", utropar vår gamla moder under
bitter veklagan. Ett smärtsammare och nesligare ord
finns icke i vår moders ordbok.

Men, kära moder, svara vi ödmjukt, du sände ju en
af dina trognaste hemmavarande söner att uppsöka
oss förliden sommar. Han fann oss, han vistades
bland oss, han såg, huru vi hade det; hvad sade han,
när han kom hem till dig? Du sände ock andra af dina
söner att se efter oss; hvad berättade de, när de kom-
mo hem? Hafva de med anledning af sitt besök hos
oss i nästa års almanacka skrifvit: "Något om vår nya
härordning"? Kära moder, vi glädjas däröfver, att
du gör allt du kan för att försvara ditt och vårt gamla
hem. Då tillåter du ock, att vi försvara vårt nya hem.
Du försvarar ditt gamla hem, emedan du älskar det,
och vi glädjas öfver detta ditt hemförsvar, emedan vi
med kärlek ihågkomma vårt gamla hem. Vårt nya
hem, kära moder, hafva vi fått på grund af den första
stora emigrantlagen, som utgafs af Gud själf och
lyder så:

"Och Gud välsignade dem och sade till dem: Varen
fruktsamma och föröken eder och uppfyllen jorden och
läggen henne under eder, och råden öfver fiskarna i
hafvet och öfver fåglarna under himmelen och öfver
alla djur, som röra sig på jorden. — Se, jag gifver
eder alla fröbärande örter på hela jorden och alla träd
med fröbärande trädfrukt; detta skolen I hafva till
föda."

"Och Gud såg på allt som han gjort, och se, det var
allt ganska godt", heter det. Således var Guds emi-
grantlag ock ganska god. Således är ock det fosterland,
som heter Förenta staterna i Amerika, ganska godt.

Och i det land, som är af Gud gjordt ganska godt, där
är oss ganska godt att vara.

Men det var ju före syndafallet det hette så. Huru
heter det nu?

"Strid om brödet finnes öfverallt här i världen", sä-
ger så allvarligt och sant vår svenska almanack för
jubelåret 1893. "Nog minnes jag, när vi slogos om
vattenvällingen här i stugan", sade med djup rörelse
en ung man i Sverige, då han efter flera års bortovaro
från hemmet, efter afslutade studier och inträde i pre-
dikoämbetet oigenkänd besökte sin moder och sina
yngre syskon.

"Striden om brödet finnes både i Sverige och i Ame-
rika" — är det hela lösningen på frågan om sann
svensk-amerikansk patriotism? Finnes det en ständig
strid inom och bland oss själfva öfver frågan, huru-
vida det svenska eller amerikanska brödet är bäst?
Eller äta vi både svenskt och amerikanskt bröd?
Mången i gamla Sverige påstår, att hela vår svensk-
amerikanska patriotism består i brödet, som vi äta.
Vi fingo ej äta fint hvetebröd och "cake" i Sverige,
därför öfvergåfvo vi fosterlandet; vi få sådant bröd
här, därför äro vi amerikanska patrioter. "Mat, god
mat, plenty af mat, det är allt som brefven från Ame-
rika innehålla, det är allt man bryr sig om där", sade
en mycket god gammal vän till mig, när jag skulle resa
till Amerika.

"Det påstås ofta, att i Amerika hållas fattiga och
rika lika goda, men att detta icke kan vara sant, synes
nog", säger vidare vår moder Svea i sin hälsning till
oss genom almanackan. Således, de obeskrifligt sköna
orden: "Frihet, jämlikhet, broderskap", som stråla
i en regnbågetransparang öfver världshafvet mel-

lan Förenta staterna, Frankrike och Sverige, äro ock
ett bedrägeri, säger vår gamla moder.

Och nu slutsatsen af vår moders hälsning till oss:
"Sann fosterlandskärlek är omöjlig bland eder, svensk-
amerikaner, sann patriotism finnes icke och kan icke
finnas hos emigranter och emigranters barn." Vi
hafva sålunda icke rätt att fira tacksägelsedag. Hvad
gjorde vi då i går? Säger nu vår nya moder, vår styf-
moder, på samma sätt, så stå vi där vackert utan fos-
terland och fosterlandskärlek, utan moder och moders-
kärlek, utan hem och utan vänner, och de amerikanska
tidningarna komma att säga om oss, när vi dö, de
gripande orden: "Emigrant and friendless", hvilket
på svenska språket betyder: "Utvandrare och vänne-
lös."

Vi återigen påstå, både inför vår gamla och vår
nya moder, att vi besjälas af en djup, varm, innerlig
och sann fosterlandskärlek.

"Hvilket skulle närmare bevisas", ropa våra två
mödrar.

Till den kraft och verkan det hafva kan vilja vi då
i möjligaste korhet från några olika synpunkter belysa
vår patriotism, vår fosterlandskärlek, såsom svensk-
amerikaner.

1. Sann svensk-amerikansk patriotism från rent
politisk synpunkt.

Vi äro fritt, otvunget, odeladt, helt och uppriktigt
tillgifna Förenta staternas grundlag och styrelse. Vi
hafva uppsagt vårt gamla fosterlands regering all tro
och lydnad utan alla förbehåll. Vi hafva såsom med-
borgare icke mer än ett fädernesland, och det är För-
enta staterna, och vi äro tillgifna icke mer än en rege-
ringsform, och det är den republikanska styrelsefor-

men. Monarkien i hvad form som helst hafva vi för alltid uppriktigt afsvurit.

"Huru kunna mina barn vara så otacksamma mot den jord, som dem fostrat har och som gömmer deras fäders aska?" utropar vår gamla moder Svea med häpnad och förtrytelse; ty vår moder menar, att den jord som fostrat oss är monarkisk, och att våra fäder voro orubbliga i sin trohetsed till konungen och konungadömet.

Vi svara: Vi äro icke otacksamma mot den jord, som har fostrat oss, och mot våra fäders aska. Vi stå i oberäknelig tacksamhetsskuld till vårt fosterland, "frihetens stamort på jorden", som fostrat oss till en djup, allvarlig, sansad och varm frihetskärlek. Vi anse det vara moder Sveas högsta politiska ära, att hon uppfostrar sina barn till ett sådant medborgaresinne, att öfvergången från monarkisk styrelse till republikansk är så lätt, och till en sådan värdig hållning såsom medborgare, att de kunna göra både sitt nya republikanska fosterland och sitt gamla monarkiska fädernesland heder.

Om nu vår nya moder möter oss med misstroende tillvitelser, sägande: "I fjäsken blott för bröd med eder berömmelse af tillgifvenhet för vår konstitution och vår republikanska styrelse", så svara vi helt lugnt och värdigt: Vi härstamma från ett urgammalt fritt folk, vår uppfostran till frihet och själfstyrelse har lika höga anor som anglosaxernas, vår stamtafla är lika äkta som det renaste normandiska blod.

2. Sann svensk-amerikansk patriotism från synpunkten af *hemmet* och *umgängeslifvet*.

"No place like home," and no country like the country of free, happy homes, made happy by the Word of

God. Vi äro uppriktigt tacksamma mot vår nya moder, som mottagit oss på sitt ofantliga gods och gifvit oss tillfälle att på dess område bygga egna hem, men vi äro ock uppriktigt tacksamma mot vår gamla moder, som fostrat oss så, att vi hafva sinne för hemmet och en outsläcklig ifver att äga och besitta egna, fria, oberoende hem. Vi komma därför från vår gamla moder till vår nya icke såsom krypande afkomlingar af slafvar eller tiggare och "tramps", utan såsom fria söner och döttrar af ett arbetsamt och hemägande folk, nära släktingar till vår nya moder och hennes barn. Och såsom de närmaste släktingarna vänta vi andel i det arf, som tillfallit vår fostermoder. Våra fäder voro med i det stora frihetskriget för öfver hundra år sedan, våra bröder voro med i det stora frihetskriget för trettio år sedan, ja, våra förfäder tittade hit för tusen år sedan och togo "förköp" på land åt oss. Men vi vänta andel i det stora arfvet icke såsom lättingar och "tramps", utan såsom flitiga hushållare och arbetare, såsom nyttiga och hederliga medlemmar af samhället, till glädje både för vår gamla och vår nya moder.

3. Sann svensk-amerikansk patriotism från synpunkten af *språket* och *skolbildningen*.

"Språket, språket, där hafva vi det afgörande beviset på patriotismens äkthet", ropa våra båda mödrar, det gamla och det nya hemlandet.

Nu komma vi lika illa ut som efraimiterna inför gileaditerna, hvarom vi läsa i Dom. 12:e kap. (Man läse kapitlet.) Här är vårt Schibbolet och Sibbolet.

När vi gamle svensk-amerikaner komma inför drottning Förenta staterna, fordrar hon, att vi måste tala hennes språk rent, flytande och skönt, hvarom icke, dömer hon vår amerikanska patriotism till döden.

När I, infödde svensk-amerikaner, blifven inkallade inför drottning Svea eller hennes ombud, så fordrar hon, att I måsten tala hennes språk rent, flytande och skönt, annars dömer hon eder svenska patriotism till döden.

Och när det gäller vår skolbildning, särskildt våra högre svensk-amerikanska skolor, fordrar moder Amerika, att hennes språk uteslutande skall gälla såsom modersmål och svenskan blott såsom ett annat främmande språk. Och moder Svea väntar, att svenska skolor i Amerika skola tillse, att svenska språket måtte vara och förblifva det verkliga modersmålet och att engelska språket måtte användas blott efter biskop Brasks regel: Härtill är jag nödd och tvungen.

Vi stå alldeles bäfvande och svarslösa mellan våra stränga mödrar. Båda två hålla på att döma oss och vår patriotism till döden. I vår förlägenhet och barnaoskuld peka vi på det *bindetecken,* som vi satt mellan orden svensk och amerikansk. *Bindetecken* måste det vara mellan svenska och engelska. Få vi icke behålla det bandet? fråga vi bedjande.

"Men af detta bindetecken gören I ett gungbräde, en "see-saw"-lek; ho vet, hvilkendera af de lekande som skakar den andra af, och hvilkendera som slår sig i marken och stöter sig till döds", ropa våra mödrar varnande. Vi gunga så försiktigt och snällt, kära mödrar, svara vi. Eller fastmer, vi försöka att bibehålla det där bindetecknet, så länge det behöfves, och jämvikten, så vidt det är oss möjligt.

Men vi erkänna själfva, att här behöfves en vishet, som går öfver vårt förstånd mången gång. Vi äro redo att mottaga och väl begrunda goda råd från moder Svea och från moder Amerika.

4. Sann svensk-amerikansk patriotism från *kyrk-lig* synpunkt.

Guds ord, evangelium, är vårt rikaste och omistligaste fädernearf. Vår bekännelse inför moder Svea och moder Amerika är helt fritt och kort denna: "Vi skämmas icke vid Kristi evangelium i den evanglisktlutherska läran och därför äro och förblifva vi genom Guds nåd uppriktigt, ärligt och rätt fram medlemmar af våra fäders kyrka, den lutherska, som är vår enda och rätta moderkyrka." Vår gamla moder Svea måste glädjas öfver denna vår orubbliga och varma patriotism mot vårt gamla trofasta andliga fädernesland. Och vårt nya fosterland, som är byggdt på grundvalen af fullständig religionsfrihet, kan icke hafva någonting emot denna vår andliga patriotism. På samma gång hälsa vi till vår gamla moderkyrka i Sverige, att den kungligt furst-biskopliga kyrkostyrelseformen icke är brukbar bland oss, utan att vi från början af vår vistelse i vårt nya hemland hafva fått en svensk-amerikansk kyrkostyrelseform, den vi älska och söka att bibehålla med all den varma patriotism, som anstår oss såsom en svensk-amerikansk luthersk frikyrka.

På samma gång vi äro barn af vår gamla lutherska kyrka, så äro vi ock barn och arfvingar af den sunda andliga väckelse, som Gud gifvit vår svenska kyrka under de senare femtio åren, och vi vilja, så långt Gud därtill gifver nåd, bevara detta härliga lifsarf.

Gifve Herren Augustana College den nåden nu och framgent!

Slutligen och för det 5:e består vår svensk-amerikanska patriotism i en innerlig och hängifven kärlek till vårt svenska folk i Amerika.

Vi vilja därför göra allt i vår förmåga för detta

vårt folks lekamliga och andliga välfärd i det nya hem-
landet. Vi tro oss med denna patriotiska kärlek rätt
tjäna hela den amerikanska nationen, af hvilken vi äro
medborgare. Vi tro oss ock så hedra vårt gamla fos-
terland.

Vår sanna svensk-amerikanska patriotism består så-
lunda i en sann frihet, broderlighet och jämlikhet, utan
all falsk svensk eller amerikansk aristokrati. O, att
vi här vid skolan kunde inblåsa i hvarandras hjärtan
en brinnande, outsläcklig kärlek till vårt folk!

Gud gifve oss denna broderliga kärlek och i denna
brödrakärlek den allmänneliga kärleken till hela det
amerikanska folket och till hela mänskligheten!

Så lyder då helt enkelt, uppriktigt och barnsligt tack-
sägelsedags- och jubelsårshälsningen från skolfamiljen
vid Augustana College och teologiska seminarium till
moder Svea och till moder Amerika.

Svenska riksvapnet i stjärnbanerets land.

Strax beder jag uppriktigt om ursäkt för valet af ett så stort ämne. Mina krafter räcka på långt när ej till för det ämnets värdiga behandling. Med glädje skulle jag lämna det åt Bethanys president. Endast *en* ursäkt finnes för mig och det är den, att jag var detta nybygges första pastor. Barnen och de gamle hafva naturlig rätt till undseende. Detta är min tröst. "Då krafterna fattas, är den goda viljan dock lofvärd", sade de gamle.

1638—1895—så lyder mottot för denna dags festprogram — svenska riksvapnet vid Delaware 1638, svenska riksvapnet vid Smoky Hill-floden 1895. Hvilket afstånd i rum, hvilket afstånd i tid! 1638—på höjden af svenska riksvapnets stormaktstid i Europa och världen, svenska riksvapnets hjälteålder, svenska riksvapnet som skyddsvärn för hela den protestantiska kristenheten. Hvarje svenskt hjärta jublar af rättmätig storhetskänsla och ödmjuk tacksamhet vid blotta åminnelsen af denna tid, och denna känsla skall förblifva så länge den evangeliska kristenhetens historia finnes till. 1895 — jubelåret och afslutningsperioden af det 19:e århundradets svenska storemigration till den nya världen. Värda festförsamling, det behöfs ingen talare, då vi hafva sådana årtal för våra ögon. Hvar och en af oss med någon känsla för mänsklighetens och vårt folks historia, hvar och en af oss med öga för Guds ledning af mänsklighetens och vårt folks öden håller själf det slags tal som vi kalla monologer och målar historiska bilder, som tillhöra vårt eget personliga tafvelgalleri.

Vi vända våra ögon mot det svenska riksvapnet för att taga det för en stund i närmare skärskådande. Där hafva vi då de *tre* kronorna och de *två* krönta lejonen och den stora rikskronan. Hvad är det? fråga vi, såsom vi äro vanda vid från barndomen.

De *tre* kronorna i det svenska riksvapnet äro:

1. Det evangeliska hemmet.
2. Den evangeliska skolan.
3. Den evangeliska kyrkan.

De två krönta lejonen äro *den fria kyrkan* och *den fria staten*.

Den första kronan i det svenska riksvapnet är *det evangeliska hemmet*. Det svenska evangeliska hemmets tre kronor äro:

1. Arbetsamhet.
2. Hjärtlighet.
3. Gästfrihet.

Den svenska evangeliska skolans tre kronor äro:

1. Barnaanden.
2. Fäderneminnet.
3. Ädelsinnet.

Den svenska evangeliska kyrkans *tre* kronor äro:

1. Den evangeliska *bekännelsetroheten.*
2. Den evangeliska pietismen.
3. Den evangeliska endräkten.

Det svenska evangeliska hemmets första krona är *arbetsamhet.* Det *evangeliska* hemmet, säga vi. Därmed är sagdt, att Jesu Kristi evangelium är grundvalen för hemmet, skolan, kyrkan, staten och allt godt, som är värdt att nämnas och att ägas. Därmed är sagdt, att vi ej tala om andra hem än sådana, där evangelium lefver och regerar. Därmed är sagdt, att evangelium, att gudsfruktan är begynnelsen, fortsättningen och fulländningen af hemmets lycka, skolans visdom, kyrkans välsignelse och statens frihet.

Arbetet adlar mannen. Arbetsamhet befordrar hälsa och välstånd, hafva vi lärt från barndomen, arbetsamhet är den sanne svenskens adelsmärke, hvarhelst man möter honom i världen; arbetsamhet, ett städadt utseende, ett städadt uppförande — är den krona, som vunnit ärofullt erkännande för det svenska riksvapnet öfver hela stjärnbanerets land, ända från Castle Garden eller Ellis Island till västerhaf, sydhaf och nordhaf. Må vi aldrig såsom ett folk mista den kronan i vårt riksvapen.

Hjärtlighet är den andra kronan i det svenska evangeliska hemmet. Hvad är ett hem utan hjärtlighet, utan kärlek? Ett dystert fängelse. Det stela, det kalla, det högdragna, det frånstötande är icke svenskt, är icke evangeliskt. Hvem kan beskrifva solen, hvem kan teckna hjärtligheten? I solens ljus och värma lefva vi och hafva vår varelse, af *hjärtligheten* lefver vår inre och yttre människa, af hjärtligheten får vårt lif sin färg och blifver värdt att lefva. Ett folk, som medför ett stort kapital af hjärtlighet, inför i landet en stor nationalrikedom. Det hemska "I don't care", som Kain införde i hemmet och i världen, är den farliga, hemförödande onda makt, som vi måste bekämpa med alla de krafter som stå oss till buds i evangelium och i den nordiska folkkaraktären. Vi stå i stor fara att genom vår omflyttning på främmande mark förlora denna vår krona i det svenska riksvapnet. Den gamle draken "I don't care" begynner stirra emot oss med sin medusablick, förstenande allt, som kommer inom dess synhåll. Var på din vakt, du vår svenskamerikanska ungdom!

Den tredje kronan i vårt svenska evangeliska hem är *gästfriheten*. Hvem behöfver tala om den nordiska gästfriheten? Den är världsberyktad. I stjärnbanerets land är gästfriheten farlig. Man får här icke änglar utan mordiska "tramps" till gäster. Därför stängas ofta dörrarna i stjärnbanerets land och bevakas med skjutvapen. Måtte icke under fruktan för dessa lifsfaror den ädla nordiska dygden *gästfriheten* skrämmas bort ur våra hem. Den gestalt vår medfödda gästfrihet här måste antaga är den fria och offervilliga gästfriheten för välgörande ändamål, för skola och kyrka. Utan denna gästfrihet måste våra fria välgörenhetsanstalter, våra evangeliska skolor och vår evangeliska kyrka dö och därmed det svenska riksvapnet utplånas ur stjärnbanerets land.

Gästfriheten i våra svenska evangeliska hem har byggt upp hela Augustana-synoden med hvad därinom är. Stängas dörrarna till våra hem för den frivilliga insamlingen, så dör vår synod och därmed äro vi såsom ett folk utplånade ur historien och hafva mistat vårt riksvapen i stjärnbanerets land. Ack, den hårda tiden, så hård den är mot denna vår krona!

Den första kronan i den evangeliska skolan är barnaanden.

I stjärnbanerets land finnas inga barn och således ingen barnaande, endast "ladies and gentlemen", har man sagt. Ve, ve ett land utan barn! Hvem skall återvinna barnaanden och barnasinnet åt stjärnbanerets land? Den evangeliska skolan. "Utan att I omvänden eder och varden såsom barn, skolen I icke komma in i himmelriket", i frihetens rike, i lycksalighetens land, läste vi nyss i vår barnatext på Mikaelidagen. Kan man vid Augustana-synodens högre skolor, med hela ungdomsskaran framför sig, jublande utropa: "De äro barn, barnasinnet talar ur deras ansikten"? Vid mitt besök nyligen i vår skola i Wahoo upppfyllde ett enda jubel hela min själ: Lyckliga skola, de äro barn, de äro ännu barn."

Må den välsignelsen vederfaras alla våra skolor. Här gäller bön, I fäder, mödrar och skolvänner. Den kronan, barnasinnet i evangelisk mening, må vi behålla den, att ingen, icke tidens trotsiga ande, tager den från oss. Är den kronan förlorad, då är allt förloradt.

Den andra kronan i den evangeliska skolan är *fäderneminnet.*

Vården, vården, I unge, fädrens minne, fädren af 1638, fädren af 1895. Jag behöfver ej beskrifva fädren af 1638, I kännen dem. Behöfver jag beskrifva fädren af 1895, immigrantfädren af 1895?

Blygens I för edra fäder, nybyggarna, våra svenska pilgrimsfäder? Här bören I vara rätt grundligt amerikaniserade, riktiga "yankees". I veten huru äkta yankees vörda "pilgrim fathers", huru stolta de äro öfver att härstamma från dessa fäder, huru de tala, skrifva och uppsätta monument öfver sitt "Plymouth

Rock". Vi hafva ock "Plymouth Rocks" vid Delaware, vid Mississippi, vid Missouri, vid Smoky Hill. Vi hafva vårt gemensamma Plymouth Rock i Rock Island. Den tredje kronan i den svenska evangeliska skolan är *ädelsinnet.* Friboren, välboren, högvälboren är hvarje sann svensk-amerikan. Detta sinne, den ädla känslan af att vara friboren, måste fostras särskildt i den evangeliska skolan. Ingenting sårar oss svenskar djupare än förnärmelsen mot vår känsla af att tillhöra ett friboret folk. Sverige har från urminnes tider varit med korta mellantider ett fritt, själfständigt rike. Hvarför väcka namnen Engelbrekt och Gustaf Vasa en sådan hänförelse i svenska bröst? Hvar är den djupaste orsaken till den oerhördt stora emigrationen från ett land med så fåtalig befolkning som Sverige? Ordet *frihet* var den trollmakt, som spred Amerikafebern öfver Sverige. Vi ville alla blifva adelsmän och adelsdamer. Det var vår dröm. Huru skall den förverkligas? Den evangeliska skolan har fått till sin uppgift att rätt tyda drömmen. Äro våra skolor inom Augustana-synoden den uppgiften vuxna?

Den första kronan i den evangeliska kyrkan är den *evangeliska bekännelsetroheten.*

Icke den lagiska, fariseiska, pedantiska, bistra, fräsande och dömande bekännelsetroheten är en kyrkans krona, utan den evangeliska, trofasta, stilla, milda och fridfulla bekännelsetroheten är vår svenska kyrkas fröjd och krona.

Den andra vår kyrkas krona är den *evangeliska pietismen.*

Den stela ortodoxien passar icke för det svenska folklynnet, den vilda fantasien icke heller.

Det är det innerliga, det mystiska, det djupt personliga, som tilltalar oss. Djup vördnad för det heliga tillhör oss. Tag bort denna vördnad från svensken, och han är sedan ett vrak. Fostra denna vördnad, och ni har därmed bevarat och vårdat kronan i svenska folkets sedliga och religiösa skaplynne.

Den tredje kronan i vår svenska evangeliska kyrka är *endräkten*.

Svenskarna måste vara *en* man, annars är det intet med dem. Svenskarna äro för få för att vara söndrade.

Så med vår synod, vi måste stå som *en man,* annars är det slut med oss. Så snart den gamla endräkten är söndersliten, är det slut med vår historia.

Om musiken.

är vi vilja höra något om musiken, så låtom
oss först öfvertänka själfva namnets bety-
delse. Vi hafva så ofta hört ordet musik,
att vi måhända helt försummat att taga reda
på detta ords betydelse. Vi böra ju icke öfva musik
och sång på ett sådant sätt, att vi uraktlåta att noga
göra oss reda för musikens sanna betydelse och ända-
mål.

Hvad innebär alltså ordet *musik?* Själfva ordet
hafva vi ärft från de gamla grekerna. De voro ett
mycket sinnrikt och fyndigt folk. Man kan därför
vara viss på att ordet musik har en sinnrik betydelse.
Grekerna tänkte i bilder såsom barnen. De satte både
sanning och lögn i bild; de gåfvo tankarna kroppar, på
det de skulle kunna se sina egna tankar med sina egna
ögon. Tyvärr blefvo grekernas tankar afgudar. Af-
gudarna måste platt förgås, säger skriften. Så har det
ock skett. Men under allt detta afgudamakeri fanns
det dock hos grekerna såsom hos alla hedningar ett
samvete. Så säger aposteln Paulus i Rom. 2: 14—15.
Samvetet ropade mången gång ganska högt hos det
rikt begåfvade grekiska folket. När vi vandra genom

den grekiska historien, höra vi ofta samvetets suckar från detta folks hjärta. Vi höra på samma gång, huru den himmelske Fadern sökte draga detta med skönhetssinne så rikt utrustade folk till sin Son. Grekerna sträfvade i all synnerhet att göra lifvet skönt. Man har därför prisat detta folk såsom skönhetens folk. Kan lifvet vara skönt utan att vara heligt och sant? Nej. Det gamla Grekland led stor brist på helighet och sanning, därför kunde ej det sköna rädda detta folk från den nesligaste förnedring. Det goda, det heliga, det sanna kommer endast i, med och genom Jesus Kristus. Han är vägen, sanningen och lifvet. Det gamla Greklands beundransvärda folk bevisar bäst, att ingen finner vägen, sanningen och lifvet utan i Jesus Kristus. Men det grekiska folket hade höga och sköna aningar om vägen, sanningen och lifvet. Dessa aningar förnimmas äfven i grekernas sträfvan för de sköna konsterna musik, sång, bildhuggeri, arkitektur.

Det är om musiken vi nu ville tala. Allt stort och skönt blef hos grekerna till gudar och gudinnor. De gjorde alla Guds gåfvor till gudar och gudinnor. Alltså sammanblandade de sanning och lögn. Sant är, att all god gåfva och allt fullkomligt godt kommer ofvanefter ifrån ljusets Fader, men det är icke sant, att vi böra dyrka gåfvorna såsom gudar och gudinnor. Grekerna gjorde dock så och voro sålunda afgudadyrkare. Det finnes många sådana greker ännu i denna dag. Måtte icke vi vara sådana afgudadyrkare! Men de sanna tankar, som ligga till grund för ordet musik, skulle vi nu höra. Grekerna kallade de sköna konsterna *muser* eller sånggudinnor. Ty musiken ansågs vara den förnämsta af alla sköna konster, ja, den konst,

med hvilken alla de öfriga sköna konsterna måste stå
i innerlig gemenskap. Dessa den sköna konstens gudin-
nor eller muser voro nio till antalet. Jag anser mig
icke behöfva uppräkna dem här. Det märkvärdigas-
te är, att de sades vara döttrar till den högste guden
Zevs och Minnet eller Erinringen. Minnet eller Er-
inringen är således musikens moder. Detta Minne
betyder visserligen hos grekerna, att sången skulle
bevara och förhärliga erinringen om detta folks stora
bragder och hjältebedrifter.

Men sången skulle ock bevara minnet af världsska-
pelsen och människans sökande och sträfvande efter
ett högre mål. Om I betrakten en bild af Polyhymnia,
sångens gudinna hos grekerna, så finnen I henne i en
mycket tankfull ställning, hållande högra handens pek-
finger på munnen. Hon är ock klädd, såsom det an-
står en blygsam och kysk jungfru, hon är klädd såsom
en himlabrud. Hon står där försänkt i djupa tankar,
hon eftersinnar sitt gudomliga ursprung, sin gudom-
liga kallelse samt sitt gudomliga mål. Polyhymnia
eller den sångrika var sångens och vältalighetens
gudinna, men hon sysselsatte sig särskildt med de all-
varsamma och religiösa sångerna. Sångens gudinnor,
sade grekerna, inbjödos särskildt till de fester, som vid
högtidliga tillfällen höllos i himmelen. Höra vi icke
uti dessa fantasier och bilder sköna aningar om höga,
eviga sanningar?

Den heliga skrift lärer oss ju på det tydligaste, att
minnet, erinringen är sångens och musikens moder.
Det är därför att vi ursprungligen hafva varit Guds
sanna barn, därför att vi kommit från ett verkligt
paradis, som vi kunna sjunga och öfva musik. Den
sanna musiken är idel paradistoner. Sant är, att dessa

toner ofta måste vara sorgesånger, emedan vi äro drifna ur paradiset för våra synders skull, men dessa sånger äro dock minnen från paradiset, hemlandssånger, fosterländska sånger i ordets verkliga mening. En svensk sång framställer ju, såsom I minnens, huru de goda änglarna måste fly från jorden, då människan föll i synd, men huru sångens ängel lämnades kvar för att erinra om paradiset.

Men sången är icke blott en erinring om det förlorade paradiset, utan den kristliga musiken är i synnerhet en erinring och profetia om det återvunna paradiset. Det är frälsningens evangelium, som förkunnas i den kristliga sången. Ja, den sanna musiken är i verklighet och sanning ett *eko* af musiken och sången i himmelen, såsom vi kunna se af Uppenbarelseboken, Nya testamentets sång- och musiklära. Låtom oss icke glömma detta, att den sanna sången och musiken är och måste vara ett *eko* af den himmelska musiken!

Det är också människan, som bland alla varelser på jorden är begåfvad med sångens och musikens gåfva. Musiken är ett af de starkaste bevisen för människans paradisiska ursprung. Vi vilja ingalunda förringa de kära sångfåglarnas skicklighet. Nej, vi vilja prisa skaparen för deras kvitter, men nog är deras sång skröplig i jämförelse med människans. Människan är dock människa, hvad än de galna lärde må säga därom. Människan är ock Guds släkte, därför hafva människor kunnat uppfinna de tonkonstens mästerverk, som försätta människor i häpnad och förundran, när de höra dem.

Men det gifves ock oren, ja, rent af satanisk musik och sång på jorden. Världen är stadd i det onda, och till detta onda måste vi ock räkna mycket af musiken och sången. Herren Jesu ord: "Det som är född af kött, det är kött, och det som är född af Anden, det är ande", gäller också musiken och sången. Grekerna hade rätt, då de gjorde de sköna konsterna, särskildt musiken och sången, religiösa. Det sant och verkligt sköna måste vara religiöst, gudomligt. Men grekerna gjorde ofta själfva synden och det onda religiöst. Grekerna skapade nämligen gudarna efter sitt beläte, och däraf måste ju följa, att gudarna älskade samma synder som människorna. Denna hemska förvillelse måste vi med djupaste afsky förkasta, men sanningen, att de sköna konsterna, särskildt musiken och sången, måste vara religiösa, få vi ingalunda förkasta, ty då borttaga vi det sköna ur de sköna konsterna. Jag beder eder på det ifrigaste uppmärksamma denna enkla sanning. I vår tid göras de allra våldsammaste försök att lösslita vetenskap, skön konst och allt från Gud. Vi lefva i frihetens tidehvarf, men vi lefva ock i *själfväldets* tidsålder.

"Sonen kan intet göra af sig själf, utan det han ser Fadern göra", sade han, om hvilken alla människor med någon sedlig känsla bekänna, att han lefde det fullkomligaste, renaste, skönaste, mest efterföljansvärda lif på jorden. Det goda, det sanna, det sköna måste vara i den innerligaste förening och harmoni med godhetens, sanningens, skönhetens ursprung och eviga lif. Att lösslita det sanna, det goda, det sköna från sitt ursprung är det sannas, det godas, det skönas död. I motsats mot Herren Jesus ropa nu många af tidens s. k. stora män på alla områden: Vi kunna göra allt af oss själfva, vi behöfva icke se Fadern göra någonting, vi tro hvarken på Fader, Son eller Helig Ande. Vi kunna vara förvissade om att denna ateism, denna

lösslitning från Gud är vetenskapens och de sköna konsternas undergång, så visst som det är grenens undergång att blifva afhuggen från trädet. En ateist kan nog bygga hus, göra maskiner och allehanda ting, så länge Gud förlänar honom hälsa och krafter, men att en verklig ateist af sig själf skulle kunna åstadkomma verklig musik, det är lika omöjligt som att taga ned sjustjärnorna. Han kan efterhärma musik, liksom trollkarlarna i Egypten efterhärmade Moses' under, men när det kommer till den verkliga musiken, då heter det: detta är Guds finger. Ja, än mer: om någon sjönge och musicerade med människors och änglars tungor och händer och hade icke kärleken, så vore han blott en klingande malm eller en ljudande cymbal. Det vore dock ingen himmelsk ande däri, ty det som är född af Anden, det och intet annat är ande.

Jag vet väl, att det finnes sådana, som ingalunda äro ateister, hvilka, förförda af en falsk teori, påstå, att musiken är självständig, så att hon icke står i något ursprungligt, innerligt och verkligt förbund med religion och sedlighet. Med andra ord: dessa mena, att ett musikstycke i sig självt har hvarken religiös eller sedlig karaktär, utan det är musikaliskt, det är allt. Dessa mena, att det är förnedrande för musiken att heta någonting annat än musikalisk. Musik är musik, vill hvarken heta religiös eller religionslös, kristlig eller okristlig, sedlig eller osedlig, anständig eller oanständig. Med ett ord: musiken står i och af sig själf, begriper endast sig själf, förklarar sig själf, tjänar sig själf, underkastar sig ingen lag, intet bud och omdöme. Denna musiklära må vara aldrig så storartad och omfattad af än så stora män, hon är dock en dödsfarlig villfarelse, som vi måste med alla lofliga medel bekämpa. Det finnes på det musikaliska området en materialism, som är lika vådlig som materialismen på det sedliga och religiösa området.

I förvånen eder säkert däröfver, att jag, som ingalunda kan göra anspråk på musikalisk konstskicklighet, blandar mig i denna viktiga fråga. Den borde ju lämnas åt de lärda. Åh nej: vi lekmän hafva ock ett ord med i laget och skola ingalunda efterskänka vår rätt. Hvar och en, som älskar musiken med en uppriktig kärlek, måste hafva en öfvertygelse om musikens natur och betydelse. Huru är det då? Har musiken i sig själf ingen sedlig eller religiös karaktär; får man icke använda orden kristlig eller okristlig om själfva musiken? Är det endast *orden* i en sång, som gifva karaktär åt stycket? Betyda noterna, tonerna, melodien, harmonien ingenting eller allting i sig själfva? Är det det samma, om man ställer till en bal med psalmmelodier eller en gudstjänst med dansmusik? Är det blott de oförståndiga, som tycka, att dansmusik är någonting annat än psalmmusik, eller är det blott den skillnaden, att det ena stycket går i hastig takt, det andra i långsam?

Dessa frågor, mina musikvänner, äro ingalunda öfverflödiga eller onyttiga. Det är icke heller omöjligt att få ett sant svar på dessa frågor, äfven om icke jag lyckas öfvertyga eder om sanningen. Själf är jag hjärtinnerligt öfvertygad om de sanna svaren på dessa frågor. Jag tror ock, att själfva språket kommer oss till hjälp, när vi söka vederlägga den musikaliska materialismen. Grekiska språket gaf oss en skön upplysning om musikens betydelse. Jag hoppas, att vi såsom kristna icke vilja göra musiken till ett blott jordiskt naturläte, då själfva hedningarna förklarade denna sköna konst vara himlaboren. Låtom oss icke begå samma galenskap som de franska revolutionsmännen, då de afsatte Gud och inburo en tvetydig kvinna i templet såsom förnuftets gudinna. Låtom oss icke förnedra musiken till en förnuftets gudinna, ty då skola vi snart finna henne döende på en gödselhög, såsom man i Italien fann nyssnämnda förnuftets gudinna. Hvem tänker ej härvid på Offenbachs gödselhögmusik och den store Wagners förnuftsdyrkan?

Men hvad hjälp få vi väl ytterligare af språket emot den musikaliska förnuftsdyrkan och materialismen? De enkla orden *stämma* och *stämning* skola gifva oss tillräcklig utredning öfver frågan, om vi blott gifva oss tid till erinring och eftersinnande.

Hvad är musik utan god stämning? Den gräsligaste öron- och hjärtepina. Orden: "Det stämmer icke", göra den skönaste symfoni, d. v. s. det skönaste musikstycke, till den odrägligaste disharmoni och plåga. Men vid stämningen är det hufvudsaken att hafva en ren grundton, en med musikaliska grundlagar öfverensstämmande tonhöjd. Sedan måste alla strängar, pipor och toner stämmas efter denna grundton, så att det hela framkallar en ren samklang utan det ringaste missljud. Först när alla toner stämma väl, kan det blifva fråga om musik. Stämningen är alltså musikens själ, hjärta, blodomlopp och lif. Är blodet sjukt i människokroppen, så är hela kroppen sjuk; är stämningen falsk i musiken, så är hela musiken falsk, d. v. s., det är ingen musik, ty musiken lefver och dör med stämningen.

Men nu är det icke fråga blott om de yttre ljudens, tonernas och röstens stämning, utan hufvudsaken är själens och hjärtats stämning. Vi begagna därför ordet sinnes*stämning* och säga: jag är nu i den sinnes-*stämningen*, eller min själ är så och så *stämd*, eller hjärtat *stämmes* till helig andakt och bön. Vi tala till och med om *stämning* i naturen. De musikaliska instrumenten äro en del af naturen, ja, den mänskliga rösten hör till naturen. Likasom instrument kunna vara stämda, så kan ock hela naturen vara *stämd*. Kan någon uttala den underbara *stämningen* i naturen en ljuflig vårmorgon, en skön sommarafton, en stilla, melankolisk höstdag? Hafva vi icke känt, huru vårt hjärta *stämmes* af och med naturen? Huru kännes det i vårt inre en skön sabbatsmorgon om våren eller en ljuf söndagskväll om sommaren? Är det icke denna sköna *stämning* i naturen och människohjärtat, som skalderna hafva försökt uttala och med sköna ord fira? Hafva vi icke känt, huru ett jämmerskri eller ett vildt oväsen söndersliter vårt sinne, om detta når oss, under det att naturen med oss firar en högtidlig stämning en stilla, skön afton? Hafva vi icke känt, huru vårt eget hjärta kan vara alldeles ostämdt, fullt af bitterhet, missmod, sorger och hemska synder midt under det naturen är i högtidlig stämning? Hafva vi icke erfarit, huru Gud själf kännes nära, när hjärtat lyftes till stilla beundran och bön af en skön stämning i naturen? Men både naturen och hjärtat måste stämma med hvarandra i högtidlig frid, om vi skola få erfara hvad verklig *stämning* i naturen vill säga.

Och dock, så skön än stämningen i naturen är, en stämning af glädje, frid och ro, så är hon ingalunda *stämningen* i hennes högsta skönhet. Det är genom umgängelsen med Gud i Kristus Jesus, som vår själ blifver i ordets sanna mening *stämd*. Vi firade nyss Bönesöndag. Bönen i Jesu namn är hjärtats renaste,

mest himmelska stämning på jorden. När vårt hjärta
i tron anammat den förlossning (försoning), som är
skedd i Kristus, när vi hafva frid med Gud genom
Jesus Kristus, då stämmes hjärtat till den outsägliga
frid och harmoni, om hvilken aposteln säger: "Hvad
intet öra hört och hvad i ingen människas hjärta har
uppstigit, är hvad Gud har beredt åt dem, som älska
honom."

Hvad har nu sådant med musiken att beställa? Jo,
musikens uppgift och ändamål är att försätta männi-
skan i den rätta *stämningen*. Är musiken själf rätt
stämd, så uppväcker hon ock en rätt stämning hos
dem som höra, ifall de höra. Så skedde det ju, när
David spelade för Saul. Innan David begynte spela,
var Sauls själ på det hemskaste sätt ostämd, men när
David spelade, *stämdes* äfven Sauls själ till harmoni
och frid, ty Davids musik hade den rätta stämningen,
så att den onde anden vek. Men motsatsen kan in-
träffa. En ond musik kan fördrifva den goda anden,
likasom en god musik fördrifver den onda anden.
Kunna vi förneka den lifslefvande verkligheten? Huru
stämmes vår själ af lättsinnig dansmusik; huru stäm-
mes vårt hjärta, om vi sysselsätta oss blott med världs-
lig musik, huru stämmes vårt sinne af sant andlig
musik? Det tjänar ingenting till, att vi söka med
spetsfundiga inkast tillintetgöra en verklighet, som är
lika verklig som vår egen själ.

Låtom oss nu tänka oss en kompositör, en talare på
tonernas språk. Han begagnar noter, alldeles som jag
begagnar bokstäfver, när jag skrifver detta mitt lilla
tal. En verklig kompositör måste känna till toner och
noter och kunna handtera dem med samma lätthet som
vi handtera bokstäfver och ord, när vi tala eller skrif-

va. Det sjunger och spelar i hans själ, alldeles som tankarna röra sig i vårt sinne, när vi skrifva och tala. Men likasom vi äro i en viss sinnesstämning, när vi tala eller skrifva, likasom det är något visst vi ämna säga, så måste också kompositören vara i någon viss sinnesstämning, och det måste vara något visst han vill säga. Han måtte väl icke göra, som jag hörde om en drucken präst, som läste jordfästningsorden öfver ett brudpar. Om en kompositör skall komponera för ett bröllop, så söker han väl icke komma i den sinnesstämning, som om han vore på en begrafning; om han vill komponera ett stycke för nykterhetsvänner, så måtte han väl icke försätta sig i Bellmans stämning. Återigen, om han komponerar ett stycke för kyrkan, så måtte han väl icke tänka sig vara i en danssal. En kompositör, som har vett, måste ju försöka sätta sig in, ja, med själ och hjärta lefva sig in i det ämne, hvaröfver han skrifver sin musik. Skrifver han musik till ord, som skola sjungas, så måste han ju söka i förståndet djupt fatta men i synnerhet i sitt hjärta indricka ordens mening och ande. Först då, när ordens ande förenat sig med kompositörens ande, är han skicklig att sätta rätt musik. Eller skola vi tänka oss, att en kompositör kastar noterna huru som helst enligt harmoniens regler och sedan kallar stycket en psalm, en sång, en vals, en polka eller hvad som faller honom in? Gör han det, så är han ingen kompositör, äfven om det icke finnes ett enda fel emot kontrapunktsläran i hans stycke. Det finnes präster, som sätta sig ned och skrifva predikningar, hvilka till formen väl öfverensstämma med språkets lagar och till innehållet med dogmatikens begreppslära, men lefver icke skrifvarens egen ande i hvad han skrifver, så blir hans skrifvelse endast en kria, men ingen predikan. Jag har härmed icke förkastat skrifna predikningar, men de måste vara födda af Anden.

Musik fabriceras icke, hon födes. Är hon född af världsanden, så är hon världsmusik, är hon född af en sedlig ande, så är hon sedlig musik, är hon född af det naturligt religiösa sinnet, så är hon naturligt religiös och god, så långt den naturliga religionen räcker. Är hon fostrad under uppsikt af ett samvete, som hyser vördnad för det heliga, rena, kyska, ja, som fattar människans rätta värde, så är hon hälsosam, äfven om hon icke är gudstjänstmusik. Är musiken född af Guds Ande, så är hon kristlig, i sann mening himmelsk.

Vi talade om själens stämning. Den, som har någon känsla för de kristliga högtiderna, känner detta. På en söndag passar icke allt, som passar på en hvardag. Så finns det ock hvardagsmusik, som icke passar på söndagen. Är vår själ rätt stämd, så känner hon detta; liksom ett fint musikaliskt öra upptäcker det minsta missljud i instrumentens stämning. Julhögtiden har en särskild stämning af barnslig glädje. Passionstiden och långfredagen hafva åter en särskildt djup och allvarlig högtidlig och innerlig stämning med sig. På påskdagen ändras långfredagens stämning från djup betraktelse till jubel. Pingsttiden medför ock en egendomlig stämning. Äro vi obekanta med dessa verkligheter? Jag hoppas, att vi icke äro det.

I enlighet med den rätta stämningen måste också vår musikaliska smak bildas, om det skall blifva en rätt musikalisk smak. Vi måste då handledas af sådana musikmästare, som själfva äga den rätta stämningen och smaken. Huru skickliga musikanter kunna hafva en ytterst dålig smak, bevisas bland annat däraf, att man under flera år i Stockholm uppförde Haydns "Skapelsen" på långfredagen. Hvarje förståndig människa inser, att detta är en alltför grof musikalisk anakronism, en disharmoni af svåraste beskaffenhet. Haydns "Skapelsen" är ju ett mästerverk. Man må sätta det huru högt som helst, så passar det alls icke på långfredagen, helst som man ju har verklig långfredagsmusik. "Skapelsen" passar den första maj, men icke långfredagen.

Haydn var stor kompositör öfver första artikeln; till andra artikeln nådde han aldrig med sin ande, fastän han skrifvit mässor och försökt sig öfver Jesu sju ord på korset. Det fordras mer än musikaliskt snille för att komponera öfver andra och tredje artiklarna. Jag behöfver icke här nämna, hvilka kompositörer jag anser hafva böjt sina knän och hjärtan vid Jesu kors och mottagit smörjelsen att skrifva musik öfver Guds Lamm.

Det är med en del kompositörer som med våra psalmförfattare i början af detta århundrade. Om skapelsen kunde de skrifva sköna psalmer, ja, äfven om dygden, men när de kommo till Kristi kors, var deras ande för fattig, så ock när det gällde att beskrifva den trogna själens förening med sin Frälsare. Det är icke jag, som drömmer och tycker detta blott, det är en verklighet. Det är icke alla gifvet att sjunga om Guds kärlek i Kristus såsom Kolmodin eller om Guds Lamm såsom Paul Gerhardt. Det är icke heller alla kompositörer gifvet att spela och sjunga om Kristi lidande och trons lif i Kristus såsom Bach och Händel. Men om vi icke vilja tänka på dessa stora mästare, finna vi äfven bland de mindre stor skillnad.

Skola vi då förkasta dem, som sjunga och spela öfver

första artikeln, om skapelsen och naturen? Nej, tvärtom; jag skulle önska få höra hela Haydns "Skapelsen" just i dag på första maj. Månne den dag skall komma, då vi såsom en förening skola följa med både årstiderna och kyrkoårets högtider med passande sång och musik? Kristus behöfva vi alltid, men vi få ock, ja, vi böra fröjdas öfver skapelsens härlighet. Jag förkastar ingalunda glädtig sång och musik, men sedlighet och sann kristendom måste styra och regera, ja, vara grundtonen i vår verksamhet såsom en kyrka.

För att vara en verkligt skön konst måste musiken stå i innerligaste samband med sann kristendom och sann sedlighet, ja, i Guds tjänst måste musiken användas, om hon skall motsvara sin höga bestämmelse och sitt höga ursprung. Musiken är säkerligen ett af de bästa bildningsmedlen, ty det som stämmer själen i ordets sköna och verkliga mening, det är bildande. Men om musiken skall vara sant bildande, så måste hon förädla människan, och om hon skall förädla, måste hon få sin vigning och välsignelse från Gud. Det finnes många konstdyrkare och således många musikdyrkare i världen, som äro hemskt råa, osedliga och ogudaktiga människor, emedan de icke låta konsten tjäna Gud. Så snart den sköna konsten affaller från sin ädla bestämmelse, blifver hon ett mäktigt medel i det ondas tjänst. När musiken användes till att förljufva synden och döfva samvetets väckelserop, huru hemskt missbrukas icke då den sköna konsten!

För oss skulle det däremot vara en fröjd, ja, det är ju vår förenings *uppgift* att använda sångens och musikens gåfva i striden mot synden hos oss själfva och andra. Det är däröfver vi skulle glädjas på denna vår årsfest, att vi få sjunga och spela nådens evan-

gelium för oss själfva och andra syndare. Det finnes
nog många, som idka den dåliga, lättsinniga och skad-
liga musiken, vi behöfva ej nöta våra krafter på det
usla. Det är vår sköna kallelse att få offra vårt lif
i det sannas, det godas och det skönas tjänst. Då och
endast då är vårt lif sant, godt och skönt. Då blir
ock vår död god och vårt eviga lif ett saligt lif. Men
glömmen icke, mina unga vänner, att det sanna, det
goda och det sköna, det är Jesus själf. Alltså, ingen-
ting mindre än ett verkligt lif i Kristus är ett sant,
godt och skönt lif.

O, att I kunden se, huru innerligt jag önskar och
beder, att I alla måtten vara lefvande Guds barn!
Tagen dessa ord i deras fulla och verkliga bemärkelse,
ty jag menar hvad jag säger. Jag tänker ofta här-
på, när jag hör eder sjunga. Ack, att ingen af dessa
vore främmande för det lif, som är af Gud! Hvad är
all vår sång på jorden, om den icke fortsättes kring
Lammets tron i himmelen? I dag riktar jag därför
en innerlig bön till eder alla: gifven edra hjärtan helt
åt Jesus, eder Frälsare! Till sist, hjärtligt tack för
eder flit, eder ifver för den goda saken, eder tillgif-
venhet för föreningens uppgift och edert välförhål-
lande i allmänhet! Som I veten, kräfver det nya året
fördubblad ifver, lust och ansträngning, emedan vi
nästa höst, om Gud vill, ämna fira det stora evangelii-
jubileum. Särskildt behöfva vi bedja om Herrens frid
och välsignelse öfver detta vårt företag. Vi behöfva
den Helige Andes nåd och kraft om det skall blifva
en verklig jubelfest. Mig förutan kunnen I intet göra,
säger Herren Jesus. Vi vilja ej heller något göra
utan dig, vår Frälsare. Vare du därför med oss nu
och alltid!

Den lutherska kyrkans musik.

varaf hjärtat fullt är, däraf talar munnen, säger Herren Jesus. Så kan man ock säga: hvaraf hjärtat fullt är, däraf *sjunger* munnen. Vår Skapare har på ett underbart sätt begåfvat vår kropp. Vi kunna uttrycka våra tankar och känslor i ord. Människans talgåfva är ett stort under. Hvilka konstverk äro icke de olika språken! Hvilken stor ande är icke människoanden, som förmår sammansätta sådana konstverk! Men huru mycket större den Ande, som skapat människoanden! Men icke blott språket är ett stort underverk, utan äfven sånggåfvan är ett lika märkvärdigt prof på Guds margfaldiga visdom. Tänk att människans strupe är så bildad, att den kan frambringa så underbart vackra toner och en sådan rik mångfald af dem! Hvad som rör sig i hjärtat kunna vi uppenbara genom toner utan ord. Är det sorg i hjärtat, så blifva tonerna klagande och vemodiga, bor glädje däremot i själens fördolda hem, så blifva tonerna fröjdfulla och lifliga.

När nu Guds Ande fått göra ett människohjärta till sitt tempel, tänk hvilken musik och sång det då

blifver därinne i hjärtats innersta! Det som då upp-
fyller hjärtat måste flöda ut såsom en lefvande spring-
källa; och när hjärtats musik strömmar ut genom den
öppnade porten, då bildas de sköna sång- och psalm-
melodierna i vår mun. Melodi betyder en samman-
sättning af flera toner, som komma efter hvarandra
likasom orden i en vers eller sång. Melodierna äro
af olika innehåll, likasom verser och sånger äro af
olika innehåll. Den ena melodien passar vid ett till-
fälle af djup sorg, den andra vid en glädjefest. Hjär-
tat är olika stämdt vid olika tillfällen. Likasom ansik-
tet har olika utseende i sorg och glädje, så har ock
hjärtat en annan stämning när det är sorgset, än när
det är gladt. Denna hjärtats stämning uttrycker sig
i melodien. Melodien till en sång måste därför stå
i allra innerligaste öfverensstämmelse med sångens
innehåll. Nu är det ju ock tydligt, att likasom sär-
skilda tillfällen hafva gifvit anledning till särskilda
psalmer och sånger, så hafva ock särskilda tillfällen
framkallat särskilda toner och melodier. När David
var i syndanöd och syndasorg, gaf sig hans beklämda
hjärta och uppskakade samvete luft i de psalmer, som
vi pläga kalla botpsalmer; när åter hans hjärta kunde
tro syndernas förlåtelse och glädjas däröfver, så dik-
tade han de glada och triumferande psalmer, som vi
pläga kalla lofpsalmer. Vi kunna ock vara vissa på,
att tonkonstnären David satte passande melodier till
de olika psalmerna. Sina botpsalmer sjöng han helt
säkert med djupt klagande, vemodsfulla och uppska-
kande melodier; sina lofpsalmer åter sjöng han med
visshet på jublande, glada och klingande melodier. Där-
för heter det ock i öfverskriften till vissa af Davids
psalmer, att de skulle sjungas *i djup ton, i klagoton.*

Vid lofpsalmer åter heter det: "Lofver honom med cymbaler; lofver honom med välklingande cymbaler". Nu är det ock visst, att somliga hafva fått sångens gåfva i mycket högre mått än andra, likasom många hafva fått större talgåfva än andra. Somliga kunna nästan alls icke uttrycka sina tankar i ord, det blir blott ett hackande och stammande, när de skola försöka tala; andra äro rent af födda med en flödande talgåfva. Så ock när det gäller sången: somliga kunna knappast frambringa en ren ton, andra åter hafva fått en intagande röst och kunna därför bilda de allra behagligaste toner och melodier med sin röst. Gåfvorna äro härvid mångahanda. De som fått den andliga talgåfvan kunna vid vissa tillfällen använda denna med fördubblad kraft. Så ock de, som fått sånggåfvan: vid vissa tillfällen kunna de få en särskild nåd af Gud att åstadkomma synnerligt sköna och hjärtgripande melodier. Det är särskilda tider, som gifva anledning till mera sann sång och musik än andra. Ingen tid kan vara viktigare än en människas omvändelse, då hon kommer därhän, att hon kan med sanning säga: *jag* fattig, syndig människa, och då Guds Ande upplåter för henne evangelii hemlighet, så att hon får nåd att tro och med glädje utropa vid Jesu fötter: *"Min* Herre och *min* Gud". Då får man en särskild lust att sjunga, och den som då har sångens gåfva, kan vid sådana tillfällen ur sitt hjärtas innersta, där Guds Ande då lefver och verkar, frambringa psalmer, sånger och melodier, som i årtusenden blifva använda af andra människor, hvilka göra samma hjärteerfarenheter, som äro uttryckta i dessa psalmer och melodier.

Men en pingst- och pånyttfödelsens tid kan komma

öfver hela länder och folk såsom vid reformationstiden. Vi förstå, att sådana tider måste vara särskilda psalm- och sångtider. Ur tusentals hjärtan och munnar kommo de sköna psalmmelodier, som vi hafva från reformationstiden, såsom ett eko från Guds lefvande ord, hvilket då inträngde med makt i själarna. Ty hvad äro kyrkans underbara psalm- och sångmelodier annat än ett sådant eko från olika tidehvarf i hennes historia? Besinnade vi rätt det sköna och härliga däruti, att vi hafva dessa lefvande röster från Guds församling under olika tider af hennes tillvaro på jorden, så skulle vi komma att finna den allra skönaste sysselsättning uti att spela och sjunga dessa melodier. Vi skulle därmed komma att instämma i Guds lefvande församlings kör.

"Hvilken tror på mig, såsom skriften säger, af hans kved skola flyta lefvande vattuströmmar. Men det sade han om Anden, hvilken de få skulle, som på honom trodde." Joh. 7: 38, 39. Till dessa lefvande vattenströmmar höra de psalm- och sångmelodier, de himmelska harmonier, som flyta så rikligt inom den lutherska kyrkans sköte. Att själfva reformationstiden är synnerligen rik på sådana ljufva och kraftfulla toner, veta vi. Men vi skulle ock skaffa oss en sådan notpsalmbok, däri vi kunde se, från hvilken tid de olika psalm- och sångmelodierna förskrifva sig. Det hörer till de allra intressantaste och uppbyggligaste sysselsättningar att spela och sjunga psalm- och sångmelodier från olika tidehvarf i Guds rikes historia.

Undersöka vi saken närmare, finna vi, att Luther och reformatorerna togo reda på sköna melodier, som uppsprungit ur kyrkans hjärta under äldsta tiden och äfven under medeltiden. Ja, när man fann reda på någon skön, allvarlig och sedlig folkmelodi, så sökte man använda den i Herrens och församlingens tjänst. Det finnes folksånger och folkmelodier, däri människan talar sin själs innersta språk, och sådana melodier kunna pånyttfödas och blifva lefvande Guds barn, likasom människan själf kan pånyttfödas och blifva ett lefvande Guds barn. Synden kan aldrig pånyttfödas, utan måste korsfästas och dödas; så gifves det ock musik och melodier, hvilka äro födda af kött och därför äro så köttsliga, att de aldrig kunna användas i det heligas tjänst. Det fordras Guds nåd, den smörjelse, hvarom Johannes talar, ett heligt musikaliskt sinne för att kunna välja de toner och melodier, som äro passande för kyrkans heliga sång. Den lutherska kyrkan har visat sig äga den heliga musikaliska gåfvan, det kyrkliga musikörat och sångsinnet i synnerligt hög grad.

Tonernas språk är dock ännu mera andligt än det vanliga språket. Det fordras därför mycket finare smak, mycket innerligare andlighet för att kunna rätt uppfatta melodien och harmonien till en sång än själfva orden. Tonernas språk är visserligen gemensamt för alla folk, så att en skön melodi kan uppfattas och uppskattas af nationer med högst olika språk. Melodiens och harmoniens världsspråk är därför en profetia om att den babyloniska språkförbistringen en gång skall upphöra. Likväl finnas äfven i tonernas språk olika dialekter. Till och med de olika kyrkosamfunden kunna särskiljas medelst de melodier de sjunga till sina psalmer och andliga sånger. Sitt ned vid en liten kammarorgel, lägg vår psalmbok framför dig och lägg där bredvid Sankeys sånger. Begynn så att spela några koraler, i fall du kan spela dem, såsom de skola spelas, d. v. s. hvarken såsom en drönare eller dansmästare. Det är ett himmelskt majestät i dessa koraler, men på samma gång en innerlighet, liflighet och kraft, som man måste låta komma till sin rätt, då man spelar och sjunger dem. Spela sedan någon Sankey-sång och gif dig tid att lyssna till den stora skillnaden. Kan någon symbolik gifva dig bättre förklaring öfver den karakteristiska åtskillnaden mellan den lutherska och de reformerta kyrkorna än ett sådant spelande och sjungande af deras olika andliga melodier? Öppna dörren till en kyrka, där de lutherska koralerna sjungas väl, och stig sedan in i en amerikansk kyrka, där de där lifliga, trallande söndagsskolsångerna sjungas, och säg, om du ej hör en märklig skillnad. Men det är sant, vi vårdslösa vår kyrkosång förfärligt, vi taga ej vara på vår kyrkas ovärderliga melodiskatter, såsom vi skulle. Vi hafva med föregående ord ej velat fördöma de reformerta kyrkornas lifligare sång; vi ville blott visa, huru denna sångens olikhet måste bero af några inre egendomligheter i tro och lära, i folkkaraktär och nationalitet. Men den lutherska kyrkan äger icke allenast sina härliga, oöfverträffliga koralmelodier, utan hon har ock en outtömlig skatt af lifligare körsånger, hvilka äro ämnade att användas vid gudstjänsterna och att utföras af dem, som hafva fått sångens gåfva i högre mått än församlingsmedlemmarna i allmänhet. Hela församlingens kallelse att sjunga med vid gudstjänsterna är en oförytterlig rätt och förmån, särskildt inom den lutherska kyrkan. Ingen körsång, vore den än aldrig så skön, kan ersätta församlingssången. Hellre må körsången vara utesluten, än att församlingssången skulle tystna. Men det ena skall man

göra och det andra icke låta. Om församlingen icke
uppmuntrar dem, som hafva fått en högre sånggåfva,
att använda denna i Herrens tjänst, så gör hon sig
själf stor skada. Att låta de undersköna körsånger,
som den lutherska kyrkan äger, ligga tysta är att
gräfva ned ett rikt pund i jorden. Dessa kyrkliga
körsånger äro dock af helt annan beskaffenhet än blott
världsliga sånger, ty de måste stå i den allra innerli-
gaste släktskap med koralen. Koralen var ursprung-
ligen sant folkmässig, rik och mångfaldig med afse-
ende på tonart, takt och karaktär. Man sjöng icke
en glädjepsalm lika långsamt och afmätt som en sor-
gepsalm. Det var en senare tid, som gaf en enformig
karaktär och ett lika tidsmått åt alla psalmer. Man
ville förhindra själfsvåld och missbruk genom att sät-
ta den lefvande koralen i tvångströja. Det fria hjär-
tats sång låter icke sätta sig i fängelse. Hjärtat mås-
te gifva sig luft i enlighet med sina känslor och med
den stämning, hvari det för tillfället befinner sig.
Därför uppstår alltid i tider af andlig väckelse den
fria andliga folksången. Så i våra tider. Man har
funnit psalmsången i kyrkan för stel, därför äro en
massa sångböcker och sångmelodier i omlopp. Man
finner bland dessa sångmelodier mången skön ton och
melodi, men ock tyvärr många andelösa utgjutelser,
som fördärfva den rätta sångsmaken. Under alla väx-
lingar kvarstår den gamla koralen i sitt underbara
majestät och sin hjärtgripande innerlighet och enkel-
het.

Hvarje vän af sann kyrkomusik må ock vara yt-
terst rädd om denna kyrkans omistliga skatt att
ingenting af dess ursprungliga härlighet må bortkonst-
las eller bortslarfvas. Koralen hör hela församlingen

till; den enskilde kan därför ej handla med den gemensamma egendomen efter behag. Men koralen är icke ett dödt kapital, utan en lefvande röst i och genom lefvande personer. Man har därför på senare tiden begynt fordra mera rörlighet, liflighet, mångfald, rikedom och karaktär vid koralens sjungning och spelning. Att här träffa det rätta är icke hvarje organist gifvet; men då koralen är församlingen gifven såsom ett dyrbart pund, med hvilket hon skall ockra sig till uppbyggelse, så skulle hon ock använda den yttersta flit och omsorg på detta punds förvaltande. Då koralen är hela församlingens egendom, så kan och bör den icke behandlas så konstmässigt, att den kommer öfver den allmänna församlingens fattning och deltagande.

Sant är, att i koralen ligger fröet till den musikaliska konstens härligaste utveckling. Den store kyrkotonmästaren Bach har bevisat, hvilken outtömlig rikedom af himmelsk musik den enkla koralmelodien innesluter i sig. Den, som har hört en af Bachs koraler sjungas väl, har ett outplånligt intryck af koralens öfverväldigande makt och skönhet. Det sätt, hvarpå Bach låter harmonistämmorna sörja, klaga, jubla och triumfera med och omkring melodien, anslår ens själs innersta strängar på ett sätt, som är obeskrifligt. Man måste själf höra sådana koraler, och man skall begynna känna, att Guds församlings sång måste vara evig, och att den blifver härligare ju längre den varar. Alla oratoriemästares öfvermästare, Händel, uppfostrades vid den lutherska kyrkans koraler.

En skön egendomlighet hos den lutherska kyrkan är hennes rike och innerliga vittnesbörd om den Korsfäste. Ingen kyrka har så många och innerliga betraktelser öfver Kristi lidande som den lutherska. Hvar skulle vi finna sådana psalmer öfver Kristi lidande som Paul Gerhardts? Det är värdt att lära tyska språket blott för att kunna läsa Paul Gerhardts psalmer öfver Kristi lidande på originalspråket. Den lutherska kyrkan har i många afseenden varit en korskyrka, och därför har hon lärt sjunga så outsägligt innerligt öfver Kristi kors. Det trettioåriga kriget var för Tyskland en lidandestid af för oss ofattlig nöd, jämmer och ångest. När Herren lade på detta hårda kors, slöto sig många blödande själar allt innerligare och innerligare till Jesu kors. Det var då Paul Gerhardt sjöng sina sånger om Jesu blod, om Ställföreträdaren, som bar våra synder; det var då Heinrich Schütz spelade och sjöng sina hjärtgripanpde passionsoratorier.

Denna den lutherska kyrkans hjärtelust i betraktelser vid Kristi kors fann sitt uttryck genom Seb. Bachs passionsoratorier och Händels Messias jämte andra mästares tonskapelser af samma art. Den oinvigde säger om Bachs tonbetraktelser öfver Kristi lidande, att de äro besynnerliga, men hvarje hjärta känner och bekänner: Det är så jag ville sjunga och slå mina drillar af sorg och glädje, af smärta och frid vid min Herres Jesu Kristi kors. När Händel låter höra sitt "Han var föraktad", eller "Si, Guds Lamm", eller "Sannerligen han bar vår krankhet", då måste åhöraren vara en träbit, om han icke känner, att tonerna tränga in i hjärtats innersta. Men detta sista är sagdt om den lutherska kyrkans högre konstmusik. Vi behöfva icke flyga så högt för att få höra vår kyrkas hjärtgripande tonpredikningar om Guds Lamm.

Våra passionspsalmer och vårt "O Guds Lamm" — hvad känner ditt hjärta vid afsjungandet af sådana stycken?

Vi behöfva sannerligen icke gå öfver ån efter vatten, när det gäller kyrklig musik, men vi behöfva låta upplifva oss att med ifver och trohet ockra med våra undersköna trosbekännelser i toner, och vi böra låta "deras ljud utgå i all land" och i synnerhet i vårt nya hemland i Amerika.

Vår ungdom och den lutherska kyrkomusiken.

ar då den lutherska kyrkan en särskild och egendomlig kyrkomusik? Om så är, är då denna kyrkomusik af ett så stort andligt värde, att vi böra göra de yttersta ansträngningar för att bevara och rätt förvalta denna stora skatt och kyrkoegendom?

Ingen af oss är tveksam, när det gäller att svara på frågan: Hvad är själfva kärnan och kraften i den lutherska kyrkomusiken?

Koralen — *koralen* är själfva hjärtat och det allra heligaste af den lutherska kyrkans sång och musik. Koralen såsom församlingssång är den lutherska kyrkans förstlingsoffer inför Herren, samma koral är ock den lutherska kyrkans förstfödslorätt. Säljer vår kyrka denna sin förstfödslorätt för någon musikalisk grynvälling, så har hon blifvit en Esau i Guds rike, och hennes välsignelse är blott en Esauvälsignelse.

Hvad är då koralen? Koralen är det andaktsfullaste uttryck för en församlings sanna gudstillbedjan, som finnes på jorden. Det är vid våra gudstjänster på de stora högtidsdagarna vi få svar på den frågan, hvad koralen är. När en svensk luthersk församling på julmorgonen uppstämmer: "Var hälsad, sköna morgonstund", då genombäfvas hela vår varelse af svaret på frågan om den lutherska kyrkomusiken. När hela lutherska kyrkan sjunger sin oförlikneliga triumfpsalm: "Vår Gud är oss en väldig borg", då varda svaga, hjälplösa människovarelser starka som hjältar och kunna i en kör bekänna: nu veta vi hvad en koral och hvad luthersk kyrkomusik är. När vår kyrka sjunger sin: "Guds rena Lamm, oskyldig" med flera passionspsalmer så, som de böra sjungas, då känner hvarje hjärta, som har någon känsla, kraften af "Lammets sång". Än sedan våra påskpsalmer — finns det något mäktigare *Halleluja* på jorden? När vår svensklutherska kyrka sjunger sina nattvardspsalmer så, som de böra sjungas, så fråga vi med skäl, om hela den musikaliska konsten på jorden kan uppvisa någonting mera djupt och innerligt andaktsfullt än detta "O Guds Lamm" och dessa psalmer.

Därför, låt vår ungdom sjunga koraler i och med församlingen, så har ni därmed hos denna vår ungdom väckt och närt kärleken till den lutherska kyrkomusiken.

Är det då blott psalmerna i vår gamla psalmbok, som äro koraler? Det finnes ock många andliga och kyrkliga sånger, som stå i närmaste släktskap med koralen. Det hörer mästarna i luthersk kyrkomusik till att här bevisa sin goda och sanna smak vid valet af den rätta kyrkliga koralmusiken.

Här vore en kort skiss af koralens historia af nöden, men jag förmodar, att tidens korthet förbjuder en sådan historisk utflykt.

Här vore ock platsen att tala om betydelsen af orgeln, orgelpreludiet och orgelpostludiet för den lutherska kyrkomusiken.

Hit hörer ock en utredning öfver den kyrkliga kantaten och det heliga oratoriet samt mässan och den kyrkliga konserten. Men när skulle jag sluta, om jag skulle försöka framlägga mina ringa och anspråkslösa idéer öfver dessa höga och härliga ämnen?

Till sist låt mig bedja om några ögonblick vid slutet af vår diskussion för att väcka ett förslag om bildandet af en förening för luthersk kyrkomusik inom vår synod.

Några ord vid en konsert i Chicago.

änner af Augustana Hospital, blott några enkla ord. De äldre af oss, som tillbragt vår barndomstid i det gamla fäderneslandet, känna väl, huru outplånligt ordet *lasarett* är inprägladt i vårt minne och sinne. Ej behöfver jag försöka med omständlig beskrifning frammana de lifs- och dödsbilder, som hastigt eller sakta och högtidligt tåga förbi vår inre syn vid det allvarliga uttalandet af detta ord.

Jag beder att på några ögonblick få framställa till vår åskådning de första taflorna af de outsägligt gripande lasarettsbilder, hvilka morgondagens evangelium kommer att upprulla för vår syn. Hvem målaren är, veta vi alla. Att bilderna äro tagna ur lifvet och verkligheten, tidens och evighetens lif och verklighet, veta vi ock.

Jag ämnar icke hålla en aftonsångspredikan, jag blott beder, att vårt Augustanalasaretts vänner ville i morgon särskildt beskåda de lasarettsbilder, som Herren Jesus själf målat i dagens text. Det är endast ett sådant "tänk på, att du helgar hvilodagen" vi ville tillropa hvarandra denna lördagskväll.

Så här ser den första taflan i den himmelska konst-
närens samling af lasarettsbilder ut.

"Och det var en rik man, som klädde sig i purpur
och kostbart linne och lefde hvar dag i glädje och
prakt. Och det var en fattig, vid namn Lasarus, som
låg för hans dörr, full med sår och längtande efter att
mättas med de smulor, som föllo ifrån den rikes bord.
Men till och med hundarna kommo och slickade hans
sår."

Hörer den bilden endast till forntiden, eller är den
lifs lefvande sann äfven i vår tid och i Chicago?

O, de gräsliga motsatserna i det mänskliga lifvet!
Här framträda de dagligen för våra ögon lika him-
melsskriande som någonsin, mildrade endast där, hvar-
est Herren Jesus står i det stora svalget mellan rik och
fattig, lyckliga och olyckliga människobarn. Vår tid
slites af de stora samhällsfrågorna om rikedom och
fattigdom, prakt och nöd lika våldsamt, om ej våld-
sammare än någon föregående världsålder. Skall det
så fortgå intill dagarnas ände? Profetere den som
kan.

Se vi då vår kallelse såsom kristna? Se vi, hvad
Guds Son gjorde, när han steg ned i detta vårt män-
niskolif? Om vi vore målare, som hade i uppdrag att
framställa Jesu jordiska lif i bilder, hvilka taflor skulle
vi då måla?

Då vi nu bekänna oss vara kristna, som äro kallade
att måla Jesu lif med våra ord och med våra gärningar,
hvilka taflor måla vi?

Är Augustana Hospital en sådan tafla öfver Jesu
lif? Man har redan begynt uppställa taflor af stora
mästare i dyrbara byggnader i Chicago.

Är Augustana Hospital en sådan dyrbar byggnad,

där mästare i den stora konst som heter Kristi kärlek utställa sina taflor?

Frågan är, om de svenska lutherska kristna i denna stad och i dessa trakter äro mäktiga nog i kärlek att fortsätta detta Kristi kärleks måleri.

Ack, ack, vi hafva företagit oss så mycket, det är stor fara för handen, att vi drunkna i våra företag.

Ett stort nationalfel hos oss svenskar är det, att vi äro starkt böjda för att lefva öfver våra tillgångar, att lefva som om vi vore rika, fastän vi äro fattiga. Månne denna nationalsynd gör sig gällande äfven i vår andliga och kyrkliga verksamhet? Månne vi hafva tagit till vårt andliga arbete i så stor skala, som om vi vore outtömligt rika på Kristi kärlek, fastän vi i själfva verket äro ganska fattiga på denna himmelska gåfva? Vänner i Chicago, förlåten en, som bär på dagliga bekymmer öfver dessa frågor, ett omnämnande af dessa ämnen. Hela denna vedermöda vederfares nu alla våra inrättningar inom Augustana-synoden. Skön och härlig är vår kallelse i detta stora land, stora uppoffringar kräfver den; förmå vi nu detta allt, som vi börjat, genom Kristus, som oss mäktiga gör?

Förödmjukelse, bön och förbön vare vårt stora "tänk på".

"Stor är de efesiers Diana!"

i vilja härmed inbjuda "Schibboleths" läsare till att närmare betrakta historien om ett stort folkmöte, som hölls i staden Efesus i Mindre Asien för öfver 1800 år sedan. Mötet var särdeles intressant och af stor betydenhet. Storartadt var ock detta möte, ty en ofantlig folkmassa var församlad; i viss mening kan man ock säga, att knappast vid något möte har så stor lifaktighet och kraft försports som vid detta. Allmän enighet rådde, och vid resolutionens affattande samt när den slutliga omröstningen öfver denna resolution togs, så röstades med sällspord kraft, ty hela folkmassan *"ropade alla med en mun så när i två timmar"*. Resolutionen hafva vi satt till öfverskrift på denna vår korta minnesteckning öfver mötet. I sanning en dundrande resolution och en dundrande omröstning. Af synnerlig betydelse för vår tid är ock den omständigheten, att mötet hölls såsom storloge af en orden, hvilken måste hafva hetat ungefär så: de förenade arbetarnas gamla orden. Historien omförmäler visserligen icke ordens namn, men af alla omständigheter kunna vi för det stora ordenssällskap, som höll mötet, icke finna något mera passande än det nämnda. I all synnerhet var mötet märkvärdigt därför, att det var sammankalladt af de "upplysta" bland folket såsom ett möte af "upplysningens vänner" för det högviktiga ändamålet att motarbeta kristna präster, hvilka af dessa "upplysningens vänner" ansågos vara upplysningens fiender och fromleriets samt den andliga humbugens förkämpar. Särskildt var mötet anordnadt *emot* den kristne prästen *Paulus,* hvilken med sin predikan höll på att rycka brödet ifrån "upplysningens vänners" mun.

Om hela detta möte läsa vi i Apg. nittonde kapitel en i sanning gripande berättelse. Du måste själf läsa hela kapitlet med stilla, djup uppmärksamhet. Men när nu detta storartade möte var sammankalladt *emot* prästen Paulus, hvad hade han då egentligen gjort för ondt, eftersom det bland "upplysningens vänner" fordrades sådana kraftansträngningar för att motarbeta honom? Han hade predikat Guds ord och bevisat, att kristendom är kristendom och att hedendom är hedendom. Var detta hela Pauli förbrytelse? Ja. Hans verksamhet hade heller icke varit utan frukt. I synnerhet hade ock Paulus med sin predikan angripit den tidens *edsvurna hemliga sällskap,* och dessa sällskap voro då en väldig makt, hvilken ingen ostraffadt fick antasta. Emellertid, Guds ord är icke blygt, fegt och vacklande, då det gäller att med den eviga sanningens vapen anfalla mörkrets hemliga fästen. Pauli predikan verkade med oemotståndlig makt hos många. Det heter: *"Och många af dem, som trodde, kommo och bekände och förkunnade, hvad de uträttat hade. Men många af dem, som förvetna konster bru-*

*kat hade, buro fram böckerna och brände upp i hvars
mans åsyn. Och då deras värde räknadt vardt, vardt
det funnet till femtio tusen penningar. Så fast växte
då Herrens ord och kom till makt."* Apg. 19: 18—20.
Tänk, hvad man nu skulle börja larma öfver Paulus!

Tror du, att den tiden saknade sådana, som kunde
kasta smuts, skrifva hån och gäckeri öfver Paulus
både på vers och prosa. Det smutsiga hånet, det grof-
va gäckeriet, den ilskna fiendskapen mot Gud och allt
heligt har i alla tider alstrat en mängd personer, hvilka
bland ordensbröderna blifvit firade som "snillen".
Kunde man icke den tiden trycka skandaltidningar, så
kunde man dock äfven då skrifva och läsa rått skämt
och lögnens tandagnisslande snillefoster. Du kan tän-
ka dig, huru ordensbröderna i det stora sällskap, som
brukade *"förvetna konster"*, skulle sätta alla ondskans
krafter i rörelse för att störta prästen Paulus och
kristendomen. Berättelsen säger ock: "På den tiden
vardt icke litet buller om den vägen", Apg. 19: 23.
Men man ansåg det icke vara nog, att man mera en-
skildt bullrade, hånade och skränade öfver Paulus och
hans predikan. Kraftiga mått och steg måste af dessa
"upplysningens vänner" vidtagas, om ej prästvälde,
fromleri och läseri skulle genom den prästen Paulus
taga alldeles öfverhand. Då reser sig den store vidt-
beryktade ordensmästaren Demetrius. Våra läsare få
ursäkta, att vi icke vederbörligen kunna titulera den
i världen så väldige mannen. Säkerligen dundrade
både före och efter hans namn så många ordenstitlar,
att alfabetet måste utttömmas gång på gång bara för
att kunna teckna de första bokstäfverna i alla dess
titlar. Guldsmed var han. O, hvad stormästarens
ordensdräkt måste hafva glittrat af guld och ädelste-

nar! Blott det förtrollande ordet *guld* samlade på en
vink de stora folkmassorna omkring honom. Rik var
han, säger oss berättelsen, ty han "gjorde silftempel
till Diana, *där de en stor vinning af hade*, som det
handtverket brukade". Han var fabriksägare i stor
skala och kunde kommendera en mängd arbetare. En
kallelse från Demetrius samlade i en hast alla ordens-
bröderna.

När skaran var vederbörligen ordnad, håller De-
metrius ett tal, som i vältalighet och städadt språk
öfverträffar *Skandia, Svenska Tribunen* och andra
af vår tids ordensorgan. "I män, I veten, att vi
hafva vår näring af detta handtverket", så begynner
den store talaren. Så har han med snillrik fåordighet
och kraft i ett ögonblick framställt och bevisat sin sak
samt därmed vunnit allas hjärtan i den ofantliga folk-
skara, som nu lyssnade till den ärade talarens gripande
tal. "Vi hafva vår *näring* af detta handtverket."
Bröd- och penningebeviset är det kraftigaste skälet
inför en skara af människor, hvilka söka blott det
jorden tillhörer. Alla svarade säkerligen i sina hjär-
tan "ja och amen", så snart det allt kött gripande ordet
näring nämndes. Hade Demetrii åhörareskara varit
mera bevandrad i vår tids hedniska upplysning, så
hade de säkert strax gifvit med stampande, handklapp-
ning och vilda hurrarop sitt bifall tillkänna. *"Vi hafva
vår näring af detta handtverket."* Hvad betyder det
hvad slags handtverk det är, blott vi hafva vår *näring*
däraf. Om Pauli verksamhet får ohejdadt fortgå,
hvad skall det då blifva af våra hustrur och små barn,
som ropa efter bröd? Pauli Gud lär icke försörja oss.
"Hjälp dig själf", det är lifvets högsta regel. Så
tänkte säkerligen dessa hedningar i likhet med vår

tids upplysta och bildade hedningar. Men skola vi
undra öfver att dessa hedniska familjefäder ömmade
för sin hustrur och barn? Är det icke allas vår ljufva
plikt att tänka på och sörja för våra kära, som ligga
oss ömt om hjärtat? Nog känner hvar och en utaf
oss, om han har mänskliga känslor, huru hjärtslitande
det skulle vara, om vi med de våra skulle blifva hus-
villa och brödlösa på denna ödsliga jord. O, våra hjär-
tan vilja brista vid tanken därpå, att våra älskade små
möjligen kunde blifva lämnade hemlösa, utan stöd i
en på kärlek så fattig värld! Tänk, om jag såsom hus-
fader skulle falla ifrån, hvad skall det blifva af min
hustru och mina barn, hvad skola de äta och dricka,
hvad skola de kläda sig med? Tänk, om *detta handt-
verk* blott gifver *näring* åt mig och de mina och efter
min död en summa penningar åt min efterlefvande
familj, hvad betyder det då *hvad slags* handtverk det
är, äfven om det vore ett handtverk, som består uti att
tillverka afgudar och afgudatempel! Månne icke de
hedniska arbetarna i Efesus voro mäktiga att tänka så?

Med den kroken, som heter *näring* och *närings-
fång,* hade Demetrius utan all svårighet och ansträng-
ning fångat hela skaran af dem, som hörde hans mäs-
terliga tal. Med samma *lockbete* är det, som våra da-
gars hemliga sällskaps ordensmästare och agenter
fånga så många, som icke tro Herrens ord och icke
hafva lärt och erfarit, hvad Jesus sade i Matt. 6: 19
—34. Hvad skall det blifva af oss, våra hustrur och
barn i dessa hårda tider, ropa nu många under stor
ängslan. Och jag må i sanning säga, att det gör mig
och mången i innersta hjärta ondt om de många fat-
tiga arbetarefamiljerna, synnerligen i världens många
olyckliga städer. Hvad är att göra? Så må vi alla i

sanning med allvar fråga: Men *Hvi knorra då män-
niskorna allt så, medan de lefva? Hvar och en knorre
emot sina synder.* Jer. Kl. 3: 39. Lärde vi såsom ett
folk att verkligt knorra emot *våra egna* synder, så
skulle vi också lära att fly till den sanne Gud, som
ännu har både vilja och makt att försörja de fattiga
på jorden. När nu den store Demetrii högättade or-
densbröder samla folket omkring sig, när de begynna
i lockande tal beprisa den *näring,* som alla medlemmar
hafva af *handtverket* i *frimurare-, oddfellow-, united
workmen-, druid-* och snart sagdt oräkneliga andra
loger, då utropa många i förtjusning och berusning:
Hvad betyder det hvad slags handtverk det är, äfven
om det är *ren, ram hedendom* i dessa hemliga sällskaps
läror och ceremonier, blott jag får arbete hos förmän-
nen för de stora fabrikerna, blott jag får bidrag från
orden vid sjukdomstillfällen och hvad mer — då min
hustru och barn få så och så mycket om jag dör, hvad
gör det då, äfven om jag störtar mig och de mina i
hedendomens mörka natt? Gud lär ju icke, fortsätter
man, försörja mig, om jag icke söker hjälpa mig själf.

Och vidare håller man långa tal öfver de elaka,
obarmhärtiga prästerna, som icke kunna vara tysta och
låta den fattige hafva all den förmån han kan få af —
hedendomen. O, man skulle höra alla de smädelser
och bitterheter, allt det hån och gäckeri, som blifvit
utslungadt öfver oss präster af enskilda och i synner-
het af tidningar, som säga sig vara "upplysningens"
banérförare! Hårdt är i sanning prästens kall på
denna af synden förbannade jorden, men djupast af
allt griper mig den beskyllningen, att vi präster skulle
vilja rycka brödet från den fattiges mun. Hvem och
hvad är det, som rycker brödet ur den fattiges mun?

Betänk den frågan närmare, och svara därpå sannings-
enligt. Nog kännes det underligt, när man ser, huru
de rika logeherrarna pråla i sina palatser, och huru
de kasta en smula då och då åt en fattig Lasarus.
Men när dessa herrar kasta smulor, då utbasunas de
såsom stora välgörare af tidningsredaktörer, som kän-
na hvad det smakar att smickra de store och rike i
denna världen. Och vi präster och församlingar få
tåla att vara hvars mans afskrap och afhugg, såsom
man kallade den prästen Paulus och hans församlingar.

Men låtom oss nu höra, hvad den store ordenstala-
ren Demetrius hade att säga om prästerna och den
tidens kristna. Säkert gaf den rike och myndige man-
nen väldiga hugg åt de kristna och deras präster. Och
dock, när vi närmare lyssna till hans ord, måste vi
tillstå, att han var mycket hofsam, human och gentle-
mannalik i jämförelse med många vår tids tidnings-
redaktörer. "Upplysningen" stiger, och därmed stiger
ock konsten att tala lögn och ovett.

Vi borde väl hafva en liten betraktelse öfver slutet
af den store ordenstalaren Demetrii dråpliga tal. Oss
är ju i friskt minne, huru skickligt Demetrius försva-
rade den tidens afgudamakeri. Hans bevis voro ju
nära nog lika dräpande som de skäl, hvilka i våra da-
gar bringa så många på knä inför vår tids afgudar
och afgudamakeri. Afgudamakeriet var ju och är än-
nu i denna dag en *vetenskap*. Och ve den, som för-
griper sig mot tidens *vetenskap*. En sådan rånare
varder ju med rätta dömd af alla *bildade* och *upplysta*.
Och Paulus var ju en sådan förbrytare, som hade vå-
gat höja sin röst emot Demetrii vetenskap eller handt-
verk. Och tänk om Demetrii handtverk eller veten-
skap ginge under, månne icke då all bildning och skön

konst i världen på samma gång såge sin sista dag? Hvad skulle då blifva af världen? Därför utropar Demetrius: *"Och varder icke allenast gällande den delen af vårt handtverk, att det nederlägges."* Ja, tänk huru ful jorden skulle blifva, och särskildt huru naken och vanställd den stora staden Efesus skulle taga sig ut, om den skulle komma att sakna alla de afgudaprydnader, hvarmed Demetrius och hans yrkesbröder smyckade så väl jorden som i synnerhet de efesiers stad! Och huru fula skulle icke våra städer blifva, om vi ej mer finge se vår tids ordensbröder i strålande prakt tåga på gatorna? Skönhetssinnet bjuder således, att "handtverket" icke får nedläggas.

Men hvad mer? Tänk om Demetrii handtverk blifvit nedlagdt, hvem skulle kunna räkna de många kvinnor och barn, som då skulle hafva kommit i saknad af sitt lifsuppehälle? Tusendens tårar och veklagan skulle hafva blifvit den oundvikliga följden af Demetrii handtverks nedläggande. Blott *Paulus* kunde vara hjärtlös nog att med vett och vilja förorsaka tusendens olycka och ångest. Demetrius var skicklig nog att vända sitt tal så, att sådana tankar om Paulus skulle uppväckas i åhörarnas sinnen, som om aposteln vore en sådan kärlekslös och hård människa, att han ej unnade den fattige arbetaren att njuta lycka och välstånd på jorden. Så förstå ock vår tids ordenstalare väl den konsten att så ställa sitt tal, att vi, som vittna emot afgudamakeriet inom de hemliga sällskapen, komma att framstå i sådant ljus, som om vi vore fiender till den fattige arbetarens välstånd. Tänk, så talas det, huru många änkor och faderlösa barn, som få sitt lifsuppehälle genom de hemliga sällskapens välgörenhet, och till sådan välgörenhet äro Augustana-prästerna

motståndare! Ser man icke, huru hjärtlösa och kär-
lekslösa dessa präster äro? Sådana ord af demetriansk
vältalighet gripa djupt de sinnen, hvilka se allenast
efter de ting som synas.

Vi undra ej, att massan af befolkningen i de efesiers
stad reste sig i harm öfver Paulus, sedan Demetrius
för det köttsliga sinnet hade framlagt så ovedersägliga
bevis på det skadliga i Pauli verksamhet. Vi undra
fastmer, att Paulus och de öfriga kristna undsluppo
med lifvet. Vi undra ej heller, att en stor mängd af
vårt folk reser sig i förtrytelse öfver Augustana-syno-
dens präster och folk, vi undra fastmer däröfver, att
vi intill denna stund äro bevarade vid lif, ehuru vi öp-
pet vittna emot de afgudar, som inom de hemliga ord-
narna omhuldas med så gräsliga eder. Dock, det gif-
ves en makt, som är starkare än Demetrius och hans
skara; samma makt är ock än i dag den, som säger till
Guds ords hemliga och uppenbara fiender: "Härintill
skall du gå och icke vidare, här skola dina stolta böljor
sätta sig".

Dock, de egentligen slående bevisen för sin sak har
Demetrius lämnat till slutet af sitt tal.

Han utropar vidare: *"utan jämväl ock att den stora
gudinnans Diana tempel varder för intet hållet; och
måtte då ske, att hennes härlighet afkommer"*. Hör!
Demetrius är en ytterst religiös man; han brinner af
nitälskan för religion och gudsdyrkan; hela hans lifs-
verksamhet går ju ut på att befordra och stadfästa
religionen. Sina händers och sin vältaliga tungas
krafter uppoffrar han i religionens tjänst, han skälfver
af oro vid tanken därpå, att religionens tempel skulle
komma att varda för *intet hållet*. Månne man icke
kunde se *stora tårar* rulla utför Demetrii kinder, då

han uttalade de orden: *"varder för intet hållet; och måtte då ske, att hennes härlighet afkommer"?* Historien förmäler intet därom; men då vi veta, huru ömt och smäktande dylika religionsförsvarare som Demetrius pläga tala om religionen, så veta vi ock förvisso, att Demetrius med mycken rörelse måste hafva talat om faran af religionens undergång.

Hvad har du väl gjort, o Paulus, du som utropat Demetrius och hans folk såsom *ogudaktiga?* Ser du icke, att du högmodigt satt dig till domare öfver en man, som i själfva verket är djupt religiös? Men se, sådana äro dessa läsareprästerna, de mäkta ej fatta den "sublima" religiösa känsla, som rörer sig i Demetrii och hans likars hjärtan.

Emellertid hade Demetrius med sina ord träffat hufvudet på spiken. Religiös vill ju ändock människan vara, blott hon får hafva en religion, som är liberal, fördragsam och som åtnöjer sig med hvad gud som helst, blott det icke är Jesus Kristus. Tänk, huru rörda Demetrii åhörare skulle vara, då de hörde honom tala så religiöst! O, hvad de skulle vara nära att brista af harm öfver Paulus, som vågat kalla Demetrius *ogudaktig!* Nu höra vi, mente de säkert, att det icke är farligt att höra till Demetrii sällskap, ty han själf är ju en så innerligt religiös man; i det sällskapet är religion med sans.

Hvem ser icke här den mest påtagliga bild af våra dagars hemliga sällskapsmän? Mången har stått tvekande, innan han inträdt i någon af våra dagars ordnar, ty han har undrat: huru månne det vara med religionen därinne? Då har någon ordenstalare uppträdt enskildt eller offentligt; han har med mycken salfvelse skildrat huru det religiösa alldeles genom-

tränger de hemliga sällskapens både kropp och själ på
det "sublimaste" sätt, ja, att gudstjänsten på "logerna"
är gudomligt högtidlig, att de kristna kyrkorna däre-
mot äro en försvinnande skugga. Se bara, huru de
hemliga sällskapen åberopa bibeln och i högtidlig pro-
cession bära den heliga boken med en sådan prakt och
vördnad, att något sådant aldrig kan åstadkommas af
en kristen församling! Ja, med ett ord, de hemliga
sällskapen äro religionens vårdare och högsta försva-
rare enligt ordenstalarnas "sublima" försäkringar.
När en ordenskandidat hörer sådant tal, blir han all-
deles hänryckt af förtjusning, och hans hjärta slår
häftiga slag af harm emot dem, som våga kalla de hem-
liga sällskapen *ogudaktiga.*

Men månne ej Demetrii åhörare närmare skulle vil-
ja veta, hvad slags religion den store religionsförsva-
raren med sådan varm hänförelse försvarade? Den
skicklige talaren lämnade dem ej i okunnighet härom.
"Den dock hela Asien och HELA VÄRLDEN DYRKAR."
Här äro de ord, hvilka såsom en elektrisk stöt genom-
foro hela åhörareskaran; här är det mest "sublima"
af hela det "sublima" talet. Nu kunde Demetrius slu-
ta; såsom ett trollslag verkade dessa ord: "Vi hafva
världsreligionen, en gud eller gudinna, som *hela
världen* dyrkar", se där den stora idé, som blott De-
metrius och de i hans skola bildade män fatta! Var
icke det en stor man, denne Demetrius, som förmådde
fatta det "sublima" i den tanken, att för *hela världen*
finnes en gud och en religion, som står öfver alla reli-
gioner, *hvilka de än må vara?* Ingen har mäktat så
kort och kraftigt uttala de hemliga sällskapens inre
väsende och betydelse, som Demetrius gör det i de
sista orden af sitt tal. Ehuru vi väl af historien veta,

att frimurareorden stiftades först i adertonde århundradet, så skulle vi nästan vara benägna att antaga frimurarnas påståenden om ordens höga ålder, ty vi märka tydligen att guldsmeden Demetrius i Efesus var öfver aderton hundra år sedan en i själ och hjärta ortodox frimurare, oddfellow m. m., m. m.

Det är detta talet om en gud, som *hela världen* dyrkar, en religion, som står *öfver* alla andra religioner, talet om en *världsreligion,* som i våra dagar tjusar så många hedniska sinnen. Af ordensmännen betraktas naturligtvis den sanna kristendomen såsom en obetydlig, försvinnande sekt i förhållande till denna *sublima världsreligion.* Och dock säga sig dessa ordensmän innehafva det *väsentliga* af kristendomen. Ja, i sanning, lika *väsentligt* som Demetrius i sitt hjärta var en kristen, lika *väsentlig* kristendom utgör vår tids hemliga sällskapsreligion. Men tänk, huru storståtligt det låter: "HELA VÄRLDEN DYRKAR"! Hvad ären I kristne, ville Demetrius säga, emot hela världen? En föraktlig liten sekt! Så pråla nu de hemliga sällskapen med sin väsentliga religion, hvilken, mena de, både hedningar, muhammedaner, judar och allehanda folk äro tillgifna med ett hjärta och en själ. Det låter i sanning storståtligt att hafva en religion, hvarigenom man blifver broder och själsfrände med hvilken hedning och gudadyrkare som helst öfver hela världen.

Men låtom oss nu höra, med hvilket sinne och i hvilken anda *världsreligionens* evangelium predikades och ännu predikas. *"När de detta hörde, vordo de fulle med vrede och ropade, sägande: stor är de efesiers Diana."* Apg. 19: 28. Se här det missionssinne, som verkar i deras hjärtan, hvilka omfatta denna beprisade världsreligion! *"Fulla med vrede."* Vill man läsa de tid-

ningar, som i våra dagar försvara de hemliga sällska-
pen, får man förklaring öfver dessa ord: *"De ropade".*
Hvem har ej hört tonen af detta rop, när man hört
de hemliga sällskapsmännen hålla sina enskilda och
offentliga tal?

Huru lydde nu Demetrii världsreligions evangelium?
"Stor är de efesiers Diana!" — Detta var alltså det
evangelium, som skulle gifva människohjärtat tröst i
lif och död! Stort låter det, men det *låter* bara så;
tomhet, idel tomhet är det i Demetrii församlings tros-
bekännelse. Fridlösa voro de och uppfyllda *med vre-*
de. Ack, huru tom de hemliga sällskapens storordiga,
"sublima" religion är! Hvad svar mäkta de gifva på
lifvets allvarligaste fråga, som lyder så: *Hvad skall*
jag göra att jag må blifva salig? Hvad svar kunde
Demetrius och hans skriande anhängare gifva på den-
na fråga? Hvad svar gifva frimurarna och de öfriga
hemliga sällskapen därpå? Ljuder i logerna fulltonigt
och rent det svaret: *Tro på Herren Jesus?*

I hemliga sällskapsmän, ropen fritt och tydligt ut
den religion, I hafven i hjärtat, eder logereligion! Så
gjorde edra medbröder i Efesus. De voro uppriktiga.

Vi hafva således hört det stora mötets beslut och
dess trosbekännelse. Enighet visade sig vid beslutets
fattande; stor kraft ådagalades vid omröstningen.

"De ropade alla MED EN MUN, *sånär i* TVÅ TIMMAR,
sägande: STOR ÄR DE EFESIERS DIANA." Kunde de skria
omkull Kristus och hans församling? Nej, Kristus
skrias ej omkull; man skrifver ej heller omkull honom.
Läs Dav. ps. 2 och 47! Diana är fallen, templet i
Efesus ligger i ruiner, men Kristus och hans rike står
fast i evighet.

"Skriften kan icke varda omintet."

De hemliga sällskapen och Kristi kyrka.

Matt. 6: 21—23. 2 Kor. 11: 2, 3.

 präster, särskildt I lutherska präster, ären ju emot allting. Icke, *icke,* ICKE; nej, *nej,* NEJ, ljuder det allmänt ur eder mun. Ingen bal, ingen teater och nu till sist *inga hemliga sällskap,* ja, inga nöjen, ingen glädje i lifvet. Kyrka, *kyrka,* KYRKA! ropen I ideligen. Fingen I råda, så skulle alla människor ingenting annat göra än med tårfyllda ögon hänga öfver bibeln eller med dystra ansikten och kvalda hjärtan åhöra edra långa böner och predikningar. Den ljufligaste syn, I sen på jorden, är en människa, som krälar i stoftet, vridande sina händer och slingrande sin kropp som en mask; den ljufligaste sång, I hören, är ångestskri och jämmerrop af syndare, som bäfva för helvetet. Med ett ord: I haten all mänsklig fröjd i lifvet och älsken blott jämmer och sorg; I söken blott att skrämma upp nervsvaga människor till det yttersta, på det I skolen få härska öfver dem såsom hjärtlösa tyranner; en gnista af medlidande och sann sympati har aldrig lyst i edert mörka och grymma hjärta."

Håll, håll, du unge man, som spritter af lefnadslust, du unga jungfru, för hvilken hela världen leker, såsom sutte du i ett dockskåp. Låt en präst få säga eder några ord till sanningens försvar. Det är en grof lögn, att sanna präster äro fiender till sann glädje och lycka i lifvet. Såsom präster äro vi *fridens* och *glädjens* sändebud. Vårt ämbete är att förkunna det *ljufliga* och *glada* budskapet. Vårt rike är Guds rike, och detta rike är fröjd och frid i den Helige Ande. Kristus är vårt lif, och när han föddes, ljöd änglasången från himmelen sålunda: "Ära vare Gud i höjden, och frid på jorden, till människorna ett godt behag." Den första hälsningen från den uppståndne Frälsarens mun är: *Frid vare eder.* Redan i Gamla testamentet, allvarets och lagens stränga tid, heter det: "Ja, om en människa många år lefver, så gläde hon sig i dem alla." "Lägg bort grämelse utaf ditt hjärta." Ingen människa har så starka skäl att kalla sig en glädjens apostel som en Guds ords förkunnare.

Ja, men det är ju sant, I sägen ju: "Inga baler, inga teaterbesök, inga hemliga sällskap med ty åtföljande nöjen." Ja, det är sant. Till alla baler säga vi nej och åter nej, ty i balsalongen borträfvas den blygsamhet, som är ungdomens skönaste prydnad och näst Guds nåds makt det starkaste värnet mot den gräsligaste olycka, som på jorden kan träffa en ung man eller en jungfru. Till alla teaterbesök säga vi nej och åter nej, ty teatern är öfver hela världen ett osedlighetens träsk, och ve den, som träder detta träsk för nära.

Och nu säga vi ock till alla hemliga sällskap nej och

åter nej, och det är mitt uppdrag att i kväll gifva några skäl till detta vårt starka, orubbliga *nej*.

Men mina unga vänner fråga med ifver: När I tagen bort balerna, teatern och de hemliga sällskapen, hvad blifver sedan kvar af glädjen i lifvet? Jo, den sanna och verkliga glädjen återstår ändå. Ja, sägen I, vi veta väl, att friden i Gud och den himmelska glädjen, hvarom I präster så mycket prediken, är kvar, men, men — — —. Hvad fattas? Jo, vi vilja hafva roligt i lifvet, och huru kunnen I präster vänta, att vi, ungdomen, skola stanna kvar i edra församlingar, om I gören lifvet så dystert, att det passar endast för gummor och gubbar? Vi vilja predika Guds ord och gifva rum för all den glädje och alla de nöjen i lifvet, som Guds ord tillåter och anbefaller. Och det är säkert, att Guds ord anvisar oss en sådan mängd af sköna nöjen och fröjder i lifvet både för själ och kropp, att den, som vill vara fullt lycklig i detta lifvet och det tillkommande, kan blifva det endast genom de för kropp och själ hälsosamma nöjen, som komma oss till del genom kristendomen. I unga, ären I icke nöjda med alla dessa nöjen, så måsten I söka andra nöjen utom fadershuset, och hvilka dessa nöjen äro, kan den förlorade sonens historia lära eder. Jag bekänner, att det skulle vara mig ett stort nöje att för eder, I unga, få försöka uppvisa, hvilka de nöjen i lifvet äro, som i sanning verka hälsosamt på kropp och själ för tid och evighet. Men vi äro i kväll icke samlade för det ändamålet att utreda frågan om hälsosamma och sant oskyldiga nöjen. Jag förmodar, att om det pålystes, att man en kväll skulle predika öfver oskyldiga nöjen, skulle denna kyrka blifva fylld af idel ungdom, som med spänd uppmärksamhet skulle söka uppfånga hvarje ord.

Nu till ämnet. Hvarför säger Kristi kyrka *nej* till de hemliga sällskapen, och hvarför måste vi präster högt utropa detta nej? Med skäl väntar man, att hvarje sansad människa villigt erkänner, att den präst, som icke öppet, ärligt och rätt fram uttalar sin kyrkas och sin egen öfvertygelse, är en stor stackare, ovärdig det heliga ämbetet. Vi äro satta till väktare, och om vi ej vid eldsvåda ringa och blåsa alarm, så bör man utan skonsamhet afsätta oss och sätta trogna väktare i vårt ställe. Skäl till det hopp, som i oss är, måste vi vara redo att gifva när som helst, offentligt och enskildt. Den som ondgöres däröfver, att vi utöfva denna vår plikt och begagna oss af denna vår rätt, han är okristlig, ja, omänsklig.

Men hör, säger någon, huru kan du veta något om hemliga sällskap, då du aldrig tagit en enda grad i något af dem? Min vän, förråd icke din okunnighet genom att framställa en sådan fråga. Frimuraresällskapet har publicerat flera tusen olika skrifter, böcker och tidningar. Därför, hvar och en, som öfvar den sköna konst, som heter innanläsning, kan på ganska kort tid göra sig så väl underrättad om de hemliga sällskapen, att han till och med kan öfverglänsa dessa sällskaps egna medlemmar i den visdom och kunskap, som heter logehemlighet. Man brukar beskylla fruntimren, att de icke kunna bevara en hemlighet, men jag skulle vilja säga, att tyskarna icke kunna gömma en hemlighet. En tysk med lärdom och bildning, som icke får skrifva och utgifva böcker och tidningar, kan icke lefva. Man kunde därför vara tvärsäker därpå, att tyskarna, när de blefvo frimurare, skulle med all makt begynna utbasuna ordens visdom och hemlighet. Hvad en utom orden stående icke får veta, är vissa lystringsord och yttre igenkänningstecken, men dessa äro lika oväsentliga som uppgiften om en hoflakejs födelseår i världshistorien. De hemliga ordnarnas inre lära, lif och betydelse får man med fullviss klarhet lära känna ur deras egna böcker, tidningar och offentliggjorda tal.

Jag håller här i min hand en årgång af en tysk frimuraretidning, utgifven af frimurare för frimurare, och ur denna enda bok får jag veta allt hvad jag behöfver veta för att lära känna denna ordens lära och verksamhet. Känner man frimureriet, så känner man ock de öfriga hemliga sällskapen, ty den gamla gumman har meddelat sina både kropps- och själsegenskaper så omisskännligt åt sönerna och döttrarna, att ingen kan misstaga sig på släktskapen. Ibland sönerna äro en del mera vilda än de andra, men till hvar och en af dem måste man utropa: så lik du är din mor, den vidtberömda matronan.

Då jag nu i korthet ville framställa några skäl, hvarför Kristi kyrka och Kristi tjänare icke kunna förlikas med de hemliga sällskapen, så måste jag erinra därom, att mitt tal skulle blifva för vidlyftigt, om jag skulle hänvisa till de särskilda ställena i de hemliga sällskapens egna böcker, som jag läst. Betviflar någon mina ord, så beder jag honom uppriktigt att själf studera saken allvarligt och samvetsgrant. Dock vill jag säga: är man ljum eller helt kall för Kristus och hans kyrka, då kan man läsa många af de hemliga sällskapens skrifter utan att finna någonting för kristendomen stötande däri. Har man icke ett vaket kristligt samvete, så känner man icke den antikristiska anda, som genomströmmar de hemliga sällskapen. Tillåten mig redan här taga den bild, som ligger i det ena af våra textord.

Innan man vet, hvad den sanna äktenskapliga kärleken vill säga, kan man hysa hvad man kallar tycke för flere personer, ja, för flere på en gång. Men sedan en yngling och en jungfru fattat den sanna, äkta kärleken för hvarandra, så säga de med full visshet: *han* och ingen annan, *hon* och ingen annan, och det skulle förekomma dem såsom ett nesligt brott, om någon ville intaga det rum i hjärtat, som den ende får hafva. Så ock här. Har Kristi kärlek intagit ditt hjärta, så känner du genast, när du läser de hemliga sällskapens böcker, att här är något, som icke kan inrymmas tillsammans med Kristus i samma hjärta. Detta bevis synes eder måhända vara alltför svagt och intetsägande, och dock är det för en kristen, en sann församlingsmedlem det allra starkaste skälet emot de hemliga sällskapen. Det lönar icke att disputera med en af otuktiga fantasier fördärfvad människa om en ren, sann, djup och ljuf äktenskaplig kärlek, ty när man talar m⌐d honom om den spegelklara sjön, så plumsa hans tankar med ormar, ödlor och grodor i det stinkande träsket. Den, i hvars hjärta de otuktiga begärelsernas hemska taflor äro inbrända med den sataniska eld, som dessa begärelser upptända, då de fostras och näras, han är icke mäktig att fatta den äktenskapliga kärleken, ty han söker blott efter offer för den helvetiska eld, som lågar i hans olyckliga själ och hans hemska kropp, och ju flere offer, dess bättre för en sådan ond ande i människohamn. Så ock med den, som icke erfarit, hvad en benådad syndares kärlek till Jesus, den ende Frälsaren, är, han ser uti de olika religionerna blott en näring för vissa allmänna religiösa känslor, och han känner sig därför icke förnärmad, när någon annan religion vill inkräkta på den hjärtekärlek, som hör Jesus allena till. Ja, han förstår icke, huru någon blott kan älska den sanna kristendomen och ingen annan religionsform. I tycken måhända, att jag talar för groft. Jag håller mig till sak, det är allt. De hemliga sällskapen äro en *andlig mormonism*, en andlig *"freeloveism"*, det är för mig det hemskaste och farligaste uti dem. I lästen nyligen i tidningarna, huru en ung svensk flicka kom till mormonlandet, och huru hon vid stationen blef gripen af en gammal gubbe, som förut hade en mängd hustrur. Så tvingades denna nordens unga dotter att blifva hustru till en gammal vällusting, som förut hade en mängd slafvinnor. Man tänke sig den unga flickans tårar och nödskri. Vi skulle alla hafva önskat vara där för att rycka det arma barnet ur den grymme gubbens hand, och säkerligen hade vi icke släppt den gamle mormonen, förrän vi fått gifva honom ett äkta svenskt kok stryk. Du upproöres intill sista blodsdroppen i din kropp, när du hör om en sådan händelse, du förgrymmar dig öfver regeringar, som icke genast med lagens arm hejda ett sådant sataniskt bedrägeri som mormonismen, och denna din förtrytelse är fullt berättigad. Men ser du icke i denna händelse en klar bild af de hemliga sällskapen? Den gamle gubben frimureriet, som redan har en mängd hedniska religioner i sitt sköte, söker att med våld och list röfva kristendomen, den kristna kyrkan och dess medlemmar. Jungfrun, kristendomen, upphäfver nöd- och ångestskri, ty hon kan icke trifvas i den gamle gubbens familj, där det andliga månggiftet öfvas i all dess gräslighet. Jungfrun, det är ock det kristliga samvetet, som gråter och skriar, när det drages in i de hemliga sällskapen. Är det någon bland mina åhörare, som tillhör något af dessa sällskap, så kan han ännu i denna stund erinra sig, hur svårt det var i början att tysta samvetets nästan högljudda gråt. Och vi som se, huru många jungfrur som släpas in i de hemliga sällskapen, där religions-månggifte härskar, skulle vi intet göra för att rädda dessa jungfrur, innan de besmittas af den orena kärlekens gift?

"Freeloveism", man vet hvad detta uttryck innebär, det är, såsom en af Amerikas störste predikanter sagt, hvarje gift mans rätt att taga en annans hustru och hvarje hustrus rätt att taga en annans äkta man. Med rätta må vi med nämnda predikant önska, att alla freeloveister, både män och kvinnor, dessa odjur i människoskepnad, måtte rymma till Sahara öken och där begrafvas så djupt i sanden, att på hundratal år ingen resande må finna ett enda ben efter dem. Vi finna på långt när icke ord och uttryck starka nog, då vi vilja utropa vår afsky för "freeloveismen". Men hvad skola vi då säga om den andliga "freeloveismen", Inom de hemliga sällskapen rymmer muhammedanismen bort med en kristen, judaismen med en annan, buddismen med en tredje, deismen med många på en gång, hednisk filosofi med tusental och verklig ateism (gudsförnekelse) med massor af kristna. Är icke detta en "freeloveism", mot hvilken hela kristenheten borde ropa högt och icke spara, ja, häfva upp sin röst såsom en basun?

Tror du, att om du blefve medlem af ett hemligt sällskap, du skulle kunna motstå denna andliga "freeloveism"? Det är dig omöjligt; du måste gå din heliga ed på att du skall låta sammanviga din kristendom med deismen, rationalismen, buddismen, ja, med alla religionsåsikter, som någonsin funnits eller komma att

finnas i mänskligheten. Det är i sanning ett religiöst
månggifte af så oerhörd mångfald, att den äkta man-
nen kristendomen icke förmår räkna de hustrur han
får, då han inträder i det hemliga sällskapet. Och
om den kristne, när han inträder i det hemliga säll-
skapet, än vore så vis som Salomo, så skola dessa
många främmande hustrur förleda honom till afgu-
deri.

Men är det sant, att de hemliga sällskapen befatta
sig med sina medlemmars religiösa öfvertygelse? Själf-
va bedyra de ju, att inom logen är den största frihet
i världen, så att hvar och en får *tänka*, hvad han vill,
icke säga, hvad han vill. Ja, de hemliga sällskapen
försäkra, att de äro kristliga, att de hafva ingen reli-
gion, att de hafva en religion öfver alla religioner, allt
efter som det passar sig. De uppriktiga och mest lär-
da frimurare försäkra, att frimureriet *icke* är krist-
ligt, utan att det har en religion, som står högt öfver
kristendomen, ja, en religion, som innehåller det vä-
sentliga och hufvudsakliga af alla religioner, hvarför
ock alla, hedningar, turkar, judar och kristna, rymmas
inom logen utan någon annan omvändelse än den, att
de erkänna, att alla religioner äro både sanna och
falska, att frimureriet allena kan utdraga det sanna ur
alla religionerna, att frimuraren allena är sant reli-
giös, samt att kristendomen ingalunda får göra an-
språk på att vara ensam och helt och hållet sann.
Frimurarna försäkra ock på det högtidligaste, att det
icke är blott för välgörenhet och sällskapliga nöjen,
som denna orden är stiftad och fortfarande består.
Välgörenhet kan man utöfva äfven genom andra säll-
skap, nöjen kan man hafva äfven på andra sätt, säga
frimurarordens visa, predikanter och talare. Det hem-

liga sällskapet har en mycket högre betydelse, förkunna oss dessa visa.

Ja, säga de, intet sällskap på jorden verkar så rent, så helt, så ofelbart för mänsklighetens väl som frimurarorden. Det är det högsta och härligaste sällskap på jorden, och ett intet att räkna äro kyrka, stat och familj emot denna orden. Jag kunde anföra många ställen ur frimurares skrifter till bekräftelse härpå, men jag hänvisar den tviflande till själfva dessa skrifter. Enligt frimurarnas bestämda utlåtelser få kyrka, stat, familj, sällskap, ämbetsmän och enskilda personer sin betydelse blott därigenom, att de tjäna frimureriet.

Inom romersk-katolska kyrkan drefs särskildt under medeltiden den läran, att påfvemakten var solen, men att den världsliga makten var endast månen, som erhöll sitt ljus från solen, påfven. Frimureriet har ärft denna lära, ty enligt frimurarnas bestämda påståenden måste från dem utgå allt det ljus, som finnes i världen, och, likasom månen synes helt eller till en del eller alls intet belyst af solljuset, allt eftersom han är vänd mot solen, så ock med kyrkan och staten, sällskap och enskilda personer: de hafva ljus, allt eftersom de äro vända till eller från frimureriet. Huru ljuset kan alstras af mörkret, är ett problem, som jag hittills icke mäktat lösa.

Frimureriets religion står högt öfver kristendomen och alla religioner. Hvad heter då frimureriets och de andra hemliga sällskapens religion? Den heter humanitet, såsom I kunnen se af deras egna skrifter. Med humanitet mena de då *en religion och sedlighet, som åstadkommes af människan själf, sådan hon är af naturen. Kristendomen å andra sidan är en reli-*

*gion och sedlighet, som utgår från Kristus, en religion
således, som utgår från Gud genom hans människo-
blifvande, och en sedlighet, som grundar sig på Kristi
försoning och verkas genom omvändelse och helgelse.*
Märken detta väl! Sen den stora skillnaden mellan de
hemliga sällskapens religion och sedlighet och den
kristna religionen och sedligheten.

För att rätt förstå de hemliga sällskapens religion
måste man taga en noggrann kännedom om förra år-
hundradets historia, deism och naturalism.

En kort skiss öfver Indien, dess folk och religion.

tt land med tre hundra millioner människor, ett invånareantal nästan lika stort som hela Europas, kan icke annat än väcka vårt lifligaste intresse. Den härskande folkstammen i Indien är dessutom vår närmaste broder. Vi tala ju allmänt om den Indo-germanska folkstammen. Vi härstamma ursprungligen från det gamla asiatiska folket arierna. Dessa arier utgjorde tvenne brödralag. Den ena parten emigrerade till Indien, den andra till Europa. Skulle det icke väcka vår mest brännande nyfikenhet att närmare undersöka, huru de båda brödrafolken utvecklat sig under sin månghundraåriga skilsmässa? Att se huru brodern från Norden efter en tid af mer än tre tusen år tager väldet öfver sin indiske broder, är ett af de största undren i historien. Vore jag en häfdatecknare, hade jag krafter och tid, så kunde jag icke motstå en brinnande åstundan att försöka måla och teckna de öden, som de båda bröderna genomgått under sin långa skilsmässa. Tänkom oss, att vi sutte någonstädes på Himalaya med ett väldigt stereoskop, genom hvilket vi kunde klart och åskådligt se århundrade efter århundrade af de två ariska brödrafolkens lif ända sedan patriarkernas dagar. Hvilken obeskriflig syn, som då komme att upprullas för våra ögon ända till den dag, då drottning Victoria upphöjdes till heder och värdighet af kejsarinna af Indien! Jag får icke ens försöka teckna detta historiska panorama för edra ögon, men jag anbefaller denna del af mänsklighetens historia i liflig åtanka hos våra unga historiker här vid läroverket.

Nu till ett kort besök i vårt Indien. I veten alla, utan vidare förklaringar, hvad vi mena med Indien. Indien omfattar ett landområde af ungefär 1,600,000 engelska kv. mil med omkring 300 millioner invånare. Vore nu alla dessa ett folk med ett språk och en religion, hvilken ståtlig koloss ett sådant rike vore! Nu återigen är Indien söndradt inom sig själft kanske mer än något annat land på jorden. Man räknar inom Indien åtminstone tjugufem olika språk utom dialekterna. Den stora massan af hinduer tillhör brahmaismen, men de äro sinsemellan söndrade i en nästan oräknelig mängd kaster. Sydliga Indien, för att ej tala om det öfriga landet, räknar 3,900 olika kaster. Utom den egentliga hinduismen finnas 41 millioner muhammedaner, några millioner buddister, dessutom sikhs, parser, judar och slutligen kristna. Om något rike är söndradt mot sig själft, så är det Indien. Vore det icke så, huru skulle en handfull engelsmän kunna styra nära 300 millioner. Indien har ock tid efter tid eröfrats af främmande makter. Först bröto våra bröder arierna in i det paradisiska landet och gjorde urinvånarna till sina slafvar. Vid pass år

1000 af vår tidräkning upprättade muhammedanerna
i norra Indien sitt tyranni. Vid reformationstiden
uppstod den s. k. mogulsregeringen, afkomlingar af
den store Mongol-härskaren Tamerlan. Europeiska
makter, holländare, danskar, portugiser, fransmän och
engelsmän hafva tid efter annan gjort större eller
mindre eröfringar å kusterna, tills det stora engelska
handelskompaniet från midten af förra århundradet
mer och mer utbredde sitt välde öfver landet. Slutli-
gen efter det hiskliga upproret 1857 lades hela Indien
under engelska regeringen. O, hvilka krig, blodsut-
gjutelser och förödelser inom ramen af denna korta,
torra historiska öfversikt!

Att engelsmännen, oaktadt all sin hårdhet och vin-
ningslystnad, bragt oberäkneliga välsignelser till Indi-
en, måste vara uppenbart för hvar och en, som vill
se Guds finger i historien.

När skulle dessa järnvägar blifvit byggda i Indien
och andra borgerliga förbättringar blifvit vidtagna,
om icke de kraftfulla engelsmännen fått hand om lan-
det. Nyss läste jag i en tidning, huru Lady Dufferin,
vice konungens i Indien gemål, ämnar fira drottning
Victorias jubileum i Indien genom att upprätta hospi-
tal för de indiska kvinnorna, där ock inhemska kvinn-
liga doktorer komma att uppfostras till hjälp för den
arma indiska kvinnan, som annars lämnas åt sjukdom
och död utan kärleksfull vård och hjälp. Visst hop-
par människovännens hjärta af glädje vid sådana un-
derrättelser. Jag vore färdig att föreslå ett väldigt
"hurra" för Lady Dufferin, drottning Victoria och de
engelska damerna, som med sina medel bringa denna
kärleksverksamhet till stånd.

Man beräknar i Indien öfver 20 millioner änkor,

bland dem två millioner änkor efter det s. k. barnäktenskapet, således sådana som egentligen aldrig varit gifta men ändock ej få gifta om sig. När man nu vet, huru kvinnan är afstängd i Indien från allt yttre umgänge, kan man tänka sig det oerhörda lidande, som alla sjuka och hjälpbehöfvande kvinnor måste undergå. Hvad skulle vara en skönare kärlekstjänst, än att sjukhus och läkareskolor upprättas för sådana olyckliga?

Vi hafva ock att sysselsätta oss en liten stund med Indiens religion eller religioner. Här kan det blifva fråga blott om ariernas eller de egentliga hinduernas religion. Hvad de ursprungliga invånarnas religion varit, veta vi ej. Hinduernas gamla och nya religionsåskådningar hafva på senare tider genom missionärers berättelser och lärdas forskningar blifvit allt mer och mer bekanta. Hinduen är religiös med entusiasm. Indiens religionshistoria är en enda lång hednisk medeltidshistoria. Det rysligaste prästvälde, som någonsin funnits på jorden, har härskat öfver Indien. Det är endast ett djupt religiöst folk, som underkastar sig ett tyranniskt prästvälde. Under medeltiden regerade påfven oinskränkt öfver de europeiska arierna. I årtusenden hafva Indiens påfvar, brahmanerna, öfvat ett oinskränkt skräckvälde öfver Indiens folk. Vi säga icke härmed, att folken hafva suckat under dessa påfvars välde. Om indierna liksom om katolikerna måste det med sanning kunna sägas såsom aposteln Paulus förebrående skrifver till de kristna i Korint: "I fördragen, om någon gör eder till trälar, om någon eder uppäter, om någon eder ifrån tager, om någon förhäfver sig öfver eder, om någon slår eder i ansiktet. 2 Kor. 11: 20.

Flera af eder hafva säkert läst den lärde språkfor-
skaren Max Müllers "India: What can it teach us?"
I veten då, med hvilken entusiasm han skildrar, huru
vi i hinduernas Veda-böcker finna människosläktets
religiösa barndomsdrömmar, hedendomens paradis.

Ja, visst väcker det vår lifligaste nyfikenhet att få
veta, huru de fallna människobarnen buro sig åt, då
de först begynte söka efter den Fader, som de hade
mistat. När de om morgonen vaknade från nattens
mörka hvila, väcktes deras uppmärksamhet först af
morgonrodnaden och den uppgående solen. "Deva
(dens) ljus", utropade de, det finnes ljus bortom tidens
mörker. Månne det ock finnes ett ljusets lif bortom
den mörka grafven och döden?

"Beundran är begynnelsen till fiolosofi." Så lyder
en gammal sats. Naturbeundran är ock begynnelsen
till naturafguderi. Våra bröder i Indien gåfvo åt de
olika naturkrafterna olika namn. Elden, den de be-
undrade i synnerhet såsom elektrisk eld vid väldiga
åskväder, kallade de "Agni" (ignis) eld. Det blåa,
oändliga himlahvalfvet kallade de "Indra", och solen
hette "Surya". Så hade man tre gudar, snart fick man
33 och slutligen 330 millioner, d. v. s. flera gudar än
Indiens invånare. Ju mera gudantalet ökades, desto
mer förökades ock antalet af ceremonier och stadgar.
Ju större rangskillnaden blef bland gudarna, desto
större blef ock kastskillnaden bland människorna. I
början var bönen den högsta och enda gudstjänsten.
Snart måste man hafva särskilda bönemän, brahma-
ner, präster. Dessa helgon togo snart öfverhanden,
inrättade de mest besvärliga gudstjänstceremonier och
stiftade de grymmaste lagar för det lägre folket. Na-
turdyrkan blef orsaken till den djupaste mänskliga för-

nedring. Man måste ju i allt efterlikna naturen. Samma rangskillnad mellan människorna som mellan varelserna i naturen. De flesta människorna blefvo de uslaste krypfän, likasom insekterna äro de talrikaste i djurvärlden. Det värsta af allt var, att lifvet efter detta också för de flesta blef ett nesligt djurlif. Man har ju läst om den brahmanska själavandringsläran. De arma människorna underkastade sig allt, blott de fingo behålla hoppet att efter tusentals eländiga födelser uppnå en högre kast. De tre regerande kasterna, brahmankasten främst, kallade sig ju två gånger födda, d. v. s. födda på nytt, de voro således redan af naturen födda på nytt. Alla de andra måste genom det nesligaste slafveri födas på nytt. Strafflagen var så inrättad, att brahmanerna voro underkastade det minsta möjliga straff för de gröfsta brott, de lägre kasterna måste utstå den grymmaste pina i detta och det kommande lifvet för de minsta förseelser mot brahmaner.

Hör här några af brahmanernas bud och stadgar: "Från den höga ståndpunkten af sin nya födelse är brahmanen ett föremål äfven för gudarnas vördnad. — Hvad en brahman än måtte göra, måste han vördas, ty han är gudomlig. — Må icke ens en kung reta brahmaner till vrede, ty med sina böner och offer kunna de fördärfva honom och hela hans armé. — Intet större brott finnes på jorden än att döda en brahman. — En brahman är född ofvan världen och är därför alla varelsers hufvud."

Äktenskap mellan en brahmans barn och barn af de låga kasterna anses såsom den hemskaste förbrytelse. Barn af sådant äktenskap blifva de uslaste af alla varelser. I Indien finna vi sålunda ett prästvälde, som är värdt det namnet. Påfven är stormästare i andligt tyranni, men till den höga brahmanska ståndpunkten har han knappast hunnit.

"Af tre orsaker", säger en författare, "intager brahmanen sitt höga anseende bland Indiens folk: 1:o, hans förmodade helighet; 2:o, hans bildning och lärdom; 3:o, hans förnäma sätt och hållning. Dock — säger samme författare — brahmanen har lefvat sin dag. Hans höga ära är i hastig nedgång; endast i undangömda byar är han den samme. Hans stolthet förblindar honom till hans fall."

En högst besynnerlig och väldig reformation emot brahmaismen uppstod vid pass 500 år före Kristi födelse. Reformatorn var Gautama eller Sakya-muni eller Buddha, såsom vi vanligen kalla honom. Han lofvade att lösa mänskligheten från alla lidanden genom att slutligen tillintetgöra själfva lifvet. Det var ju en radikal kur. Mänsklighetens frälsning bestod i ett enda stort själfmord, en fullkomlig tillintetgörelse af allt människolif. Buddismen grep omkring sig med kraft, ty de arma hinduerna längtade efter förlossning från prästvälde, offer- och kastväsende. Efter ungefär tusenårig kamp och förföljelse drefs buddismen ut ur Indien. Nu finns den på Ceylon och i andra former blott spårvis på Indiens fastland.

Hednisk reformation är vanmäktig gentemot gammal hedendom.

En ny tid är uppgången öfver Indien, och Jesus Kristus, kärlekens konung, skall segra öfver det sköna landets människomassor.

Vid hörnstensläggningen till Augustana Hospital.

"Om Herren icke bygger huset, så arbeta de fåfängt, som därpå bygga." Ps. 127: 1.

 vilken underlig högtid vi nu fira, älskade vänner! Hos mig kämpa tro och misstro, hopp och fruktan med afseende på det hus, hvars hörnsten vi nu lagt.

Mig synes det vara alltför stort och alltför mycket, att vi, ett fattigt, ringa folk skulle vara af Gud kallade att bygga ett så stort och skönt barmhärtighetshus midt i den stora världsstaden Chicago och därtill under ett år, då hela mänsklighetens uppmärksamhet är fästad på Chicago.

Att vi skola deltaga i den största världsexposition på detta sätt, det är för mig för högt, för stort, för härligt. Att vi skulle vara kallade af Gud att under detta år uppresa en sådan lefvande minnesvård öfver Kristi förbarmande kärlek till de elända människobarnen, det är allt underligt, jag sjunker ned i stoftet härvid och förmår endast att framstamma några matta ord, för hvilka jag strax beder om förlåtelse hos både Gud och eder.

En skönare illustration öfver den heliga skrift, särskildt öfver evangelierna, finnes icke än ett verkligt sjukhus och barmhärtighetshem. Att vi äro kallade att i år utgifva en sådan illustrerad bibel, det är den högsta ära som kan tilldelas oss på jorden. Äro vi värdiga en sådan ära? Eller är det icke alltsammans oförskylld nåd?

Men jag sade, att vi äro ett fattigt, ringa folk. I togen strax anstöt af detta uttryck, förmodar jag. Äro Chicagos 60 a 80 tusen svenskar ett fattigt, ringa folk? Äro svenskarna inom Illinois-konferensen ett fattigt, ringa folk? Af de mångtusenden svenskar i Chicago, huru många äro de, som i sanning och verklighet hafva hjärta för det hus, hvars hörnsten nyss lades? Och af de förmögna bland vårt folk, huru många äro de, som anse det såsom en nåd och äro redo att uppoffra efter förmåga för detta kärleksverk?

Vår text måste gå i bokstaflig uppfyllelse, annars varder hela detta sköna kärleksråd och kärleksverk om intet.

"Om Herren icke bygger huset, så arbeta de fåfängt, som bygga därpå."

Detta gäller:

1:o, husets yttre byggande och kostnad;

2:o, husets inre uppbyggande och verksamhet.

1. Husets yttre uppbyggande kostar en för oss ofantlig summa penningar. Hade vi en frikostig millionär, en Rockefeller, i byggnadsdirektionen, då kunde vi hysa något grundadt mänskligt hopp om fullbordandet af denna byggnad, men hvar är den svenske Rockefeller i Amerika? Han finnes icke till. Det är

sålunda fåfängt att fråga, längta och ropa efter en sådan man. Men kunde icke vi, en så stor skara församlade, sända en petition till den amerikanske Rockefeller med bönen: "Kom hitöfver och hjälp oss att uppföra detta så nödvändiga barmhärtighetshus."? Vänner, I veten, att mr Rockefeller icke ens skulle läsa en sådan petition, och om han än begynte läsa den, så skulle han strax med förtrytelse kasta vår petition i papperskorgen.

Men en masspetition måste vi afsända i dag. Till hvem? Till himmelens, jordens och alla penningars Herre. Ja, ja, detta veta vi alla. Kunde huset uppföras blott med bön, då, mena vi, vore saken snart uppgjord och afgjord, ty bön kostar ju intet.

Vår text talar om arbete, tungt och hårdt arbete. Vi äro sålunda icke fritagna från arbete, äfven om vi äro sanna bedjare. Här gäller det gamla gyllene tänkespråket: *bedja och arbeta. Arbete*, hvad för arbete? Icke äro vi alla murare, snickare och allehanda arbetare, som behöfvas för uppförandet och inredandet af en sådan byggnad. Ack, vi veta det strax, här gäller det *tiggandets* och *gifvandets* arbete.

Det hårda och många gånger bittra subskriberingsarbetet hafva vi smakat personligen hvad det kostar? Vi tänka i dag på de bröder, som redan varit anställda såsom insamlare af medel till Augustana Hospital. Vi tänka på dessa bröder med tacksam hågkomst. Ack, så många tunga fjät de trampat! Vi tänka på de bröder, som skola insamla medel till detta nu påbörjade hus. Vi se med trånad mot den dag, långt aflägsen som den säkerligen är, när de som lefva skola fira jubelfest öfver ett skuldfritt Augustana Hospital.

Vi se upp till honom, som kan gifva visdom, ödmjukhet, ihärdighet och kraft åt dem, som skola gifva sig ut på den hårda botgörings- och pilgrimsfärden att skaffa medel till byggnaden. Skriften säger, att Gud älskar glada gifvare. Men det är lika säkert, att han älskar glada gåfvoinsamlare. En glad gifvare för kristliga kärleksverk är ett Guds nådesunderverk på kärlekslöshetens jord, en glad gåfvoinsamlare är ett lika stort Guds underverk.

Vi se upp till honom, som förmår uppväcka glada gifvare. Måtte det vara vårt dagliga böneämne, om vi äro sanna vänner af Augustana Hospital, att Herren i sin nåd måtte uppväcka och framkalla många glada gifvare.

Så mycket känna och veta vi, att vi alla arbeta fåfängt, om Herren icke bygger huset. Vi äro ju alla vissa om att huset, denna verksamhet för de lidande, är Herrens, och att han därför i sin nåd och kärlek icke annat kan än åtaga sig denna byggnad. Vi hafva därför lagt hörnstenen i Herrens namn till ett Herrens hus.

Är huset Herrens i ordets djupa, verkliga betydelse, och tro vi det såsom vi säga det, då arbeta vi och bedja utan återvändo, då bygger ock han huset, han, som äger detta den förbarmande kärlekens hus.

2. Husets inre uppbyggande och verksamhet.

Stort är arbetet, då det gäller husets yttre uppbyggande och inredning, ännu större är det arbete, som gäller uppbyggandet och upprätthållandet af det kärleksarbete, för hvilket detta hus bygges.

När vi tala om arbete, så veta vi, att det på jorden icke finnes ett arbete, som kräfver större kärlek, mera ihärdighet och tålamod än sjukas och döendes vård.

Hvarifrån skall all den kärlek komma, alla de andens och kroppens krafter, som läkare, sjukvårdare och sjukvårdarinnor behöfva, hvilka skola sköta det inre arbetet i detta hus till timlig och evig välsignelse? Kostnaden i penningar för ett sådant hus är stor, oändligt mycket större är kostnaden i kärlek, tålamod, glädje och alla kristliga dygder. Här behöfvas millioner af Jesu kärleks mynt. Här måste den bank stå öppen, som heter bredden, längden och höjden af Kristi kärlek, den all kunskap öfvergår.

Augustana Hospital är grundlagdt att vara icke blott den allmänna människokärlekens utan Kristi kärleks sjukvårdsanstalt. Betänka vi det stora, det sköna, det ansvarsfulla i vårt företag? Vi lofva, att den lifgifvande luften och lukten af Jesu Kristi kunskap och kärlek skall genomströmma detta hospital såsom en ljuf vårdoft från himmelen. Kunna vi hålla ett sådant löfte?

De sjuka, som komma till detta hospital, vänta mera än i ett allmänt stadshospital, de vänta en rik, läkande och hugsvalande kärlek.

Är det möjligt att upprätta och fortfarande uppehålla ett verkligt kristligt sjukhus? Vi hafva arbetat och vi arbeta för ett sådant sjukhem, men vi arbeta fåfängt, om icke Herren själf bygger ett sådant hus.

Jesus själf måste komma till detta sjukhem och stanna där, om det skall vara och blifva hvad dess namn säger.

"Här är ett heligt rum, här bor visserligen Gud." Så skulle de sjuka och döende, som finna härbärge i detta hus, kunna säga med sanning. Nu se vi åter upp ännu ifrigare till honom, som kan göra och gifva långt utöfver hvad vi kunna bedja och tänka.

Hvilket heligt ansvar här hvilar på direktion, läkare, föreståndare, föreståndarinnor! Ho är duglig till sådan den tjänande, räddande, läkande och hugsvalande kärlekens tjänst? Här sjunka vi, mina älskade, ned i stoftet vid korsets fot och bedja: "Gif, o Herre, af nåd, bygg, o Herre, din barmhärtighets och kärleks hus ibland oss ovärdige!"

Vid en fest i Worcester.

ångt bort från vårt fädernesland, fjärran från vår fosterbygd, vårt barndomshem äro vi samlade till jubelfest. Ett nytt fosterland hafva vi utvalt i en ny värld, på detta vårt nya hemlands språk hafva vi nyss blifvit hälsade. Huru högt vi än uppskatta vårt nya hemlands tungomål, huru ifrigt vi än försöka lära det, modersmål kan det aldrig blifva för oss, som äro födda och fostrade i gamla Sverige. Vår närvarande festdag skulle framkalla blott svagt jubel ur våra hjärtan, om vi icke finge tala och höra några ord på det språk vi lärde i den skola, som öfvergår alla skolor — barndomshemmet.

Men det är väl ej blott den förmånen i den nya världen att få tala vårt gamla modersmål, som bereder oss en jubeldag. Utan långsam tvekan angående själfva anledningen till och ämnet för vårt jubel äro vi strax beredda att instämma i samma jubelsång, som genljudit öfver hela gamla Sverige i år. Vi veta nämligen alla, att innevarande år är för svenska folket ett stort jubelår. Den lifliga känslan för fäderneslan-

det och dess minnen är en af våra ädlaste själsrörelser.
Vore denna känsla hos oss utplånad, så hade vi lidit
en oersättlig förlust till vår karaktär. Vid hvarje fest
af någon betydenhet bland ett folk måste fosterlands-
kärleken mer eller mindre öppet framträda. Man hör
därför alltid vid sådana tillfällen om fäderneslandets
stora minnen. Bland alla stora svenska minnen, som
i dag mana oss till jubel, välja vi det största, just det
minne, som är ämnet för Sveriges största jubelår, ett
minne, som på samma gång är hela mänsklighetens och
därmed vårt nya fosterlands högsta och största jubel-
minne.

Med ett apostoliskt ord uttrycka vi vårt jubelminne
och jubelämne sålunda: "Det är ett fast ord och i all
måtto väl värdt, att man det anammar, att Jesus Kris-
tus är kommen i världen att frälsa syndare." Detta
är Sveriges, Amerikas och hela världens största min-
ne och jubelämne.

Mycket eller åtminstone något hafva vi alla i år läst
och hört om Uppsala möte 1593. Äfvenså hafva vi
hört och läst om Augsburgiska bekännelsen, som an-
togs vid detta möte såsom svenska kyrkans och svenska
folkets trosbekännelse. Genom detta möte lades Jesu
Kristi evangelium till grundval för svenska folkets
storhet, framtid och lycka för tid och evighet. Vilja
vi då i korthet upprepa historien om Uppsala möte,
så utropa vi åter orden: "Det är ett fast ord och i all
måtto väl värdt, att man det anammar, att Jesus Kris-
tus är kommen i världen att frälsa syndare." Svenska
folket anammade vid Uppsala möte detta fasta ordet
såsom sin fasta trosbekännelse.

Gustaf Adolf är det största namnet bland alla sven-
ska storhetsminnen. När jag i min ungdom gjorde en

utflykt på landsbygden i Tyskland, behöfde jag bland folket blott nämna namnet Gustaf Adolf. Strax var jag en vän och broder i främmande land. Om I frågen folket i detta vårt nya fosterland (jag menar sådant folk, som besitter allmän bildning) efter minnen ur svenska historien, så skolen I snart få höra namnet Gustaf Adolf.

Hvad var då Gustaf Adolfs och svenska folkets största lifsgärning? Evangelii försvar på den tid, då påfven och jesuiterna i spetsen för Europas stormakt sökte utplåna detta evangelium och därmed friheten.

Därför står det på minnesstenen vid Breitenfeld: "Frid (evangelium) och frihet åt världen." Minnesdagen af vår store konungs hjälte- och martyrdöd vid Lützen infaller i morgon. Vi nämna därför med djup vördnad och tacksamhet det största svenska namnet vid vår jubelfest.

Ett folk med stora minnen är det svenska folket, ett folk utkoradt till en hög och härlig kallelse i världen och Guds rikes historia. Vi tala därför om vår storhetstid såsom ett folk. Men svenska folket såsom en stormakt i vanlig politisk mening är längesedan försvunnet, Sverige kan aldrig mera på slagfältet uppträda såsom stormakt. Kunde vi upprulla för våra ögon sanna och lifslefvande taflor öfver det verkliga tillståndet bland svenska folket under dess stormaktstid, så skulle vi stelna af fasa öfver den jämmer, den nöd, de vedermödor och försakelser, som hela vårt folk då måste utstå, synnerligast mot slutet af stormaktstiden under konung Karl XII. Det var en martyrtid, en tid som pröfvade folkets kraft intill innersta lifsmärgen. Ack, ack, värda jubelförsamling, hvad är hela svenska historien såväl som hela mänsklighetens

dagbok annat än en sammanhängande lidandeshistoria?
Vi läsa vanligen blott det i historien, som talar om
ära, hjältemod. Den lidande och förtryckta massan
af folket, med dess historia, glömma vi att ägna vår
uppmärksamhet. Har någon i full sanning skrifvit
svenska folkets eller mänsklighetens historia? Pro-
feten har i korta och sanna drag tecknat mänsklighe-
tens och vårt folks öden med orden: "Bördors och
skuldrors ris, plågares staf, krig, storm och blodig
klädnad." "Förödelse och elände äro på deras vägar",
utropar aposteln, då han målar tillståndet bland fol-
ken på jorden. Vid tanken på våra stora minnen så-
som ett folk, lyder för mig den största och viktigaste
frågan så:

"Hvad har det svenska folket haft att trösta, veder-
kvicka och stärka sitt hjärta med under alla vedermö-
dor och lidanden, som det måst genomgå?

Evangelium, Jesu Kristi evangelium, detta evange-
lium: "Det är ett fast ord, att Jesus Kristus är kom-
men att frälsa syndare." Detta evangelium, denna
balsam i alla lidanden, detta enda stora hopp i den
bittra döden är Sveriges, svenska folkets och de sven-
ska minnenas högsta skatt och största arf, den gudom-
liga kraft, som hittills uppehållit land och folk. Där-
inne i det svenska palatset och i den svenska hyddan
låg en bibel, en postilla, en psalmbok, en bönbok. I
dessa böcker fanns detta evangelium. Där, i hvarje
bygd stod ett hus med en spira, som pekade mot him-
melen. I det huset lästes, sjöngs söndagligen detta
evangelium, där predikades det ock mer eller mindre
rent och kraftigt. Hårdt var lifvet bland folket, vildt
och rått var det ock mången gång, men i sorgens, be-
kymrens, nödens och dödens stund fanns det tröst och

hugsvalelse för de arbetande och betungade i det evangelium, som ända sedan 1593 var Sveriges och svenska folkets grundlag och bekännelse. Ryck ut detta evangelium ur svenska folkets historia, och hvad står sedan kvar? Tag bort evangelium, och jag ser sedan i mänsklighetens historia det grymmaste öde, som kunde träffa varelser med själfmedvetande och känsla. Den svensk, som icke jublar öfver evangelium, måste vara en människa, som saknar all känsla, allt deltagande för sitt folk och dess historia, all sympati.

Nu blott några ord till sist om oss svenskar i Amerika.

En fråga: Skola vi kasta bort det evangelium, som var våra fäders högsta ära, skatt, tröst och hopp? Vänta vi, att vårt lif i denna nya värld skall blifva så fritt från synder, sorger och vedermödor, att vi intet evangelium behöfva? Har döden ingen makt öfver oss här? Behöfva vi här i lifvet och i döden intet fast ord? Hvad heter den stormakt, som skall uppehålla, bevara och försvara oss här? Evangelium och intet annat är denna stormakt.

Vi veta väl, att endast ett mindre antal af våra svensk-amerikaner förenar sig med en evangelisk luthersk församling. Men evangelium måste dock finnas ibland oss, att de som behöfva det, måtte kunna finna det i nödens och dödens stund.

Att vi hafva det gamla evangelium, det fasta ordet om Jesus, som kommit i världen att frälsa syndare, däröfver fira vi jubelfest i dag.

Vid tjugoårsfesten i Boston.

Text: Ps. 118: 14—29.

En Kristi församlings och en kristen pastors jubelsång.

i äro samlade till en jubelfest. Det är den svenska lutherska Immanuels-församlingen i Boston, som firar en jubeldag med anledning af sin pastors tjuguåriga evangeliska verksamhet bland våra landsmän i denna stad.

Pastor och församling sjunga en jublande växelsång till Herrens pris och ära. Församlingen och vi, som äro hennes uppriktiga vänner, ville gärna uppläsa en lång lista öfver broder Johanssons trogna arbete, mödor och försakelser vid utförandet af en evangelii predikares verk såsom Herrens väktare vid denna port till nya världen.

Vi tänka särskildt på hans viktiga ståndaktighet i att förkunna det frälsande talet om korset, som aposteln Paulus och Herren Jesu första sändebud predikade. Detta, älskade jubelförsamling, är vårt högsta jubelämne i dag.

Vi tänka ock på broder Johanssons arbete och möda och okufliga ihärdighet vid insamlandet af medel till uppförande af det tempel, som är denna församlings hem och härbärge. Historien om svensk-lutherska församlingens i Boston kyrkobygge är ett verk om hvilket vi alla utropa: "Af Herren är detta skedt, och är ett under för våra ögon."

Men jag märker, att vår jubelvän redan åstundar nedtysta oss i våra uppriktiga försök att prisa honom på hans jubeldag. Han vill sjunga sin jubelsång inför Herren och inför oss. Huru lyder då denna jubelsång? Låtom oss höra.

"Herren är min makt och min psalm och är min salighet."

Broder, vi förstå, hvad du menar, du vill gifva Herren ära för allt. Ja, ja, det är det rätta jublet, och så få vi den rätta jubelfesten. Herren har varit din makt, broder, dessa tjugu nu flydda åren. Herren har varit din psalm hela tiden, om Herren sjunger du i dag till oss. Herren har varit din salighet, din frälsning, din hjälp under alla vedermödor, besvär, bekymmer och faror.

Men vi vilja ock sjunga i dag. Hör nu vår sång:

"Man sjunger med glädje om seger i de rättfärdigas hyddor, Herrens högra hand behåller segern."

Således, broder, vi se din verksamhet här såsom en seger, en seger af Herrens högra hand genom dig. Vi behöfva icke i dag framställa historien om det motstånd, som ställde sig i vägen för stiftandet och uppehållandet af en svensk evangelisk-luthersk församling i Boston, vi behöfva icke heller försöka upprulla taflor öfver de till utseendet oöfverstigliga hindren, som lade sig i vägen för byggandet af en svensk luthersk kyrka på denna plats, fattigdom och andra hinder. Vi kunna nu sjunga om seger i denna de rättfärdigas hydda.

Vår broder fortsätter sin jubelsång och sjunger: "Herrens högra hand är upphöjd, Herrens högra hand behåller segern. Jag skall icke dö utan lefva."

Broder, när du sjunger så, minnas vi, huru nära döden du var där borta i Afrika, dit du gått för att uppsöka de förlorade. Vi minnas ock, huru du räddades, men reste mot hemlandet såsom en döende. Herren lät dig läkas och sände dig hitöfver att förkunna evangelium för ditt eget folk, som gått långt bort i främmande land. Så skulle du då icke dö utan lefva och förkunna Herrens gärningar i tjugutals år. Är icke detta en seger, öfver hvilken vi alla jubla med dig, dyre broder? Du ropar vidare: "Upplåten mig rättfärdighetens portar, att jag må där ingå och tacka Herren." Broder, vi förstå, att du ser dig hafva orsak att tacka Herren. Vi svara: "Det är Herrens port, de rättfärdiga skola där ingå." Här i detta hus är Herrens port, den är upplåten på denna jubel- och tacksägelsedag, att de rättfärdiga skola här ingå. Hit komma vi med dig, broder, ty vi vilja med dig tacka och prisa Herren. Äfven vi hafva en mångårig Herrens barmhärtighet att tacka för så mycken nåd, som är oss bevisad. Så vill ock hela församlingen, ja, hela Augustana-synoden med dig tacka Herren.

Du sjunger vidare:

"Jag tackar dig, att du näpste mig och hjälpte mig."

Broder, flera af oss förstå, hvad du nu menar. Näpst och hjälpt — huru underliga Herrens nådevägar äro!

Nu sjunga vi: "Den stenen, som byggningsmännen förkastade, är till en hörnsten vorden."

Här hafva funnits hvarjehanda svenska kyrkobyggningsmän, som bortkastat grundstenen Kristus vid sin kyrkobyggnad, och därför har deras kyrka fallit eller måste falla, men för din och vår kyrkobyggnad, broder, var och är Kristus hörnstenen. Därför måste byggnaden stå och står efter alla stormar. Och detta allt är ett under för våra ögon. Nu sjunga vi tillsamman: "Detta är den dag, som Herren gör, låt oss på honom fröjdas och glädjas." Ja, ja, vi vilja alla glädjas.

Nu höra vi dig, broder, sucka och bedja på själfva jubeldagen: "O, Herre, hjälp, o, Herre, låt väl gå!" Vi äro ännu icke hemma när Herren, vi äro ännu ute vandrande i främlingslandet, vi tillhöra ännu den stridande församlingen, vi stå ännu i fara, vi behöfva bedja. "Den som står, han se till, att han icke faller", heter det ännu. "Vaken och bedjen, att I icke fallen i frestelse."

Vi tycka oss förstå, att en församlingslärare, som åldras, behöfver bedja: "O, Herre, hjälp, o, Herre, låt väl gå!" Församlingen behöfver ock instämma i samma bön. Vi sjunga vidare:

Lofvad vare den, som kommer i Herrens namn." Detta vårt lof gäller först och främst Herren Jesus, men det gäller ock den pastor, som kom till oss i Herren Jesu namn och blef kvar hos oss troget dessa tjugu åren i samme Herren Jesu namn.

Nu höra vi alla våra vänner inom synoden på afstånd sjunga: "Vi välsigna eder, som af Herrens hus ären." De lyckönska systerförsamlingen i Boston på hennes och pastorns jubeldag. Särskildt höra vi denna lyckönskan från våra församlingar i New England, hvilka med ett par undantag äro döttrar af församlingen i Boston. Hade icke evangelium så tidigt och så troget blifvit predikadt bland våra landsmän i New Englands hufvudstad, huru hade det gått med hela svensk-lu-

therska kyrkans mission i dessa New England-stater?
Här i Boston var hufvudstationen för denna mission.
Härifrån flögo lefvande evangeliifrön ut öfver dessa
nejder. Vi sända i dag en lyckönskan till alla dessa
församlingar, vi välsigna alla, som äro af Herrens hus,
alla som höra till Guds församling, alla som funnit ett
näste för sitt hjärta i främmande land.

Nu sjunga vi alla vårt stora jubelhalleluja, som lyder
så:

"Herren är Gud, och han gaf oss ljus. Binden hög-
tidsoffren med tåg ända fram till altarets horn. Du
är min Gud, och jag vill tacka dig, min Gud, jag vill
upphöja dig. Tacken Herren, ty han är mild, och hans
godhet varar evinnerligen."

Vid en minnesfest i Rockford.

Text: Sakarja 3 kap.

amnet på den profet, ur hvars profetior vi uppläst ett kapitel, är betecknande — Sakarja betyder: *Herren har oss i åminnelse.* Är icke just den sanningen det största tacksägelse- och jubelämnet i dag för denna församling? Herren har under de flydda fyrtio åren haft mig i åminnelse och han har mig ännu i ständig åtanka, "han har tecknat mig på sina händer", "mina murar äro alltid för honom", han söker ständigt min uppbyggelse, min sanna framgång, min timliga och eviga välfärd.

Nu vilja vi låta vår profet måla en *altartafla* för den älskade Första lutherska församlingen i Rockford på hennes jubeldag.

"Mig vardt vist", säger profeten; uppenbarelseängeln visade profeten en syn, en tafla öfver Guds folk vid en särdeles viktig tidpunkt i dess historia.

Gudsfolket skulle just nu få af Gud en ny kallelse och en ny vigning efter en tid af svår, förkrossande pröfning.

Behöfver jag göra tillämpning här? Känner icke
du, kära Första lutherska församling i Rockford, att
du behöfver just nu en ny nådekallelse och en ny in-
vigning till ditt heliga kall af Herren efter en tid af
tuktan och djup förödmjukelse?

Hvem är nu Jehosua där på vår altartafla? Han
är öfversteprästen. Men han är ock hela det konungs-
ligt prästerliga folket. Hvem är Jehosua nu i Nya
testamentets tid?

Aposteln Petrus pekar på församlingen och säger:
"Men I ären det utvalda släktet, det konungsliga präs-
terskapet, det heliga folket och det egendomsfolket, att
I skolen kungöra hans dygd, som eder kallat hafver
af mörkret till sitt underliga ljus."

Hvem är den Herrens ängel, inför hvilken Jehosua
står? Vi veta det är förbundsängeln, vår försvarare
när Fadern, den rättfärdig är, Jesus Kristus. "Och
satan stod på Jehosuas högra hand, på det han skulle
stå honom emot."

Men huru ser Jehosua, den helige öfversteprästen,
ut, där han står inför den helige Herrens ängel? "Och
Jehosua hade orena kläder uppå och stod inför äng-
eln." Kunde Jehosua med orena kläder vara en sann
öfverstepräst? Kunde han i sådan dräkt fira Herrens
högtid?

Hurudan ser denna församling ut inför den Helige
på denna sin högtidsdag? Har ock Första lutherska
församlingen i Rockford, som är kallad att vara ett
heligt prästerskap, orena kläder uppå, när hon står
inför ängeln?

Vi minnas alla den profetiska synen i Esaias 6:e kap.
Där kallas profeten inför Herren Zebaot, som sitter
på sin härlighets tron, omgifven af de heliga lofsjung-

ande änglaskarorna. "Helig, helig, helig är Herren Sebaot; hela jorden är full af hans ära", sjunges i templet, så att äfven dörrstocken bäfvar af änglakörens rops röst och huset varder fullt af rök. Profeten bäfvar och ropar i förskräckelse: "Ve mig, jag förgås, ty jag hafver orena läppar och bor ibland ett folk, som orena läppar hafver, ty jag har sett konungen Herren Sebaot med mina ögon."

Skulle då en djup, allvarlig syndabekännelse vara det första, som hörer till vår jubelfest i dag? Hurudan ser och känner du dig själf, älskade jubelförsamling, då du beskådar dig och dina gärningar i spegeln af Guds helighets lag? Det är en luthersk församling, som firar sin jubelfest. En djup syndakännedom har alltid varit kännetecknet på en sann luthersk församling.

Hvad blef det af vår Jehosua, där han stod i sina orena kläder? Satan, "våra bröders åklagare", stod honom emot och pekade hånfullt på hans orena kläder. Jehosua kunde intet svara. Just som han var, stod han där på sin högtidsdag. En annan svarade för honom: "Och Herren sade till satan: Herren näpse dig, satan, ja, Herren näpse dig, den Jerusalem utvalt hafver." Är icke detta en brand, den utur elden uthulpen är?"

Vi arma syndare se i dag upp till honom, som sitter på Faderns högra hand och beder för oss. Han svarar för oss. Huru många är det inom denna församling, som nu behöfva honom såsom sin försvarare?

Märken nu det härliga, som skedde med Jehosua på hans högtidsdag, där han stod i sina orena kläder. "Ängeln svarade och sade till dem, som för honom stodo: "Tagen de orena kläderna af honom. Och han sade till honom: Si, jag hafver tagit dina synder ifrån dig och hafver klädt dig uti högtidskläder."

Älskade jubelförsamling, behöfver du i dag denna högtidsklädnad, behöfver du Jesu Kristi rättfärdighet? Är du en sann luthersk församling, som tror på Kristi tillräknade rättfärdighet? Är det ditt högsta jubelämne i dag, att denna högtidsdräkt finnes för dig? Sen nu, huru vår altartafla har blifvit förvandlad. I stället för den arme med de orena kläderna och med satan på sin högra sida står där en man med skinande hvita kläder och med en strålande öfversteprästerlig krona på sitt hufvud. Satan har flytt, ty han har nu intet att säga. Jehosua, den rättfärdigade syndaren och Jesus, Frälsaren, stå där bredvid hvarandra. Är detta en sann altartafla öfver Första lutherska församlingen på hennes fyrtioårs minnesdag?

Ack, hvilken outsägligt viktig tidpunkt i en församlings historia, när många af hennes äldre medlemmar redan hafva tagit afsked af den stridande kyrkan och de öfverblifna äldre vandra på gränsen och vänta på kallelsen till flyttning! Det var i fyratio år det gamla Israel vandrade såsom främlingar, på det ett nytt släkte skulle hinna växa upp, ett släkte, som skulle intaga Kanaan såsom sitt hem. Så har ock nu här en ny församling af ungdom växt upp inom den gamla församlingen. Så mycket, så mycket har blifvit nytt, så mycket är helt annorlunda än det var för fyratio år sedan. Låtom oss då höra Herrens ord till denna nya församling: "Detta säger Herren Sebaot: Om du vandrar på mina vägar och håller min vakt, så skall du regera mitt hus och bevara mina gårdar."

Vi förstå dessa Herrens ord, de äro så enkla. "Vandra på Herrens vägar och hålla Herrens vakt." Göra vi så, då få vi regera Herrens hus och bo i Herrens gårdar såsom hans folk, det heliga folket. Då gälla sådana härliga löften som det till församlingen i Philadelphia (Uppb. 3: 7—12) oss. Vi pläga tala om den *ledande* kyrkan, den förnämsta kyrkan, den första kyrkan i en stad. Vi tycka om att tillhöra den största, den första kyrkan. Hvar är den första, den *ledande* kyrkan?

Hör! "Hör till, Jehosua, öfverstepräst, du och dina vänner, som för dig bo, ty de äro undersmän, ty si, jag vill låta komma min tjänare Zemah" (telningen). Ja, ja — där Kristus är, och där fattige syndare samlas omkring honom, där är den första kyrkan, den största kyrkan. Den kyrka, som är byggd på denna grundsten, står i fyratio år och ännu längre, hon står i alla stormar så fast att helvetets portar icke skola vara henne öfvermäktiga. Öfver den kyrkan med den den grundvalen vaka Herrens ögon, i den kyrkan står nådastolen med ständigt öfverflödande nåd, hvilket allt på det härligaste förkunnas i den nionde versen af vår text.

I en sådan kyrka är ett ljuft hem, och omkring en sådan kyrka äro lyckliga hem uppförda. Kan något skönare på jorden finnas än en kyrka med Guds rika nåd och välsignelse midt i kretsen af lyckliga och sälla hem? I en sådan församling uppfyllas de där ljufva fridsorden i sista versen af vår text: "På den tiden" o. s. v.

Ofta har jag tänkt: Rockford är en sådan plats. Ja, Rockford kan vara en sådan plats, om vårt kära folk här håller sig hårdt vid ödmjukheten. "De ödmjuka gifver Gud nåd." Där Guds nåd är, där är Guds frid. Där församlingen är iklädd Kristi rättfärdighet och vandrar i ödmjuk helighet, där uppfylles det härliga profetiska ordet:

"Och rättfärdighetens frukt skall vara frid, och rättfärdighetens nytta skall vara evig stillhet och säkerhet. Så att mitt folk skall bo uti fridshus, uti trygga boningar och i skön rolighet." Es. 32: 17—18.

Vid en orgelinvigning i Stanton.

"Halleluja. Lofver Gud i hans helgedom, lofver honom uti hans makts fäste. Lofver honom i hans dråpliga gärningar, lofver honom i hans stora härlighet. Allt det anda hafver lofve Herren. Halleluja." Ps. 150.

ker det några Guds under i våra dagar, få vi vara ögonvittnen till några Guds dråpliga gärningar, få ock vi se hans stora härlighet? Hafva ock vi någon Guds helgedom, däri vi kunna lofva Herren?

Lyften edra ögon upp och sen omkring eder! Hvad var denna trakt för en kort tid sedan? En ödemark. Hvad är denna trakt nu? En Herrens lustgård, beströdd af sköna hem, omskapad till härliga åkermarker, på hvilka väldiga skördar växa; bebodd af ett lyckligt främlingsfolk från fjärran nordanlanden; helgad af fridfulla helgedomar, hvilka här och där från hela nejden med sina tornspiror peka uppåt mot det himmelska hemlandet, tempel, där Jesu Kristi evangelium predikas, spelas och sjunges för och af stora folkskaror söndag efter söndag, år efter år. Hvad är allt detta? Är det blott människoverk? Ack nej, det är

alltsammans Guds väldiga, dråpliga gärningar, det
är hans stora härlighet midt ibland oss.

Men I tänken härvid på alla edra vedermödor, edert
arbete, alla de lidanden och försakelser, som det första
nybyggarelifvet förde med sig. Hvem gaf eder ar-
betskraften, hvem uppehöll edert mod och hopp, hvem
välsignade edra bemödanden, hvem krönte edert verk
med framgång? Är det icke alltsammans Herrens väl-
diga gärningar?

Denna dag är en stor glädje-, fröjde- och jubeldag
för denna församling och alla hennes systerförsamling-
ar i nejden. Att lofva och prisa Gud gifver hjärtat
större och större glädje, frid och fröjd. Endast ett
ödmjukt och tacksamt hjärta kan lofva och prisa Gud.
Endast en ödmjuk och tacksam församling kan sjunga
och spela "halleluja". Är det lika många ödmjuka och
tacksamma hjärtan här i dag som här äro människor?
Vår organist skall säkert i dag låta oss höra hela den
nya orgeln i all dess fullhet. Ingen pipa i det härliga
instrumentet får i dag vara stum. Alla pipor måste
jubla på orgelns jubeldag.

Tänk, om det vore blott en eller några få pipor, som
i dag gåfve sitt ljud, hvad skulle vi då säga om den
nya orgeln? Vi skulle i stor förtrytelse förklara in-
strumentet och orgelbyggaren odugliga. Vi skulle alla
återvända hem, högst förtörnade och missbelåtna. Vi
vänta sålunda, att hvarenda pipa skall vara redo och
väl stämd. Och när vi nu höra hela orgeln i all dess
tonrikedom, så kunna vi ej nog uttrycka vår glädje och
vår hänförelse. Huru är det, är nu ock hvarje hjärta
redo och väl stämdt till Guds lof och pris? Visst är
det skönt, när ett enda hjärta lofvar och prisar Gud,
men ännu härligare är det, när hundra- och tusentals

hjärtan äro förenade att på en gång lofva, tacka och prisa Herren. Vi minnas, huru det var med det andliga instrumentet i den första kristna församlingen. Därom heter det: "Men i hela hopen som trodde var *ett hjärta och en själ*. Och hvar dag voro de ständigt i templet med hvarandra i fröjd och hjärtats enfald och prisade Gud." Då fick Guds Ande vara den store organisten, som spelade Herrens lof i hjärtan, som voro stämda till rena och sköna gudstjänsttoner. Om en sådan Guds Andes musik i allas våra hjärtan vilja vi innerligt bedja i dag på denna vår jubeldag.

Men tänkom oss Guds dråpliga gärningar, att han ställt det så, att hela naturen skall med oss instämma i lof och pris, att hela naturen deltager i vår gudstjänst. Eller hvad är den där sköna orgeln däruppe? Är den Guds dråpliga gärning eller är den blott en människogärning och en människokonst? Det är ju alltsammans människokonst, tycka vi kanhända. Hade man för ett tusen år sedan sådana orglar, som vi hafva nu? Om vi finge se och höra en orgel sådan den var för tusen år tillbaka, så skulle vi hånskratta åt alltsammans, hålla händerna för öronen och springa ur kyrkan det fortaste vi kunde. Det kan ju roa församlingens ungdomsförening att någon gång höra ett föredrag öfver orgelns historia. I dag vilja vi icke försöka upprepa den. Men det är ju människan, som med sin konst gjort ett så obeskrifligt härligt och konstrikt instrument af det, som från början var någonting så ömkligt och otympligt, att vi knappast skulle tro våra ögon och öron, om vi nu finge se och höra den första orgeln? Hvem har då skapat människan och gifvit henne gåfvan att lära en sådan konst? Hvem har skapat naturen, ur hvilken de ting äro tagna, af

hvilka detta underbara tonverktyg är sammansatt?
Hvad är det i den där orgeln ursprungligen? Trä och
metall. Hvar växte träet och hvar satt metallen? Huru
många händer och maskiner måste detta trä och den-
na metall genomgå, innan däraf blef·detta instrument,
som med sina toner hänrycker oss, såsom vi nu känna
det? Hvem gaf denna mångfald af toner, och hvem
skref lagarna för dem, hvem åstadkom en sådan sam-
klang mellan tonerna ur detta trä och denna metall
och människohjärtat? Hvem skapade örat, som kan
uppfatta dessa toner och föra dem ned i människohjär-
tats djup? Hvem gjorde, att detta instrument, detta
trä och denna metall kan så underbart gråta med oss,
när vi gråta, och glädjas med oss, när vi äro glada?
I skolen få höra vid glädjefester, huru orgeln jublar
med eder. I skolen få höra vid begrafningar, huru
han fäller bittra tårar med de sörjande. Hela det
mänskliga lifvet bor inom den orgeln, alla människo-
hjärtats oräkneliga stämningar befinnas därinne. Det
är, såsom vore det en hel andevärld inom detta under-
bara tontabernakel. Hela den stridande och triumfe-
rande församlingen bor därinne i den helgedomen, de
mötas där, de hälsa där hvarandra. Hela kyrkoåret
går sin gång därinne. Där är jul, där är fastlagstiden,
där är påsk, där är pingst, där är advent, där är den
yttersta domen, där är himmel och helvete, där "Den
där öron har till att höra, han höre". Hvilken hög
och härlig kallelse en organist har! Här framme står
Guds ords förkunnare, därborta sitter Guds ords spe-
lare och sångare, emellan dem båda är hela försam-
lingen. Det kan ingenting skönare och mera upplyf-
tande finnas på jorden än en sann evangelisk luthersk
kyrka med det rena Guds ord och ett rent orgelspel

med sång. När allt detta är i full gång vid en guds-
tjänst, då uppfyller Guds härlighet templet.
I min tidiga ungdom visste jag ingen skönare kal-
lelse för lifvet än barnalärarens och organistens. Min
organist jagade mig från orgelbänken till predikstolen.
Där har jag sedan blifvit stående, men till min broder
på orgelbänken hälsar mitt hjärta från predikstolen all-
tid med de hjärtligaste lyckönskningar. Ett heligt rum
är predikstolen och altaret, men ett heligt rum är ock
orgelbänken, ett heligt rum är hela templet och ett
heligt prästerskap är hela församlingen kallad att
vara. "Allt det anda hafver, lofve Herren!"
Skola vi på denna jubeldag fördölja "den stora sorg
och idkeliga pina", man bär i sitt hjärta, under det
man reser genom våra nybyggen i det rika Iowa? Vårt
kära svenska folk förlorar snart anden i allt detta jor-
diska öfverflöd, i all denna välgång. Är anden borta,
hvad är då all lycka här på jorden, hvad äro då dessa
härliga trakter, dessa ståtliga hem, inbäddade i sköna
lundar, på dessa fruktbärande hemman, hvad äro då
våra praktfulla kyrkor och våra församlingar? Utan
anden är alltsammans bara jord och värld, bara gods
och guld, som ej annat är än mull. Känna vi icke
alla, huru stark jordmagneten är i Amerika? Nedåt,
nedåt dragas våra hjärtan med nästan oemotståndlig
makt. Mer, mer af jord och värld, ropar det ständigt
därinne i det arma hjärtat, som alltid vill den orätta
vägen. Den orätta vägen bär *nedåt,* den rätta vägen
bär *uppåt.*
Vi minnas när pilgrimerna i Kristens resa kommo
till den "Förtrollade marken", huru en af dem sade:
"Jag börjar blifva så sömnig, jag kan knappast hålla
upp ögonen." Hafven I känt något af denna tunga

sömn, hafven I sett några, som somnat in så tungt, att
de aldrig mer vaknat för andliga och himmelska ting?
En församling i en af rika jordiska skördar välsignad
trakt bor på en förtrollad mark. Skola vi då, frågar
någon, flytta till en öken, där det blir missväxt år efter
år, för att varda saliga? Vi disputera ej med sådana,
som ej behöfva en varning. De hafva redan insom-
nat.

Älskade församling, när det jordiska sinnet begyn-
ner taga öfverhand, lyssnen då till eder orgel, huru
han suckar och klagar. Aposteln säger: "Ty vi veta,
att hela skapelsen med oss suckar och våndas ända till
nu." Det är från ett sådant instrument som orgeln,
vi höra denna skapelsens suckan. Hvaröfver suckar
skapelsen, hvaröfver klagar hela naturen? Öfver syn-
den, öfver det jordiska sinnet hos människan. Hvad
suckar skapelsen efter? "Den väntar att varda fri-
gjord från förgängelsens träldom till Guds barns här-
liga frihet." Skapelsen väntar med Guds barn efter
"nya himlar och en ny jord, i hvilka rättfärdighet
bor". Det är därför denna vår orgel jublar i dag i
hoppet om den härlighet som komma skall.

För alla Guds barn som hafva anda, ja, för hvarje
människa, som har sinne och känsla för någonting
högre, för det himmelska och eviga, är ett sådant in-
strument en profet om den tillkommande härligheten.
Det måste ju finnas en andlig och himmelsk värld, ett
härlighetens hem, ty det är ju en osynlig värld redan
i denna tonvärld, som talar till mitt hjärta ur detta
instrument. Jag kan ingenting begripa och förklara,
men min hela inre varelse hör nu ekot från den osyn-
liga andevärlden, det är såsom vore änglakörerna
samlade redan härinne i detta jordiska tempel. Him-

melen, de saligas hem, måste vara helt nära oss, fastän vårt öga är så skumt ännu, att vi icke kunna se dem, som äro i härligheten.

Man plägade fordom måla och afbilda änglar på framsidan af orgeln. Det var rätt och sant, ty de heliga änglarna äro redan här midt ibland oss, fastän vi icke kunna se dem eller höra deras sång och musik. Den triumferande församlingen i himmelen måste ännu begagna telefon, när hon talar till sin syskonförsamling, den stridande församlingen på jorden. Orgeln däruppe på läktaren är en sådan telefon mellan himmelen och jorden. Vi se icke dem, som telefonera därofvan ifrån, men vi höra deras röst. Höra de ock vår röst? Herren själf och hans heliga änglar höra oss, det veta vi, ty det varder glädje i himmelen inför Guds änglar "öfver en enda syndare, som bättrar sig". Ja, det är glädje för Guds änglar öfver hvarje människohjärta, som lyftes uppåt i bön och sång.

"Hjärtan uppåt", ropade de gamla kristna till hvarandra. Så ropar ock vår orgel i dag och alla dagar, han får spela för denna församling.

Hjärtan uppåt! Vänden eder om och sen eder sångkör, edra söner och döttrar omkring orgeln. Är det ej en rörande syn! Tänken, kören däruppe i härligheten!

Skola vi alla höra till den kören, till den förklarade sångarskaran? (Uppb. 7: 9—16.)

Vid kyrkoinvigning i Quincy, Mass.

Text: Matt. 16: 15—18.

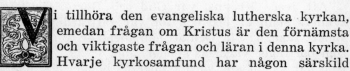i tillhöra den evangeliska lutherska kyrkan, emedan frågan om Kristus är den förnämsta och viktigaste frågan och läran i denna kyrka. Hvarje kyrkosamfund har någon särskild hufvudfråga, som det alltjämt framkastar, predikar och diskuterar i sin bekännelse och i sina böcker och tidningar. I en kyrka är det påfvens ofelbarhet, i en annan förnuftets ofelbarhet, i en annan den apostoliska successionens och episkopatets ofelbarhet, i en annan predestinationens ofelbarhet, i en annan ett särskildt dopsätts ofelbarhet, i en annan omvändelsens och syndfrihetens ofelbarhet o. s. v., ty vi hinna och böra icke uppräkna hvarje sådan ofelbarhet. Men i *vår* kyrka är det fråga endast om *en* ofelbarhet, och det är den, att "Jesus Kristus är kommen i världen att frälsa syndare", bland hvilka hvar och en af oss är den förnämste. Detta är den fasta, ofelbara frågan i vår kyrka. Och denna fråga ställes till hela församlingen och oss alla, men ock till hvar och en af oss särskildt

i dag: Hvem säger du Kristus vara? I denna fråga
är, såsom vi höra, en annan innesluten: Hvem säger
du dig själf vara? Är du en fattig, nådebehöfvande
syndare? Vill du blifva frälst för tiden och evighe-
ten? Frågar du på allvar: Hvad skall jag göra, att
jag måtte varda salig?

Petri svar på Herrens fråga lyder: "Du är Kristus,
den lefvande Gudens son". Lyder ock vårt svar så?
Den evangeliskt lutherska kyrkans svar lyder så: Du,
du, o Jesus, är Frälsaren och du allena, ingen annan
och intet annat. Detta svar gifves i vår ev. lutherska
bekännelse, då det heter: "Denna är den första och en
hufvudartikel,

'Att Jesus Kristus, vår Gud och Herre, för våra
synders skull är död och för vår rättfärdighet upp-
väckt', Rom. 4: 24. Och att han allena är Guds Lamm,
som borttager världens synder, Joh. 1: 29. Samt att
Gud har kastat alla våra synder på honom, Es. 53: 4.
Allesamman äro syndare och varda rättfärdiga utan
förskyllan, utan gärningar eller egen förtjänst af hans
nåd genom den förlossning, som i Jesus Kristus skedd
är i hans blod, Rom. 3: 24.

Ifrån denna artikel kan ingen gudfruktig vika eller
efterskänka och medgifva något, som strider emot den-
samma, om än himmel och jord och allt annat störtade
samman." Så svarar vår kyrkobekännelse; svara vi
ock så? Har du lärt känna och erfara, att Kristus
allena är din Frälsare och ditt hopp, ditt allt i alla?

Salig är du, du är Petrus. — När vårt hjärta i barns-
lig tro säger till Herren Jesus: "Du är Kristus", när
vi kasta oss i Jesu frälsarearmar och säga: "Du är
Kristus", såsom vi sjunga i våra sköna psalmer: *Jesus
är mitt lif och hälsa,* Jesus är min nådastol", så svarar

vår käre Frälsare och förklarar oss rättfärdiga och saliga, alldeles såsom fadern svarade den förlorade sonen vid dennes hemkomst. Vi minnas alla den bekännelsen och det svaret. Sonen ropade: "Fader, jag har syndat", och fadern ropade: "Bären fram den yppersta klädningen, och kläden honom däruti". När vi i längtan, i frälsningsbegär och tro säga till Herren: "Du är Kristus", så säger Herren till oss: "Du är Petrus, du är en klippman, du bygger nu och bor på frälsningsklippan, du är räddad, du är trygg, så länge du har ditt hem på den klippan Kristus." Så länge Petrus lefver i den bekännelsen: "Du är Kristus", så länge är Petrus en stark, oöfvervinnelig klippman och hjälte. Begynner Petrus själf vilja vara Kristus, så är han ej längre en klippman, utan en svag, hjälplös syndare, som strax faller, såsom vi se af Petri fall. Så ock med mig och dig, så ock med ett kyrkosamfund och en församling. Så länge kyrkan lefver i den bekännelsen, läran och predikan, "Du är Kristus", är hon stark och oöfvervinnelig, så länge detta "Du är Kristus" hålles fast och visst i kyrkans gudstjänst och hela verksamhet, så länge är hon en välsignelse på jorden, ett säkert hem på klippan för alla arma, hembehöfvande människor. Skulle kyrkan öfvergifva detta "Du är Kristus", så har hon flyttat från klippan på sanden, och där faller hon, och hennes fall blir stort.

Hören nu Herrens löfte till dem, som hålla bekännelsen "Du är Kristus".

"Och på denna klippa skall jag bygga min församling, och dödsrikets portar skola icke varda henne öfvermäktiga." Hvad är det för en klippa? Hvad var det för en klippa, som Petrus byggde på, då han bekände: "Du är Kristus"? Det var klippan Kristus.

Petrus betyder just en sådan, som bygger på klippan. Vi minnas hvad vår gamle, trogne lärare Nohrborg sade på sin dödsbädd: "Här ligger jag såsom en missgärningsman på den klippan Kristus". Just så bygger hela Kristi kyrka på jorden såsom en församling af fattiga syndare på frälsningsklippan Kristus. Just så bygger Herren sin församling af arma syndare på denna klippa. Och dödsrikets, ja, helvetets portar, alla dödens och mörkrets makter kunna ej vara denna församling öfvermäktiga. Vi hafva ju läst martyrhistorien. Vi minnas, huru dödens makter lössläpptes emot den första kristna församlingen. Minnas vi ock, huru dessa första kristna afmålade sin segerkraft emot dödens och djäfvulens makter? De målade bilden af ett lamm på den gode herdens axlar eller bilden af lammet på Sions berg.

I, älskade vänner och medlemmar af sv. ev. lutherska församlingen i Quincy, I hafven byggt eder kyrka af klippan och på klippan. I vårt gamla granitland Sverige, vårt fädernesland, hade vi många granitkyrkor strödda öfver hela landet. I den nya världen hafva vi, så vidt jag vet, endast en granitkyrkobyggnad, och det är denna eder och vår kyrka. Vi alla, som vetat om eder kyrkoklippa och eder klippkyrka, hafva hyst det mest lifliga deltagande vid edert företag, ehuru vi ej kunnat hjälpa eder, då vi alla hafva en granittyngd af företag på våra skuldror. Herren har dock i stor nåd hjälpt eder, och det är ett under för allas ögon. Stor är vår glädje, och innerlig bör vår tacksamhet vara på denna eder och vår högtidsdag.

Hela vår evangeliskt lutherska kyrka är en granitkyrka, ty hon är byggd af himmelsk granit, af Jesu Kristi evangelium. Den granitklippan står, ty "him-

mel och jord skola förgås, men mina ord skola icke
förgås". I, älskade vänner, som hafven edert kyrkliga
hem i denna sköna granitkyrka och på denna orubb-
liga granitklippa, hafven I ock edert hjärtehem på den
himmelska granitklippan? Skolen I få flytta ur denna
jordiska granitkyrka in i den himmelska triumferande
granitkyrkan, som beskrifves i Uppenbarelsebokens
21:a och 22:a kapitel, staden af rent guld, om hvilken
det där heter, att "stadsmurens grundvalar voro pryd-
da med all slags dyrbar sten"?

Nog skulle vi gärna önska att på Sionskullen i Rock
Island hafva ett granitkapell likt eder kyrka här, men
vår Mississippidal frambringar ingen granit. Vi få
vänta, tills vi alla af nåd få mötas på Sions berg där-
ofvan. Där är allt byggdt åt oss i förväg af ännu
skönare och bastantare ämne än Quincy-granit. Vi
äro ju pilgrimer i pilgrimsfädernas land, gäster och
främmande, vi hafva här endast pilgrimshyddor. I
hafven en sådan af granit, vi andra hafva sådana af
bränd jord (tegel) eller af trä. Vi svenska lutheraner
hafva öfver sex hundra sådana gemensamma pilgrims-
hyddor i detta land och vid pass åtta hundra pilgrims-
församlingar, strödda från detta österhaf till fjärran
västerhaf, nordhaf och sydhaf. I hafven byggt en
svensk evangelisk luthersk kyrkoport af granit vid in-
gången till nya världen. Det är ett monument af de
svenska pilgrimsfäderna i nittonde århundradet, som
kommer att stå, när våra öfriga, nu byggda monument
äro ramlade. Man säger ju, att det finnes ett granit-
torn efter våra svenska urfäders besök i nya världen
för tusen år sedan. Ho vet? Men det veta vi, att
denna klippa och denna klippkyrka kunna stå i tusen
år, om ingen fasaväckande jordbäfning inträffar.

Sen nu till, att fastebrefvet må vara säkert, icke allenast inför mänsklig domstol, utan ock inför Guds domstol i himmelen.

Herren allena vare ära för allt! Åt honom lämna vi nu oss och denna klippkyrka.

Vid kyrkoinvigning i Sycamore, Ill.

Text: Haggai 2: 8—10.

Och jag vill göra detta hus fullt med härlighet, säger Herren Sebaot. — — Detta sista husets härlighet skall större varda än det förstas varit hafver, säger Herren Sebaot; och jag skall frid gifva i detta rummet, säger Herren Sebaot.

ed dessa stora och rika löften välsignade Herren Sebaot det serubbabelska templet, templet som byggdes af pilgrimerna från Babel. Vi hafva alla läst den märkvärdiga berättelsen om denna tempelbyggnad. Vore det tid, så borde vi just nu höra denna kyrkobyggnadshistoria i Esra boks 5:e och 6:e kapitel samt de två kapitlen hos profeten Haggai. Nu var templet färdigt för vigning. Folket hade arbetat, gifvit och uppoffrat efter hjärta och förmåga. Hela denna storartade byggnad hade dock varit öde och tom, om ej Herren Sebaot hade kommit med sin stora högtidsgåfva. Han, Herren Sebaot, träder på invigningsdagen sitt folk till mötes och säger: "Jag vill göra detta hus fullt med härlighet". Det vill säga, Herren själf inviger sitt hus åt sitt folk genom att uppfylla det med sin härlighet.

Älskade pastor och medlemmar af denna församling! I hafven under en längre tid arbetat, uppoffrat och ansträngt edra yttersta krafter snart sagdt både natt och dag. Vi, som vetat om edert företag, hafva med spänd väntan afbidat den stund, då dessa tempelportar skulle öppnas till invigningshögtid. I hafven nu sammankallat vänner från när och fjärran till eder vigningsfest, och vi hafva kommit för att glädjas och fröjdas med eder. Jag skall icke försöka att upprepa de ord af förvåning och uppriktig lycksönskan, dem vi redan utropat vid åsynen af och inträdet i edert i sanning sköna tempel. Att fattiga pilgrimer kunna bygga sådana helgedomar i den nya världen är underbart, då vi betänka, att det var ju blott som i går vi kommo med två tomma händer öfver det stora hafvet. Hvem har nu gjort allt detta? Älskade församling och härvarande vänner, den skönaste körsång vi alla sjunga i dag lyder så: "Icke oss, Herre, icke oss, utan ditt namn gif äran för din nåds och sannings skull."

Och nu äro vi alla här, bedjande om, väntande och bidande efter den vigning, som Herren själf vill gifva detta tempel. I viljen ju ej gärna begagna kyrkan, förrän hon är invigd. Så låta vi då upp portarna och hjärtana, att ärones Konung må draga härin. Så står han då midt ibland oss efter sitt löfte, och så utropar han sitt vigningsord öfver detta hus och säger: "Jag vill göra detta hus fullt med härlighet."

Hvad är nu denna härlighet? Det är hans *helighet* och hans *nåd*. Hvad skulle vi säga om en kyrka, som saknade altare och predikstol, och hvad skulle vi säga om en kyrka utan Guds ord och sakrament? Det är tvenne stolar, som måste finnas i en kyrka: *domstolen* och *nådastolen* — där dessa stolar äro, där är Guds härlighet. Syndabekännelse och aflösning, lag och evangelium äro hufvudsumman af vår gudstjänst. "Detta sista husets härlighet skall större varda, än det första varit hafver." Vi minnas, huru det står i Esra 3: 12, 13: "Men många af de gamla präster och leviter och öfverste fäder, som det förra huset sett hade i dess grundval, och detta hus var för deras ögon, gräto de med hög röst; dock upphöjde många sin röst till glädje, så att folket icke kunde känna det glädjerop för gråtoropet i folket, ty folket ropade högt, så att man hörde ropet långt ifrån." Hvilken rörelse det måste hafva varit vid den kyrkoinvigningen! Ett sådant ropande, som hördes långt ifrån, skulle vi icke vilja hafva här i dag. Men vi ropa ju ock i våra psalmer och sånger. Och våra hjärtan ropa högre än våra röster. Vi förstå, att de gamle israeliterna ropade af sorg, ty de tyckte, att det serubbabelska templet, som nu var byggdt, var alltför simpelt och obetydligt mot det gamla salomonska templet, som glänste af guld och dyrbarheter. Det var, som när vi kommo från en härlig kyrka i gamla Sverige ut till västerns ödemarker och där måste bygga en torfkyrka eller ett dåligt stenruckel.

Profeten Haggai tröstar de sörjande israeliterna och säger dem, att detta sista templets härlighet skall varda mycket större än härligheten i Salomos tempel, ty här skola de få se Herren själf, Frälsaren, Messias, här skola de få utropa med Johannes: "Ordet vardt kött och bodde ibland oss, och vi sågo hans härlighet såsom ende Sonens härlighet af Fadern, full med nåd och sanning!"

Huru är det nu bland oss här i dag? I yttre härlighet var denna församlings gamla kyrka ett intet mot detta nya tempels härlighet. Det känna vi alla, och däröfver glädjas vi alla. I hafven således gjort detta sista husets härlighet större än det förstas var. I hafven satt en strålande krona såsom ett tecken framför edra ögon. Hvad menen I därmed? Viljen I säga, att I nu hafven "satt kronan på verket", att I hafven satt kronan på edert kyrkoarbete på jorden? Eller, I gamle församlingsmedlemmar, viljen I säga med aposteln: "Jag hafver kämpat en god kamp, jag hafver fullbordat loppet, jag hafver hållit tron, härefter är mig förvarad rättfärdighetens krona"? Viljen I säga: Detta sista husets härlighet är mycket större än det förras var, ty vi få snart härifrån inträda i den himmelska härligheten och mottaga lifvets krona?

Och, I unge, I hafven med ifver, hänförelse och uppoffringar arbetat för detta nya, sköna tempel tillsammans med de äldre. Hvad är det, som gör detta husets härlighet för eder större än det förstas var? Är det blott den yttre härligheten, som fröjdar eder? Det är väl första gången I hafven varit med om ett verkligt kyrkobyggnadsarbete. Är det icke mycket större och skönare att själf få vara med och arbeta för Guds rike än att blott njuta af andras arbete? Och nu, I barn och I unge, nu skolen I blifva de rätta kyrkoprydnaderna i detta hus. Månne I kunnen blifva större prydnader inför Gud och inför människor än edra fäder och mödrar och de gamle i allmänhet hafva varit? Vi äro alla såsom kristna kallade att pryda Guds, vår Frälsares, lära i alla stycken. Vi må sätta in hvilka dyrbara prydnader som helst i en kyrka, det finnes dock ingen större prydnad än människohjärtan, som äro den helige Andes tempel. Maria-själar vid Jesu fötter äro en kyrkas rätta härlighet.

"Och jag skall frid gifva i detta rummet, säger Herren Sebaot." Det är Herrens slutliga stora invigningslöfte.

Församlingens namn är *Salem,* frid, just samma ord som förekommer i våra textord, ty så heter det: Och jag skall gifva *Salem,* frid, i detta rummet, säger Herren Sebaot.

MINNESTAL

Doktor Hasselquist som samfundsman.

en, som vill se in i hjärtat af dr Hasselquist såsom samfundsman, bör göra sig förtrogen med hans förklaring öfver Efeserbrefvet. I detta bref, som ej har sin like bland alla dem aposteln (Paulus) skrifvit, framställdes församlingen, det kristna samfundet, såsom Kristi kropp, Guds husfolk (Guds familj), ett heligt tempel i Herren, Guds boning, ett andligt hem ("uppbyggda", "hela byggnaden sammanfogas och växer").

Det gällde att bygga ett andligt hem för svenskarna i den nya världen. Dr Hasselquist var en bland dem, hvilka Herren kallade att lägga grunden till detta hem samt att på den lagda grunden uppföra hemmet. Ja, dr Hasselquist var den, som under många år, på Guds kallelse genom människor, förestod grundläggnings- och byggnadsarbetet.

Det svenska folket är från barndomen fostradt i den lutherska kyrkans andliga hem. Dr Hasselquist var från början och alltigenom innerligt och fast öfvertygad därom, att den lutherska kyrkan var och är det rätta andliga hemmet (rätta hemlandet) för svenskarna, för alla fattiga, nådebehöfvande syndare. Amerika är kyrkostormarnas land. Ett andligt hem i den nya världen måste därför vara byggdt på en djup, fast och orubblig grundval. Murarna till detta hem måste ock vara med Guds ords cement så säkert sammanfogade och fästade på grunden, att "intet slagregn, inga floder och inga väder" må kunna slå omkull huset. Hela hemmet måste vara "uppbyggdt på apostlarnas och profeternas grund, där hörnstenen är Jesus Kristus själf".

Det är den lutherska kyrkans oförgängliga nåd af Gud och outplånliga ära inför människor, att hon med aposteln Paulus så helt bekänner: En annan grund kan ingen lägga än den som är lagd, hvilken är Jesus Kristus, och att människan icke kan varda rättfärdig inför Gud genom sina egna krafter, förtjänster och gärningar, utan hon varder rättfärdig förklarad af nåd för Kristi skull genom tron. På denna grund var det, som dr Hasselquist till sitt personliga tros- och helgelselif hade sitt kära hem i den lutherska kyrkan och i så många år intill sin död utöfvade sin mångsidiga och välsignelserika hemmission i det lutherska samfundet Augustana-synoden. Det var ur Guds ord, handledd af den lutherska läran, han hämtade den innerliga öfvertygelsen, att det rätta kyrkosamfundet på jorden är ett hus, ett hem, dit "Människosonen har kommit för att uppsöka och frälsa det förtappade". Enligt Guds ord trodde dr Hasselquist fast och visst, att man endast genom en lefvande, personlig tro är en rätt lem i Kristi andliga kropp, som är församlingen, och att sålunda "Guds församling är de heligas och rätta troendes samfund", men han trodde ock, att det

rätta evangeliska kyrkosamfundet är ett räddnings-
hem för de förlorade, en missionsnot, utkastad i det
stora människohafvet, ett "Guds åkerfält", där Guds
ord utsås på en förhoppning.

Vårt andliga hem i den nya världen, vår Augustana-
synod, är byggdt för att taga emot andliga immigran-
ter och andliga nybyggare från Sveriges olika land-
skap och för att samuppfostra dem till ett sant andligt
hemlif. Hit hafva under årens lopp kommit kristna
af många olika andliga riktningar och andliga lynnen
samt många utan medvetet andligt lif, med en blott
yttre vana vid kyrka och gudstjänst och en omedveten
längtan efter något annat än det jordiska; här har
ock en stor mängd barn och ungdom växt upp. Man
tänke sig nu, hvilken visdom ofvanefter det har kräfts
hos husfadern, då alla dessa skulle förenas och sam-
manhållas i ett och samma andliga hus och hem. Den-
na visdom och nåd var gifven åt dr Hasselquist. Skola
nu vi, bröder, syskon och barn, kunna stanna, trifvas
och verka tillsamman i det gemensamma andliga barn-
doms- och fädernehemmet?

En samfundsman i Amerika måste mången gång
inlåta sig på polemik, det är, han måste försvara sitt
hem. Det betyder dock icke, att han måste försöka
rifva ned andras hem. Aldrig sökte dr Hasselquist
att fördöma eller fördärfva andra samfund. Mild mot
andra, men ytterst öm och ömtålig om sitt eget andliga
hem, den lutherska kyrkan — detta synes mig vara
hufvuddraget i denne vår lärofaders ställning såsom
samfundsman.

Ännu ett: aldrig prålade dr Hasselquist med Augus-
tana-synoden, dess verksamhet och dess framgång.
"Gud gifver de ödmjuka nåd." Dr Hasselquists verk-

samhet såsom samfundsman är en skön förklaring öfver dessa ord.

Ack, att vi alla måtte tillägna oss en dryg andel af detta den kristliga ödmjukhetens rika arf! Få vi detta Kristi sinne, då skall vårt samfund mer och mer blifva en lifs lefvande förklaring öfver hela Efeserbrefvet, särskildt öfver de underbara orden i fjärde kapitlets femtonde och sextonde verser.

Vid doktor Erland Carlssons begrafning.

"Jag hafver kämpat en god kamp, jag hafver fullbordat loppet; jag hafver hållit tron. Härefter är mig förvarad rättfärdighetens krona." 2 Tim. 4: 7, 8.

et är en missionär, en man, hvilken offrat sitt lif och sina krafter helt i evangelii tjänst, som skrifver detta testamente och aflägger denna bekännelse närmast före sin död. Det är sålunda den döende missionärens sista ord vi här höra. Ett skönare afskedsord af en döende kunna vi icke tänka oss.

Vi stå nu vid en missionärs bår. Behöfver jag försöka bevisa, att dr Carlsson var en missionär i ordets djupa och sköna betydelse? Hvad har Chicago varit för svenskarna i Amerika ända sedan år 1850? En missionsstation såsom ingen annan plats i nya världen. Hvad var då vår första och äldsta svensk-evangelisk lutherska pastor i Chicago? En apostolisk missionär, afskild till att predika Guds evangelium för våra förskingrade landsmän, som strömmade till och genom Chicago.

Nu är det särskildt Augustana College och teologiska seminarium, som tager dessa aposteln Pauli ord och tillämpar dem på vår afsomnade apostoliska missionär, hvars stoft ligger framför oss. Det är Augustana College, hvilket från början varit en evangelii missionsskola, som beder att få aflägga ett vittnesbörd om den vän, som med så innerligt missionssinne och så skarp missionsblick såg betydelsen af denna skola för evangelii mission bland svenskarna i Amerika. Så har Augustana College ock sändt blommor, att dessa skulle tala vid vännens bår, då vi själfva ej förmå eller hinna säga många ord. Det där ankaret i blommor säger: Han har kämpat en god kamp. Många och svåra stormar mötte honom på hans resa öfver lifvets haf, många lifsfarliga vågor upphofvo sig emot honom under hans missionsresor, men han kämpade sig igenom dem alla, ty hans lifs farkost hade i alla stormar kastat ankar vid Kristi kors.

Det hjärta, som är fäst vid korset, ropar: "Han har fullbordat loppet."

Han följde i kärlek sin Frälsare på kallelse- och korsvägen, han kunde icke annat, ty hjärtat var fäst vid den korsfäste Frälsaren. "Kristi kärlek tvingar mig så", var hans svar, när andra tyckte, att han ansträngde sig för hårdt i detta sitt lopp, att han sökte för ifrigt efter fosterlandets söner och döttrar i främmande land.

Nu har han fullbordat loppet. Korset talar och säger: "Han har bevarat tron." Korset är den stora trosskatten, talet om korset, evangelium, är en Guds kraft till salighet för dem som tro. Att hålla i, hålla fast korset, evangelium om försoningen i Kristi död är en missionärs högsta ära och berömmelse. Är korset borta, finnes intet evangelium mer. Det gällde att plantera korset bland svenskarna i Amerika, det gällde ock att bevara och försvara denna plantering. Härvid utförde dr Carlsson en predikares verk redeligen. *Korset först, kronan sedan.* Dessa ord gälla i synnerhet en evangelisk predikare. *Härefter* är mig förvarad härlighetens krona. Hvilket outsägligt *härefter!* Endast den *lidande* fattar något den mäktiga tröst, som ligger i detta *härefter.*

Vänner, ingen af oss kan räkna, huru många gånger denne vår käre fader och broder under lidandets stunder utropade vid sig själf detta "härefter". Vi veta, att dr Carlsson hade synnerligen på de sista åren fått sig beskärdt att vittna om den korsfäste genom kors och lidande.

Rättfärdighetens krona är nu hans. Ty "det intet öga sett hafver och intet öra hört, och uti ingen människas hjärta stiget är, det hafver Gud beredt dem, som honom älska."

Huru bittert det lidandet var för en af verksamhetsifver så lågande själ att icke förmå vara i full tjänstgöring de sista åren, kunna vi nog ej känna.

Då var detta "härefter" salfvan på de svidande hjärtesåren.

Vid Ella Nordströms begrafning.

"Och Jesus grät."

arning, förmaning och tröst behöfva vi vid hvarje begrafning vi fira. Vid de våras, våra vänners och bekantas frånfälle basunar döds- ängeln till oss efterlefvande det väldigaste "gif akt!" Allra mest högljudd är denna basunröst, när dödsfallet i vår närhet är hastigt och oförmodadt och när därtill någon bortryckes i blomman af sin ungdomsålder.

I dag, då vi äro samlade omkring en bår, på hvilken ligger stoftet af en ung vän, som nyss vandrade ibland oss i ungdomstidens fulla vårlif och vårkraft, i dag uppskakas vi alla, i synnerhet de unga, af dödsängelns mäktiga basunklang. Vi uppskakas, säger jag — ja, om vi hafva någon känsla för lifvets och dödens all- var, så bäfva vi till ande, själ och kropp. Hälso- sam och nödvändig är denna bäfvan. Vi behöfva alla vakna upp rätteligen, varning behöfva vi, allvarlig varning.

Förmaning behöfva vi ock. "Varen ock I redo, ty den stund I icke menen varder Människosonen kom- mande."

Icke tro vi vanligen, att den andra, den tillkommande världen är oss så nära som den är. Icke betänka vi såsom vi borde betänka, att vi härnere på jorden äro hyresgäster, som kunna blifva uppsagda till flyttning när som helst. Så är det dock. Redo, redo måste vi vara hvad stund som helst, redo att möta vår Gud. Så uppskakande är varningen, så allvarlig är förmaningen till oss alla och i synnerhet till eder, unge vänner, vid denna begrafning. Vår vän, som flyttade så hastigt, blomstrade, såsom I nu blomstren, för några få dagar sedan. Hvar äro blomstren nu? Sen på bilden af eder vän, där den här framför oss hälsar sitt farväl. Jag behöfver icke säga mer, vi känna alla mer än vi med ord kunna teckna. Men vi behöfva vid våra begrafningar och särskildt vid denna begrafning icke allenast varning och förmaning, utan ock tröst. *"Och Jesus grät"* — de orden säga mer än alla *våra* känslor och ord i dag. När vi höra de orden, förflyttas vi strax till en bår, ett sorgehus, en graf, där Jesus var närvarande under sin synliga vandring härnere i syndens, sorgens och dödens land. Herren Jesus fällde aldrig flyktiga, betydelselösa tårar, såsom vi kunna göra. Hela hans hjärta talade i hans tårar. Många af oss fälla hjärtetårar i dag. Vi veta hvilka de äro, som nu här gråta de bittraste och djupaste tårarna, men vi andra gråta ock af hjärtat med dem som gråta. En stor skara deltagande vänner är samlad här med dem, som stå båren och grafven närmast. En stor skara ungdom därnere i Rock Island står visserligen på långt afstånd, men är med sörjande hjärtan här, därom må vi vara vissa. Men är Jesus ock här midt ibland oss? Det är den stora frågan. Tänk, hvilken förmån de sörjande systrarna i Betanien åtnjöto! Jesus grät med dem. Dessa Jesu tårar voro ju värda mycket mer än de sköna blommor i allehanda härliga bilder, hvarmed deltagande hafva höljt denna bår. Gråter Jesus med oss nu? fråga vi. Han kunde gråta då, men han kan ju icke nu i sin härlighet gråta.

Han lefver alltid och *beder* alltid för oss, han beder med och för oss nu, och dessa hans böner äro lika tröstefulla för oss som hans tårar i Betanien. Ja, af hans tårar då veta vi, hvad hans böner betyda nu.

En bäfvande och orolig fråga upprörer de närmaste och alla vänners inre, när någon bortryckes hastigt. Föräldrarna fingo ju icke vara närvarande vid dödsbädden, hennes församlings själasörjare icke heller. Den som under skoltiden skulle vara hennes själasörjare var ock borta. Endast ett par unga väninnor voro närvarande, men de väntade icke, att dödsbudet skulle komma så hastigt. Själf var hon till följd af sjukdomen utan sans.

Var Jesus, den ende store själaherden och själasörjaren där?

Vi känna ju hvad vi hade velat göra, om vi varit närvarande. Känna vi ock, hvad han, som led och dog för oss och vår vän, hvad han ville och kunde göra?

Vi få sålunda lämna denna fråga åt honom, som kan besvara den. Vi se på honom, som grät vid grafven och som utgöt sitt hjärteblod på korset, vi se Guds Lamm, vi ropa till föräldrar, syskon och vänner: Se, Guds Lamm, som borttager världens synder! och så få vi den tröst och det hopp vi behöfva.

Vid stud. C. G. Andersons begrafning.

"Din son lefver." Joh. 4: 46—54.

n sorgegudstjänst är det vi fira, men en de kristnas sorgegudstjänst. Alla gråta vi med de närmaste, som vid detta dödsfall gråta, äfven om icke våra yttre ögon äro tårfyllda. Särdeles ömmande och rörande äro omständigheterna vid denne vår unge väns frånfälle. Han kom från ett kärt hem till vår skola. Föräldrarna underkastade sig stora uppoffringar för att gifva denne sin ömt älskade son tillfälle till studier. De väntade och hoppades med mycken ifver, att han skulle blifva ett välsignadt redskap i Guds rike. Han själf hade just kommit rätt i gång med sina studier och gjorde de bästa framsteg. Här vid läroverket finnes blott ett enda, samstämmigt vittnesbörd om honom, det nämligen, att han var ett mönster af en stilla, flitig, begåfvad och förhoppningsfull studerande. Då kommer helt plötsligt och oförtänkt sjukdomen och kastar honom ned på dödsbädden. Hans klasskamrater och andra vänner göra allt de förmå och förstå för att tjäna och hjälpa honom i hans sjukdom. Ingen af oss, icke heller han själf trodde, att denna sjukdom var förebudet till dödens snara annalkande. När jag först såg honom på hans sjukläger, längtade han såsom ett snällt barn till sitt jordiska hem. Han skref ock själf hem, men uttalade i sitt bref ett fast hopp om ett snart tillfrisknande. Först förliden lördag fann man, att sjukdomen var högst allvarsam. En vän skref därom till hemmet. Nya testamentet låg honom nära, och han läste troget däri, så länge han förmådde. Han var ett barn och mottog Guds rike såsom ett barn. Han är ock nu ingången i Guds härlighets rike såsom ett barn. Förliden söndagsafton besökte jag honom mellan kl. ½6 och 6. Vi voro båda ensamma den skymningsstunden. På min tillfrågan uttalade han full förvissning om syndernas förlåtelse och barnaskap hos Gud, allt af nåd för Kristi skull. Vi bådo tillsamman, och jag lämnade honom i Herrens och hans vänners vård. Efter aftongudstjänsten i kapellet fick jag hastigt bud att strax komma. Jag skyndade till honom och lade först handen öfver hans hjärta och sedan örat intill denna lifvets verkstad. Det märktes då, att döden närmade sig det kroppsliga lifvets helgedom. Vi sände bud efter en trogen och erfaren sjuksköterska. Hon kom. Läkaren, som förut besökt honom, kom ock senare på natten. Hvad människor kunde göra gjordes. På måndagsmorgonen kom läkaren åter. Han sade oss, att slutet var nära. Vi telegraferade till de anhöriga. Vänner vakade och tjänade troget. Hela måndagsförmiddagen hade han sin fulla sans och uttalade samma visshet om nåd och barnaskap. Vid flera tillfällen tittade jag in. Han låg där som ett barn. Kära vänner gjorde hans rum så snyggt och rent som omstän-

digheterna medgåfvo. Allt kändes så högtidligt och
stilla därinne.

Strax efter middagen kom åter bud. Vi samlades
en vänkrets omkring dödslägret. Nu hade han icke
längre sans. Det sista som ropades i hans öra var
namnet "Jesus", hvarom vi ju sjunga: "Se, Jesus är
ett tröstrikt namn". Vi bådo kort och stodo sedan
helt tysta och stilla, bidande det sista ögonblicket. Det
kom snart, så stilla och fridfullt som när ett barn
somnar i sin moders famn. Vår vän kände säkert icke
att han dog. Han kom hem, förrän han det visste.
Oss gjorde det icke ondt om *honom,* men det gjorde
oss ondt om föräldrarna och syskonen.

Vi visste, att de skulle komma att sucka om och om
igen: Ack, om han, vår käre Charley, hade fått dö
hemma! Icke kunna dessa våra kära vänner tro, att
vi gjorde allt hvad de hade kunnat göra. Icke kunna
de tro på någon ömmare kärlek hos oss. Vi begära
icke, att dessa våra vänner skola tro på vår kärlek.
Om de tro på Jesu Kristi kärlek, så äro vi nöjda.

På måndagsaftonen kom fadern, som nu är ibland
oss. Han hade icke fått vårt telegram före sin afresa,
utan reste sedan han fått det bref, som sagt honom,
att hans son var mycket sjuk. Vi kunna något tänka
oss hans sorg och bestörtning vid hitkomsten. *Charley
var död.*

Men nu ropa vi i kör till den sörjande fadern: "Din
son lefver!" Nej, det är icke vi, som ropa så först,
det är Jesus, Herren öfver lif och död, som ropar så.
Det är han, som var död och nu lefver från evighet
till evighet, det är han, som ropar: "Din son lefver!"
Käre vän, kan du höra och taga till ditt sörjande
hjärta dessa Jesu nådeord? Kan du för sorgs skull

ej höra dem nu, så skall Herren själf gifva dig nåd att härefter höra dem.

"Då trodde mannen orden, som Jesus sade till honom, och gick", heter det om den man, som hörde dessa ord först. Mången fader har sedan dess hört samma ord och trott till hugsvalelse och tröst och gått med frid och hopp på sin pilgrimsfärd hemåt. Och vi, käre vän, som vilja vara Kristi och dina tjänare, vi möta dig nu i denna vår skolas helgedom och bebåda dig Jesu ord: "Din son lefver!"

"Då förstod fadern", heter det, "att det var den timmen, i hvilken Jesus hade sagt till honom: Din son lefver, och han trodde och allt hans hus." Må ock du, när du nu kommer hem med detta stoft, tro dessa ord och allt ditt hus med den älskande, sörjande modern och de älskande, sörjande syskonen.

Men din tro måste vara af en högre art än konungsmannens i Kapernaum. Du är en kristen, din tro måste öfvergå den tro, som kunde finnas i Kapernaum på Kristi tid.

Din son lefver icke blott ett kort lif här på jorden, vore det än i den högsta och mest välsignade verksamhet i Guds rike här, utan han lefver bland den triumferande församlingen och i dess verksamhet.

Oss är icke oveterligt, att många frågor kunna göras, när en flitig och förhoppningsfull skolyngling ryckes bort midt i sina studier, innan han ännu hunnit något mål, såsom människor pläga tala om mål. Veta vi hvad Guds mål med oss är? Oss vare det nog, att han vill taga oss hem, när och hvarhelst det än månde ske. Men lönen, lönen — icke kan man få lön, innan man har arbetat? "Hvartill göres då denna förspillning behof", förspillning af pengar, hälsa och lif, då man ingenting hinner uträtta, då Gud själf "lyktar dagen för en, innan aftonen kommer"? Hvad blifver lönen för den, som dör under förberedelsen till arbetet? Gud förser väl lönen, min vän. Gud förser lönen både för vår afsomnade vän, för hans kära föräldrar, för vår skola och för vår kyrka, vår skolas moder. Vi behöfva ej oroas däröfver. "I min Faders hus äro många boningar", sade Herren Jesus. Där är rum nog och härlighet nog för alla de trogna, vare sig att de arbetat endast en timme vid dagens början eller vid dess slut, eller de burit hela dagens tunga och hetta.

Minnet af en trogen studerande lefver ock här, en ädel säd, som såddes och som bär frukt, äfven om icke människor däröfver skrifva märkvärdiga lefnadsteckningar.

Och I, älskade medlemmar och lärjungar af denna kära skolfamilj. Behöfver jag försöka predika för eder i dag?

Hvad är vårt mål, älskade medlärare? Vårt högsta mål är att en gång kunna säga inför Kristi domstol: "Här äro vi och barnen, som du oss gifvit hafver".

Och I, kära unga vänner, hvad är edert högsta mål? Att få mötas på Jesu högra sida. Är det icke så? Allt annat är intet mot detta stora enda.

> Han icke dör. Nej, Herre, aldrig dödde
> den, som du älskat så.
> Den du på nytt med Andens elddop födde,
> kan ej förlorad gå.
> O, låt mig i din famn få ila
> och vid ditt hjärta evigt hvila,
> och säg till mig, när dödens rop jag hör:
> Du icke dör! GEROK.

Vid stud. C. J. Ellisons begrafning.

"Sade Jesus till henne: Din broder skall stå upp igen." Joh. ev. 11: 23.

erren har behagat göra detta årets fastlagstid särdeles allvarlig, väckande och manande för vår stora skolfamilj. Vi känna (ack, jag hoppas, jag beder innerligt, att vi alla måtte känna det!), vi känna, vi förstå, att vår dyre Frälsare vill draga våra hjärtan nära intill sitt kors, på det vi alla måtte "känna honom och hans uppståndelses kraft och hans pinas delaktighet, att vi måtte varda like hans död, på det att ock vi måtte komma emot honom (med glädje) i de dödas uppståndelse". När döden inträder i familjekretsen, då är Herren Jesus sannerligen nära. Och när döden kommer tvenne gånger inom en tidrymd af tvenne veckor, då är Herren Jesus sannerligen som allra närmast.

I vår stora familjesorg skynda vi till det hem, som Herren Jesus särskildt älskade under sin vandring på jorden. Vi säga: "Det finns intet ställe så kärt som hemmet". Det finns icke heller i hela den heliga skrift något jordiskt hem så kärt som hemmet i Betanien. Dit samlas alla kristna, som sakna och sörja sina af-

lidna kära. Dit samlas ock vi i dag på denna stilla
sabbatseftermiddag. I detta älskliga hem inträffade
ock under fastlagstiden ett dödsfall. Den älskade bro-
dern, familjens ära, glädje och förhoppning, dog. Je-
sus, den älskade familjevännen, vistades under denna
tid af fastan långt borta på andra sidan Jordan. Så
snart brodern allvarsamt insjuknade, skickade syst-
rarna bud till Jesus. Budet, som ock var en bön, lyd-
de: "Herre, se, den du kär hafver ligger sjuk". Icke
trodde systrarna, att Herren skulle låta den, som han
hade så kär och som de hade så kär, dö. Nog visste
Jesus, huru innerligt systrarna älskade sin broder, hu-
ru omistlig han var för dem. Icke kunde heller Her-
ren Jesus midt i ifvern af sin verksamhet där borta
i Pereen glömma sina vänner i Betanien. Nej, nej,
icke så. Evangelisten säger: "Och hade Jesus Marta
och hennes syster och Lasarus kär". Och Jesu kärlek
var densamma i Pereen som i Betanien, densamma
i dag som i går.

Men Herren Jesus dröjde och dröjde, och när han
ändtligen kom till sina vänner, var det för sent. La-
sarus var död och hade redan legat fyra dygn i grafven.

Betanien låg på sluttningen af Oljeberget mot öster.
Tänk, huru ofta systrarna hade sett mot öster ned
öfver Jordansdalen och mot Pereens berg, ty därifrån
skulle Jesus komma. Solen steg upp öfver bergen i
öster, och solen sjönk ned bakom bergen i väster dag
efter dag, men Jesus kom icke. Hvem kom i stället?
Den bistra döden, den hjärtlösa döden. Förskräckel-
sens konung, om hvilken man ingalunda kunde säga,
att han hade Marta och hennes syster och Lasarus kär,
kom. Med hans ankomst utbredde sig mörker öfver
hela bergsbygden, ty naturen kläder sig i djup sorg-

dräkt för oss, när döden gästar våra hem. Det ljufva hemmet blef nu mörkt, ödsligt och dystert. Syskonkretsen var söndersliten af den obarmhärtige fördärfvaren.

Slutligen kommer Herren på samma väg, den han förr från öster vandrat upp till sitt kära hvilo- och vederkvickelsehem. Huru ofta alla tre syskonen hade mött honom och välkomnat honom med outsäglig glädje! Men nu, huru såg det nu ut inom och utom den sköna fridsboningen? Endast Johannes kan svara på den frågan med ord, som måla mera lefvande än en konstnärs färger.

Marta, den ifriga och lifliga systern, springer Herren till mötes för att för honom utgjuta sin bittra klagan och sorg. Hon kan icke förstå Herrens beteende, hon förmår ej förklara hans kärlek, hans dröjsmål och hans kommande för sent. Herre, du kommer för sent, det är dvt första hon måste säga; det andra är dock ord af hopp, ty hopplös kunde man icke vara i Betanien, men huru mycket hon skall och får hoppas, vet hon ej.

Hvilka äro då Herren Jesu första ord till den djupt och bittert sörjande systern?

"Sade Jesus till henne: *Din broder skall stå upp igen.*"

Vi hafva ock ibland oss i dag en sörjande *syster.* Hennes sorg är så mycket ömmare, emedan hon tänker på den sörjande modern, den sörjande fadern och den sörjande brodern därhemma. Vi försöka ju trösta, men hvad förmå våra matta ord? Det första Jesus sade till den sörjande systern därborta vid dödsbädden och det första och största Herren säger till oss och till systern nu vid denna sorgegudstjänst är detta allsmäktiga ordet: "Din broder skall stå upp igen". Himmel och jord skola förgås, denna stofthydda, som ligger framför oss, skall ock förgås, men detta Jesu ord skall icke förgås.

Ack, sucka vi, i Betanien gick trösteordet strax i fullbordan inför allas ögon, icke så nu bland oss. Skola vi icke unna Herren Jesu första vänner någon förmån framför oss, då de måste utstå så mycket lidande, som vi undslippa? Visserligen unna vi vännerna i Betanien den glädje de fingo, ty hade de icke fått den glädjen, så hade icke vi nu denna oförlikneligt härliga tröstekälla, det elfte kapitlet i Johannes evangelium, som läkt så många millioner af sorg och saknad söndersargade hjärtan.

Sörjande syster! Vi veta i dag icke om något kraftigare hugsvalelseord att sända med dig till ditt hem, till dina sörjande kära än just detta Jesu ord: "Din broder skall stå upp igen". Hör det och säg det till din älskade moder, din fader och din broder, när du måste föra hem detta stoft, det du önskar nedmylla så nära det jordiska hemmet som möjligt.

Vårt hem, ett kristet hem, är ock såsom Betanien byggdt på sluttningen mot öster, mot solens uppgång, mot morgonen af evighetens härlighetsdag. Vi veta, hvar Jesus, vår vän den bäste, vistas i sin härlighet. Han vistas på andra sidan Jordan hos sin Fader, där han lefver och beder för oss. Vi sända bud till honom. Vi säga: Herre, se, den du kär hade sjuknade och dog. Du kom icke för sent att hämta honom hem. Vi, såsom systrarna i Betanien, se mot öster, mot andra sidan Jordan, därifrån vår Jesus skall komma till oss, såsom han kom då till de våra, dem vi sakna nu i vårt pilgrimshem.

Hafven I märkt, huru vi se och se mot öster, mot den eviga morgonens land, sedan Jesus hämtat någon af våra närmaste? Finns det bland denna skara många syskon, hvilkas hjärtan äro vända längtande mot andra sidan af Jordan? Ack, jag vet ju, att de unga önska lefva, och att det vore onaturligt att hos dem vänta en brinnande, himmelsk hemlängtan. Den allvarliga frågan är, om vi veta, hvar hemmet, vårt eviga sällhetshem, är, och om vi äro nära släktingar och vänner till husfadern där, ifall vi få bud att flytta, förrän vi det förmoda.

Vår vän Ellison, som nu sofver, hade sin pilgrimshydda byggd mot öster, han bodde så, att han i tron kunde se härlighetens land.

När jag vid mitt första besök hos honom under hans sjukdom frågade honom om hans evighetshopp, svarade han mig stilla, fridfullt och utan tvekan, att han hade full visshet om nåd i Kristus Jesus och att han var redo att flytta hem. Han var "trygg i Jesu armar", sade han. Vårt samtal rörde sig om samma ämne som den sång han älskade så mycket och som han hade sjungit, innan han lades ned på sjuksängen: "Klippa, du som brast för mig". Under samtalet såg han på mig så trohjärtadt och redligt och sade: "Men ungdomen kämpar mot döden". Huru sant och huru uppriktigt af en kraftfull ung man! Ellison, svarade jag, jag förstår detta så väl, det är helt naturligt. "Jag är nöjd med Guds vilja", tillade han eftertryckligt och låg där lugnt och fridfullt som ett barn i Jesu armar. Vi tänka härvid på Jesus i Getsemane.

Ellison var en Timoteus, som från barndomen älskade och kände den heliga skrift. Hans älsklingssysselsättning var att i den stilla kammaren i hemmet läsa

Guds ord och allvarliga böcker. Från sällskapslifvet drog han sig helt undan. En enda gång, just vid den tid, då ungdomen frestas att kasta sig i världslifvet, besökte han ett balnöje, men kom hem bittert gråtande. Det var hans första och hans sista besök i världens ystra nöjen. Han kom i september 1886 i sällskap med de sina och sin morbroder, pastor Haterius, till Amerika. Under sin vistelse såsom tjänare vid barnhemmet i Mariadahl 1889—91 vaknade hans andliga lif till klarare medvetande. Sedan vistades han hos pastor Haterius och kom så hösten 1891 till vår skola. Hans lärare och kamrater känna honom här såsom den stilla, allvarlige, flitige och begåfvade studerande, som lämnar efter sig det skönaste minne. Sommaren 1892 verkade han i Ironwood, Mich. Från 1 juni 1893 till 1 januari 1894 verkade han i en stor skola och på stadens missionsfält. Säkert öfveransträngde sig den samvetsgranne, nitiske ynglingen där. Hans arbetsdag var kort. Kanske kände han det själf, fastän han, den tystlåtne, ej mycket sade.

Han var född i Drängsereds församling i Halland den 4 augusti 1868 och var sålunda vid sitt frånfälle den 2 dennes 25 år, 6 månader och 28 dagar.

Vid stud. Sven Gjertséns begrafning.

"Nåd vare med eder och frid från den som är och var och som kommer, och från de sju andar, som äro inför hans tron, och från Jesus Kristus, det trogna vittnet, den förstfödde bland de döda och fursten öfver konungarna på jorden, honom som älskar oss och har löst oss från våra synder med sitt blod och har gjort oss till ett konungadöme, till präster åt Gud och sin fader, honom vare ära och makt i evigheters evighet. Amen."

 å lyder hälsningen till Herrens vänner, när någon af dem förflyttas från den stridande församlingen härnere till den triumferande församlingen däruppe. När döden träder oss nära — då, om aldrig annars, måste vi känna hvad det är för en stor, härlig och salig förmån att vara en kristen, en Jesu, den bäste vännens, vän. Vänner, under det vi suttit och stått omkring vår hemgångne broders sjuk- och dödsläger, hafva vi icke emellanåt känt oss alldeles öfverväldigade af samma hjärtejubel, som kom Johannes att utbrista: "Sen, hurudan kärlek Fadern har bevisat oss, att vi kallas Guds barn"? 1 Joh. 3: 1, 2. Och vi alla, som nu äro samlade omkring denna bår, känna vi icke något af detta. Hvad vore lifvet, om man icke vore en kristen, med den

kristna tron och det kristna hoppet i sitt hjärta! Visst
känna vi det djupt smärtsamt, att tre af våra kära
vänner inom så kort tid genom döden ryckts ur vår
syskonkrets, men innerligt ljuft och trösterikt är det
på samma gång att vi få tro, att de tre hafva gått
hem, att under denna fastlagstid Preparatory depart-
ment fått sända en medlem till himlen, College en och
nu seminariet en. Bör vårt himmelska hem vara oss
så främmande, att vi rädas och klaga, när de våra
flytta dit, där de få vara hemma hos Herren alltid?
Visserligen är det vår kära plikt att göra allt hvad i
vår förmåga står för att rädda våra nära och kära
från det vi kalla en förtidig död. Och vi, i all vår
skröplighet, hafva ock gjort allt hvad vi kunnat för
dessa våra tre vänners tillfrisknande.

Särskildt smärtsamt känna vi det, att vår vän Gjert-
sén skulle skiljas från maka och barn, och att de icke
ens fingo vara honom nära i hans sista stunder. Vi
hoppades därför dag efter dag och natt efter natt, att
vår broder skulle blifva gifven tillbaka åt de sina och
åt oss. Men Herren tog honom hem till sig och de
sina därhemma.

Nu höra vi hälsningen: Nåd vare med eder......
Den som *kommer*, ack, vi fatta ju det ordet. Herren
kommer alltjämt till de sina; än tager han det ena,
än det andra af sina barn med sig. Och barnen äro
ju färdiga att när som helst följa sin Fader hem. Nog
häpna vi likväl, äfven om vi äro Guds barn, då budet
plötsligt hörs: Din Fader är kommen och kallar dig
att följa med hem nu strax. Så häpnade vår vän först
och sade: "Jag skall icke dö nu". Men på tisdagen
var han redan villig och färdig att strax följa med
hem. Han hörde hälsningen från Jesus Kristus, det

trogna vittnet, den förstfödde bland de döda, som älskar oss och har löst oss från våra synder med sitt blod. Behöfver jag försöka förklara dessa prisvärda ord? Jesus: *det trogna vittnet,* hvad betyder detta för en fattig syndare? Den trofaste vännen och Frälsaren, som aldrig lämnar de sina. Jesus: *den förstfödde* bland de döda — Jesus död men uppstånden såsom den förstfödde, som tager hela syskonskaran med sig ur dödens och grafvens våld. Jesus — som *älskar* oss. Hvad är vår kärlek? Likväl hade vi så innerligt gärna ryckt vår broder ur dödens våld. Än de kära däruppe i Minnesota, makan och barnen, hvad hade de gjort i sin kärlek, om de kunnat? O, vår vanmäktiga kärlek! Men Jesu kärlek, hvad förmådde den? Den löste oss från våra synder med sitt blod. Att vara löst från synden, när man skall dö, hvad är det? Det är att döden ingen makt har. Äro vi lösta från synden, så måste vi ock lösas från döden. Hvad blifva då Jesu vänner genom en salig död? Hören: "Och har gjort oss till ett konungadöme och till präster åt Gud och sin Fader". Öfver de orden gaf vår broder en skön förklaring. Medan han ännu hade sin fulla sans, hviskade han i mitt öra: "Jesus kommer nu snart; nu får jag blifva präst i himmelen, examen blir icke svår." Allt detta sade han så stilla och fridfullt, som endast den kan säga det, som vet på hvem han tror. Mången gång var det mycket märkvärdigt att lyssna till vår vän äfven under hans feberyra. Det troende hjärtats himmelska melodi ljöd så skön, så mild, så ren midt ibland missljuden från det af febern ostämda instrumentet. Ljus talade han om så mycket. "I ljuset lefver man, i ljuset kan man icke dö", sade han. Huru sant, huru skönt! Onsdagskvällen var han myc-

ket svag och yrade starkt. Han ville, att alla skulle
gå ut, ty han hade en hemlighet att meddela mig, sade
han. När vi voro ensamma, yttrade han så allvarligt:
"Jag måste byta om kropp, ty denna kropp är för-
därfvad, min själ måste hafva en ny, en himmelsk
kropp; i natt klockan tolf kommer jag, ty då lämnar
jag denna kropp." Han tillsade mig att jag icke fick
lägga mig utan vänta på honom klockan tolf. "Kom-
mer ni ihåg tiden nu", frågade han, när jag gick. Just
den natten klockan tolf talade han till kamraterna, som
stodo vid hans säng följande allvarliga ord: "Kära
vänner, som varit mina kamrater, I sen nog hurudan
jag är nu. Jag har fått lida mycket, men jag är nöjd.
Jag vill lefva, om det är Guds vilja, annars får jag gå
hem till honom, som lidit och dött för mina synder.
Jag önskar att vara ett lefvande Guds barn och att
I alla blifven beståndande, ty jag ser huru hemskt
det blefve, om någon blefve en affälling. Det är skönt
att vara Guds barn, och jag önskar vara bland dem,
när jag en gång får komma hem till det eviga faders-
huset, dit jag får flytta innan många dagar, det är
jag säker på." Vid de sista orden pekade han uppåt
och talade frimodigt och kraftigt. Så kämpade han
och bidade han, så ock hoppades och bidade vi till lör-
dagseftermiddagen, då han blef svagare och svagare.
Flytta ville han, nya och rena kläder önskade han.
Vi hoppades ännu sent på kvällen, att sjukdomen möj-
ligen skulle kunna häfvas, ty morgonen hade ingifvit
oss hopp. Vid tio-tiden lämnade jag på vännernas råd
sjukrummet för att gå hem och hvila. Icke trodde jag
då att slutet var så nära. Några minuter före klockan
elfva på lördagskvällen flyttade hans ande från jäm-

merdalen till ljusa fröjdesalen. Fem minuter innan
han dog tillfrågades han: "Skall du nu gå hem?" Han
svarade: "Ja". "Kan du äfven nu lita på Frälsaren
Jesus?" Han svarade ja. Orden: "Se Guds Lamm"
mottog han med bifall. Kamrater ropade i hans öron:
"Jesu Kristi, Guds Sons, blod. Så älskade Gud värl-
den...." Så somnade vår vän fridfullt och stilla.

Sv. Gjertsén föddes i Kristianstads län i Sverige den
22 oktober 1853, tog skollärareexamen 1879, tjänst-
gjorde till sommaren 1891. På hösten samma år reste
han hit till Amerika och vistades i Minneapolis till
på våren 1892, var sedan skollärare i Gustaf Adolfs-
församlingen i St. Paul, betjänade en tid med Guds
ords predikan vår församling i Brainerd, Minn. Kom
förliden höst hit till läroverket och begynte minimi-
kurs-studier för inträde i det heliga predikoämbetet.

Gjertsén uppfostrades af en troende moder, hade
därför ända från barndomen djupa intryck af Guds ord
och hade däraf stor välsignelse under sin ungdomstid.
År 1882 räknade vår broder såsom sitt andliga födelse-
år. Så lyda hans egna ord. Från barndomen hade
han lust att blifva Guds ords förkunnare. Såsom vall-
gosse predikade han för sina får. Vi kände honom här
såsom den allvarlige, alltid glade brodern och vännen.
Hans arbete i Herren har visserligen icke varit få-
fängt. Han efterlämnar maka och två barn i Minne-
sota. Låtom oss bedja om tröst för dem, af honom
som kan hugsvala alla sörjande i Sion. Gjertsén var
vid sitt frånfälle 40 år, 4 månader och 18 dagar.

"I pilgrimens kläder
så vill jag då gå,
om Gud det tillstäder,
hans Sion att nå.

Där först är jag färdig,
Här växlar jag skrud,
tills en gång jag värdig
får flytta till Gud."

Vid stud. C. O. Johnssons begrafning.

"Min tid är borta och ifrån mig tagen såsom en herdes hydda, och jag skär mitt lif tvärt af såsom en väfvare, han sliter mig sönder såsom en klen tråd; du lyktar dagen för mig förrän aftonen kommer." Es. 38: 12.

"Jag hafver kämpat en god kamp, jag hafver fullbordat loppet, jag hafver hållit tron. Härefter är mig förvarad rättfärdighetens krona, hvilken Herren mig gifva skall på den dagen, den rättfärdige domaren, men icke mig allenast, utan ock alla dem, hvilka älska hans uppenbarelse." 2 Tim. 4: 7, 8.

vilken skillnad mellan dessa båda skriftord! Det första en djupt vemodig och dyster, nästan hopplös klagosång vid dödens annalkande, det andra en outsägligt skön triumf- och segersång, full af det härligaste hopp under afbidan af döden i dess bittraste gestalt. Det första bibelordet ljuder för oss såsom bekännelsen af en man, som vid åsynen af en oundviklig, förtidig död utbrister i veklagan öfver ett förfeladt och ofullbordadt lif. Det andra ordet är den sköna bekännelsen af en man, som jublar öfver utkämpad strid, öfver vunnen seger, öfver fullbordad lifsgärning och vissheten om fullkomlig segerlön. Att endast en sann kristen kan sjunga den segersång i döden, som vi igenkänna vara först uppstämd af en stor Herrens tjänare, det känna vi alla. Ingen af oss är, som icke önskar sig den stora nåden af Gud att kunna få jubla så i dödsstunden. Men den första, dystra dödsklangen som vi hörde, kunde den komma från ett troende, gudälskande hjärta? Vi erinra oss nog, hurusom den fromme, för Herren allvarligt nitälskande konungen Hiskia midt i loppet af ett verksamt lif helt plötsligt vardt dödssjuk och fick budskapet: "Så säger Herren: Beställ om ditt hus, ty du måste dö och icke vid lif blifva." Vi minnas ock, huru han då utbrast i den dystra klagan, som vi nyss läst. Huru kännes det, när en ung man, som allvarligt under flera år med träget arbete natt och dag förberedt sig för en mångårig verksamhet i Herrens tjänst, huru kännes det, undra vi, när han nära målet för sin lifskallelses rätta början helt plötsligt får höra rösten: "Så säger Herren: Beställ om ditt hus, ty du måste dö"? Månne icke då en djup klagan uppstiger äfven ur ett troende, gudälskande hjärta. Vi bruka säga: "Han, hon rycktes eller lades i en förtidig graf." När vi begagna orden ryckas i en förtidig graf, vilja vi därmed säga, att den död, som vi anse naturlig, begår ett onaturligt, grymt våld. Men det stod ju: "Så säger Herren", d. v. s., så gör Herren, så underligt handlar Herren, att han skär ett lif, af hvilket vi väntat den största tjänst, tvärt af; så gör ofta Herren, att han sliter sönder en ung, stark människa såsom en klen tråd, så gör mången gång Herren, att han lyktar lefnadsdagen förrän aftonen kommer. När ett sådant bud kommer från Herren genom en långsamt tärande eller en plötslig sjukdom, månne det icke framkallar i en människas hjärta den mest våldsamma kamp och strid

mot en sådan förtidig död? Visserligen. Hafva vi
någon gång varit vittne till ungdomens strid mot dö-
den, så veta vi, att de första bibelorden vi läste och
den allmänna mänskliga erfarenheten fullt öfverens-
stämde med hvarandra. Ej vidlyftigt behöfva vi för-
söka bevisa denna sanning, som vi alla i synnerhet i
dag så djupt och innerligt måste känna och fatta.
Det viktigaste för oss vid ett tillfälle sådant som
detta är att undersöka, huruvida den vemodiga klago-
sången i det första bibelordet kan för samma person
förvandlas till den härliga seger- och glädjesång, som
vi läsa i det andra bibelordet. Med andra ord: kunna
båda bibelorden vara fullkomligt sanna i ett och sam-
ma hjärta såsom dödsbekännelse från en och samma
mun? Eller: kunna vi i dag öfver det stoft, som lig-
ger framför oss, med full sanning läsa, höra och tro
båda dessa Herrens ord? O, I älskade sörjande, och
du deltagande församling, det är kristendomens stora
härlighet att den förmår förvandla den djupaste och
sannaste klagosång till det härligaste halleluja, den
vemodigaste sorgedag till den gladaste jubeldag. "Du
död, hvar är din udd, du dödsrike, hvar är din seger?
Gud vare tack, som oss segern gifvit hafver genom
vår Herre Jesus Kristus."
Ett människolif, som slutar i Jesu gemenskap, är
icke förfeladt, är en outsäglig vinst och seger, äfven
då det slutar tidigt; en dag i fridsförstens tjänst belö-
nas med en härlig segerlön, med rättfärdighetens kro-
na, är ett fullbordande af loppet, äfven om dagen skul-
le sluta förrän aftonen kommer. "En dag för Herren
är såsom tusen år och tusen år såsom en dag", några
år äro ock för Herren såsom en hel lifstid, och den
längsta människoålder för Herren såsom några år

eller några dagar. Allt beror på gemenskapen med Kristus. "Kristus är mitt lif och döden är min vinning", närhelst döden efter Herrens vilja och skickelse kommer.

Sörjande och deltagande vänner, tillämpningen af allt detta är vid detta tillfälle för oss alla tydlig och påtaglig. Vår unge vän, hvars jordiska stofthydda vi stå färdiga att nedmylla på en förhoppning, hade efter vår beräkning en kort arbetsdag. Dagen lyktades långt innan aftonen kom. Det mesta af dagen måste användas till beredelse för det egentliga arbetet.

Teol. stud. Carl Oscar Johnsson tog sin studentexamen vid Augustana College sommaren 1891. Sedan verkade han i våra församlingar i Marquette, Mich., Pittsburg, Pa., och Tacoma, Wash., tills han hösten 1893 inträdde i det teologiska seminariet. Förliden sommar skulle han på uppdrag åtaga sig vården af en församling på en högst viktig plats i Michigan, då han helt plötsligt af läkare beordrades att undergå en operation för ett lidande, som en tid hårdt tryckt honom. Operationen lyckades, men sjukdomen var ej häfd. Den 31:e sistlidne oktober begaf han sig med hopp om vederfående till Las Animas, Colo. Andra dagen efter hans ankomst dit förvärrades det oläkta såret. Den 5 december sjuknade han till döds. Två veckor före hans död blef det för honom klart, att allt hopp om lif och hälsa var ute. Från den dagen väntade han med ifver och glädje sin förlossning och räknade timmarna i bidan på hembud.

Måndagen den 31 december, det gamla årets sista dag, blef han ytterst klen, och man väntade slutet. Han längtade innerligt att få åtnjuta Herrens heliga nattvard före hemfärden. Nyårsdagen kom pastor Julius Lincoln från Lindsborg på besök och meddelade vår hemgångne vän Herrens heliga nattvard. Han var sedan öfvermåttan lycklig, glad och fridfull. Till sin broder Andrew, som vakade hos honom, ställde han frågan: "Tänker du följa med till Andover?" Vid det jakande svaret sade han: "Då får jag vara hemma både i himmelen och på jorden." Han hälsade till alla de sina vid namn och till alla vänner. "Hälsa Eddy först och sist, hälsa alla, att jag väntar att träffa dem i himmelen." Mest sysselsatte han sig med att upprepa bibelspråk, såsom: "Jesu Kristi, Guds Sons blod renar oss af alla synder", "Så älskade Gud världen" m. fl. Det sista man hörde honom yttra var orden: "Jag syndare, Jesus Frälsare". Klockan 1 på nyårsdagen fick han hemlof.

Om hans verksamhet i församlingen i Tacoma på västkusten hörde jag med egna öron förliden sommar de skönaste vittnesbörd. Hans minne lefver där i käraste åminnelse. Ej där allenast är vår afsomnade vän i kär hågkomst. Alla, som kände honom, funno i honom den ärlige, rättframme, bestämde och trofaste unge man, som skulle komma att helt och allvarligt sköta den kallelse i lifvet han valde.

C. O. Johnsson var född här i föräldrahemmet i Andover. Han efterlämnar sörjande fader och moder, tre bröder och två systrar samt en stor skara kamrater och vänner, hvilka alla djupt sakna honom.

Från Augustana College och teologiska seminarium framför jag härmed allas vår innerligaste hälsning och deltagande. Vår aflidne vän var vid sitt frånfälle tjugusex år, tio månader och sjutton dagar gammal.

Vid pastor A. P. Lindströms begrafning.

(Utkast.)

i fira i dag begrafning. En älskad fader, pastor och broder har helt oförmodadt blifvit ryckt ur det kära hemmet, ur församlingen och ur brödrakretsen.

Det är fastlagstid. Vi äro en passionsförsamling, på väg till Kristi, vår Frälsares graf. Vi erinra oss en begrafning i den första fastlagstiden, begrafningen i Betanien. Vi flytta till det kära stället med vår begrafning, vi vilja begrafva vår käre broder Lindström i Betanien bredvid Lasarus eller fastmer, vi vilja begrafva honom i örtagården bredvid Jesus själf.

Ack, vi behöfva icke tåga åstad till Betanien och till örtagården. Betanien är här, örtagården är här, ty Jesus är här midt ibland oss.

Så läsa vi då upp i vårt hjärta evangeliet om begrafningen i Betanien och begrafningen i örtagården. Låtom oss då höra och se ur evangeliet:

Våra ord och våra sorgebetygelser vid vår broders

bår och Jesu ord och sorgebetygelser vid vår broders graf.

Låtom oss behålla den sanningen innerligt i vårt hjärta, att de kristnas begrafning är ett evangelium lika visst som Lasari och Herren Jesu begrafning äro ett evangelium, ett ljufligt och gladt budskap.

Det första ord vi höra i Betanien är en bön: "Herre, se, den du kär hafver ligger sjuk", och den första sorgebetygelsen består i att sända bud till Jesus.

Vårt första ord i dag är: Herre, se, den du hafver kär ligger död, Herre, se, den vi hafva kär ligger död.

Jesu första ord till Betanien är: "Lasarus, vår vän, sofver, men jag går att uppväcka honom af sömnen." Till oss: Lindström, vår vän, sofver, men jag går att uppväcka honom af sömnen.

De närmast sörjande utropa i djupaste smärta: "Låt ock oss gå, att vi må dö med honom."

Vänner, jag har erfarit dessa känslor. Just så känner man det vid sådana tillfällen.

Herrens Jesu första sorgebetygelse vid sorgebudskapet från Betanien var att dröja, dröja tills allt efter människoberäkning var för sent. Hans sorgebetygelse till oss är att dröja en tid, som synes oss så lång, så lång, men en tid, som han kallar *en liten tid*.

Herren betygade dock sin sorg med att komma till sorgehuset och grafven. Till oss betygar han sin sorg med att ropa: "Se, jag kommer snart!"

Vid pastor Joel Haffs begrafning.

"Och då öfverherden varder uppenbar, skolen I undfå härlighetens ovanskliga krona." 1 Petr. 5: 4.

i äro samlade kring en älskad församlingsherdes bår. Djup och uppriktig är allas vår sorg och saknad, rik är vår tröst, fast är vårt hopp. För ögonen se vi stofthyddan, skuggan af vår vän som flyttat, ruinen efter den store förstöraren döden. Vi fira begrafning, men såsom en kristen församling, vi äro en skara sörjande, "som icke ser efter de ting som synas, utan efter dem som icke synas, ty de ting som synas äro timliga, men de som icke synas äro eviga." De ting som här synas äro idel förgängelse, men de ting, som här äro uppenbara för tron, hoppet och kärleken, äro eviga och oförgängliga. Den vi här allra först i tron se är öfverherden, Jesus, Frälsaren, han som är "uppståndelsen och lifvet". Han är uppenbar för oss i tron nu, vi se honom utdela härlighetens ovanskliga krona åt den trogne herde, hvars stoft ligger framför oss. Höljdt är detta stoft af de blommor och förgängliga kronor, dem kärleksfulla händer strött öfver den älskade pastorns,

broderns och vännens bår. Inför Gud äro alla hans
barn lika i döden, alla fattiga syndare, som undfå här-
lighetens ovanskliga krona af oförskylld nåd; alla lika
däruti, att de kommit ur den stora bedröfvelsen, tva-
git sina kläder och gjort dem hvita i Lammets blod.
Afskedet från jordelifvet är i det yttre mycket olika.
När den fattige Lasarus dog, samlades ingen stor för-
samling i djup sorg och saknad, ströddes inga blom-
sterkronor, höllos inga minnestal. Men änglaskaror-
na voro där och förde den förlossade anden till Abra-
hans sköte, härligheten. Till vår vän kommo ock äng-
laskarorna, med honom förrättade de samma tjänst,
därom äro vi för Jesu skull vissa. Nu äro *vi* samlade
för att ledsaga stoftet på den sista färden. Först vill
dock nu församlingen i närvaro af öfriga tillstädes-
komna vänner utdela åt den älskade herden, läraren
och vännen sina kronor. Vi betrakta då våra kronor
— hur sköna de äro, men hur snart de vissna, hur
vansklig all deras härlighet! Vissnar ock vår kärlek,
vår hågkomst lika snart, är vår tacksamhet lika vansk-
lig? Nej, nej, ropar hvarje troget hjärta i denna stora
församling, kärleksbandet emellan en trogen herde och
en trogen församling är evigt, emedan Jesu Kristi
kärlek är evig. Alla, som äro förbundna i Kristo,
mötas åter för att aldrig skiljas. Men med all vår
kärlek kunna vi icke gifva åt våra mest älskade vän-
ner härlighetens ovanskliga krona. Denna krona är
i de Guds ord vi läste utlofvad särskildt åt trogna för-
samlingsherdar, men icke åt dem blott, utan åt alla,
som älska Jesu Kristi, öfverherdens, uppenbarelse.

Detta är vårt stora jubelämne midt i den djupa sor-
gen och saknaden. Aposteln Petrus har i de verser,
som föregå vårt minnesord, gifvit en den skönaste och

sannaste lefnadsteckning öfver en trogen pastor. Det är allas vår stora glädje i dag, att denna apostoliska teckning af en pastors lif så väl passar broder Haff, att vi kunna se honom såsom en präst i denna prydnad. Aposteln säger om sig själf, att han är en af de äldste, en af pastorerna och "vittne till Kristi lidanden", och som ock har del i den härlighet, som skall uppenbaras. "Vittne till Kristi lidanden", visst var Petrus det i särskild mening, men visst lärer han ock, att "Kristus själf bar våra, allas våra synder upp på trät", och att vi blifvit återlösta med Kristi blod. Visst lärer aposteln, att det är hvarje pastors högsta ämbete och kallelse att vittna om Kristi lidande till syndares frälsning. Huru eder älskade pastor vittnade inför eder om den korsfäste, minnens I alla, huru han i sina lidanden vittnade om kraften af Lammets blod, är bekant för hela hans vänkrets. Det är oss ock bekant, huru han drefs af en oemotståndlig längtan att personligen uppsöka det land och den plats, där Jesu blod flöt, där Guds Lamm bar världens synd. Härom säger vår vän själf i sina reseminnen: "Jag ville se aftonskuggan, som gjorde dalen så mörk för herdekonungen, böja mig ned under oljoträden i Getsemane och där plocka en blomma, vattnad af blodsvett, att lägga mellan bibelns blad. Jag ville se, hvarest solen bröt fram, sedan vännerna kommit till grafven i gryningen på den första sabbaten, för att sedan pressa anderöster och blommor och strålar mellan bibelns blad, förklaringar och illustrationer för mig och mina vänner". Huru gripande dessa ord äro för oss nu. Huru vår vän under sin resa vittnade om Kristi lidanden och evangelium, minnas vi ock. "Jag tackar Gud, att jag fick tillfälle att säga dem några sanningsord", utropar han. "O, man må sjunga det, tala det eller hviska det, så finnes dock intet så skönt, så mäktigt, så himmelskt som evangelium", vittnar han vidare. "Som ock har del i den härlighet, som skall uppenbaras", säger Petrus. En rätt pastor har sålunda ett himmelskt sinne. Om och om igen framträder denna himmelska hemlängtan i vår broders skrifvelser, det var såsom kände han alltid, att han icke hade långt hem. När han nämner Rom, säger han: "Som goda protestanter skola vi, hoppas jag, komma hem igen, äfven om det skulle ske något fortare än vanligt." På tal om "Home, Sweet Home", säger han: "Månne ej, att tidens afton begynner skymma, och att barnen böra påskynda sina steg hem till det rätta fadershuset."

"Vården Guds hjord, som är hos eder, och hafven akt på honom, icke af tvång, utan själfmant." Du, älskade församling, kan bära vittnesbörd, att din herde hade detta själfmanande sinne, att det icke var det torra pliktbudet som dref honom, utan "Kristi kärlek tvang honom så." När nitet har en lefvande rot i ett hjärta som älskar Frälsaren, det är då vi se en lifs lefvande själasörjare, det är då herdetroheten förmår att öfvervinna kroppssvaghetens och kroppssmärtans hinder. "Icke för slem vinning, utan beredvilligt." Äfven den sköna grafskriften ären I beredvilliga att sätta på eder herdes minnesvård. Denna ädla glömska af egens jordisk fördel, detta ömma sinne för andras timliga och eviga väl, denna självuppoffring hafven I funnit hos eder pastor.

"Icke såsom herrar öfver församlingen, utan såsom föredöme för hjorden." Hvad makt var det, som vann för vår broder en så obegränsad tillgifvenhet och villighet att följa honom såsom herde? Var det hans yttre

maktspråk och ett kommenderande sätt att uppträda
i församlingen? Nej, nej, ropen I, smäda ej vår dyre
lärares minne, det var en annan makt, det var makten
af en god herde, som föregår sin hjord i Jesu efter-
följd och tjänst. O, hvilken makt det ligger hos den,
som lefver och vandrar *nära Jesus*, den gode Herden!
Du stora ungdomskara i denna församling, du har
känt och känner nu ännu mer denna makt, du minnes
nu många ord, som voro och äro så mäktiga, emedan
de åtföljdes af det goda exemplets kraft. I minnens,
I unge, hvad han, eder trogne vän och herde, skref:
"Huru vacklande stå icke många bland vår tids ung-
dom, och likväl, huru mottagligt är icke sinnet i yngre
år!" Minnens I hans samtal med den skottska gum-
man på hafvet? Minnens I frågan om uppbyggelse-
böcker och romaner? Minnens I orden: "Gumman ha-
de rätt"? Månne de orden gällde ungdomen i Rock-
ford? Minnens I hans ord om vördnaden för det he-
liga? "Utan vördnad för det heliga och bestående kan
ett folk icke länge finnas till och ej för ett ögonblick
vara lyckligt." Tagen de minnesorden med eder på
vägen från kyrkan och grafven i dag.

Hören till sist vår väns underbara dödsprofetia. Så
skrifver han: "Under dessa stunder (afskedsstunderna
från det kära hemmet i Minnesota) före afresan till
österlandet lärde jag att förstå en sak, som ofta med
orätt lägges en kristen till last. Han hörer med glädje
om den rolighet, som står Guds folk tillbaka, han be-
känner sig vara en pilgrim, som söker ett bättre fäder-
nesland, han sjunger:

> Såsom hjorten träget längtar
> efter friska källans flod,
> alltså ock mitt hjärta trängtar

till min Gud, som är så god.
Själen törstar innerlig,
Herre, Herre, efter dig;
när skall det dig dock behaga
mig in i din glädje taga?

Och hjärtat röres och fuktade ögon visa, att anden
lik en fångad örn skakar sina vingar som till flykt.
Kommer så en stund, när evighetsbudet tyckes dröja
liksom obeslutsamt vid hans dörr, men då kanske är
hans glädje icke oblandad, kanhända han t. o. m. gärna
dröjde i den värld, vid hvilken han vant sig; därför
må dock ingen tro, att hans hemlängtan var konstlad,
eller att han icke är färdig att lyda kallelsen, han är
endast ovan att göra sådana resor." Sannare och skö-
nare kan ej en ung kristens död beskrifvas. Just så
var det säkert på vår broders dödsbädd däruppe i pil-
grimshemmet i Minnesota.

Och nu, älskade församling, nu har eder innerliga
kärlek till eder herde blifvit rätt uppenbar vid skils-
mässan, nu har eder ömma tillgifvenhet gjort sitt yt-
tersta för att pryda templet, där eder pastor tjänade
i sin prydnad, och templet, den helige Andes tempel,
som ligger nedbrutet framför oss, den hydda, som snart
skall blifva en boning från himmelen, när "Frälsaren,
Herren Jesus Kristus, skall förvandla vår förnedrings
kropp, så att han varder lik hans härlighets kropp efter
den kraft, hvarmed han förmår att äfven underlägga
sig allt". Då varder öfverherden uppenbar, då varder
ock härlighetens ovanskliga krona uppenbar, den vår
broder af oförskylld nåd undfått. Må då ock en stor
församling från Rockford varda uppenbar med honom.

Vid Mamie Telleens begrafning.

erren är min herde, mig skall intet fattas. Han låter mig hvila på gröna ängar, han förer mig till lugna vatten."

Vi känna alla igen denna ljufva, oförlikneliga barnasång. Den ljuder i vårt minne och i vårt hjärta vid detta tillfälle, ty den var en älsklingssång för det kära barn, hvars stoft nu ligger framför oss. O, huru underbart, att detta urgamla Guds ord så djupt och innerligt tilltalar ett barnahjärta! Vår lilla Mamie läste denna Davids psalm jämte den 121:a ofta, säkert ock på morgonen af sin hemförlofningsdag, och hon betygade för sin moder, att hon älskade i all synnerhet dessa psalmer. Hon fann däri sitt hjärtas tro och sitt hopp, sin tröst och sin ro. Det kära, älskliga barnet lefde ett djupt och innerligt tros- och bönelif i Jesu gemenskap, men var på samma gång ett gladt och helt naturligt barn. Det ljufva evangelium om Herren Jesus såsom den gode Herden, som samlar lammen i sin famn, uppfyllde denna barnasjäl med en frid och en trosvisshet, som endast finnes hos de största i himmelriket, hos barnen. Hon hette Maria, vår lilla väninna, och hon var en Maria redan i sina barnaår,

hon gömde Jesu, den gode Herdens ord i sitt hjärta,
hon satt vid Jesu fötter. Hon trodde, såsom hon så
ofta sjöng: "Trygg i min Jesu armar", "Mig skall in-
tet fattas." Då hon så särskildt älskade denna psalm
och dessa ord, så var det säkert genom Guds Andes
tillskyndelse hon kände i sitt hjärta, att orden: "Han
låter mig hvila på gröna ängar, han förer mig till
lugna vatten", hafva en härlig evighetsbetydelse. Vi
minnas de underbara orden ur synen om den oräkne-
liga skaran af de frälsta, i Uppb. 7 :e kap. Det heter
där: "Ty Lammet, som är midt för tronen, skall vårda
dem och leda dem till lefvande vattenkällor, och Gud
skall aftorka alla tårar af deras ögon."
"Och om jag än vandrade i en mörk dal, fruktar
jag intet ondt, ty du är när mig", heter det vidare i
den underbara barnsången. Någon dag före Mamies
hemfärd talade hon och hennes lilla syster Ruth om
döden, och de frågade hvarandra om de vore rädda för
döden. Ingen af dem var rädd för förskräckelsens ko-
nung, och Mamie bedyrade i synnerhet, att hon ej var
rädd, hon såg ingen förskräckelsens konung, hon såg
bara Jesus, barnens vän, den gode Herden. Därför
ville hon blifva den första i familjen att möta döden,
och hon fick blifva den första att vandra genom den
mörka dalen. Det tog henne blott några ögonblick att
gå genom denna dal, och så var hon hemma i Herrens
hus, där hon får bo evinnerligen. De mellersta ver-
serna af den 23:e psalmen voro helt korta för vår
vän Mamie, de första och den sista versen äro eviga
för henne. Huru lång är den 23:e psalmen för oss?
Somliga af oss sjunga länge på de mellersta verserna.
Skola vi beklaga det kära barnet och de kära barnen,
som få sjunga blott de första verserna och den sista

i denna psalm? Att få tillbringa några barnaår på
jorden i en lycklig familj, hos kära föräldrar i ett älsk-
ligt hem och att sedan få flytta direkt hem till det
eviga fadershemmet, är icke det den största lycka och
nåd, som kan vederfaras ett människobarn?

Mamie hette ock Angelica: hennes lott på jorden var
och hennes lott är ännu mera nu vorden ett Angelica-
arf. Men det är sant, hon hade ju lidit af en svår sjuk-
dom, som tyst och i all hemlighet förorsakade det
hjärtlidande, hvilket helt plötsligt och stilla ändade
hennes vistelse i det jordiska hemmet. Hennes moder
frågade henne, om hon hade bedit Herren, att han
skulle göra henne frisk, hvarpå hon svarade med full-
viss barnatro: "Det har jag gjort, och han har hört
mig." Ja, lilla Angelica, han hörde dig och uttydde
ditt namn, det du fick i det heliga dopet och det du
bär nu i fullkomlig härlighet, där du ser honom, din
gode Herde, såsom han är, där du sitter för evigt trygg
i din Jesu armar.

O, mina vänner, är det icke saligt för oss alla att på
detta sätt få en inblick uti det stora ämnet om att
undfå Guds rike såsom ett barn!

Men hvad skola vi säga till de kära sörjande, föräld-
rarna och syskonen? Skola vi bedja dem sjunga den
samma sköna barnsången: "Herren är min herde, mig
skall intet fattas" och "Jag lyfter mina ögon upp till
bergen, hvarifrån min hjälp kommer."

Anden är villig att låta Herden samla lammen i sin
famn. Men köttet är svagt, vår mänskliga känsla är
svag, vi kunna ej annat, vi sörja, vi sakna, vi gråta.
Herren vet det, han som fällde tårarna vid Lasari
graf, han har ej glömt hvad döden och skilsmässan är
för oss här, men han vet ock hvad det är för hans

vänner härnere att hafva någon eller några af de närmaste där hemma hos honom. En familjs största rikedom på jorden är snälla och välartade barn, men den allra dyrbaraste skatt är *frälsta barn* hos Jesus där hemma.

Eva Maria Angelica Telleen, dotter till pastor J. Telleen och hans kära maka, föddes i San Francisco, California, den 5 september 1884 och dog i hemmet i Rock Island den 23 dennes i en ålder af 12 år, 4 månader och 18 dagar.

Hennes hemfärd kom plötsligt och oförmodadt, hon somnade helt ljuft och lätt i sin moders famn efter en stunds illamående. Hjärtsjukdom var den dödsängel, hvilken kom med hembudet så ögonblickligt, som den dödsängeln det brukar.

Mamie var icke blott ett snällt och i sann mening fromt barn, hon var ock utrustad med rika lärogåfvor. Vi undra ej på, att hon är djupt sörjd och saknad af föräldrarna, tre bröder och två systrar, öfriga släktingar och en hel skara äldre och yngre, ja, små vänner vid Augustana College, i hvardagsskolan, i söndagsskolan och i familjevänkretsen här och annorstädes.

"Frid vare eder", tillropar den gode Herden oss alla vid denna begrafning. Vi förnimma ock denna frid.

Vid stud. A. G. Andersons
begrafning.

enne lärjungen dör icke." Vi återfinna dessa
ord i en af denna söndags högmässotexter.
Herren Jesus hade nyss hållit slutexamen i
sitt teologiska seminarium. Lärjungarna sto-
do färdiga att utgå i den verksamhet i Guds rike, hvar-
till de voro kallade. Den stora, den största seminarie-
och pastoralfrågan hade blifvit framställd till Petrus.
"Älskar du mig?" var den afgörande frågan och sa-
ken. Tre gånger upprepades samma fråga. Tre gång-
er besvarades den.

På svaret följde den stora och sköna kallelsen: "Föd
mina lamm, föd mina får." Men det gällde icke blott
att prisa Gud med verksamhet och med vandel i Jesu
efterföljd, utan ock med en död, ja, en bitter martyr-
död, allt efter som Herren utsåg och bestämde för hvar
och en lärjunge. Hufvudsaken var "följ mig", hvil-
ken väg än Herren måtte behaga att gå med hvarje
lärjunge. För Petrus förutsades en svår martyrdöd.
Då följde där bredvid den lärjunge, som har den
sköna och korta lefnadsteckningen, "den lärjungen,

som Jesus älskade, hvilken ock i nattvarden låg intill
hans bröst". Petrus ville gärna veta, hvilken väg hans
vän och klasskamrat Johannes skulle komma att gå
genom lifvet och döden. Petrus frågar därför Jesus
om Johannes: "Herre, hvad skall då denne?" Sade Je-
sus till honom: "Om jag ville, att han skulle blifva,
till dess jag kommer, hvad kommer det dig vid? Följ
du mig." "Då", heter det i vår text, "gick ett tal ut
ibland bröderna: Denne lärjungen dör icke."
Vår skola är en kristlig läroanstalt. Vi äro därför
Jesu lärjungar. Allra synnerligast äro medlemmarna
af vårt seminarium kallade att vara Jesu lärjungar
och att utgå i Guds rikes tjänst för att föda Jesu lamm
och får. Oss gäller särskildt den stora pastoralfrågan.
Bland oss rör sig samma undran som bland de första
lärjungarna om vårt lifs verksamhet, hurudan och
huru lång den månde blifva, samt hvad slut Herren
har utsett för oss. Det tal, som utgått bland bröderna,
bland oss vid detta tillfälle, är säkert detta: Denne
lärjunge, denne vår broder, dog för snart. Han stod
ju ganska nära afslutningen af sina studier här vid
skolan, han var ju snart färdig att utgå i full verksam-
het såsom pastor, han hade med den yttersta flit och
samvetsgrannhet förberedt sig för sitt lifskall, alla
som kände honom gjorde sig stora, välgrundade för-
hoppningar om vår broder Andersons framtida välsig-
nelserika tjänst i Kristi kyrka på jorden, och nu lät
Herren helt plötsligt och oförmodadt kalla honom hem,
långt innan aftonen kom, efter vårt sätt att räkna dag
och afton. "Herre, hvad skall då denne?" fråga vi.
Hvarför fick icke denne vår älskade broder fortsätta
sin arbetsdag tills aftonen kom? Herren svarar oss:
"Om jag ville, att han skulle sluta arbetet och fara

hem till hvilan före middagen, om jag tyckte, att han hade gjort ett troget arbete redan på morgonen, hvad kommer det eder vid? Följen I mig." Vid denna Herrens handling och vid detta Herrens svar gifver han nåd, att ett nytt tal må utgå bland oss bröder: "Denna lärjungen dör icke", denna lärjungen är icke död, han lefver där hemma i härligheten hos Herren, dit vi ock vänta att blifva hämtade, när Herrens tid kommer för oss, han lefver ock bland oss i kär och aktad åminnelse, han lefver i välsignelse i alla de församlingar, där han såsom lärjunge verkat i sin Herres tjänst.

Teologie studeranden Anders Gustaf Anderson föddes i torpet Rönäs i Ulrika församling i Östergötland, Sverige, den 26 april 1866 och dog i St. Anthony Hospital här i Rock Island den 29 april 1897. Han var sålunda vid sitt frånfälle 31 år och 3 dagar gammal. Från barndomen åtnjöt han en kristlig uppfostran i ett kristligt hem, synnerligen genom sin på Jesus troende moder. Djupa intryck af Guds ord hade han ända från späda åren. Särskildt hade han från sin konfirmationstid många ljufva minnen. Vid 16 års ålder måste han lämna hemmet för att på egen hand förtjäna sitt uppehälle. I ogudaktiga kamraters sällskap kom han på den förlorade sonens väg bort från sin Frälsare, men hans samvete sof aldrig helt och hållet i synden. År 1886 for han till Amerika. Han stannade först i Pennsylvania, sedan kom han till Whitehall, Mich. Här skyndade han, lös från alla gamla vänner, på Herrens kallelse hem till fadershuset, undfick nåd och barnaskap hos Gud och har sedan dess vandrat troget i sin Frälsares gemenskap till sin död. Från Whitehall flyttade han till Muskegon, Mich., därifrån han på pastorers och vänners enträgna råd kom till Augustana College vårterminen 1891. Här har han sedan vistats utom på mellanterminerna, då han verkat i åtskilliga af våra församlingar såsom skollärare och predikobiträde. Från och med sommaren 1893 till hösten 1894 verkade han i Brantford, Pa., och sommaren 1895 i Whitehall, Mich. Om denna hans verksamhet säger pastorn på stället i kyrkorådets namn: "Vi känna det såsom vår stora glädje att på det varmaste rekommendera stud. Anderson såsom en allvarlig och uppriktig kristen, rikt begåfvad såsom skollärare och predikant." Hösten 1895 inträdde han i teologiska seminariet. Våren och sommaren 1896 var han anställd af synodens missionskommitté på missionsfältet i Montana, särskildt rekommenderad därtill för det stora förtroende vederbörande hyste till honom.

Här vid skolan var han alltid ett mönster af kristligt allvar, ödmjukhet, flit, ordning, redbarhet och samvetsgrannhet i allt. Att vid hans ålder taga så goda betyg i de olika studieämnena i klasserna, som han gjorde, hörer till det ovanliga. Skulle vi såsom lärare skrifva en kort minnesruna öfver teol. stud. Anderson, så blefve det denna: "Måtte Herren gifva oss sådana prästkandidater."

Angående hans sjukdom må kort sägas, att den började för några veckor sedan med reumatism i ena benet, och på måndagen före hans död vände det sig helt plötsligt till lunginflammation. Han åtnjöt den ömmaste vård af familjen Bersell, där han bodde, och af kamrater jämte skicklig läkare. På denne läkares råd flyttade vi honom på onsdagen till St. Anthony Hospital, som ligger blott några stenkast från skolan. Där tillsågs han af en annan allmänt erkänd, skicklig läkare jämte sköterskor. På torsdagsförmiddagen den 29:e kände han sig särdeles kry och glad, då hans närmaste vän och kamrat vid skolan lämnade honom vid 11-tiden på dagen. Mot kl. 12 samma dag vände sig sjukdomen helt plötsligt. Sköterskor och läkare stodo vid hans dödsbädd, men människokonst kunde intet göra. Femton minuter efter tolf var han hemma. Intet märkligare kunna vi berätta från hans dödsbädd än detta, att han, så tro vi för visso, var färdig att följa, när Herren kallade. "Han stod upp och gick hem", helt enkelt och stilla. Mitt sista minne af honom är ett ljuft samtal och en liten bönestund vid sjukbädden.

Han sörjes och saknas af föräldrar, broder och syster i Sverige, en farbroder i Michigan, sin trolofvade, lärare och kamrater här vid skolan, af Zions-församlingen här i Rock Island, som han tillhörde, samt af vänner i flera församlingar i synoden.

Vid pastor A. Rodells begrafning.

cke af gärningar — af nåden, Guds gåfva är
det."

Vi som i *Augustana* läst vår aflidne väns
afskedshälsning till hela vårt samfund, vi
som hafva haft tillfälle att besöka vår lidande broder
under sommaren och särskildt den sista tiden af hans
väntan på hembud, vi känna väl igen, huru eftertryck-
ligt han upprepade dessa Guds ord. Han fann i dessa
ord och denna sanning om den oförskyllda nåden hela
sin tröst. Är det icke förunderligt att detta, just det-
ta, den oförskyllda nåden i Kristus, är början, fort-
sättningen och i all synnerhet *slutet* af det kristliga
lifvet. Icke glömmer jag den morgonstund för ej länge
sedan, då vår vän så innerligt och hjärtgripande, un-
der tårar förkunnade från sitt smärteläger denna gam-
la sanning om Jesus och hans nåd. Det var alldeles
lifslefvande det samma, som vi läsa om vår gamle
svenske kyrkofader Nohrborg, där han låg på sitt yt-
tersta och bekände: "Jag ligger som en ogärningsman
uppå klippan Kristus." Och då någon sökte berömma
hans stilla och fromma lefnad utbrast han: "Hvad är

detta för tal! Kom icke och förmörka Jesus för mig. Mina gärningar kastar jag bakom ryggen, men mitt ansikte är allena vändt på Jesus."

Just så var det med vår vän, han ville kasta alla sina goda gärningar, alla sina goda skrifter, predikningar och tal bakom sin rygg, han tyckte att det alltsammans var värdt intet, ja, han påstod, att det borde brännas med alla brister och skröpligheter, som ock borde brännas bort; "icke af gärningar — af nåd, af nåd", det var allt han ville veta af, på Jesus allena var hans ansikte vändt. Här vore nu mycket att tala om vår väns mångåriga, bittra kroppslidanden, här skulle kräfvas en ovanlig vältalighet för att värdigt beskrifva den oerhörda viljekraft, som vår vän besatt, en viljekraft, som vi måste kalla öfvernaturlig, en själfbehärskning, som kunde göra honom mäktig att arbeta så hårdt och så träget midt under så svåra kroppssmärtor.

Här vore mycket att tala om de strider och anfäktningar en själ måste genomgå, när hon är kallad att bo i en sådan martyrkropp, som den var, hvars kvarlefvor ligga framför oss.

Ingen af de friska eller någorlunda friska vet hvad en verkligt sjuk måste genomkämpa, i synnerhet när sjukdomen är långsam och ständigt ihållande. Dessa obeskrifliga *hvarför*, som ropas i den mörka lidandesdalen, äro fördolda för människor, äfven för de närmaste, men uppenbara endast för honom, som ropade sitt djupa, obeskrifliga *hvarför* på korset. När en Kristusbild skall mejslas i ett människohjärta och i ett människolif, så är lidandet, korset ofta verktyget, som den store Frälsningskonstnären begagnar vid sitt arbete.

Huru ser den lefvande Kristusbilden ut, när den är färdig att inflyttas i "den lefvande Gudens stad, det himmelska Jerusalem, och till de otaliga änglar och till högtidsskaran och församlingen af de förstfödde" — — huru ser bilden ut, när den är färdig att flyttas hem, och hvad öfverskrift har den? "Icke af gärningar, icke ens af lidandesgärningar — af nåd, af nåd, Guds gåfva är det."

Mina vänner, vi märka, att det nådesevangelium, som vi bedja, sjunga, läsa och predika vid våra gudstjänster, är sant. Vi märka, att den evangeliska bekännelse, för hvilken vi kämpa, är sann, vi förstå, att när det gäller, när den sista stormen kommer, när förskräckelsens konung nalkas, då finns ej mer än en klippa, d. ä. *Kristus, af nåd*, utan gärningar, då lära vi, hvad det betyder att vara en evangelisk kristen, en lutheran i anda och sanning.

Då lära vi, att det vi ofta sagt vara hufvudläran är hufvudsanningen, nämligen: att en fattig syndare rättfärdiggöres och frälses blott af nåd, för Jesu skull allena.

Nu vilja vi ej försöka att förmörka Jesus omkring vår väns bår genom att måla en gloria af dråpliga gärningar, som vår vän utfört i lifvet.

Vi nämna blott hufvuddragen af en svensk-amerikansk evangelisk-luthersk pastors lif och verksamhet. Pastor Albert Rodell föddes i Grand Island, N. Y., den 9 april 1853. Vi höra då, att han var ett af vår synods äldsta pilgrimsbarn. Mången gång har den gamle fadern förtäljt mig om de första pilgrimsåren i Amerika, likaså den gamla modern, ty det var i det hemmet jag först lärde svensk luthersk kyrkohistoria i Nya världen. Föräldrarna flyttade snart, medan

Albert ännu var blott en tvåårig gosse, till Swedona, Ill., där de voro trogna församlingsmedlemmar och nybyggare, tills de år 1868 blefvo nybyggare i Fremont, Kans. Albert inträdde 1868 vid Augustana College i Paxton och arbetade sig fram med stor ihärdighet och försakelse samt graduerade i seminariet här i Rock Island 1877.

Han prästvigdes vid synodalmötet i Burlington den 24 juni 1877 på kallelse från församlingen i Kansas City, hvars pastor han var i tre år. Därifrån flyttade han till Bethlehems-församlingen i Brooklyn, N. Y., hvars herde han förblef i tolf år. På synodens kallelse flyttade han såsom Augustanas medredaktör hit till Rock Island hösten 1892.

Den 20 augusti 1888 fick han ett slaganfall och har allt sedan lidit, tills Herren befriade honom och tog honom hem till hvilan den 23 dennes kl. 9:30 på aftonen. Han somnade helt stilla, under det prof. Hill högt bad, och var vid sin hemfärd 44 år, 4 månader och 14 dagar gammal.

Den 17 oktober 1878 ingick han i äktenskap med Josefina Kristina Young, som nu jämte dottern Pauline öfverlefver honom. Tvenne barn hafva förut gått hem.

Förutom dessa närmast sörjande rördes en stor krets släktingar och vänner till djup saknad vid underrättelsen om vår broders flyttning hem: de gamla föräldrarna och svärföräldrarna, syskonen, svågrarna och svägerskorna, församlingarna och den närmare vänkretsen här, medarbetare i Book Concern och så många vid Augustana College, som lärt att högt värdera den redbare brodern och trofaste vännen. Hans minne förblifve i välsignad åminnelse hos oss alla!

Hans sista hälsning till oss står outplånligt inristad
i våra hjärtan:

"Icke af gärningar — af nåd — hem, hem." Hans
lilla förord till hans sista bok minnas vi ock. Vi haf-
va den trösten, att vår vän sköttes och vårdades väl
af de sina och af vänner.

Vid stud. Aug. Sundbergs begrafning.

"Du lyktar dagen för mig förr än aftonen kommer."
Es. 38: 12, 13.
"Ja, jag kommer snart: Amen. Ja, kom, Herre Jesus."
Uppb. 22: 20.

orgligt och dystert som döden själf är vårt
första tänkespråk; det efterföljande ordet
återigen är ljufligt och gladt som själfva det
eviga, saliga lifvet.

"Du lyktar dagen för mig förrän aftonen kommer."
Så utropar konung Hiskia i Gamla testamentet. Han
blef midt i sin mannaålders fulla kraft angripen af
en dödlig sjukdom, och Herren lät genom profeten
Esaias hälsa honom: "Du måste dö." Hiskia var en
from och allvarlig Herrens tjänare och hade just be-
gynt att verka Herrens verk bland sitt folk. Att han
nu så hastigt skulle ryckas bort från sin verksamhet
för Guds rike, det bedröfvade honom: han ville icke
dö ännu. Han begynte därför gråta och bedja till
Herren om förlängd nådatid för att kunna hinna göra
mycket mer för Guds sak, innan han lämnade jorde-
lifvet. "Du lyktar dagen för mig förrän aftonen kom-

mer", ropade han till Gud. Jag har ju, menar han,
på långt när icke gjort hvad jag ville, borde och kunde
göra för din sak, o, min Gud; det är ännu många år
kvar för mig af en vanlig mansålders dag, hvarför
kallar du mig ur vingården vid middagstiden, så långt
innan arbetsdagens afton är kommen? Jag har icke
förstört mina kropps- och själskrafter genom synder,
jag har ännu genom din nåd min fulla arbetskraft
kvar, hvarför får jag då icke hålla på, tills kvällen af
mitt lif är kommen, då jag af trötthet behöfver gå till
hvila? Behöfver du, o Herre, nu inga flera arbetare
i den myckna säden, behöfver du icke mer en sådan
konung öfver ditt folk, som vill tjäna dig?

Så samtalade Hiskia med sin Gud i bön under många
tårar. Men hvad är detta, frågar någon af oss i sitt
oförstånd, var Hiskia ett sant Guds barn, hade han ett
himmelskt sinne, då han icke ville dö, när Herren kal-
lade honom. Vi hade ju trott, att hvarje troende Guds
vän skulle vara outsägligt glad åt döden. Döden fö-
rer ju de trogna hem till den eviga härlighetens hem,
huru skulle de då annat än fröjda sig med outsäglig
glädje vid dödens annalkande? Min vän, var icke
orättvis i din dom öfver Hiskia eller öfver andra Her-
rens trogna, hvilka häpna öfver dödens förhärjelser.
Döden är först och främst en *fördärfvare.* Han kal-
las så i skriften. Aposteln kallar döden den yttersta
fienden. Kan man vara glad åt en fiende? När Her-
ren Jesus stod vid Lasari graf, log han då, sjöng han
glädjesånger, sade han: Detta är blott småsaker och
glädjeämnen? Nej, *han grät,* säger evangelisten, ja,
han "blef rörbittrad i sin ande och uppskakades" af
sorg och smärta öfver dödens makt.

Här ligger framför oss den utmärglade, liflösa kroppen af en mycket förhoppningsfull ung man. Enligt allas vårt omdöme var han både hvad sinne och kunskaper angår särskildt utrustad att blifva en trogen arbetare i Herrens vingård. Genom sitt djupsinniga, enkla, flärdfria, ödmjuka och stadgade väsende var han ägnad att blifva en präst i sin prydning, just en sådan, som vi i dessa tider behöfva. Han hade nu nära afslutadt sina teologiska studier och skulle, om han lefvat, blifvit prästvigd nästa sommar. Han har med högsta utmärkelse för ett kristligt sinne och vandel, för flit och kunskaper genomgått skolans *alla* klasser. Men hans högsta ära var hans innerliga ödmjukhet i Kristus Jesus. Och just nu, när vi gladde oss öfver att få skänka vårt samfund en så fullmogen frukt af vår skolverksamhet, just nu kommer döden och krossar vår glädje. Vi äro frestade att blifva trotsiga inför den bistra döden; vi ville fråga: Hvartill tjänar församlingens kärleksuppoffring för skolan, hvad fröjd hafva vi lärare af allt vårt arbete, hvad nytta har en studerande af all sin flit och sina mödor, då den grymma döden får förstöra alltsammans?

Men tyst! — Vi höra en hälsning från härligheten: *"Ja, jag kommer snart"*. Och vi vilja svara under ödmjuk tillbedjan: "Amen, ja kom, Herre Jesus", vi vilja icke hindra dig att hämta de dina hem, när och huru snart du vill. Månne vi skola tro, att vår vän Aug. Sundbergs lif är fåfängt förspilldt på studier? Nej, mina vänner, ingalunda. När studierna skötas i tron såsom en Herrens tjänst, så gäller om det arbetet samma löfte, som gäller om allt arbete i Herrens vingård. "Därför, mina kära bröder, varen fasta, osvikliga och rika uti Herrens verk alltid, efter det I veten, att edert arbete är icke fåfängt i Herren", 1

Kor. 15: 58. Dessutom hade vår aflidne vän arbetat med barnaundervisning och predikan, hvilket allt bär sin frukt i sinom tid.

"Du lyktar dagen för mig förrän aftonen kommer." Vi få icke undra på, om vår aflidne broder tänkte på sin kallelse till arbetet i Herrens jordiska vingård ända tills mot slutet. Då jag besökte honom dagen före hans död, bad han mig läsa bref från den församling i Minnesota, dit han var kallad att blifva pastor. Vi samtalade en stund om denna kallelse, men kommo snart in på frågan om ett helt öfverlåtande af oss själfva åt Herren och hans vilja. Med det stilla saktmod, som utmärkte Sundberg, förklarade han, att han ville låta Herren styra och leda allt efter sin kärleksfulla vilja. Hvarken han eller jag trodde då, att dödsbudet skulle komma så snart. Jag skref samma kväll till vårt kära hospital i Chicago med förfrågan, om Sundberg kunde få blifva vårdad där. Men redan följande dag kom svaret ofvanifrån: *"Ja, jag kommer snart".* Man märkte nämligen på torsdagseftermiddagen, att Herrens ankomst var ganska nära. Vår broder Sundberg var ock färdig att genast svara med gladt hjärta: Amen, ja kom, Herre Jesus. Han hade sin fulla sans ända till sista stund, inga plågor, han *insomnade* i detta ords sköna, bibliska bemärkelse. En *fridfull* död både invärtes och utvärtes. Mina älskade, det var icke döden, som fick säga: Ja, jag kommer snart, utan Jesus, dödens besegrare, *Frälsaren,* sade till vår vän: Ja, jag kommer snart. Huru skulle vi med våra mänskliga ord kunna beskrifva det saliga i en sådan hälsning från Guds Lamm, som borttog våra synder? Här talas om *jag,* Frälsaren, din förtrogne vän.

Och nu, I samtliga kamrater till den afsomnade, och

MINNESTAL

vi alla, som tillhöra vår skolförsamling, hvilken nu är
vorden ganska talrik, till oss talar vår broder, fastän
han är död. Till oss talar han om nödvändigheten af
ett nytt sinne, sann tro och innerlig gemenskap med
Frälsaren, flit och trohet i vår kallelse samt ödmjuk-
het och själfförsakelse i Kristi efterföljd. Hvad hade
det nu gagnat vår aflidne vän, att han genomgått hela
vår skola med heder och utmärkelse, om han icke varit
förtrogen och bekant med Herren Jesus, sin Frälsare?
Hvad hjälpte det oss, om vi förvärfvade all världens
kunskap och toge skada till vår själ? Därför, midt
under det vi träget arbeta i vårt anletes svett så länge
vår lefnadsdag varar, så låtom oss dock med aposteln
Paulus "räkna allt för skada emot den öfversvinneliga
vårs Herres Jesu Kristi kunskap, för hvilkens skull vi
böra räkna allt för skada och hålla det för träck, på
det vi må vinna Kristus och varda funna i honom".
Huru tomt är allt hvad världen har, äfven kunskapen
och bildningen, om vi icke hafva Kristus och hans löfte:
"Hvar jag är, där skolen I ock vara"! Därför, älskade
ynglingar, ljuder till oss vid detta tillfälle det allra
kraftigaste väckelserop från Herren. Till dig, o yng-
ling, du må känna dig än så stark och lefnadsglad,
ropas i dag: Vakna upp rätteligen, Herren skall må-
hända lykta din dag förrän aftonen kommer! Vi borde
göra oss rätt förtrogna och införlifvade med den san-
ningen, att vårt jordiska lif är kort, ytterst kort, ja,
vi skulle alltid vara redo, närhelst Herren måtte kom-
ma. O ve, om vi höra till de onda tjänare, som ropa:
Min herre kommer icke ännu brådt! Låtom oss om
och om igen betrakta och bedja öfver det lilla korta
samtalet, som lyder så: "Ja, jag kommer snart. Amen,
ja kom, Herre Jesus." Till ungdomslifvet hörer lef-

nadslust och lefnadsglädje, men är en sann lefnads-
glädje det samma som ett jordiskt, världsligt och få-
fängligt sinne? O nej, att lefva blott för jorden, det
är icke att lefva. Vår tillvaro här, vår vistelse i denna
närvarande värld är endast att räkna som ett ögon-
blick af vår verkliga lifstid. Den som gör beräkningar
blott för sin vistelse här på jorden, han bevisar icke
verklig lefnadslust, ty den som sörjer blott för det
jordiska, han vill blott dö men icke lefva. Det är
endast då, när vi se in åt evigheternas evighet, som vi
lefva. Hvad vet du om Guds skapelse, så länge du
tänker blott på den lilla fläck af jorden, där du står
eller bor? Det är först då, när du börjar se upp mot
de omätliga världsrymderna, som du begynner fatta,
att Gud skapat någonting outsägligt stort och härligt.
Hvad vet du om ditt lif, så länge du tänker blott på
de få åren, som äro tillmätta för din vistelse på denna
närvarande lilla jord? Det är först då, när du begyn-
ner tänka på de evigheter, som ligga framför dig, som
du börjar fatta något af hvad ett människolif vill säga.
Räck ut din hand och mät himlarymden och världs-
kropparna, så får du se, huru liten du är; räck ut
din tanke och mät evigheten, så får du se, huru stor
och härlig du är, att du är köpt med Guds Sons dyra
blod för att åtnjuta evig salighet i hans gemenskap.
Huru kan du vara så slö och vårdslös, att icke evighets-
kallelsen uppskakar dig till ifver om din eviga fräls-
ning? När Jesus ropar i dag till dig: "Ja, jag kommer
snart", svarar du då af innersta hjärta i lefvande tro:
"Amen, ja kom, Herre Jesus"? Eller är den him-
melska härligheten någonting att komma till? Skola
vi upprepa de många Guds ord, som tala om deras här-
lighet, som äro hos Herren Kristus? Men hvad hjäl-

per det att upprepa alla dessa outsägligt ljufliga löf-
ten, om icke ditt hjärta hyser någon fröjd öfver bibelns
beskrifning af himmelen? Trifs du så väl i synden
och världen, så måste du väl med ditt hjärta stanna
hos dessa dina älsklingar, tills du får känna hvad syn-
den är och hvad denna världen ger. Alla Herrens
trogna ropa dock, om än med svag, stammande röst:
Amen, ja kom, Herre Jesus!